Schriften des Landesinstituts für Musikforschung Kiel

Band 10

FRIEDRICH WILHELM RIEDEL

# Quellenkundliche Beiträge zur Geschichte der Musik für Tasteninstrumente in der zweiten Hälfte des 17. Jahrhunderts

(vornehmlich in Deutschland)

BÄRENREITER-VERLAG KASSEL UND BASEL

1960

*Meiner Mutter*

# INHALTSÜBERSICHT

Vorwort . . . . . . . . . . . . . . . . . . . . . . . . . . . . . . 5

Abkürzungen für häufiger zitierte Werke . . . . . . . . . . . . . . . . . . . 6

EINLEITUNG . . . . . . . . . . . . . . . . . . . . . . . . . . . . 7

I. DIE GRUNDLAGEN . . . . . . . . . . . . . . . . . . . . . . 11

Spieler und Instrumente . . . . . . . . . . . . . . . . . . . . . . . 13

   Bemerkungen zur Terminologie . . . . . . . . . . . . . . . . . . 13

   Die soziologische Bedeutung der Tastenspielkunst . . . . . . . . . . . 14

   Das Instrumentarium . . . . . . . . . . . . . . . . . . . . . . 16

Gattungen und Stile . . . . . . . . . . . . . . . . . . . . . . . . 22

   Die Klavierkunst in der Musiklehre des 17. und 18. Jahrhunderts . . . . . . 22

   Die Stilunterscheidung innerhalb der Tastenmusik . . . . . . . . . . . . 23

   Die Verwendungszwecke der Tastenmusik . . . . . . . . . . . . . . 26

Notationsformen der Tastenmusik . . . . . . . . . . . . . . . . . . . 29

   Grundsätzliche Bemerkungen zur Notationskunde . . . . . . . . . . . 29

   Die im 17. Jahrhundert gebräuchlichen Notationsformen für die Tastenmusik . . 30

   Zusammenhänge zwischen Notation und Stil . . . . . . . . . . . . . 38

   Metrische Eigentümlichkeiten in der Notationspraxis . . . . . . . . . . 39

II. DIE QUELLEN . . . . . . . . . . . . . . . . . . . . . . . . 43

Die gedruckten Quellen . . . . . . . . . . . . . . . . . . . . . . . 45

   Die verschiedenen Druckverfahren und ihre Anwendung für die Vervielfältigung
von Tastenmusik . . . . . . . . . . . . . . . . . . . . . . . . 45

   Musikdruck und Musikhandel in ihrer Bedeutung für die Geschichte der Tastenmusik . . . . . . . . . . . . . . . . . . . . . . . . . . . . 46

   Verzeichnis der von 1648 bis 1700 im Druck erschienenen Musik für Tasteninstrumente . . . . . . . . . . . . . . . . . . . . . . . . . . 57

Die handschriftliche Überlieferung . . . . . . . . . . . . . . . . . . . 73

   Bemerkungen zur Gliederung des Quellenmaterials . . . . . . . . . . . 73

   Die Autographen . . . . . . . . . . . . . . . . . . . . . . . 75

   Die Individualhandschriften . . . . . . . . . . . . . . . . . . . 77

   Die Gebrauchshandschriften . . . . . . . . . . . . . . . . . . . 80

      1. Bücher für den didaktischen Gebrauch . . . . . . . . . . . . 80

        a) Lehrbücher der Klavierkunst . . . . . . . . . . . . . . . 80

          *Pogliettis Compendium oder Kurtzer Begriff, und Einführung zur
Musica* . . . . . . . . . . . . . . . . . . . . . . . . 80

        b) Studiensammlungen für den strengen Stil . . . . . . . . . . . 82

          *Die Kollektaneen des Johann Dismas Zelenka* . . . . . . . . . 83

2. Bücher für den gottesdienstlichen Gebrauch (Versettenbücher) . . . . . 87

   *Die Versettenbücher des P. Alexander Giessel* . . . . . . . . . . . 89

3. Bücher für den Hausgebrauch des Musikliebhabers (Tanz- und Variationssammlungen) . . . . . . . . . . . . . . . . . . . . . . . . . 92

   *Das „Hintze"-Manuskript* . . . . . . . . . . . . . . . . . . . 93

4. Klavierbücher mit vermischtem Inhalt . . . . . . . . . . . . . 98

   *Der Kodex E. B. 1688* . . . . . . . . . . . . . . . . . . . 99

5. Übertragungen . . . . . . . . . . . . . . . . . . . 112

III. DIE MEISTER . . . . . . . . . . . . . . . . . . . . . . . . 113

Der Einfluß der älteren Meister . . . . . . . . . . . . . . . . . 117

   Girolamo Frescobaldi . . . . . . . . . . . . . . . . . . . 117

   Johann Jakob Froberger . . . . . . . . . . . . . . . . . . 121

Die Organisten der Wiener Hofkapelle unter Kaiser Leopold I. (bis 1683) . . . . . . 129

   Johann Kaspar Kerll . . . . . . . . . . . . . . . . . . 130

   Alessandro Poglietti . . . . . . . . . . . . . . . . . . 142

Die mitteldeutschen Meister . . . . . . . . . . . . . . . . . 164

   Johann Pachelbel . . . . . . . . . . . . . . . . . . . 166

   Johann Krieger . . . . . . . . . . . . . . . . . . . 170

   Johann Kuhnau . . . . . . . . . . . . . . . . . . . 173

Die norddeutschen Meister . . . . . . . . . . . . . . . . . 178

   Nikolaus Adam Strunck . . . . . . . . . . . . . . . . . 184

   Jan Adam Reincken und Peter Heidorn . . . . . . . . . . . . 188

   Dietrich Buxtehude . . . . . . . . . . . . . . . . . . 194

Nachwort . . . . . . . . . . . . . . . . . . . . . . . . 211

Anhang

   Personenregister . . . . . . . . . . . . . . . . . . . 215

   Quellenregister (Handschriften) . . . . . . . . . . . . . . . . 219

# BILDNACHWEIS

| | |
|---|---|
| Tafel I; Tafel II, Abb. 1 und Tafel IV | Library of the Yale Music School, New Haven (Connecticut) |
| Tafel II, Abb. 2 und 3 | Ratsbücherei, Lüneburg |
| Tafel III | Sächsische Landesbibliothek, Dresden |

# VORWORT

Die vorliegende Arbeit wurde in ihrer ursprünglichen Fassung bereits zwei Jahre vor ihrer Veröffentlichung vollendet. Da der Verfasser anschließend durch ausgedehnte Bibliotheksreisen seine Kenntnisse wesentlich erweitern konnte, war der Inhalt in vielen Punkten ergänzungsbedürftig geworden. Wenn es auch dem Verfasser dankenswerterweise gestattet war, bis in die letzten Korrekturen noch wichtige Zusätze einzufügen (vielleicht nicht immer zugunsten der formalen Gestalt des Werkes), so konnte er sich doch nicht entschließen, von der ursprünglichen Konzeption abzuweichen. Es kam ihm nämlich weniger darauf an, eine Fülle neuer Forschungsergebnisse zur Geschichte der Musik für Tasteninstrumente vorzulegen, als vielmehr eine Methode zur kritischen Betrachtung und Verwertung musikalischer Quellen zu entwickeln, wobei der gewählte Gegenstand sekundäre Bedeutung hatte. Ausgehend von Anregungen, die der Verfasser durch das Studium der allgemeinen Geschichte erhalten hatte, wählte er diesen Gegenstand nicht nur aus persönlicher Neigung, sondern auch aus der nach längeren Untersuchungen gewonnenen Erkenntnis, daß hier ein günstiger Ausgangspunkt für die Behandlung der gesamten Instrumentalmusik liege. Der Verfasser hofft durch diesen bescheidenen Beitrag der musikalischen Quellenkunde dienen zu können.

An dieser Stelle möchte der Verfasser einer Reihe von Persönlichkeiten seinen herzlichen und ergebensten Dank aussprechen, die durch ihr wohlwollendes Interesse oder durch ihre Hilfe das Zustandekommen dieser Arbeit gefördert haben. Die ersten Anregungen gab mein hochverehrter Lehrer, Herr Professor Dr. Friedrich Blume, Schlüchtern (Hessen), dem ich viele wertvolle Ratschläge verdanke; ebenso Herrn Professor Dr. Hans Albrecht, Kiel, dessen großzügiges Entgegenkommen die vollständige Veröffentlichung dieser Schrift ermöglichte. Besonderen Dank schulde ich dem Hochw. Minoritenkonvent in Wien, dessen für die vorliegenden Studien außerordentlich wertvolles Musikarchiv mir uneingeschränkt zur Verfügung stand; ferner Herrn Dr. P. Altman Kellner OSB (Stift Kremsmünster, Oberösterreich), Herrn Hofrat Professor Dr. Leopold Nowak (Österreichische Nationalbibliothek, Wien), Herrn Dr. Karl-Heinz Köhler (Deutsche Staatsbibliothek, Berlin), Herrn Dr. Martin Cremer und Herrn Heinz Ramge (Westdeutsche Bibliothek, Marburg/Lahn) und Mr. Brooks Shepard, Jr. (Yale University, Library of the School of Music, New Haven, Connecticut), deren Quellenbestände ich benutzen durfte oder die mir bereitwilligst ausführliche briefliche Auskünfte erteilten, sowie Herrn Dr. Harald Heckmann (Deutsches Musikgeschichtliches Archiv, Kassel) für die Beschaffung zahlreicher Mikrofilme.

Nicht zuletzt sei auch dem Verleger und seinen an der nicht ganz einfachen Herstellung des Buches beteiligten Mitarbeitern bestens gedankt.

Wien, am Hl. Pfingstfest 1959                                    Friedrich Wilhelm Riedel

# ABKÜRZUNGEN FÜR HÄUFIGER ZITIERTE WERKE

| | |
|---|---|
| Adlung, *Anleitung* | Jacob Adlung, *Anleitung zur musicalischen Gelahrtheit*, Erfurt 1758 (Faksimile-Neudruck Kassel und Basel 1953) |
| Adlung, *Musica Mechanica* | Jacob Adlung, *Musica Mechanica Organoedi*, Berlin 1768 (Faksimile-Neudruck Kassel 1931) |
| AfMf | Archiv für Musikforschung |
| AfMw | Archiv für Musikwissenschaft |
| DDT | Denkmäler Deutscher Tonkunst |
| DTB | Denkmäler der Tonkunst in Bayern |
| DTÖ | Denkmäler der Tonkunst in Österreich |
| Eitner, *Bibliographie* | Robert Eitner, *Bibliographie der gedruckten Sammelwerke*, Leipzig 1877 |
| Eitner, *Quellenlexikon* | Robert Eitner, *Biographisch-Bibliographisches Quellenlexikon der Musiker und Musikgelehrten*, 10 Bände, Leipzig 1900—1904 |
| Frotscher | Gotthold Frotscher, *Geschichte des Orgelspiels und der Orgelkomposition*, 2 Bände, Berlin 1935/36 |
| Göhler | Albert Göhler, *Verzeichnis der in den Frankfurter und Leipziger Meßkatalogen der Jahre 1564 bis 1759 angezeigten Musikalien*, Leipzig 1902 |
| Grove, *Dictionary* | *Grove's Dictionary of Music and Musicians*, Fifth Edition, 9 Bände, London 1954 |
| LD | Landschaftsdenkmale des Erbes deutscher Musik |
| Mattheson, *Capellmeister* | Johann Mattheson, *Der vollkommene Capellmeister*, Hamburg 1739 (Faksimile-Neudruck Kassel und Basel 1954) |
| Mattheson, *Ehrenpforte* | Johann Mattheson, *Grundlagen einer Ehrenpforte*, Hamburg 1740 |
| Mf | Die Musikforschung |
| MfM | Monatshefte für Musikgeschichte |
| MGG | *Die Musik in Geschichte und Gegenwart, Allgemeine Enzyklopädie der Musik*, herausgegeben von Friedrich Blume, Kassel—Basel—London—New York seit 1949 |
| Praetorius, *Syntagma Musicum* | Michael Praetorius, *Syntagma Musicum*, 3 Bände, Wolfenbüttel 1618/19 (Band II/III Faksimile-Neudruck Kassel und Basel 1958) |
| Ritter | August Gottfried Ritter, *Zur Geschichte des Orgelspiels*, Leipzig 1884 |
| Sartori | Claudio Sartori, *Bibliografia della Musica Strumentale Italiana fino al 1700*, Firenze 1952 |
| Seiffert, *Klaviermusik* | Max Seiffert, *Geschichte der Klaviermusik*, Leipzig 1899 |
| SIMG | Sammelbände der Internationalen Musikgesellschaft |
| VfMw | Vierteljahresschrift für Musikwissenschaft |
| Walther, *Lexicon* | Johann Gottfried Walther, *Musikalisches Lexicon*, Leipzig 1732 (Faksimile-Neudruck Kassel und Basel 1953) |

---

NB. Da die Numerierung der Anmerkungen bei jedem der drei Teile des Buches neu beginnt, ist bei Verweisen auf Anmerkungen eines anderen Teiles die betreffende römische Ziffer vor die Anmerkungszahl gesetzt.

# EINLEITUNG

*„Alle echte Überlieferung ist auf den ersten Anblick langweilig, weil und insofern sie fremdartig ist. Sie kündet die Anschauungen und Interessen ihrer Zeit f ü r i h r e Z e i t und kommt uns gar nicht entgegen, während das modern Unechte auf uns berechnet, daher pikant und entgegenkommend gemacht ist, wie es die fingierten Altertümer zu sein pflegen . . . Ein vollständiges Quellenstudium über irgendeinen bedeutenden Gegenstand nach den Gesetzen der Erudition ist ein Unternehmen, das den ganzen Menschen verlangt . . . Die Quellen aber . . . sind unerschöpflich, so daß jeder die tausendmal ausgebeuteten Bücher wieder lesen muß, weil sie jedem Leser und jedem Jahrhundert ein besonderes Antlitz weisen und auch jeder Altersstufe des einzelnen . . . Vollends ändert sich das Bild, welches vergangene Kunst und Poesie erwecken, unaufhörlich . . . Wenn wir uns um die Quellen aber richtig bemühen, so winken uns als Preis auch die bedeutenden Augenblicke und vorherbestimmten Stunden, da uns aus dem vielleicht längst zu Gebote Stehenden und vermeintlich längst Bekannten eine plötzliche Intuition aufgeht."*

Jacob Burckhardt[1]

Das geschichtliche Quellenmaterial läßt sich im wesentlichen in zwei Gruppen einteilen[2]:

1. Quellen, die von ihren Urhebern dazu bestimmt waren, Zeitereignisse oder geschichtliche Vorgänge der Nachwelt zu überliefern. Sie spiegeln meist die Ansicht des Beobachters und die allgemeinen Tendenzen des betreffenden Zeitalters wider. Hierzu zählen in erster Linie die literarischen Quellen (Chroniken, Biographien, Lexika usw.); der Historiker wird ihnen hinsichtlich ihrer Glaubwürdigkeit einen strengen Maßstab anlegen müssen.

2. Quellen, in denen bestimmte Tatsachen oder Vorgänge von Zeitgenossen festgehalten werden ohne die unmittelbare Absicht, der historischen Überlieferung zu dienen. Hierher gehören in erster Linie die archivalischen Quellen (Urkunden, Akten, Rechnungsbücher, Kirchenbücher, Korrespondenzen, Gesandtschaftsberichte usw.) wie auch die vielen Denkmäler „aus dem täglichen Leben in Staat, Beruf und Gesellschaft und dem Gebiet künstlerischen Schaffens"[3].

In der systematischen Ausschöpfung des archivalischen Quellenmaterials in Verbindung mit der kritischen Prüfung der literarischen Quellen liegt die Aufgabe der von Ranke begründeten kritischen Geschichtsforschung, deren Ziel fern von allem Pragmatismus auf eine möglichst objektive Darstellung der Zeitereignisse gerichtet ist[4].

Die historische Musikwissenschaft als ein Zweig der gesamten Geschichtsforschung befindet sich gegenüber der politischen Geschichtsschreibung in einer weniger günstigen Lage. Für die Erforschung der politischen Geschichte bilden die Archivalien die wichtigsten Quellen. Diese hat man bereits im Zeitalter der Renaissance systematisch zu sammeln begonnen. Sie sind daher noch heute in ungeheurer Menge und in geschlossenen Sammlungen erhalten, und ihre Ausschöpfung ist in den meisten Fällen erfolgversprechend. Auch der Musikhistoriker — sofern er sich mit biographischen, topographischen oder soziologischen Fragen beschäftigt — wird in erster Linie zu den archivalischen Quellen greifen müssen, doch ist er als Spezialist bei der Suche nach Einzelheiten, die sein Fach angehen, meist auf Zufallsfunde angewiesen. So sind unsere biographischen und lokalmusikgeschichtlichen Kenntnisse vielfach noch recht lückenhaft und auch z. T.

[1] *Weltgeschichtliche Betrachtungen*, hrsg. v. R. Marx, Stuttgart 1955, S. 19, 21 f.
[2] Vgl. hierzu K. Jacob, *Quellenkunde der deutschen Geschichte im Mittelalter*, Berlin [5]1949, § 1 Begriff und Aufgabe der Quellenkunde der deutschen Geschichte.
[3] Ebenda S. 9.
[4] Vgl. K. Brandi, *Geschichte der Geschichtswissenschaft*, Bonn [2]1952 (bearbeitet von W. Graf), S. 99 ff.

unrichtig, da die älteren literarischen Werke, deren Tendenzen meist auf die Wiedergabe von Kuriositäten und Anekdoten gerichtet waren, in Ermangelung archivalischer Forschungen als Ergänzung herangezogen werden müssen[5].

Weit schwieriger gestaltet sich die Erforschung der klingenden Musikgeschichte. Hier ist der Historiker auf die zufällig erhaltenen Denkmäler (im obengenannten Sinne) angewiesen, da wohl selten Musikalien in ähnlicher Weise wie die Archivalien systematisch und vollständig gesammelt, vielmehr großenteils von den späteren Generationen vernichtet oder verstreut wurden[6]. Erst im 19. Jahrhundert haben Musikforscher begonnen, die noch erreichbaren musikalischen Drucke und Handschriften älterer Zeiten zu erfassen. Diese Arbeiten fanden ihren vorläufigen Abschluß in Eitners lexikalischen und bibliographischen Werken sowie in den großen Denkmals- und Gesamtausgaben. Diese Ergebnisse sind — besonders für die Musikgeschichte des 17. Jahrhunderts — bis heute grundlegend geblieben. Die beiden Weltkriege haben umfassende Quellenforschungen stark behindert, zudem ist das Interesse der Musikhistoriker — speziell auf dem Gebiete der Musik für Tasteninstrumente — mehr auf die Zusammenfassung[7] und auf die ideengeschichtliche Deutung der verschiedenen Erscheinungen als auf eine erneute Beschäftigung mit den Quellen gerichtet gewesen[8]. Ferner machte sich — im Gegensatz zu dem vorwiegend historischen Interesse der Forscher des 19. Jahrhunderts — seit der Jahrhundertwende ein stärkerer Pragmatismus bemerkbar. Die nach dem ersten Weltkrieg in Deutschland aufkommenden „Bewegungen"[9], deren Bestrebungen vor allem auf die Wiederbelebung älterer Musik gerichtet waren, haben dazu geführt, daß die „vorbachische" Musik und die der Zeitgenossen Bachs heute im öffentlichen

---

[5] Als Beispiel sei nur Matthesons *Grundlage einer Ehrenpforte* (1740) genannt, deren unzulängliche und falsche Angaben zahlreiche Irrtümer hervorgerufen haben.

[6] Aufbewahrt wurden — entsprechend den in Museen aufbewahrten Denkmälern der bildenden Kunst und des Kunsthandwerkes — vorwiegend „gelehrte" und kuriose Stücke.

[7] Z. B. G. Frotscher, *Geschichte des Orgelspiels und der Orgelkomposition*, 2 Bände, Berlin 1935 / 36; W. Georgii, *Klaviermusik*, Zürich-Freiburg i. Br. [3] 1956.

[8] Über Wert oder Unwert geschichtsphilosophischer Betrachtungen ist oft diskutiert worden. Philosophische, theologische oder ideologische Systeme sind abstrakt, die Geschichte aber stellt das Leben in seiner Vielgestalt dar und läßt sich nicht systematisieren (Systematik bietet wertvolle Hilfsmittel zur Gliederung eines Stoffes, bildet aber nie einen absoluten Maßstab). Ranke hat die Aufgabe des Geschichtsschreibers in der Vorrede zu seinem Erstlingswerk *Geschichten der romanischen und germanischen Völker von 1494 bis 1514* mit den klassischen Worten umrissen: „*Man hat der Historie das Amt, die Vergangenheit zu richten, die Mitwelt zum Nutzen zukünftiger Jahre zu belehren, beigemessen; so hoher Ämter unterwindet sich gegenwärtiger Versuch nicht; er will bloß zeigen, wie es eigentlich gewesen.*"
Zur Frage ideengeschichtlicher Deutungen äußert er sich: „*Ich kann unter leitenden Ideen nichts anderes verstehen, als daß sie die herrschenden Tendenzen in jedem Jahrhundert sind. Diese Ideen können indessen nur beschrieben, nicht aber in letzter Instanz in einem Begriff summiert werden. Jede Epoche ist unmittelbar zu Gott.*"
Eine ähnliche, unmittelbar gegen Hegel gerichtete Stellung bezieht auch Jacob Burckhardt (a. a. O. S. 4 und S. 6): „*Wir verzichten . . . auf alles systematische; wir machen keinen Anspruch auf ‚weltgeschichtliche Ideen', sondern begnügen uns mit Wahrnehmungen und geben Querschnitte durch die Geschichte, und zwar in möglichst vielen Richtungen; wir geben vor allem keine Geschichtsphilosophie.*
*Diese ist ein Kentaur, eine contradictio in adjecto; denn Geschichte, d. h. das Koordinieren, ist Nichtphilosophie und Philosophie, d. h. das Subordinieren, ist Nichtgeschichte.*
*. . . Übrigens ist jede Methode bestreitbar und keine allgültig. Jedes betrachtende Individuum kommt auf s e i n e n Wegen, die zugleich sein geistiger Lebensweg sein mögen, auf das riesige Thema zu und mag dann diesem Wege gemäß seine Methode bilden.*"

[9] Z. B. die Jugendbewegung und die mit ihr verbundenen Singbewegungen, die Orgelbewegung, die Schützbewegung u. a.

und privaten Musikleben eine größere Bedeutung erlangt haben als je zuvor. Inwiefern es sich hierbei bloß um die Liebe zu altertümlichen Kunstwerken oder aber um ein — auf historischen Irrtümern beruhendes — geistiges Verwandtschaftsverhältnis zu gewissen musikalischen Erscheinungen früherer Zeiten handelt, soll hier nicht erörtert werden[10]. Jedenfalls besteht die Gefahr, daß unser Geschichtsbild durch die augenblickliche Situation des Musiklebens in eine falsche Perspektive gerät. Es ist verständlich, daß ein heute beliebter älterer Meister auch in der Forschung stärkere Beachtung findet als andere und somit in den Vordergrund rückt. Wird ihm aber nicht dadurch eine Rolle zugewiesen, die seiner tatsächlichen Stellung unter den Zeitgenossen nicht entspricht? Die Möglichkeit, heutzutage abseits stehende — nur durch Zufall auf uns gekommene — Handschriften im Faksimile oder in einer Übertragung drucken zu lassen, ist erfreulich. Wird aber nicht dadurch gerade der Nichtspezialist leicht dazu verführt, den betreffenden Werken eine ähnliche geschichtliche Bedeutung beizumessen wie anderen, die in der Zeit- und Überlieferungsgeschichte eine viel wichtigere Rolle gespielt haben, heute aber wenig Beachtung finden?

Die Denkmalspublikationen entheben uns der Mühe, mit den Quellen selbst zu arbeiten. Aber durch die Übertragung in moderne Notationsweisen und durch die Anwendung moderner Terminologien verlieren wir allmählich den Zugang zur ursprünglichen Sprache der Quellen, in der sich immer ein Teil der damaligen Anschauungen und Praktiken widerspiegelt. Damit aber schwinden uns auch die Fundamente für unsere Geschichtsbetrachtung, ganz gleich, von welchem Standpunkt diese herrührt.

Die Arbeit des Geschichtswissenschaftlers vollzieht sich in mehreren Stadien, in denen jeweils verschiedene Personen tätig sein können. Am Anfang steht die Quellenforschung, das bloße Sammeln, Katalogisieren und Exzerpieren der für einen bestimmten Gegenstand wichtigen Quellen. Die Gliederung des Quellenmaterials nach Herkunft, Bedeutung und Inhalt ist die Aufgabe der Quellenkritik, ihre Ergebnisse faßt man zur besseren Übersicht in einer Quellenkunde zusammen. Hier liegt zweifellos die wichtigste Arbeit für den auf eine möglichst getreue Schilderung der Zustände und Ereignisse bedachten Forscher; denn erst durch die kritische Sichtung der Quellen erhält man einen Eindruck von der Vorder- und Hintergründigkeit der Zeiterscheinungen, man erkennt, ob einzelne Persönlichkeiten oder Ereignisse eine epochale oder lediglich eine räumlich und zeitlich begrenzte Bedeutung besaßen. So entsteht vor uns — aus unzähligen Bausteinen zusammengefügt und geordnet — ein in die Höhe, in die Breite und in die Tiefe gerichtetes Bild der Geschichte, das nunmehr der Historiker aus seiner Perspektive, d.h. in Ausrichtung auf ein bestimmtes Ziel schöpferisch gestaltend zur Darstellung bringen kann.

Die folgenden Darlegungen stellen den ersten Versuch dar, eine Quellenkunde für die Geschichte der Musik auf den „klavierten" Instrumenten in der zweiten Hälfte des 17. Jahrhunderts zu skizzieren. Vollständigkeit konnte bei der noch unübersehbaren Fülle des Materials nicht erreicht werden. Auf allzu detaillierte Quellenbeschreibungen

---

[10] Die „Wiederentdeckung" des „barocken" Orgelklanges durch die Orgelbewegung ist wohl mehr ein Zeichen der Vorliebe für impressionistische Klangreize; vgl. z. B. die Registrierangaben in Straubes Neuausgaben alter Orgelmusik.
Wie wenig die aus der Orgelbewegung hervorgegangenen neuen Orgelbauten mit den tatsächlichen Bau- und Klangformen der Barockorgeln gemeinsam haben, ist inzwischen durch intensive Studien festgestellt worden. Der Fehler in den Programmen der Orgelbewegung lag vor allem darin, daß man aus einer Reihe einzelner Entdeckungen sogleich Gesetze entwickelte. Aus ihnen spricht der subjektive Zeitgeist, nicht aber historische Objektivität. Damit sollen die Verdienste jener Bestrebungen keineswegs gemindert werden.

wird — mit Ausnahme der in den Exkursen behandelten Handschriften — verzichtet, da dies die Aufgabe eines Quellenkataloges ist. Auch biographische und stilkritische Bemerkungen werden auf das Notwendigste beschränkt, da der Zweck dieser Arbeit lediglich darin besteht, in möglichst knapper Form das Quellenmaterial im Rahmen des abgesteckten Zieles auszubreiten und die in diesem Zusammenhang auftretenden historischen Kriterien in einer Reihe einzelner Studien darzulegen. Dabei werden die Quellen von zwei Seiten her betrachtet, zunächst im Längsschnitt vom Repertoire und von der Überlieferungsgeschichte, sodann im Querschnitt vom Schaffen der einzelnen Meister.

Der Verfasser war bemüht, den allgemeinen musikgeschichtlichen Zusammenhang stets im Auge zu behalten, um die einzelnen Erscheinungen möglichst aus der gesamten Situation der Zeit heraus verstehen zu können. Unter diesem Aspekt wurde auch die zeitliche und räumliche Abgrenzung des Themas vorgenommen.

Der Zeitraum zwischen dem Westfälischen Frieden (1648) und dem Ausbruch sowohl des Nordischen Krieges (1700) wie des Spanischen Erbfolgekrieges (1701), mit dem Jahre 1683 als historisch bedeutsamstem Moment[11], war politisch geprägt durch die Hegemonie Frankreichs und Schwedens in Europa, kulturell durch die Vorherrschaft Italiens, die erst um die Jahrhundertwende durch den französischen Einfluß zurückgedrängt wurde. Deutschland ist vornehmlich während der Regierungszeit Kaiser Leopolds I. (1658—1705) das Sammelbecken der vielfältigsten musikalischen Ströme gewesen[12].

Daher werden in den folgenden Untersuchungen — stets vom deutschen Reiche aus gesehen — die Ereignisse und Zustände in den übrigen europäischen Ländern mit berücksichtigt. Die Musik für Tasteninstrumente begann in diesem Zeitabschnitt — der äußerlich durch das Erscheinen jeweils der letzten Druckwerke von Frescobaldi (1645) und Kuhnau (1700) begrenzt ist — eine führende Stellung in der Musikpraxis einzunehmen[13]. Deshalb erschien es ratsam, bei der Heranziehung des Quellenmaterials hinsichtlich des Repertoires den Bogen recht weit zu spannen[14], denn in der Tastenmusik dieses Zeitalters spiegelt sich ein gutes Teil der allgemeinen Musikpraxis und Musiktheorie wider. In vielen Fällen mußte auch über die zeitlichen Grenzen hinausgegriffen werden, da es dem Verfasser darauf ankam, die besondere Bedeutung der Tastenmusik aus der zweiten Hälfte des 17. Jahrhunderts innerhalb der gesamten Entwicklung anhand einer Quellenübersicht aufzuzeigen. Zuvor ist es freilich notwendig, eine Reihe grundsätzlicher Fragen zu klären, unter denen einige Bemerkungen über das im 17. und 18. Jahrhundert für die Wiedergabe der überlieferten Tastenmusik zur Verfügung stehende Instrumentarium am Anfang stehen sollen.

---

[11] Den Hintergrund dieser dramatischen Ereignisse hat Ranke zu Beginn des 9. Buches seiner Papstgeschichte trefflich geschildert. Welche Bedeutung das Jahr 1683 für Deutschland politisch, wirtschaftlich und kulturell hatte, wird im Laufe der folgenden Untersuchungen immer wieder deutlich werden.

[12] Vgl. F. Blume, *Barock* in MGG.

[13] Vgl. unten S. 15.

[14] Vgl. unten S. 26 ff.

# I.

## DIE GRUNDLAGEN

# SPIELER UND INSTRUMENTE

*„Die Wissenschaft und Kunst auf Instrumenten wol zu spielen, gewisse Grundsätze und Regeln, die alle mit der gantzen Tonlehre aus einer Haupt=Quelle fließen, davon zu geben; vornehmlich aber etwas geschicktes darauf zu setzen, nennet man Organicam, insgemein die Instrumental=Musik: weil sie mit äußerlichen Werkzeugen zu thun hat, und auf selbigen die menschliche Stimme so nachzuahmen suchet, daß alles gebührlich klinge und singe."* Johann Mattheson[15]

## Bemerkungen zur Terminologie

Das Wort *organum* und seine Ableitungen sind im Laufe der Jahrhunderte in verschiedenen Bedeutungen gebraucht worden. In dem hier zu betrachtenden Zeitraum, aber auch schon früher und nachweislich noch bis etwa zur Mitte des 18. Jahrhunderts wurde der Begriff *ars organica* als Instrumentalmusik schlechthin verstanden; ὄργανον heißt also im allgemeinen so viel wie *Instrument*. Aus diesem Grunde betitelt Michael Praetorius den der Instrumentenkunde gewidmeten II. Teil seines *Syntagma Musicum* (1618) *De Organographia*, ähnlich gebraucht Johann Gottfried Walther[16] die Termini ὄργανα ἔμπνευξα und ὄργανα ἔντατα zur Unterscheidung der Blas- und Saiteninstrumente, während Johann Mattheson eine ausführliche Definition des Begriffes *ars organica* gibt (vgl. obiges Zitat). Jakob Adlung[17] wählt für die Instrumentenkunde den Ausdruck *Musica Mechanica* als Gegenstück zur *Musica Theorica* und *Musica Practica*, übersetzt jedoch den lateinischen Terminus mit *Orgelmacherkunst*, *„ob man schon auch andere Instrumente nebst der Orgel hier antrifft"*. Er leitet den Begriff also nicht von ὄργανον im Sinne von *Instrument* ab, sondern von der Orgel speziell, *„weil die Orgel das vornehmste Instrument ist, daß also der Name a p o t i o r i hergenommen wird"*.

Der moderne Gebrauch des Wortes *Orgel*, d. h. ausschließlich zur Bezeichnung des mittels Tastatur gespielten Pfeifenwerkes, besonders als Kircheninstrument, scheint erst gegen das Ende des 18. Jahrhunderts üblich geworden zu sein. In ähnlicher Weise verengte man um diese Zeit den vorher ebenfalls sehr umfassenden Begriff *Klavier* zur speziellen Bezeichnung für das Klavichord und für das Hammerklavier[18].

Diese terminologische Wandlung in der Musikpraxis hat sich seitdem für die musikhistorische Betrachtung verhängnisvoll ausgewirkt. Sie hat nicht nur Irrtümer zur Folge gehabt, sondern auch in den getrennt veröffentlichten Darstellungen der Geschichte der Orgel- und der Klaviermusik[19] — worauf die Verfasser selbst hinweisen — zahl-

---

[15] Mattheson, *Capellmeister*, S. 470.
[16] Walther, *Lexicon*, S. 452.
[17] Adlung, *Musica Mechanica Organoedi*, Teil I S. 3 ff.
[18] C. Auerbach, *Die deutsche Clavichordkunst des 18. Jahrhunderts*, Kassel und Basel ²1953, S. 3 ff. hat gezeigt, daß man die besondere Berücksichtigung technischer und klanglicher Möglichkeiten eines bestimmten Instrumentes durch die Komponisten im allgemeinen erst nach der Mitte des 18. Jahrhunderts eindeutig feststellen kann.
Ähnliche Begriffsverengungen finden wir auch bei anderen Instrumentengattungen. Der ganze Vorgang vollzog sich im Rahmen der Herausbildung des modernen Instrumentenapparates aus dem vielfältigen Instrumentarium des Barockzeitalters. Vgl. F. W. Riedel, *Klavier* in MGG.
[19] August Gottfried Ritter, *Zur Geschichte des Orgelspiels*, Leipzig 1884; Max Seiffert, *Geschichte der Klaviermusik*, Leipzig 1899; Gotthold Frotscher, *Geschichte des Orgelspiels und der Orgelkomposition*, 2 Bände, Berlin 1935/36.

reiche Überschneidungen hervorgerufen. Diese beruhen darauf, daß die Trennung in Kompositionen für Orgel bzw. für Klavier nach modernen terminologischen und praktischen Gesichtspunkten und ohne Berücksichtigung der Spielpraxis älterer Zeiten vorgenommen wurde.

Der Gebrauch eines übergeordneten Terminus — wie des englischen *keyboard music* — ist in deutschen Veröffentlichungen selten zu finden. Es wäre jedoch ratsam, ihn einzuführen, um weitere Irrtümer zu vermeiden. Da die alte Bezeichnung *Clavierkunst* mißverstanden werden kann, sollte man am besten — in Anlehnung an das englische Wort — von *Tastenspiel, Tastenmusik* oder *Musik für Tasteninstrumente* sprechen.

Auch die Bezeichnung *Organist* in Quellen früherer Jahrhunderte ist nicht unbedingt wörtlich zu nehmen. Es kann sich hierbei um einen Instrumentisten im Gegensatz zum *Cantor* handeln, in den meisten Fällen aber um einen Tastenspieler. Kinkeldey[20] hat an einer Reihe von Beispielen nachgewiesen, daß die Bezeichnung *Organist* im 16. Jahrhundert im letztgenannten Sinne zu verstehen ist und sich auch auf Dilettanten beziehen konnte. Im 17. Jahrhundert waren die zahlreichen Hof- und Kammerorganisten keine Orgelspezialisten im modernen Sinne, sondern mußten auf sämtlichen Tasteninstrumenten „aufwarten", deren Instandhaltung meist auch in ihren Händen lag. Aus dem 18. Jahrhundert berichtet Adlung[21], daß *„ein Organist ein Organist, und nicht ein Spinettist sc. genennet wird, weil die Orgel das vornehmste Instrument ist . . .".*

## Die soziologische Bedeutung der Tastenspielkunst

Die Musikinstrumente lassen sich — von der Aufführungspraxis mehrstimmiger Musik her gesehen — in zwei Hauptgruppen einteilen:
1. Instrumente, auf denen e i n Spieler nur e i n stimmig musizieren kann, Mehrstimmigkeit also erst durch das Zusammenwirken mehrerer Instrumente und Spieler möglich ist.
2. Instrumente, auf denen e i n Spieler m e h r stimmig musizieren kann (sog. *vollstimmige* Instrumente).

Zu der letztgenannten Gruppe gehören neben den Tasteninstrumenten vor allem die Zupfinstrumente. Aber auch die Streichinstrumente müssen in gewissem Sinne hierzu gerechnet werden, wenn man das seit der zweiten Hälfte des 17. Jahrhunderts in Übung gekommene Doppelgriffspiel mit in Betracht zieht, welches allerdings stets eine Virtuosentechnik blieb[22].

Wie Kinkeldey[23] dargelegt hat, sind die Tasteninstrumente während des 16. Jahrhunderts „im großen ganzen immer als die Instrumente der ernsteren, höher gebildeten Liebhaber oder Berufsmusiker angesehen" worden. Das verbreitetste Dilettanteninstrument dagegen war die Laute, für deren Beherrschung keine Notenkenntnisse erforderlich waren. Erst im 18. Jahrhundert erreichten die Tasteninstrumente die gleiche Bedeutung für das Liebhabermusizieren wie die Zupfinstrumente. Die Wandlung spie-

---

[20] Otto Kinkeldey, *Orgel und Klavier in der Musik des 16. Jahrhunderts*, Leipzig 1910,, S. 90 ff.
[21] *Musica Mechanica* I S. 7; in ähnlicher Weise nennt Johann Krieger in der doppelsprachigen Vorrede seiner Sammlung *Anmuthige Clavier-Ubung* (1699) die *prattici dell' Organo* im Deutschen *des Claviers verständige.*
[22] Gelegentlich waren Violin- und Klaviervirtuosen in einer Person vereinigt, z. B. N. A. Strunck und Nikolaus Bruhns.
[23] A. a. O. S. 82.

gelt sich wider in der Druckproduktion, die auf dem Gebiete der solistischen Musik vorwiegend für den Liebhaber bestimmt war[24].

1500—1550: Während in Frankreich gegenüber zehn Klavierbüchern nur vier Lautenbücher nachweisbar sind, betrug die Anzahl der italienischen Lautentabulaturen etwa das Dreifache der im gleichen Zeitraum erschienenen Klavierbücher. Auch in Deutschland (einschließlich der Niederlande) wurden zahlreiche Lautenbücher gedruckt, neben denen Schlicks — Orgel- und Lautenmusik enthaltende — *Tabulaturen etlicher Lobgesang und Lidlein* (1512) wie ein Kuriosum wirken.

1550—1600: Unterschieden die spanischen Tabulaturen überhaupt nicht zwischen Stücken für Zupf- oder Tasteninstrumente, so stand in Frankreich den mehr als zwanzig Lautenbüchern nur ein einziges nachweisbares Klavierbuch gegenüber; in Italien und Deutschland überstieg die Anzahl der gedruckten Lautenbücher die der Tastenmusik-Sammlungen bei weitem.

1600—1650: In Frankreich wurde die Zahl der Orgelbücher (die meist nur für den Fachmann bestimmt waren) durch die der Lautenbücher mindestens um das Dreifache übertroffen, in England erschienen neben 25 Lautentabulaturen nur zwei Virginal-Bücher. In Italien wurde die Laute durch die Guitarre in den Hintergrund gedrängt, im zweiten Jahrzehnt hörte darum das Erscheinen von Lautenbüchern auf, während Literatur für andere Zupfinstrumente (Theorbe, Chitarone) weiterhin gedruckt wurde. Die Produktion von Klavierbüchern stieg zwar stark an, erreichte aber etwa nur die Hälfte der im gleichen Zeitraum veröffentlichten Sammlungen von Musik für Zupfinstrumente. Die gedruckte Tastenmusik war meist nur für Fachleute bestimmt. In Deutschland blieb die Laute weiterhin führend, das Verhältnis der Publikationen war — freilich im wesentlich geringeren Maßstabe — gleich dem in Italien.

1650—1700: Um die Mitte des Jahrhunderts nahm die Veröffentlichung von Tabulaturen für Zupfinstrumente in ganz Europa merklich ab, obwohl noch bis in das letzte Drittel des 18. Jahrhunderts Tabulaturen für Lauten und andere Zupfinstrumente erschienen sind; doch wurden sie von den Klavierbüchern allmählich überflügelt[25].

Wurde die Tastenspielkunst bis um die Mitte des 17. Jahrhunderts meist von Spezialisten geübt, d. h. von Fachmusikern und musikalisch höher gebildeten Laien, deren Zahl freilich nicht gering gewesen zu sein scheint, so finden wir in der zweiten Jahrhunderthälfte einen vielschichtigen Personenkreis, der sich dem „Klavierspiel" widmet. Neben den professionierten Kirchen- und Kammerorganisten sind vor allem die Kapellmeister hier zu nennen, von denen sehr viele sich auch der *Clavierkunst* gewidmet haben. Gegen das Ende des Jahrhunderts aber wurde das Tastenspiel in allen Kreisen des Bürgertums üblich. Dort aber wurden technisch und musikalisch geringere Ansprüche gestellt, da man in erster Linie „*den von andern Studiis ermüdeten Geist an dem Claviere wiederum zu erfrischen*"[26] suchte und daher die modischen französischen Tanzsätze mehr liebte als „*die tief-sinnigen Kunststücke*"[27].

Daneben aber fand ein anderer, über hundertjähriger Entwicklungsprozeß seinen Abschluß: Das Tasteninstrument, „*welches die Mutter aller Harmonie*"[28], wird das beherrschende Fundament der gesamten abendländischen Musikpraxis und Musiktheorie, es wird die Grundlage aller musikalischen Ausbildung, sofern sie nicht rein handwerk-

---

[24] Die folgende Übersicht stellt die Verhältnisse nur schätzungsweise dar. Für die Tastenmusik liegt ein vom Verfasser angefertigter Katalog zugrunde, für die Lautenmusik das Quellenverzeichnis aus W. Boetticher, *Studien zur solistischen Lautenpraxis des 16. und 17. Jahrhunderts*, Habilitationsschrift Berlin 1943.
[25] Vgl. unten S. 46 ff.
[26] Johann Kuhnau, Vorrede zu *Neuer Clavier Ubung Erster Theil*, Leipzig 1689.
[27] Johann Krieger, Vorrede zu *Sechs Musicalische Partien*, Nürnberg 1699.
[28] J. F. B. C. Majer, *Museum Musicum*, Nürnberg 1732 (Faksimile-Neudruck Kassel 1954) S. 65.

liches Instrumentenspiel ist. War noch im 16. Jahrhundert der Komponist und Kapellmeister in erster Linie Sänger und konzipierte seine Werke chorbuchförmig, so finden wir schon in der Generation Lassos — da die Harmonik jetzt immer mehr zum tragenden Pfeiler der Komposition wurde — die *Clavierkunst* als wichtige Voraussetzung für den höherstehenden Musiker. Seitdem sind viele spätere Kapellmeister zunächst als Organisten tätig gewesen, und die Hauptförderer und Erzeuger der neuen konzertierenden Musik — aber auch des *stile antico* — waren Organisten, besonders im 17. Jahrhundert. Diese Führerstellung haben die Tasteninstrumente bis zum heutigen Tage behalten.

### Das Instrumentarium [29]

Zur Ausübung des Tastenspiels standen im 17. Jahrhundert zahlreiche verschiedenartige Instrumente zur Verfügung, eine Spezialisierung der Notenliteratur auf die einzelnen Instrumentengattungen gab es freilich bis weit in das 18. Jahrhundert hinein noch nicht.

Leider sind wir über die Verbreitung und Beliebtheit der einzelnen Instrumente in den verschiedenen Zeitabschnitten und Ländern nicht genügend unterrichtet. Da die zeitgenössischen instrumentenkundlichen Lehrbücher sich in der Hauptsache den b e s o n d e r e n Bauarten (große Kirchenorgel, Kuriositäten unter den Saitenklavieren) widmen und die a l l t ä g l i c h e n Gebrauchsinstrumente (Positiv, Clavichord, Spinett) als etwas Selbstverständliches nur am Rande erwähnen, macht sich der spätere Betrachter leicht ein falsches Bild. Denkmalinstrumente sowie Aktenmitteilungen über Bestände in früheren Zeiten sind meist nur aus dem Besitz kirchlicher und staatlicher Behörden oder adliger Familien erhalten. Über das im bürgerlichen Privatbesitz befindliche Instrumentarium — es bildete ja in dem von uns abgegrenzten Zeitraum den zahlenmäßig stärksten Bestand — sind wir wenig unterrichtet. Aus zeitgenössischen Äußerungen und aus den wenigen in Museen erhaltenen Instrumenten läßt sich nur ein ungefähres Bild von ihrer Verwendung skizzieren. Dabei werden die ausgesprochenen Kuriositäten — obwohl sie meist ausführlich beschrieben wurden — außer acht gelassen, da sie für die allgemeine Musikpraxis von keiner wesentlichen Bedeutung waren.

## A. PFEIFEN-KLAVIERE (ORGELN)

### 1. Die große Orgel:

Die große Kirchenorgel spielte anscheinend für die Wiedergabe des uns überlieferten Gesamtbestandes an Musik für Tasteninstrumente eine verhältnismäßig geringe Rolle. Die Zahl der im Privatbesitz befindlichen Pfeifen- und Saitenklaviere war bei weitem größer als die der Kirchenorgeln, auf denen in der Regel nur die Kirchenorganisten und ihre Adjunkten zu spielen pflegten. Im Gottesdienst wurde vorwiegend improvisiert; Präambeln, Versetten und Kirchenliedbearbeitungen waren die wesentlichen Zweige des liturgischen Orgelspiels. Seit der Mitte des 17. Jahrhunderts aber wurde das Orgelspiel (etwa während der Kommunion) mehr und mehr durch andere konzertierende Instrumentalmusik verdrängt, und zwar nicht nur im Bereiche des katholischen Kultus, sondern auch in Norddeutschland, wie wir aus der Musikgeschichte der großen

---

[29] Vgl. hierzu besonders F. W. Riedel, *Klavier* in MGG (Abschnitt III. *Systematik der Klavierinstrumente*).

Hansestädte wissen[30]. Orgeldarbietungen außerhalb der Gottesdienste (meistens unmittelbar im Anschluß daran) lassen sich nur in größeren Orten nachweisen[31]. Über die Programme ist in den meisten Fällen nichts Genaues bekannt, doch scheint auch hierbei hauptsächlich improvisiert worden zu sein. In den Berichten über Organistenwahlen steht das Spielen der „Tabulatur", d. h. nach Noten — sofern es überhaupt erwähnt wird — oft an letzter Stelle[32].

Die private Benutzung der Kirchenorgeln durch die Organisten ist wenig wahrscheinlich. Aus Paul Sieferts Lebenslauf wissen wir, daß das Orgelspiel außerhalb der Gottesdienste von den Kirchenbehörden nicht gewünscht wurde[33]. Werckmeister[34] und Adlung[35] hingegen empfahlen den Organisten, vor allem den „anfahenden", zuweilen allein in die Kirche zu gehen, um Registermischungen zu probieren. Demnach scheint das private Spielen der Organisten auf den Kirchenorgeln eine Ausnahme gewesen zu sein. Die Häufigkeit und zeitliche Ausdehnung der Gottesdienste im 17. und 18. Jahrhundert sowie die nicht geringe Zahl von Taufen, Brautmessen und Begräbnissen (letztere fanden ja vielfach innerhalb der Kirchen statt[36]), hätten ohnehin wenig Zeit für das Üben auf der Orgel übriggelassen[37]. Hinzu kamen die schlechten Licht-verhältnisse, ferner die Abhängigkeit von den Kalkanten, zumal die Balgkonstruktionen und die Windzufuhr oft zu wünschen übrigließen, wie die häufigen Klagen der Organisten und Orgelsachverständigen beweisen[38]. Viele große Instrumente befanden sich gerade in der zweiten Hälfte des 17. Jahrhunderts in einem schlechten Zustand[39]. Eine neue Welle in der Wieder-herstellung und im Neubau großer Orgeln setzte erst in den achtziger Jahren ein (Schnitger, Casparini, Mundt, Egedacher, Clicquot).

Ausschließlich auf der großen Kirchenorgel ausführbar waren lediglich die *Pièces d'Orgue* der französischen Meister, die für mehr-manualiges Spiel bestimmten Kirchenliedbearbeitungen nord- und mitteldeutscher Organisten sowie Toccaten mit virtuoser Pedalstimme.

### 2. Das Positiv (Kleine Orgel):

Über dieses Instrument schreibt Adlung[40]: *„Denen Orgeln kommen die Positive am nächsten. Bey den Italiänern heißt eine kleine Orgel organo piccolo. Man findet dergleichen mehrentheils in Privathäusern, und das Principal ist selten größer als 2 F. Oft ist dergleichen gar nicht vor-handen ... Bisweilen bedeckt solche Werkgen ein Tischblat; bisweilen haben sie eine andere Einrichtung ... Pedale sind selten darbey, oder sie werden an das Manual gehänget."*

---

[30] L. Krüger, *Die hamburgische Musikorganisation im 17. Jahrhundert*, Leipzig—Straßburg—Zürich 1933; J. Hennings und W. Stahl, *Musikgeschichte Lübecks*, 2 Bände, Kassel und Basel 1952.
Man bedenke, wie gering der überlieferte Bestand der Tastenmusik der meisten norddeutschen Meister gegenüber der oft im Druck veröffentlichten instrumentalen Ensemblemusik und der vokalen Solomusik ist (z. B. bei Weckmann, Tunder, Nikolaus Hasse, Buxtehude, Reincken).
[31] Z. B. in Hamburg, Lübeck, Braunschweig und vor allem in Holland.
[32] Vgl. L. Krüger, a. a. O. S. 171 f.; L. Krüger, *Eine Quelle zur hamburgischen Musikgeschichte im 17. Jahrhundert (Kortkamps Organistenchronik)* in Zeitschrift f. hamburgische Geschichte 1933 S. 205 f.; VfMw IX (1892) S. 315; AfMw III (1921) S. 123 ff.; Mf S. 70 f. u. a.
[33] H. Rauschning, *Geschichte der Musik und Musikpflege in Danzig*, Danzig 1915, S. 140 ff.
[34] A. Werckmeister, *Erweiterte und verbesserte Orgelprobe*, Quedlinburg 1698, S. 72.
[35] *Musica Mechanica* I, S. 167; in seiner Selbstbiographie (ebda.. II, S. VI) berichtet Adlung: *„... bekam ich von Herrn Bachen, Organisten in Jena, zuweilen die Erlaubniß, mich auf der Orgel zu üben."*
[36] Die Orgelprospekte wurden zum Schutz gegen den beim Öffnen der Grabstätten entstehenden Staub durch bemalte Flügeltüren (ähnlich wie die Altäre) verschlossen gehalten. Nur wenige dieser Flügel sind heute noch erhalten (z. B. Alkmar, St. Laurenskerk).
[37] In den Fastenzeiten, an Bußtagen und in Trauerzeiten (Landestrauer) konnten die Kirchen-orgeln ohnehin nicht benutzt werden.
[38] Große Orgeln (z. B. in Hamburg und Lübeck) hatten oft bis zu einem Dutzend Spanbälge, die beim Spielen auf dem ganzen Werk von einem Kalkanten allein nicht bedient werden konnten.
[39] Z. B. Buxtehudes große Orgel in St. Marien zu Lübeck (vgl. G. Fock, *Arp Schnitger in Musik und Kirche* 1948, S. 100).
[40] *Anleitung*, S. 551.

Dieses auch als *organum pneumaticum minus* [41] bezeichnete Instrument war in der Regel gemeint, wenn ein Notendruck für *organo o clavicembalo* [42] oder für *Organo pneumatico vel clavato cimbalo* [43] bestimmt war. Auch sieht man auf den Titelkupfern mancher Suiten-, Variations- und Sonatenwerke ein Positiv einem Saitenklavier gegenübergestellt [44].

Schon im 16. Jahrhundert besaßen — wie Kinkeldey [45] nachgewiesen hat — fast alle Patrizierhäuser in Deutschland und Italien ein Positiv. Mit der stärkeren Verbreitung der Tastenspielkunst im 17. Jahrhundert hat sich vermutlich auch der Bestand an Hausorgeln vermehrt [46]. Untersuchungen hierüber fehlen noch [47]. Jedoch läßt sich der Bau von Hausorgeln bis weit in das 19. Jahrhundert verfolgen. Erst das Harmonium verdrängte späterhin das Positiv fast vollständig. Einige aufschlußreiche Beispiele von Positiv-Konstruktionen enthält der *Katalog des Musikinstrumenten-Museums Wilhelm Heyer* [48]. Dort finden wir Adlungs Angaben bestätigt. Neben ihrem musikalischen Zweck dienten manche Instrumente als Ziermöbel. Gegenüber den Clavicembali hatten die Positive — ähnlich wie die Clavichorde — den Vorteil, daß sie nicht so schnell verstimmten und daß die leidige Bekielung fortfiel. Man darf daher annehmen, daß die Tastenmusik für den Hausgebrauch (Partiten, Variationen, Kirchenliedbearbeitungen etc.) ebenso häufig auf dem Positiv gespielt wurde wie auf den Saitenklavieren.

### 3. Das Portativ:

Portative nannte man im 17. und 18. Jahrhundert die kleinen Prozessions- und Tischorgeln. In der Bauart glichen sie im wesentlichen den gewöhnlichen Positiven [49]. Der erwähnte *Katalog des Musikinstrumenten-Museums W. Heyer* enthält Angaben über eine ganze Reihe von Portativen verschiedener Konstruktionen. Häufig waren die Pfeifen aus Holz und liegend angeordnet. War schon bei den Positiven die 8'-Lage nicht immer vorhanden, so scheint sie bei den Portativen eine Ausnahme gebildet zu haben. Manche Instrumente besaßen überhaupt nur eine 2'-Pfeifenreihe, sogar noch im 19. Jahrhundert. Diese waren kaum für *tief-sinnige* Musik geeignet. Da sie häufig als Ziermöbel — zuweilen in Verbindung mit einem Nähtisch — vorkamen, scheinen sie für *„musicalische Frauenzimmer bey müßigen Stunden"* [50] bestimmt gewesen zu sein.

Die normalen Portative mit 4'-Fundament dürften dagegen in der gleichen Weise wie die Positive gebraucht worden sein. Man bedenke angesichts dieser Tatsache, daß die Musik — wie es natürlich auch bei den Cembali der Fall sein konnte — eine Oktave höher erklungen ist als sie notiert wurde [51].

---

[41] Walther, *Lexicon*, S. 489.

[42] Vgl. die Tabulaturbücher von Frescobaldi, Rossi, Storace, Scherer u. a.

[43] J. Pachelbel, *Hexachordum Apollinis*, Nürnberg 1699.

[44] Ebda., ferner: Johann Kuhnau, *Musicalische Vorstellung Einiger Biblischer Historien*, Leipzig 1700; der italienische Titel (an der Seitenwand des auf dem Titelkupfer dargestellten Positivs) lautet: *Il / Saggio / Nella Rappresentatione / Musicale / D'alcuni historie della Biblia / contenute / In sei Suonate / Da Sonarsi sul' Organo / Clavicembalo, et altri Stromenti semiglianti / da / Giovanni Kuhnau. / Lipsia, alle spese dell'autore, anno 1700.*

[45] A. a. O. S. 147.

[46] Adlung, *Musica Mechanica* II, S. 99 schreibt, daß *„ein jeder Orgelmacher nach seinem Kopfe diese und jene Invention machet, da denn des Beschreibens kein Ende seyn würde"*. Auch Werckmeister, a. a. O. S. 47 f. geht bei seinen Dispositionsvorschlägen vom Positiv aus. Jede Stadt hatte mindestens einen Orgelmacher, der von der Instandhaltung der Kirchenorgel allein nicht hätte leben können; seine Haupttätigkeit wird sich auf den Bau von Positiven gerichtet haben.

[47] Die Darstellung von R. Quoika (*Das Positiv in Geschichte und Gegenwart*, Kassel und Basel 1957) ist ungenügend; vgl. die Rezension in Mf.

[48] Bd. I, S. 294 ff.

[49] Vgl. H. Hickmann, *Das Portativ*, Kassel 1936.

[50] Titel einer Klaviersammlung von J. N. Torner (o. J., Mitte des 18. Jahrh.).

[51] Das Regal (Zungenwerk) scheint für das solistische Spiel nicht benutzt worden zu sein, sondern lediglich als Begleitinstrument *„zur Musik in den Zimmern, oder an solchen Orten, da man keine Orgel hat, als welche sich nicht forttragen lassen"* (Adlung, *Musica Mechanica* II, S. 101).

# B. PFEIFEN- UND SAITENKLAVIERE KOMBINIERT

Das Claviorganum:

Praetorius[52] beschreibt ein Instrument, bei dem die eine der beiden Klaviaturen mit einem Pfeifenwerk, die andere mit einem Spinett verbunden war. Adlung[53] äußert sich dazu folgendermaßen: *„In meinen jüngeren Jahren waren sie mehr bekannt als jetzo . . ."* Demnach scheinen die Claviorgana im 17. Jahrhundert auch eine gewisse Rolle in der Musikpraxis gespielt zu haben, zumal sie in der Verkoppelung zweier verschiedener Instrumente gewiß reizvoll und praktisch waren[54].

## C. SAITEN-KLAVIERE

### 1. Das Clavicembalo (Kielflügel):

Neben der Orgel wird das Cembalo am häufigsten auf den Titeln der Klavierbücher genannt. Es besaß gleich dem Positiv vielfach mehrere Register in verschiedenen Fußtonlagen (meist 8' + 4'), darüber hinaus konnte es mit zwei bis drei (auch verkoppelbaren) Manualen und einem (meist an die tiefste Oktave angehängten) Pedal ausgestattet sein. Für die Ausführung großer, virtuoser Kompositionen war der Kielflügel das geeignetste Instrument.

### 2. Das Spinett:

Häufiger als der kostspielige und platzraubende Kielflügel wird das Spinett — wie auch das in England und in den Niederlanden gebräuchliche Virginal — gespielt worden sein, vornehmlich in den Kreisen der Liebhaber. Seine Stimmung und Bekielung war wegen der geringen Besaitung (oft nur ein 8') nicht so schwierig zu handhaben.

### 3. Das Clavichord:

*„Dieses sehr bekannte Instrument"*, schreibt Walther[55], *„ist, so zu rechnen, aller Spieler erste Grammatica; denn, so sie dieses mächtig sind, können sie auch auf Spinetten, Clavicymbeln, Regalen, Positiven und Orgeln, zu rechte kommen . . ."* Dieselbe Meinung findet man bereits im 16. Jahrhundert durch Sebastian Virdung[56] und Hernando Cabezon[57] vertreten. Gegenüber den Kiel-Instrumenten (Clavicembalo, Spinett) hatten die Clavichorde *„den Vortheil, daß man sich mit den Federn nicht placken darf, auch sind sie beständiger in der Stimmung, und . . . auch viel geschwinder und leichter zu stimmen, als jene . . . Deswegen braucht man sie auch bei der Information"*[58]. Wegen dieser Eigenschaften, wegen ihrer Kleinheit und ihres geringeren Preises sind die Clavichorde vom 16. bis in das 18. Jahrhundert wohl die meistgespielten Tasteninstrumente gewesen, die zugleich am besten geeignet waren, *„die Manieren, nebst dem Affecte recht vorstellen"*[59] zu können. Auch die Clavichorde besaßen häufig ein angehängtes oder selbständiges Pedal.

### 4. Das Pedal:

Da das Pedal früher als selbständiges Instrument gebaut und auch besonders gewürdigt wurde[60], auch eine eigene Spieltechnik verlangte, mögen einige Bemerkungen hierüber in unsere Betrachtung des Tasteninstrumentariums eingefügt werden.

---

[52] *Organographia*, S. 67.
[53] *Anleitung*, S. 563.
[54] Ähnliche Kombinationen gab es noch im 19. Jahrhundert.
[55] *Lexicon*, S. 169.
[56] *Musica getutscht*, Basel 1511, fol. E 1.
[57] Vorrede zu *Obras de Musica para tecla arpa y vihuela de Antonio Cabeçon*, Madrid 1578.
[58] Adlung, *Musica Mechanica* II, S. 144; vgl. auch Praetorius, a. a. O. S. 60 f.
[59] Adlung, *Anleitung*, S. 568.
[60] Vgl. Adlung, *Musica Mechanica* II, S. 158 ff.

19

2*

Mit der Entwicklung des Pedalbaues und des Pedalspieles hat man sich bisher nur wenig beschäftigt [61]. Über den Ursprung des Pedals weiß man nichts Genaues, auch nicht über die Frage, bei welchen Instrumenten es zuerst verwendet wurde. Die ersten Pedalklaviaturen scheinen an die tiefsten Töne der Manualklaviere angehängt gewesen zu sein. Vincenzo Galilei [62] vergleicht das Pedal mit den Baßsaiten der Laute; beide haben lediglich eine Stützfunktion in der Musik auszuüben, so ist es bei den italienischen Instrumenten (Orgeln, Cembali) stets geblieben. Im Norden (Niederlande, Frankreich, Deutschland) gab es frühzeitig selbständige Pedale in den Kirchenorgeln, jedoch nur für hohe Register [63], während die spanischen Orgeln Diskant- und Baßpedale besaßen. Über die Umfänge der Pedalklaviaturen haben wir wenige Nachrichten. Viele Klaviaturen wurden erst in späteren Zeiten erweitert, ihr ursprünglicher Zustand ist nicht mehr erkennbar. Das voll durchgebaute selbständige Pedal von mindestens zwei Oktaven Umfang mit Registern für alle Stimmlagen scheint sich erst in der zweiten Hälfte des 17. Jahrhunderts in den Kirchenorgeln durchgesetzt zu haben, es blieb im wesentlichen auf den nördlichen Raum (Niederlande, Nordeuropa und Norddeutschland, teilweise auch Mitteldeutschland) beschränkt. Hier kam um diese Zeit auch das virtuose, solistische Pedalspiel auf, das wegen des stärkeren Trakturgeräusches nur auf der großen Orgel möglich war. Doch wirkt es — ähnlich wie das virtuose Doppelgriffspiel auf den Streichinstrumenten — fast wie eine Randerscheinung in der Tastenspielkunst, von der verhältnismäßig wenige Zeugnisse erhalten sind.

Die Positive besaßen selten ein Pedal, dagegen scheint der Bau von Clavicembali und Clavichorden für das Pedalspiel häufig gewesen zu sein. So schreibt Adlung [64] bei der Betrachtung des Clavicimbels: *„Man macht besondere Pedalkörper, und setzt den Flügel darauf"*; und seiner Beschreibung des Clavichords fügt er die Bemerkung hinzu: *„Bei der Lehre soll billig ein Clavichordien-Pedal darunter gestellt werden"* [65]. Derartige, schlechthin als *Pedal* bezeichnete Saitenklaviere baute man meist in Clavichord-Form (so nahmen sie wenig Raum ein) und bezog die Saiten dreichörig, *„damit es stärker klinge, und die Gewalt der Füße aushalten könne ... Will man das eine Chor auf 16 Fuß spinnen; so wird es eine besondere Gravität geben ..."* [66]. War das angehängte Pedal, das man bereits zu Beginn des 16. Jahrhunderts kannte, nur als Baßstütze zu gebrauchen, so diente das selbständige *Pedal* hauptsächlich für das obligate Spiel, d. h. zur Ausführung einer den übrigen Stimmen gleichartigen Baßstimme. Es ist sogar anzunehmen, daß das obligate Pedalspiel mehr auf dem Clavichordien- oder Clavicimbelpedal gepflegt wurde als auf dem Orgelpedal; denn Adlung [67] empfiehlt: *„Gut ists, wenn man das Pedal führt bis ins d̄ : denn zu Hause macht man solche Dinge öfterer, als auf der Orgel, welche bis ins d̄ gesetzt sind ..."*

Dieser Satz bestätigt zugleich die oben geäußerte Annahme, daß die Kirchenorgeln von den Organisten weniger benutzt wurden als die Hausinstrumente. Er mag auch für das 17. Jahrhundert als gültig betrachtet werden, obwohl wir aus jener Zeit wenige Zeugnisse für das obligate Pedalspiel besitzen. Es fällt jedoch auf, daß in den Quellen zwar die Bezeichnungen *manualiter* und *pedaliter* (oder ähnlich) vorkommen, kaum aber die spezielle Vorschrift *pro organo* oder *pro clavicimbalo* usw. Hinweise auf Orgelregister findet man meistens nur bei Kirchenliedbearbeitungen, selten aber bei freien Stücken.

Grundsätzlich müssen wir also voraussetzen, daß die in den Quellen überlieferte *Klavier*-Musik — von wenigen Ausnahmen abgesehen — auf sämtlichen Tasteninstrumen-

---

[61] Vgl. J. Handschin, *Das Pedalklavier* in ZfMw XVII (1935), S. 418 ff.
[62] *Fronino*, Venedig 1568, S. 105.
[63] Vgl. M. A. Vente, *Die Orgel des 16. Jahrhunderts in Nordbrabant und am Niederrhein* in *Beiträge zur rheinischen Musikgeschichte* Heft 19, Köln 1957, S. 23 ff.
[64] *Anleitung*, S. 556.
[65] Ebda. S. 568.
[66] Adlung, *Musica Mechanica* II, S. 159; in ähnlicher Weise baute man die Clavicimbel-Pedale.
[67] Ebda. II, S. 159.

ten gespielt werden konnte [68]. Organisten, Kapellmeister und wohlhabende Liebhaber besaßen häufig von jeder Gattung wenigstens ein Exemplar in ihrem Hause [69], abgesehen von dem in den kirchlichen und fürstlichen Kapellen zur Verfügung stehenden Instrumentarium. Für den bürgerlichen Liebhaber kamen in erster Linie die kleinen Formen Positiv, Portativ, Clavichord, Spinett und Virginal in Frage. Die große Kirchenorgel stand — im Verhältnis zur gesamten Musikübung gesehen — etwas am Rande. Erst gegen das Ende des 18. Jahrhunderts schrumpfte das vielfältige Tasteninstrumentarium des Barockzeitalters mehr und mehr zusammen, bis schließlich die (technisch verbesserte) Kirchenorgel und das Pianoforte (in geringerem Maße später auch das Harmonium) in der Praxis des Tastenspiels allein herrschten. Jetzt erst konnte man zwischen „Pianisten" und „Organisten", zwischen „Klaviermusik" und „Orgelmusik" unterscheiden [70].

---

[68] Franz Anton Maichelbeck nannte sein 1736 bei Lotter in Augsburg herausgegebenes Opus I *Die auf dem Clavier spielende, und das Gehör vergnügende Caecilia, das ist 8 Sonaten ... sowohl auf denen K i r c h e n - a l s Z i m m e r - C l a v i e r e n zu gebrauchen: ...;* man beachte auch die folgenden Artikel in Walthers Lexicon:
S. 115 „Bruhns (Nicolaus) . . . hat schöne Clavier-Stücken gesetzet."
S. 123 „Buxtehude (Dietrich) . . . Von seinen vielen und künstlichen Clavier-Stücken ist ausser dem . . . Choral: Mit Fried und Freud ich fahr dahin, etc. meines Wissens sonsten nichts im Druck publicirt worden."
S. 175 „Colonna, ein Bologneser, hat Fugen v o r s C l a v i e r m a n u a l i t e r gesetzet."
S. 229 „Erich (Daniel) . . . hat verschiedene Clavier-Stücke gesetzet."
S. 300 „Hanff (Johann Niclas) . . . Von seiner Arbeit sind so wol einige Vocal- als Clavier-Stücke bekannt."
S. 360 „Leiding (Georg Dietrich) . . . Seine Composition hat er vornehmlich auf die O r g e l appliciret (wie die dißfalls vorhandene viele C l a v i e r - S t ü c k e bezeugen,) . . .
Da von Buxtehude, Erich, Hanff und Leiding sich nur Choralvorspiele in den Sammlungen Walthers befinden, hat er offensichtlich diese mit den erwähnten Clavier-Stücken gemeint.
[69] Z. B. J. S. Bach und J. Adlung.
[70] Die Unterscheidung von *Orgel* und *Clavier* findet sich zuerst bei W. H. Pachelbel, *Musicalisches Vergnügen* (um 1725) und J. L. Krebs, *Clavier Ubung* (1743). J. S. Bach schreibt nur selten ein spezielles Instrument vor (z. B. bei den Orgelchoral-Sammlungen und Teil II—IV der *Klavierübung;* manche große Praeludien haben die Beischrift *pro organo pleno,* die aber nicht in allen Fällen autograph ist), die Toccaten beispielsweise waren *pedaliter* bzw. *manualiter* zu spielen, sie wurden nicht als Orgel- bzw. Klaviertoccaten bezeichnet. Die Inventionen, die Sinfonien

# GATTUNGEN UND STILE

*„Die systematische Ordnung hat vielleicht in keinem andern Fache der Gelehrsamkeit
so große Schwierigkeiten als im musikalischen. Diese Schwierigkeiten entstehen theils
aus dem so sehr vermischten Inhalte, theils aus den unbestimmten Titeln vieler Werke."*
Johann Nikolaus Forkel [71]

## Die Klavierkunst in der Musiklehre des 17. und 18. Jahrhunderts

Wenn die Tastenspielkunst in der Musikpflege des 17. Jahrhunderts eine beherrschende Stellung einnahm, so ist dies großenteils auf die Verbreitung der Generalbaßpraxis zurückzuführen. Sie bildete eine der wichtigsten Aufgaben des Organisten
und des Kapellmeisters (in geringerem Maße auch des Laien) und wurde späterhin das
Fundament der theoretischen Unterweisung, obwohl man sie in erster Linie zur *Clavierkunst* rechnete [72].

Um die ganze Breite der Tastenspielpraxis ermessen zu können, muß man sich vorstellen, welche Dinge von einem damaligen Tastenspieler verlangt wurden.

*„Die Clavierkunst wird mehrentheils in 4 Theile abgetheilt. Der Generalbaß ist der
erste; die Wissenschaft den Choral zu spielen der zweyte; die sogenannte italiänische
Tabulatur die dritte; das Fantasiren, oder das Spielen aus eigener Erfindung der vierte",*
heißt es bei Adlung [73].

---

und vollends das *Wohltemperierte Klavier* haben keinerlei Hinweise, auf welchem Instrument
sie ausgeführt werden sollten, noch weniger die mehr „abstrakten" Repräsentationswerke der
Spätzeit *(Musicalisches Opfer, Kunst der Fuge)*. Für sie alle kam — wie unsere Darstellung
gezeigt hat — das ganze damals im Gebrauch befindliche Tasteninstrumentarium in Frage. Auch
Bachs Altersgenosse Jakob Adlung *(Anleitung, S. 691 f. und 706 f.)* teilt Bachs Tastenmusik
nach damaliger Gewohnheit in *Choral* und *italiänische Tabulatur,* d. h. in Kirchenliedbearbeitungen und freie Stücke. Zur zweiten Gruppe rechnet er auch die *Kunst der Fuge* und das *Musicalische Opfer,* ja selbst die Sonaten und Partiten für Violine solo, da sie sich *„auf dem Clavier
sehr wohl spielen"* lassen (wie die Bearbeitungen dieser Stücke für Tasten- und Zupfinstrumente zeigen). — Das Werkverzeichnis des Nekrologs (der ja von Männern der jüngeren Generation verfaßt wurde) hat dagegen bei vielen Werken die Angabe *für Orgel* bzw. *fürs Clavier.*
Die erste systematische Aufteilung der Tastenmusik Bachs finden wir jedoch erst in Forkels
Bach-Biographie (1802). Forkel — der schon in seinem 1792 erschienenen Werk *Allgemeine
Litteratur der Musik* im Gegensatz zu Adlung die *Anweisungen zum Clavierspielen* (S. 326 ff.)
von den *Anweisungen zum Orgelspielen* (S. 331 ff.) trennt — teilt sie (mit Ausnahme der
Drucke, die als zusammen aufgeführt werden) in I. *Claviersachen,* II. *Claviersachen mit Be-
gleitung anderer Instrumente* (diese Angabe entspricht ganz dem Sprachgebrauch des späten
18. Jahrhunderts, vgl. die Besetzungsangabe *Sonaten für Klavier mit Begleitung einer Violine*
bei vielen Meistern der Zeit) und III. *Orgelsachen.* Die Begründung für diese Gliederung (die
damals wohl allgemein gültig war) gibt Forkel in den Sätzen, die er dem Verzeichnis der
Orgelsachen voranstellt (Neuausgabe von J. Müller-Blattau, Kassel und Basel ⁴ 1950, S. 75):
*„Das Pedal ist ein wesentliches Stück der Orgel; durch dieses allein wird sie über alle andere
Instrumente erhoben, indem das Prachtvolle, Große und Majestätische derselben davon abhängt.
Ohne Pedal ist dieses große Instrument nicht mehr groß, sondern nähert sich den kleinen Posi-
tiven, die in den Augen des Kenners keinen Wert haben."* Hier wird uns der Wandel der
Anschauungen — zugleich im Gewande einer neuen Ästhetik des Orgelspiels — deutlich. Es ist
daher nicht zu verwundern, daß Forkel alles, was nicht seinem Schema entsprach, als *Vorübungen*
aus dem Werkverzeichnis ausschied.

[71] *Allgemeine Litteratur der Musik*, Leipzig 1792, S. XIII.
[72] Von hier aus gesehen, ist H. Riemanns Bezeichnung „Generalbaßzeitalter" sehr treffend; vgl.
Praetorius, *Syntagma Musicum* III, S. 125 ff.
[73] *Anleitung,* S. 625.

Diese Einteilung findet man in ähnlicher Form in anderen Lehrbüchern[74] seit dem späten 17. Jahrhundert, wie auch bei den Aufgaben, die den Organisten beim Probespiel gestellt wurden[75]. Das musikalische Repertoire gliederte man ebenfalls nach diesen Gesichtspunkten, nach denen sich in der Regel das ganze gedruckt oder handschriftlich überlieferte Quellenmaterial ordnen läßt. Generalbaßmäßig notierte Musik kommt in geschlossenen Quellen oder zumindest in geschlossenen Quellenabschnitten vor, ebenso wurden Choralbearbeitungen von der übrigen Tastenmusik streng gesondert (nur wenige Ausnahmen bestätigen die Regel[76]), während wir von der nicht aufgezeichneten *Fantasie* — die ja einen bedeutenden Raum in der Spielpraxis einnahm — wenig genaue Kenntnis besitzen, sondern lediglich Rückschlüsse von der notierten Literatur aus ziehen können.

Unsere Aufgabe wird es sein, die von Adlung als *italiänische Tabulatur*, im 17. Jahrhundert schlechthin als *Tabulatur* („Vomblattspiel") bezeichnete dritte Abteilung näher zu behandeln. Hierzu rechnet man „*dasjenige Spielen ins besondere . . ., wenn Clavierstücke nach Noten gespielt werden, welche nehmlich keine Generalbässe, auch keine Chorale sind*"[77]. Dieser Teil der *Clavierkunst* stellte für den Liebhaber das Hauptstück der Ausbildung dar, für den Organisten und Kapellmeister diente er — abgesehen von der Erlernung der Spielfertigkeit — als Vorbereitung zur *Fantasie* und zur *Setzkunst*, zugleich aber dazu, sich eine umfangreiche Kenntnis der Stile und Gattungen zu verschaffen. Denn „*bey diesem Theile der Clavierwissenschaft muß man sich wohl bekannt machen, welches die Eigenschaften aller Kompositionsarten sind . . .*"[78]. Aus diesem Grunde ist ein beträchtlicher Teil der überlieferten Quellen — sofern sie nicht dem liturgischen Gebrauch oder zur Unterhaltung des Liebhabers dienten — zu didaktischen oder sammlerischen Zwecken angelegt worden.

## Die Stilunterscheidung innerhalb der Tastenmusik

Um eine Gliederung des zur *Tabulatur* gerechneten Repertoires vornehmen zu können, ist es ratsam, sich möglichst eng an die im 17. und 18. Jahrhundert gebräuchlichen Stilbegriffe anzuschließen. Auf diesem Wege, der hier zunächst lediglich als Versuch beschritten werden soll, da es noch an einer ausführlichen Untersuchung der einzelnen Stilkategorien mangelt, wird man am ehesten den historischen Tatbeständen gerecht werden können.

Die Herausbildung der differenzierten Standes- und Zeremonialordnung im Barockzeitalter hat auch in der Musikästhetik und Musikpraxis ein „Stilbewußtsein" und eine Stilordnung hervorgerufen. Man begann etwa seit 1600, das musikalische Kunstwerk dem Ort, der Zeit und dem Anlaß der praktischen Aufführung „stilistisch" anzupassen. Etwa um die Mitte des 17. Jahrhunderts lag diese Stileinteilung fest[79], erfuhr in den

---

[74] Z. B. *Kurtzer jedoch gründlicher Wegweiser* . . ., Augsburg 1668 ff.; Bertoldo Spiridion *Nova Instructio* . . ., Bamberg 1670 ff.; A. Poglietti, *Compendium* 1677 (s. u. S. 80); P. Justinus à Despons, *Chirologia* . . ., Nürnberg 1711.

[75] Vgl. Anm. 32.

[76] Vgl. Adlung, *Anleitung*, Cap. 14—17; Näheres hierüber s. u. S. 58 ff. und S. 73 ff.

[77] J. Adlung, *Anleitung*, S. 700; man sprach allgemein von *Schlagstücken* oder *Handstücken*.

[78] J. Adlung, *Anleitung*, S. 701.

[79] Z. B. bei Marco Scacchi; vgl. Mattheson, *Capellmeister*, S. 68 f.

folgenden hundert Jahren eine vielfältige Differenzierung[80] und hielt sich — jedenfalls äußerlich — bis zum Anfang des 19. Jahrhunderts[81].

Jede der drei Hauptabteilungen Kirchen-, Kammer- und Theaterstil zerfiel in mehrere Unterabteilungen. Jedoch sind hierüber die Ansichten der Theoretiker nicht einheitlich und stimmen mit der Praxis nicht immer überein, so daß eine Systematik der musikalischen Stile nicht leicht zu entwickeln ist, auch den Rahmen dieser Studie überschreiten würde. Hier erhebt sich lediglich die Frage, in welcher Weise sich die verschiedenen Gattungen der Tastenmusik einordnen lassen.

Mattheson nennt den *Instrument-Styl* oder *Stylus symphoniacus* bei allen drei Hauptstilen, fügt aber hinzu[82]: „*Gleichwie nun ein iedes Instrument seine eigene Natur hat, so theilet sich dieser Styl fast in eben so viele Neben-Arten, als es Werckzeuge gibt*". Als spezielle Instrumentalgattungen nennt Mattheson für den Kirchenstil die „*bey den geistlichen Stücken gebräuchlichen Sonaten, Sonatinen, Symphonien, Vor-, Zwischen- und Nach-Spiele*", für den Theaterstil die Ouvertüre[83], für den Kammerstil Kammersonaten, Concerti grossi und Suiten[84]. Hauptsächlich handelt es sich hier aber um Ensemble-Musik. Die solistische Musik dagegen ist zu einem großen Teil bei dem sog. *Stylus fantasticus* vertreten, der zum Theatralischen Stil rechnet, obwohl „*ihn nichts hindert, auch in der Kirche und in den Zimmern sich hören zu lassen. Wobey er dieses ins besondere hat, daß er allenthalben e i n e r l e y ist; da hingegen die andern Schreib-Arten, wenn sie sich den übrigen Haupt-Stylen mittheilen, in vielen Umständen einer verschiedenen Einrichtung unterworfen sind*"[85]. Das Klavier sei für diesen Stil das „*bequemste Werkzeug*"[86]. Hauptsächlich ist hier der *Styl a mente, non a penna* gemeint[87], doch wird er ebensogut als ein Kompositionsstil angesehen, den Mattheson mit den folgenden Worten näher beschreibt[88]: „*. . . dieser Styl ist die allerfreieste und ungebundenste Setz-Sing- und Spiel-Art, die man nur erdenken kann . . . An die Regeln der Harmonie bindet man sich allein bei dieser Schreib-Art, sonst an keine. Wer die meisten künstlichen Schmückungen und selteneste Fälle anbringen kan, der fährt am besten. Und wenn gleich dann und wann eine gewisse geschwinde Tact-Art sich eindringet, so hat die Zeit-Maasse gar Feierabend. Die Haupt-Sätze und Unterwürffe lassen sich zwar, eben der ungebundenen Eigenschafft halber, nicht gantz und gar ausschließen; sie dürffen aber nicht recht an einander hangen, vielmehr ordentlich ausgeführet werden: daher denn diejenigen Verfasser, welche in ihren Fantasien oder Toccaten förmliche Fugen durcharbeiten, keinen rechten Begriff von dem vorhabenden Styl hegen, als welchem kein Ding so sehr zuwider ist, denn die Ordnung und der Zwang.*" Die Spielvorschrift con discrezione sei speziell bei derartigen Stücken zu finden, „*um zu bemercken, daß man sich an den Tact gar nicht binden dürffe; sondern nach Belieben bald langsam bald geschwinde spielen möge*"[89].

Mattheson kommt dann auf Beispiele zu sprechen, indem er fortfährt: „*Ausser F r o b e r g e r , der zu seinen Zeiten sehr berühmt gewesen und absonderlich in dieser Schreib-Art viel gethan*

[80] Mattheson, ebenda. S. 68 ff.; Walther, Lexicon, S. 584 f.
[81] Vgl. die Werkverzeichnisse der einzelnen Komponisten in Gerbers Lexika (1790/92; 1812/14).
[82] Capellmeister, S. 82; vgl. Walther, Lexicon, S. 585 f.
[83] Mattheson, Capellmeister, S. 84.
[84] Ebda. S. 91.
[85] Ebda. S. 88 (§ 91).
[86] Ebda. S. 88 (§ 92).
[87] Ebda. S. 87 (§ 88).
[88] Ebda. S. 88 (§ 93/94).
[89] Ebda. S. 89 (§ 96); Anweisungen für die Ausführung solcher Kompositionen gibt Frescobaldi in der Vorrede seines ersten Toccatenbuches (1614 ff.), wo er die Toccaten als Gegenstücke zu den modernen Madrigalen bezeichnet. Beide verkörpern den Madrigalstil in seiner instrumentalen bzw. vokalen Gestalt.

*hat, finden sich noch ein Paar fleißige Fantasten, im guten Verstande genommen, die ihre Styl-*
*Früchte, vor mehr als hundert Jahren, nicht nur schlechthin gedruckt, sondern in dem saubersten*
*Kupffer-Stiche hinterlassen haben, den man nur mit Augen sehen kan. Sie verdienen wahrlich*
*beide, daß man ihre Nahmen nicht in Vergessenheit begraben seyn lasse.*" Er meint damit die
beiden Toccatenbücher von Claudio Merulo (1598 und 1604) sowie die *Toccate e Corrente* von
Michelangelo Rossi (o. J.)[90]. An Gattungen zählt Mattheson insbesondere Fantasien, Capricci,
Toccaten, Ricercari, Boutaden und Vorspiele auf[91]. Ganz allgemein kann man alle nicht
strengstimmig gearbeitete und nicht auf einem Tanz- oder Liedmodell beruhende Tastenmusik
in dieser Stilkategorie zusammenfassen, d. h. Toccaten, Praeambeln, Praeludien (mit oder ohne
imitative Abschnitte), Fantasien, Ricercari und Capricci, sofern sie nicht im strengen Stil gearbeitet sind[92], dann auch alle Programm- und Charakterstücke. Das Ricercar als ausgesprochen
strenge Fugenkomposition ist hier wohl nicht gemeint.

Vielmehr gehören alle vorwiegend fugiert gearbeiteten Stücke zum *Stylus Motecticus* (auch
*Stilus antiquus* oder ähnlich benannt); denn dieser *„begreift die Fugen, allabreven, doppelte*
*Contrapuncte, und Canons oder Fugen in Consequenza, und demnach den Stylum Canonicum*
*in sich"*[93]. Er bildet eine Unterabteilung des Kirchenstils und kommt in der Hauptsache für die
a-capella-Musik in Frage, doch wurde er auch in der Tastenmusik, oft zum Zwecke des Kontra-
punktstudiums angewandt. Die „großen" Fugengattungen Ricercar, Fantasie, Capriccio und

---

[90] Ebda. S. 89.

[91] Ebda. S. 87.

[92] Vgl. die Beschreibungen der einzelnen Gattungen bei Walther, Lexicon; siehe auch das Notenzitat einer Fantasie von Froberger bei Mattheson, *Capellmeister*, S. 89. Eine Terminologie, die
mit irgendwelchen formalen Prinzipien zusammenhängt, gibt es in der Tastenmusik des 17. und
18. Jahrhunderts nicht. Es ist bisher nicht gelungen, eine befriedigende Systematik nachträglich
aufzustellen. Darum erscheint es abwegig, in wissenschaftlichen Untersuchungen oder Neuausgabe eine Einteilung der Kompositionen lediglich nach den Satzüberschriften vorzunehmen
(z. B. E. Valentin, *Die Entwicklung der Tokkata im 17. und 18. Jahrhundert*; vgl. auch die Gesamtausgabe der Werke von Buxtehude und Bach). Andererseits ist es noch irreführender, die
ursprünglichen Überschriften durch neue zu ersetzen, die erst in einer späteren Zeit aufkamen
und der Struktur der älteren Kompositionen nicht entsprechen. Hier ist besonders der oft in
falscher Weise angebrachte Terminus *Praeludium und Fuge* zu nennen.
Die Zusammenstellung e i n e s Praeludiums mit e i n e r Fuge kommt in Quellen des 17. Jahrhunderts nur bei kurzen, intonations- und versettenartigen Stücken vor. Die bewußte
Zusammenstellung *Praeludium et* (bzw. *con*) *Fuga* geschieht eigentlich erst in Bachs *Wohl-
temperiertem Clavier*, wo allerdings viele Stücke nachträglich zusammengestellt und dabei
in die passende Tonart transponiert wurden. Auch von den großen *Pedaliter*-Praeludien und
Fugen bilden nur wenige eine zweiteilige „Form", manche Werke waren ursprünglich dreisätzig
(z. B. BWV 541 und 545), zuweilen wurden auch diese Sätze einzeln komponiert und nachträglich
zusammengestellt, z. T. erst in späteren Abschriften (z. B. BWV 532, 540, 542, 546). Das zwei-
sätzige, auf einer inneren Einheit der beiden Teile beruhende Formenschema *Praeludium und*
*Fuge* ist nur in wenigen Beispielen überliefert. Es scheint sich allgemein erst um die Mitte des
18. Jahrhunderts durchgesetzt zu haben. Spitta hat es (nach den wahrscheinlich nach den aus dem
18. Jahrhundert stammenden Titeln — nicht den Satzüberschriften — der ihm vorliegenden
Quellen) auch für die Praeludien Buxtehudes (die gar keine regelrechten Fugen enthalten) als
Überschriften benutzt; von da aus ist dieser Terminus in fast sämtliche Neuausgaben norddeutscher Tastenmusik übernommen worden (Bruhns, Böhm, Lübeck u. a.).
H. Klotz, *Über die Orgelkunst der Gotik, der Renaissance und des Barock*, Kassel 1934, hat eine
sehr differenzierte Terminologie entwickelt (Toccatenfuge, Praeambelfuge, Toccatenvarianten-
fuge, Variantenfugentoccata u. ä.), die von manchen anderen Autoren (z. B. J. Hedar, *Dietrich*
*Buxtehudes Orgelwerke*, Stockholm-Frankfurt/M 1951) übernommen wurde. Diese Einteilung
ist in ihrem Schematismus ebenfalls nur auf einen Teil der in den Quellen überlieferten Literatur
anwendbar. Im Grunde steht jeder Versuch, Kompositionen des *Stylus fantasticus* nachträglich
in ein Formenschema zu zwängen, im Widerspruch zum Wesen dieses Stils.

[93] Walther, *Lexicon*, S. 585.

Canzon[94] sind hier zu nennen, während fugierte Abschnitte innerhalb von Toccaten und Praeludien wegen der weniger strengen „Arbeit" eher zum fantastischen Stil gehören.

Tanzsätze faßte man unter dem Begriff *Stylus choraicus* zusammen[95], während die großen, meist auf dem Variationsprinzip beruhenden Tanzgattungen Passacaglia, Ciacona etc. die besondere Abteilung *Stylus hyporchematicus* (Ballettstil) bildeten[96]. Kompositionen, denen eine Liedmelodie zugrunde gelegt ist — bei der Tastenmusik z. B. die Variationswerke — müssen zum *Stylus melismaticus* oder Liedstil gerechnet werden[97].

Überblickt man den erhaltenen Quellenbestand aus der zweiten Hälfte des 17. Jahrhunderts, so zeigt sich, daß vor allem in den Druckausgaben, aber auch in einem großen Teil der Handschriften die Zusammensetzung des Inhalts im allgemeinen von dieser Stilordnung (fantastischer Stil, strenger Stil, Tanzstil, Liedstil) bestimmt wird. War in den älteren Tabulaturbüchern das Repertoire meist bunt gemischt (vgl. Scheidts *Tabulatura Nova* 1624, Teil I und II), so kommen in Italien bereits bei den venetianischen Organisten um 1600[98], seit der Mitte des Jahrhunderts aber in ganz Europa abgeschlossene Sammlungen von Toccaten, Fugen, Tanzsätzen oder Liedbearbeitungen vor. Soweit Kompositionen mehrerer Stile in einer Sammlung vereinigt sind, bilden sie in der Regel getrennte Abschnitte in der Quelle. Ein gutes Beispiel hierfür bieten die noch zu behandelnden Froberger-Autographen[99]. Auch notationsmäßig wurden die Stile unterschieden, wovon noch die Rede sein wird[100].

## Die Verwendungszwecke der Tastenmusik

Die Stileinteilung des Barockzeitalters wurde besonders im Hinblick auf den Verwendungszweck der Musik entwickelt. Im 16. Jahrhundert wie auch noch zu Beginn des siebzehnten kannte man hierin keine Unterschiede. Stücke mit geistlichen Texten wurden ebensogut als Tafelmusik aufgeführt wie Tanzsätze und Bearbeitungen weltlicher Textvorlagen in der Kirche. Dies galt auch insbesondere für das Tastenspiel, das ja zu einem großen Teil in der Übertragung und Kolorierung vokaler und instrumentaler Ensemblemusik bestand. Die umfangreichen Kodizes mit buntgemischtem Repertoire

---

[94] Auch dies sind Gattungsbezeichnungen und keine Formenschemata. Jeder Meister ist hier seinen eigenen Weg gegangen, wenn auch gewisse Übereinstimmungen (z. B. bei den Ricercaren) vorhanden sind.
Auffällig ist die gelegentliche Kombination zweier dieser Gattungen. So vereinigt Froberger in seinen autographen Sammlungen je 6 Ricercari und Capricci (Wien ÖNB, Cod. 16 560 und 18707) oder je 6 Fantasien und Canzonen (Cod. 18706). Die gleiche Anordnung findet man in Roberdays *Fugues et Caprices* (1660). Eine Handschrift aus den 1690er Jahren unter dem Titel *Frobergers (zwölf) Fugen und Capriccen* (Berlin, Bibl. d. ehem. Hochschule für Musikerziehung und Kirchenmusik, durch Kriegseinwirkung verlorengegangen; vgl. Adler, Rev.-Bericht zu DTÖ X, 1, S. 122 u. 126) enthält 6 Ricercari und 6 Capricci, deren Subjekte jeweils eine Variation des entsprechenden Ricercars darstellen. Ähnliches findet man in Pogliettis *Rossignolo* (s. u.). Die Verbindung Canzon-Capriccio mit verwandten Subjekten kommt ebenfalls bei Poglietti einige Male vor.
[95] Mattheson, *Capellmeister*, S. 92 (§ 110 ff.).
[96] Ebda. S. 87.
[97] Ebda. S. 92 (§ 115 ff.).
[98] Z. B. Merulo und die beiden Gabrieli.
[99] S. u. S. 75 f.
[100] S. u. S. 31.

waren für vielseitigen Gebrauch geeignet, wobei wohl kaum einzelne Abteilungen oder Stücke des Inhaltes ausschließlich für e i n e n Ort oder Zweck bestimmt waren [101].
Gegen die Mitte des 17. Jahrhunderts ist hierin — parallel zur Stilspaltung — eine Wandlung zu erkennen. Wollte man aber die einzelnen Gattungen und Stile ganz speziellen Aufgaben zuweisen, so wäre dies ebenso verfehlt wie eine Zuordnung zu einer bestimmten Instrumentengruppe. Die *Clavierkunst* hat ihre besondere Stellung innerhalb der Musik — vornehmlich wegen ihres Charakters als *vollstimmiger* Solomusik — bis heute behalten. Sie ist speziell in der zweiten Hälfte des 17. Jahrhunderts als Fundament der ganzen Musikpflege zugleich die umfassendste und vielseitigste Form der Musikpraxis, die sich mit fast allen übrigen in irgendeinem Punkte berührt, ohne in deren Abhängigkeit zu geraten [102]. Jede Kategorisierung hinsichtlich bestimmter Instrumente, Stile oder Verwendungszwecke ist darum mit Vorsicht anzuwenden und gleichsam als ein lockeres Gerüst anzusehen, innerhalb dessen eine große Variabilität möglich ist. So darf man die aufgestellte Stileinteilung und ihre Anwendung auf die einzelnen Gattungen — wie es die Zeitgenossen auch taten — lediglich als äußeren Rahmen betrachten, der die Übersicht in der Fülle historischer Gegebenheiten erleichtern soll. Eine Ordnung des Quellenmaterials nach dem Gesichtspunkt der Verwendungsmöglichkeit darf daher auch nur von dem primären oder von einem besonders charakteristischen Merkmal der einzelnen Quelle ausgehen, wobei andere Möglichkeiten daneben nicht ausgeschlossen bleiben. Auch kann man keinesfalls das ganze Material aufgliedern. Vielmehr lassen sich aus dem Gesamtbestande eine Reihe von Quellen herauslösen, deren Verwendungszweck offenkundig feststeht. Hierbei handelt es sich um Lehr- und Studienbücher, um Sammlungen für den liturgischen Gebrauch und um das hauptsächlich für den Hausgebrauch des Liebhabers geeignete Repertoire.

1. B ü c h e r   f ü r   d e n   d i d a k t i s c h e n   G e b r a u c h :

a) Lehrbücher der *Clavierkunst:*

Theoretisch-praktische Anweisungen für den angehenden Tastenspieler, enthaltend Regeln über Tonarten, Kontrapunkt, Generalbaß, Spieltechnik, Improvisation u. ä. erschienen seit der Mitte des 16. Jahrhunderts. Manche von ihnen erfreuten sich besonderer Beliebtheit und wurden daher oftmals neu aufgelegt [103].
Daneben enthalten auch viele gedruckte und handschriftliche Tabulaturbücher theoretische Anweisungen oder sind nach Ausweis der Titel oder Vorreden zum Nutzen der Lernenden angelegt worden, sei es zur Erlernung der Spieltechnik oder als Anregung zur Improvisation und Komposition.

b) Studienbücher für den Kontrapunkt:

Die instrumentalen Gattungen des strengen Stiles (Ricercar, Capriccio, Fantasie, Canzon, Fuge) gewannen im Laufe des 17. Jahrhunderts mehr und mehr die Bedeutung von kontrapunktischen Lehr- und Kunststücken, die in besonderen — auch in der Notation von den übrigen Spielstücken abweichenden — Quellen überliefert sind.

---

[101] Vgl. O. Kinkeldey, *Orgel und Klavier in der Musik des 16. Jahrhunderts*, Leipzig 1910, S. 183.
[102] Fast sämtliche Gattungen vokaler und instrumentaler Kompositionen wurden für Tasteninstrumente bearbeitet, wobei meistens völlig neue, den technischen Eigenheiten des Tastenspiels gemäße Werke entstanden. Oft kann man den Stücken nicht mehr ansehen, ob es sich um Originalkompositionen oder um Bearbeitungen handelt.
[103] Z. B. G. Diruta, *Il Transilvano* (1593 ff.) und die oben unter Anm. 74 genannten Werke.

In diese Gruppe können auch die Gelegenheits- und Repräsentationswerke gerechnet werden, in denen besondere kontrapunktische Künste — zuweilen mit symbolischen Andeutungen — angewandt wurden [104].

2. Sammlungen für den gottesdienstlichen Gebrauch:

a) Versettenbücher:

Hierzu gehören alle Samlungen von kurzen Praeambeln, Fughetten und Versetten, seien sie frei oder unter Zugrundelegung liturgischer c. f. komponiert.

b) Orgelchoralbücher:

Bearbeitungen protestantischer Kirchenlieder wurden — wie oben gezeigt — fast ausnahmslos in besonderen Büchern zusammengestellt. Sie bilden daher eine eigene, recht umfangreiche Quellengruppe, die in der vorliegenden Darstellung unberücksichtigt bleiben soll [105].

3. Musik für den Hausgebrauch des Liebhabers:

Da der Liebhaber als Tastenspieler erst gegen das Ende des 17. Jahrhunderts ganz in den Vordergrund trat, entstand jetzt ein seinen technischen und geistigen Ansprüchen gemäßes Repertoire, das an Umfang — wenn auch nicht immer an Qualität — die anderen Gruppen bald übertraf. Hier sind in erster Linie die Tanz- und Variationssammlungen zu nennen.

Darüber hinaus wurde — wie oben bereits dargelegt — der größte Teil des überlieferten Bestandes an Tastenmusik in der „Kammer" gespielt, doch ist nicht in allen Fällen der Bestimmungszweck eindeutig festzustellen.

---

[104] Z. B. Dietrich Buxtehude, *Fried- und Freudenreiche Hinfahrt* (1674); Joh. Seb. Bach, *Musicalisches Opfer* und *Die Kunst der Fuge*; vgl. unten S. 82.
[105] Vgl. G. Kittler, *Geschichte des protestantischen Orgelchorals*, Dissertation Greifswald 1931; F. Dietrich, *Geschichte des deutschen Orgelchorals im 17. Jahrhundert*, Kassel 1932.

# NOTATIONSFORMEN DER TASTENMUSIK

*„Man kann nicht behaupten, dass sich mit dem Labyrinth die Vorstellung eines sehr klar und einfach angelegten Gebäudes verbindet. Dennoch mag es denen, die sich einmal darin zurecht gefunden haben, als ein solches erscheinen und sie mögen sich wundern, wenn Andere über Schwierigkeit, Dunkel und Confusion klagen. Ähnliches müssen wir auch von einer alten und nun gänzlich veralteten Notation- und Druckweise annehmen...“*

Friedrich Chrysander [106]

## Grundsätzliche Bemerkungen zur Notationskunde

Gegenüber der Choral- und Mensuralnotation in der abendländischen Musik ist die Notierungspraxis für die Tastenmusik bisher in ihrer Gesamtheit nicht vollständig untersucht worden. Dieser Mangel hat seine Ursache darin, daß alle Darstellungen der Notationskunde die Entwicklung im einzelnen nur etwa bis zum Jahre 1600 verfolgen, d. h. bis zur Durchsetzung der modernen Notenschrift hinsichtlich der Notenformen und rhythmischen Werte; denn diese haben sich seitdem grundsätzlich nicht geändert [107]. Auch bei sogenannten „Griffschriften", die keine Notenzeichen verwenden [108], wurden bis zu ihrem Verschwinden im 18. Jahrhundert weiterhin die im Laufe des 16. Jahrhunderts ausgebildeten Zeichen verwendet. Erfährt das äußere Bild der musikalischen Notationsformen im 17. Jahrhundert demnach keinen „Fortschritt", so finden wir in dieser Zeit eine Vielfalt der Notierungsarten vor, wie sie früher oder später nicht vorkommt, die sich bei näherer Betrachtung großenteils als ein sinnvolles System erweist. Aus diesem Grunde ist die Notierungspraxis kein so unwichtiger Faktor in der Musikgeschichte des 17. Jahrhundets, wie es auf den ersten Blick erscheinen mag.

Da die Tastenspielkunst im Laufe des 17. Jahrhunderts eine führende Rolle in der Musikpflege errang und die Grundlage für die musikalische Bildung des Fachmusikers wie des Liebhabers wurde, ist es erklärlich, daß sich die Entwicklung der Notierungspraxis seitdem hauptsächlich auf diesem Gebiet vollzog. Auch hier hat — ähnlich wie in anderen Fällen — die unklare und widerspruchsvolle Terminologie der Zeitgenossen und späterer Geschichtsschreiber große Verwirrung hervorgerufen, zu deren Auflösung und Klarstellung die folgende Untersuchung beitragen möchte, obwohl es nicht leicht ist, zwischen historischen Fakten und moderner Systematik eine Lösung zu finden, die allen vorkommenden Fällen einigermaßen gerecht wird.

Bis in das 18. Jahrhundert hinein wurden zur Notierung von Kompositionen für *vollstimmige* Instrumente außer den in der Vokalmusik gebräuchlichen mensurierten Notenzeichen auch Buchstaben und Ziffern verwendet, deren Bedeutung jedoch nicht

---

[106] Fr. Chrysander, *Abriß einer Geschichte des Musikdruckes vom funfzehnten bis zum neunzehnten Jahrhundert* in *Allgemeine Musikalische Zeitung* 1879, Sp. 209.
[107] W. Apel, *The Notation of Polyphonic Music 900—1600*, Cambridge (Mass.), The Mediaeval Academy of America, ⁴1949, S. XIX.
Apel versteht unter *Notation* das Gebiet, „in which the forms and signs and the principles governing their use are essential different from those to be found in modern practice." Er verfolgt in seiner Darstellung hauptsächlich den Zweck, eine Anleitung zur Übertragung der älteren Notationsformen in die heute gebräuchliche zu vermitteln. Der geschichtliche Wert der einzelnen Notationsformen — besonders der in unserem Zusammenhang wichtigen — wird hierbei nicht genügend berücksichtigt.
[108] Vgl. J. Wolf, *Handbuch der Notationskunde* Bd. II, Leipzig 1919, wo allerdings hinsichtlich der Tastenmusik die Entwicklung nach 1600 nur summarisch behandelt wird.

stets die gleiche war, sondern sich nach landschaftlichen Gebräuchen oder nach den Eigenheiten der jeweiligen Instrumente richtete. Unübersichtlich wird nun das ganze Bild der Notierungsarten dadurch, daß die meisten von ihnen ähnliche Bezeichnungen führen[109]. Um allen Unklarheiten der Terminologie aus dem Wege zu gehen, hat W. Apel[110] neuerdings vorgeschlagen, nur zwischen der Aufzeichnung in der Notenschrift einerseits und der Aufzeichnung in Buchstaben oder Ziffern andererseits zu unterscheiden. Vom editionstechnischen Gesichtspunkt aus gesehen mag dies praktisch sein, für die historische Betrachtung ist diese Vereinfachung nicht möglich. Die Notation war zu allen Zeiten eng mit der Kompositions- und Musizierpraxis verknüpft; diesen Zusammenhang darf man nicht zerstören, denn er bildet für den späteren Betrachter eine Brücke für das Verständnis der älteren Musik und ihrer Aufführungspraxis.

### Die im 17. Jahrhundert gebräuchlichen Notationsformen für die Tastenmusik

Ein mehrstimmiges Musikstück läßt sich in viererlei Weise aufzeichnen:

1. Sämtliche Stimmen werden einzeln und räumlich getrennt notiert (Chorbuch, Stimmbuch oder Stimmheft).

2. Die Stimmen werden einzeln notiert, aber entsprechend dem jeweiligen Zusammenklang der Töne übereinander angeordnet *(Partitura)*.

3. Die Stimmen werden nicht einzeln notiert, sondern unter Beibehaltung ihrer originalen Tonhöhen griffmäßig zusammengezogen (ohne Rücksicht auf die Stimmführung). Hierzu gehören die meisten der als *Tabulatura* bezeichneten Notationsarten.

4. Die Stimmen der Komposition werden nur auszugsweise selbständig dargestellt (meist nur der Baß, sodann auch der Diskant, bei vielstimmigen Stücken auch mehrere Stimmen), im übrigen werden nur die Harmoniefortschreitungen bezeichnet, ohne Rücksicht auf die originale Tonhöhe der Stimmen (sog. „Orgelpartitur" und *basso continuo*).

Alle vier Arten kamen für die Tastenmusik in Frage, freilich wechselte zu verschiedenen Zeiten ihre Bedeutung und dementsprechend auch die Bedeutung der verschiedenen Termini.

Das Abspielen einer Komposition aus dem Chorbuch oder aus den Stimmbüchern ist im 16. Jahrhundert vornehmlich im Süden geübt worden[111], jedoch wurde diese Fertigkeit nur von den besten Künstlern und Kennern der Kompositionsregeln beherrscht. Mit dem Verschwinden der Chorbücher und dem Anwachsen der Stimmenzahl der Kompositionen hörte diese Praxis auf.

Eine wesentliche Vereinfachung bedeutete die Anfertigung einer Partitur; das Spiel aus ihr mußte (nach Bermudo und Santa Maria[111]) im Süden jedem ausgebildeten Spieler geläufig sein. Je mehr die Generalbaßpraxis sich durchsetzte, desto mehr schwand die Fähigkeit des Partiturspielens bei den Tastenspielern, wie aus den Klagen mancher Komponisten und Lehrer hervorgeht[112].

Der Dilettant wie auch der bloß handwerksmäßig ausgebildete Organist (vornehmlich in Deutschland) bediente sich der *Tabulatur*[113], d. h. der Zusammenziehung der einzelnen Stimmen zu den erforderlichen Griffen, wozu keine höheren musikalischen

---

[109] Vgl. Anm. 115.

[110] a. a. O. S. XXIII.

[111] Vgl. O. Kinkeldey, *Orgel und Klavier in der Musik des 16. Jahrhunderts*, Leipzig 1910, S. 98 f.

[112] Vgl. A. Banchieri, *Conclusione del suono del Organo*, Bologna 1609; G. Diruta, *Il Transilvano*, Venedig 1609, Libro IV, S. 16; G. Frescobaldi, *Fiori Musicali*, Venedig 1635, Vorrede.

[113] Vgl. Kinkeldey, a. a. O. S. 98 f. und 104.

Kenntnisse notwendig waren. Im Zuge der ständigen Verbreitung der Tastenspielkunst wurde diese Notierungsform schließlich die beherrschende, so daß man gegen das Ende des 17. Jahrhunderts unter *Tabulatur* schlechthin so viel wie „nach Noten spielen" verstand, im Gegensatz zu den übrigen Teilen der *Clavierkunst*[114].

*Tabulatur* und *Partitur* in dem angedeuteten Sinne waren also die im 17. Jahrhundert gebräuchlichen Notationsformen. Da beide Begriffe jedoch infolge der zeitlichen und landschaftlichen Abwandlungen mehrdeutig sind[115], empfiehlt es sich eher, zwischen G r i f f - n o t i e r u n g und S t i m m e n n o t i e r u n g zu unterscheiden[116]. In diese beiden Gruppen lassen sich sämtliche Notationsarten unter Beibehaltung ihrer historischen Namen einordnen.

Während für das Repertoire der Zupfinstrumente ausschließlich Griffnotierungen angewandt wurden, waren für die Tastenmusik beide Formen in den verschiedenen Abwandlungen der Noten-, Buchstaben- und Ziffernnotation gebräuchlich, wie aus der folgenden Übersicht zu ersehen ist.

N o t e n          B u c h s t a b e n          Z i f f e r n
S t i m m e n - N o t i e r u n g
Chorbuch        Deutsche Orgeltabulatur SpanischeOrgeltabulatur (1. Art)[117]
Stimmbuch (Stimmheft)        SpanischeOrgeltabulatur (3. Art)[117]
Partitur

G r i f f - N o t i e r u n g
ItalienischeOrgeltabulatur Deutsche Orgeltabulatur Spanische Orgeltabulatur (2. Art)[117]
Englische Orgeltabulatur
Französische Orgeltabulatur

Ein enger Zusammenhang zwischen Tasten- und Zupfinstrumentenspiel herrschte in S p a n i e n , wo alle gedruckten Tabulaturbücher des 16. Jahrhunderts *Musica para tecla, arpa y vihuela*

---

[114] Vgl. oben S. 22.
[115] Nachstehend eine Übersicht der verschiedenen Bedeutungen dieser Termini:
T a b u l a t u r [*tabula* = Tafel]
1. Musizieren „vom Blatt" bzw. nach Noten im Gegensatz zum Fantasieren (vgl. o. S. 23), unabhängig von der Notierungsart.
2. Notierung auf e i n Blatt (*tabula*) im Gegensatz zur Stimmbuchnotierung, unabhängig von der Notierungsart; vgl. S. Scheidt, *Tabulatura Nova* und J. Klemm, *Tabulatura Italica* (beide Werke sind in P a r t i t u r notiert).
3. Bezeichnung einer Notationsart für solistisches Musizieren, z. B. Orgel-, Spinett-, Lauten-, Theorben-, Guitarren-, Harfen-, Geigentabulatur; italienische, deutsche, spanische, französische, englische Tabulatur.
P a r t i t u r [a. *partire* = *spartire* = metrische Einteilung durch Taktstriche;
         b. *partire* = Absonderung der einzelnen Stimmen einer Komposition (*in partito*) im Gegensatz zur akkordischen Zusammenfassung (*in corpo*)].
1. Mit Taktstrichen versehene G e n e r a l b a ß s t i m m e zu vokaler oder instrumentaler Ensemble-Musik.
2. K l a v i e r a u s z u g , d. h. Aussonderung und Aufzeichnung der wichtigsten Stimmen einer großbesetzten Musik in einzelnen Notensystemen über dem Generalbaß, vor allem in Italien üblich, aber auch gelegentlich in Deutschland, z. B. bei Chr. Demantius, *Nova Bassi et Cantus Generali sive Continui Conjuncto*, Freiberg 1619.
3. „Partitur" im modernen Sinne, d. h. sämtliche Stimmen in Notensystemen übereinander angeordnet.
4. S t i m m e n n o t i e r u n g in Buchstabentabulatur; vgl. J. Woltz, Vorrede zu *Nova Musices Organicae Tabulatura*, Basel 1617.
[116] Walther, *Lexicon*, S. 328 unterscheidet zwischen *in corpo*- und *in partito*-Notation.
[117] Bezeichnungen nach W. Apel, a. a. O., S. 47 ff.

enthielten. Hier benutzten die Lauten- und die Tastenspieler die gleiche Zifferntabulatur. In den bekanntesten Drucken[118] bezeichnen die Ziffern jeweils die *Claves* einer Oktave, die einzelnen Stimmen der Komposition sind jede auf eine besondere Zeile notiert und in der Partitur übereinander gesetzt (sog. 3. Art der spanischen Tabulatur[119]). Hier liegt also eine Stimmennotierung nach rein musikalischen Gesichtspunkten vor. Eine Stimmennotierung ähnlicher Anordnung, bei der jedoch die Ziffern rein mechanisch durchlaufend die Tasten der ganzen Klaviatur angeben, beschreibt Bermudo; freilich sind hierfür keine praktischen Beispiele bekannt (1. Art der span. Tabulatur). Daneben erwähnt Bermudo auch eine reine Griffnotation in Ziffern (2. Art der span. Tabulatur), die bei der *Intavolatura de Cimbalo* von Antonio Valente (Neapel 1576) zur Anwendung gekommen ist[120]. Hier zählen die Ziffern wiederum rein mechanisch sämtliche Tasten der Klaviatur, doch wird der Spielanteil der Hände getrennt entsprechend der Anordnung in den Notentabulaturen.

Die spanischen Zifferntabulaturen dominierten im 16. Jahrhundert, ihre praktische Bedeutung blieb anscheinend auf die iberische Halbinsel und auf das zu Spanien gehörige Königreich Neapel beschränkt[121]. Nach 1600 trat der Einfluß der italienischen Notationsformen (Notentabulatur und -partitur) immer mehr hervor, doch ist noch 1677 in Madrid ein Druck mit Zifferntabulatur erschienen[122].

Eine ähnliche lokale Bedeutung wie die spanische Zifferntabulatur besaß die deutsche Buchstabentabulatur oder d e u t s c h e  O r g e l t a b u l a t u r, die ebenfalls im 16. Jahrhundert voll ausgebildet wurde und teilweise bis in das 18. Jahrhundert hinein im Gebrauch geblieben ist. Die Aufzeichnung der Musik geschah durch Buchstaben, und zwar benutzte man — im Gegensatz zu den spanischen Tabulaturen — ausschließlich die *Claves*-Buchstaben A bis H. In den Quellen des 15. und des frühen 16. Jahrhunderts findet man die kolorierte Oberstimme in Mensuralnoten, die Unterstimmen darunter in Buchstaben aufgezeichnet (sog. „ältere deutsche Orgeltabulatur"[123]). Doch erwähnt bereits Martin Agricola 1529 die reine Buchstabennotation[124], für die wir freilich vor den gedruckten Tabulaturbüchern aus dem letzten Drittel des 16. Jahrhunderts keine praktischen Belege besitzen.

Die Buchstabennotierung wurde im 16. und 17. Jahrhundert zur Niederschrift von solistischer Tastenmusik und von „Orgelpartituren" für die Begleitung[125], aber auch zur Anfertigung ganzer Partituren von Vokal- und Instrumentalwerken benutzt[126]. Sie ist also keineswegs ausschließlich eine Schreibweise für die Spielpraxis[127].

---

[118] Luis Venegas de Henestrosa, *Libro de Cifra nueva para tecla arpa y vihuela*, Alcala de Henares 1557; *Obras de Musica para tecla arpa y vihuela de Antonio Cabeçon*, hrsg. v. Hernando Cabeçon, Madrid 1578; Francisco Correa de Arrauxo, *Libro de tientos y discursos de Musica Practica y Theorica de Organo intitulado Facultad Organica*, Alcala 1626.

[119] Vgl. hierzu und zum Folgenden W. Apel, a. a. O. S. 49 ff.

[120] J. Wolf, a. a. O. S. 266, erwähnt auch ein Manuskript.

[121] Doch müssen sie zumindest in Deutschland bekannt gewesen sein; ein Exemplar der *Obras* von Cabeçon aus dem Besitz von Gregor Aichinger befindet sich nach Eitner, *Quellenlexikon*, in Wolfenbüttel.

[122] S. u. S. 60.

[123] Ähnliche Gestalten der Notierung findet man in italienischen (z. B. in Petruccis Lautenbuch von 1509), spanischen und französischen Quellen; vgl. Kinkeldey, a. a. O. S. 156.

[124] Martin Agricola, *Musica Instrumentalis deudsch*, Wittenberg 1529.

[125] Kinkeldey, a. a. O. S. 190 ff. hat gezeigt, daß Orgelintavolierungen aus dem 16. Jahrhundert (z. B. die Breslauer Tabulaturen, die in der Reihenfolge Diskant-Baß-Alt-Tenor untereinander entsprechend der Anordnung in den meisten Chorbüchern notiert und teilweise transponiert sind) zur Begleitung verwendet wurden.

[126] Die Vokal- und Instrumentalwerke der meisten norddeutschen Meister sind in Buchstabentabulatur notiert; hierbei handelt es sich um „Direktionsstimmen" oder „Studienpartituren".

[127] M. Praetorius, *Syntagma Musicum* Bd. III, Wolfenbüttel 1618, S. 126 schreibt, daß die deutsche Buchstabentabulatur *„an jhme selbsten richtig, gut, leicht vnd bequemer ist, nicht allein daraus zu schlagen, sondern auch daruff zu Componiren."*

Freilich sind die Grenzen nicht immer klar zu ziehen; denn zu Beginn des 17. Jahrhunderts (und vorher erst recht) bestand die solistische Tastenmusik zu einem großen Teil aus Übertragungen und Bearbeitungen [128]. Die Stücke wurden aus den Vorlagen (Stimmbücher, Partituren) in die Buchstabenschrift „abgesetzt". Dies konnte entweder in der Form der Griffnotierung unter Zusammenziehung und Kolorierung der Stimmen geschehen oder in Stimmennotierung entsprechend den Vorlagen. Beispiele für beide Arten enthält die *Nova Musices Organicae Tabulatura* des Johann Woltz (Basel 1617). Wie aus seiner *Erinnerung des Authoris / An den günstigen Liebhaber der / Music* hervorgeht, hat er besonders bei den Übertragungen vielstimmiger Chorgesänge unter Ausschließung der *„superfluas & in unam clavem coincidentes Voces"* die Kompositionen *„in vier oder fünff continuas superiores & inferiores Voces"* zusammengezogen, die ihrer Höhenlage nach übereinander notiert wurden [129]. Dagegen hat Woltz die vierstimmigen Liedsätze Haßlers und die Fugen der italienischen Meister *„durch vbersetzung der Stimmen nicht brechen / sondern lieber ein jede gantz lassen wöllen / damit man das artificium compositionis der Fugen / und Syncopationen desto besser vernemmen und mercken könne"* [130]. Diese Notierungsart konnte also gleichzeitig dem theoretischen Unterricht dienen, nämlich zur Darstellung von Lehrbeispielen für den Kontrapunkt. Den im Spiel der vollständigen „Partitur" nicht geübten Musikern empfiehlt Woltz, sich die oberste und die unterste Stimme rot zu unterstreichen und allein zu spielen, wahrscheinlich unter Hinzufügung von Akkorden [130]. Das Tabulaturbuch enthält einige Beispiele dafür, wie die Stücke — die nach Woltz' Vorschlag auch eine Quinte oder Quarte höher oder tiefer transponiert werden können — *„in zwo volkommene Stimmen / die obriste vnd vnderste / zu mehr leichtern schlahen contrahiret werden"* können. Ein besserer Musiker solle die Mittelstimmen mitspielen und *„dieselben mit Coloraturen und Mordanten"* versehen [131]. Hieraus kann man sehen, daß Kompositionen, die in Stimmen notiert wurden, nur als Gerüst für die improvisatorische Ausführung des Tastenspielers angesehen wurden.

Auch die deutsche Orgeltabulatur begann in den ersten Jahrzehnten des 17. Jahrhunderts den italienischen Notierungsformen zu weichen, und zwar geschah dies zunächst in Süddeutschland, wie man aus der bereits erwähnten Vorrede von Woltz schließen kann: *„Welchen aber diese Tabulatur nicht bekannt / die können doch auß solcher jedes Gesang gar leicht vnd ohne mühe in die Italianische partituram vnd notas redigiren"* [132]. Samuel Scheidt ließ dagegen 1624 seine Kompositionen in der Notenpartitur veröffentlichen, um den deutschen Organisten die Möglichkeit zu geben, die Stücke aus den Stimmen in die Buchstabentabulatur abzusetzen, wozu sich die griffmäßig notierte englisch-niederländische Tabulatur nicht eignete, da *„die Parteyen so wunderbarlich untereinander springen"*. Daher nannte er sein Werk auch *T a b u l a t u r a  n o v a*. Ähnlich liegt der Fall bei Johann Klemm, der sein im Jahre 1631 erschienenes und ebenfalls in Notenpartitur gedrucktes Werk *Partitura seu T a b u l a t u r a  I t a l i c a* betitelte. Er hielt zwar Buchstabennotierung (als Stimmennotierung) und Notenpartitur für gleichwertig, empfahl aber nachdrücklich die allgemeine Einführung der Notenpartitur für die musikalische Theorie und Praxis [133]. Die letzten Drucke mit deutscher Buchstabentabulatur erschienen im Jahre 1645 [134], danach hielt sich diese Notationsform anscheinend nur noch im thüringischen Raum sowie in ganz Norddeutschland und Skandinavien, wo sie für die handschriftliche Aufzeichnung noch bis

---

[128] Vgl. A. Gabrieli, *Canzoni alla francese*, Venedig 1605 (2 Bände); B. Schmid (d. J.), *Tabulatur Buch . . .*, Straßburg 1607; J. Woltz, *Nova Musices Organicae Tabulatura*, Basel 1617.
[129] A. a. O. fol. ) ( iij$^\mathrm{v}$.
[130] Ebda. fol. P ij.
[131] Ebda. Teil II, Nr. 17.
[132] Michael Praetorius hatte seine Kirchenliedbearbeitungen für die Orgel (7. Teil der *Musae Sioniae*, 1609) noch in Stimmbüchern veröffentlicht, *„damit ein angehender Organist sie um so leichter in die Tabulatur bringen könnte"*.
[133] Vgl. F. W. Riedel, Artikel *Klemm* in MGG.
[134] J. E. Kindermann, *Harmonia Organica*, Nürnberg 1645 (Druck und Verlag durch den Komponisten); Chr. Michel, *Tabulatura . . . auf dem Clavier*, Braunschweig 1645.

ins 18. Jahrhundert hinein im Gebrauch blieb[135]. Erst die Einführung der temperierten Stimmung und die damit verbundene Erweiterung des Tonartenkreises scheinen der Buchstabentabulatur (wie überhaupt allen Notierungsarten, die sich keiner Notenzeichen bedienten) den Todesstoß versetzt zu haben, so daß Adlung[136] ihre gänzliche Abschaffung empfahl.

Je mehr das Tastenspiel den Charakter einer Spezialistenkunst verloren hatte und zur Grundlage der musikalischen Ausbildung überhaupt wurde, desto mehr empfahl es sich, die in der gesamten Vokalmusik sowie in der instrumentalen Ensemblemusik üblichen Notierungszeichen zu übernehmen, da sie ohnehin gegenüber den Buchstaben- und Ziffernnotierungen den Vorteil besaßen, daß Tonhöhe und Tondauer sich durch e i n Zeichen darstellen ließen[137].

Der Ursprung dieser Notierungsform für die Tastenmusik liegt wahrscheinlich in I t a l i e n, wo sie bereits zu Beginn des 16. Jahrhunderts nachzuweisen ist[138]. Bald darauf finden wir sie ebenfalls in Frankreich, England und in den Niederlanden, während sie in Deutschland und in Spanien erst im 17. Jahrhundert Eingang gefunden zu haben scheint. Die Notenschrift ermöglichte Stimmnotierung in der Form der *Partitura* und Griffnotierung in der Form der *Intavolatura*. Wie bereits erwähnt[139], wurde im 16. Jahrhundert das Spielen aus dem Chorbuch oder aus den nebeneinandergestellten Stimmbüchern von Musikern hohen Könnens gepflegt. Auch die Kompositionen wurden in Chorbuchnotierung ausgearbeitet; Bermudo[140] erklärt die Methode, in Partitur zu komponieren, für barbarisch. Die Beispiele in den theoretischen Lehrbüchern wurden ebenfalls fast ausschließlich in Chorbuchform notiert. Doch trat schon gegen Ende des Jahrhunderts eine Wandlung ein. Je mehr im musikalischen Satz die Außenstimmen dominierten und das harmonische Element gegenüber dem linearen Satz an Gewicht gewann, desto stärker scheint man das Bedürfnis empfunden zu haben, die Stimmen vertikal anzuordnen. Dadurch wurde gleichzeitig breiten Kreisen von Musikern und Dilettanten die Möglichkeit gegeben, einen Einblick in das Gefüge der Komposition zu erhalten. So erschienen im Jahre 1577 zu Venedig bei Angelo Gardano *Tutti i Madrigali di Cipriano di Rore a quattro Voci s p a r t i t i et accomodati per sonar d'ogni sorte d'istromento perfetto*[141] *& per qualunque s t u d i o s i di C o n t r a p u n t i*. Diesem doppelten Zweck dienten fast alle in der Folgezeit erschienenen Partituren. Auch im Kompositionsunterricht traten sie an Stelle der Chorbuchanordnung. Johann Klemm berichtet in der Vorrede seiner *Partitura seu Tabulatura Italica*, daß Heinrich Schütz mittels der Partitur seine Schüler die Komposition lehrte.

In der praktischen Musikübung stand das Partiturspiel jetzt im Range an erster Stelle und wurde von seiten der Theoretiker dem bequemen Generalbaßspiel vorgezogen[142]. So gaben verschiedene Musiker ihre Tastenmusik in Partiturform heraus. Hier sind an erster Stelle die 1603 veröffentlichten Orgelbücher der neapolitanischen Meister Ascanio Mayone und Giovanni Maria Trabaci zu nennen[143], während die Venetianer um die gleiche Zeit vorwiegend die *Intavolatura* benutzten. Besondere Bevorzugung aus didaktischen Gründen — hervorgerufen durch den drohenden Verfall des Partiturspiels — fand die Notenpartitur erst durch Frescobaldi und

---

[135] A. Poglietti, *Compendium* 1676, S. 54 (s. u. S. 80 f.) erwähnt sie nur „*curiositatis gratia*".
[136] *Anleitung*, S. 186.
[137] Ohne Zweifel haben auf die Wandlungen der Notationspraxis auch drucktechnische Vorteile einen Einfluß ausgeübt; s. u. S. 80 f.
[138] Partitur-Notation wurde allerdings schon bei der mittelalterlichen Musik angewendet, z. B. beim Conductus des 13. Jahrhunderts (in England bis zum 15. Jahrhundert), beim Hoquetus des 13.—14. Jahrhunderts und bei den Clausulae; auch die dreistimmigen Rondeaux von Adam de la Hale und Jehann de l'Escurel kommen in Partitur-Notierung vor; vgl. H. Besseler, Artikel *Ars Antiqua* in MGG.
[139] S. o. S. 30.
[140] J. Bermudo, *Declaración de instrumentos musicales*, Ossuna 1555, Lib. V. fol. 134 (Cap. 27).
[141] Darunter verstand man die Tasteninstrumente.
[142] Vgl. Anm. 112 und M. Praetorius, *Syntagma Musicum* III, S. 129 f., 143 f.
[143] Vgl. Apel, a. a. O. S. 18.

34

seine Schüler[144], speziell für die Aufzeichnung von Kompositionen im strengen Stil[145]. Von da an läßt sich ihre Anwendung in den Drucken und Handschriften ununterbrochen noch über die späten Lehr- und Repräsentationswerke J. S. Bachs *(Musicalisches Opfer, Kanonische Veränderungen, Kunst der Fuge)* hinaus verfolgen. Demgegenüber macht sich gegen das Ende des 18. Jahrhunderts die Tendenz bemerkbar, die Partituren älterer Musik im strengen Stil wieder in einzelne Stimmhefte aufzulösen (in der Regel für Streichquartettbesetzung[146]), so daß der ursprüngliche Charakter der Kompositionen als Klaviermusik in Vergessenheit geriet[147].

Weit mehr verbreitet als die Partitur und bis zum heutigen Tage für die Klaviermusik allein gültig geblieben ist die griffmäßige Notenschreibweise, die *Intavolatura*. Sie entstand durch Zusammenziehung der Stimmen auf ein einziges System mit vielen Linien, dem mehrere Schlüssel vorgezeichnet waren[148]. Doch wurde bereits zu Beginn des 16. Jahrhunderts eine Trennung in zwei Systeme zu je 5 oder mehr Linien vorgenommen, um den Spielanteil der beiden Hände abzusondern.

Diese gewöhnlich als i t a l i e n i s c h e  O r g e l t a b u l a t u r bezeichnete Notationsweise ist im Jahre 1517 zum ersten Male nachweisbar[149]. Die Linienzahl beider Systeme war nicht konstant und selten in beiden Systemen gleich. In der Regel enthielt das untere System mehr Linien (6—8 mit C-Schlüssel auf der zweitobersten und mit Baßschlüssel) als das obere (5—6 mit Diskant- und gelegentlich auch mit G-Schlüssel). Die italienische Orgeltabulatur ist außerhalb Italiens vornehmlich in Süddeutschland gebraucht worden, wo sie vermutlich durch die Einfuhr italienischer Druckwerke verbreitet wurde. In beiden Ländern ist sie bis gegen das Ende des

---

[144] Vgl. die Vorreden der Partiturdrucke Frescobaldis, Grassis u. a.

[145] Daß die Partituren in erster Linie für das Tastenspiel gedacht waren, zeigt Klemms Bemerkung (a. a. O.): „*Si alijs Instrumentis* [d. h. keine Tasteninstrumente] *eas canere lubet, singulas voces seorsim scribenda erunt.*" Übrigens wurden die Partituren auf den Tasteninstrumenten nicht originalgetreu wiedergegeben, sondern dienten lediglich als „abstraktes" Gerüst für eine kolorierte und harmonisch angereicherte Bearbeitung; vgl. Klemms Bemerkung (ebda. S. 92): „*chromatibus & diminutionibus abstinui, ne opusculum nimium excresceret.*" (Vgl. den Titel zum 3. Teil der *Tabulatura nova* von Scheidt.) Die Praxis der Diminution hat ja mit dem Abkommen der genauen schriftlichen Fixierung nicht aufgehört. Das abwertende Urteil A. G. Ritters über die „Koloratur" dürfte beeinflußt sein von der seit der Mitte des 19. Jahrhunderts um sich greifenden Tendenz, Musikstücke möglichst originalgetreu nach dem Notenbild ohne Zutaten des Interpreten zu Gehör zu bringen (Liszt, v. Bülow).

[146] S. u. S. 146.

[147] Vgl. H. Husmann, *Die Kunst der Fuge als Klavier-Werk*, Bach-Jahrbuch 1938; Husmann nimmt den unmittelbaren Einfluß Frescobaldis an, auf den Bach zurückgegriffen habe. Wie noch gezeigt wird, reicht aber der Einfluß des römischen Meisters ununterbrochen bis in die Zeit Bachs hinein. Die Partiturnotation ist auch im 18. Jahrhundert für derartige „gelehrte" Musik durchaus noch gebräuchlich gewesen; vgl. ferner G. M. Leonhardt, *The Art of Fugue, Bachs last Harpsichord Work*, Den Haag 1952; s. u. S. 117 ff.
Kurze Gelegenheitswerke, vor allem vertonte Hochzeits- und Begräbnisgedichte druckte man im 17. Jahrhundert vielfach in Partitur; als Beispiele seien genannt: Samuel Michel, *Ehren Lied Auff den . . . Hrn. Ambr. Arnolden von Dußden, als derselbe . . . 1630 . . . Magister renumiret wurde . . . In drey Stimmen gesetzet*, Leipzig 1630, A. Lambergs Erben;
Conrad Matthei, *Tantz nach Art der Pohlen* (Tanzlied), Königsberg 1657, J. Reussner; derselbe, *Wie selig ist doch der daran*, ebenda 1660;
Augustin Pfleger, *Odae concertantes, quas variis vocibus et instrumentis in Actu Inaugurationis lusit Musicorum Chorus* (zur Einweihung der Kieler Universität), 1666;
J. H. Schmelzer, *Arie per il balletto a cavallo*, Wien 1667;
Bernhard Meyer, *Trauer- und Lobgedichte*, Wittenberg (1681), M. Henckel;
Johann Valentin Meder, *Das lange Verlangen des . . . Herrn Giulian von Langen . . . und der Jgf. Gertrut Witter von Lilienau . . . an dero Hochzeits-Begängniss . . . in einer Aria vorgestellet*, Riga (1685), Nöller.

[148] Ein spätes Beispiel für diese Notierungsart (10-Linien-Tabulatur) bietet der Kodex XIV 714 (früher Ms. 8) im Musikarchiv des Wiener Minoritenkonventes.

[149] *Frottole Intabulate da Sonarsi Organi*, Rom 1517, Antico.

17. Jahrhunderts nachweislich im Gebrauch geblieben. Gestochen findet man sie zuletzt in den Ausgaben von Frobergers Kompositionen (1693, 1695) und in der italienischen Sammlung *Sonate da organo* (um 1700). Doch scheinen nur noch „*Künstler und erfahrne Organisten*" [150] daraus gespielt zu haben. Der kaiserliche Hoforganist Gottlieb Muffat (1690–1770) übertrug sich beispielsweise die Frobergerschen Toccaten nach der Ausgabe von 1693 in die sog. französische Tabulatur (s. u.), während seine eigenen Kompositionen noch in der italienischen Tabulatur notiert vorkommen [151]. Doch galt diese zu jener Zeit bereits als ein Kuriosum, wie aus einer handschriftlichen Notiz auf dem Vorsatzblatt eines Exemplars von Frescobaldis *Fiori Musicali* im Musikarchiv des Wiener Minoritenkonventes hervorgeht: „*Vor zeiten hat man in discant sechs lini gesetzt, und in bass 7 lini; waß in discant gesetzt war gehörte vor die rechte handt, waß in bass gesetzt war, gehörte für die lincke hant: wan es in discant hoh ginge, darfst man nit alzeit sich mit stridin Plagen. Dieses Exempel ist aus des Herrn Caspar Kerl seinen Canzonen* [152]: *in diesen hat d. scholar leicht wissen können waß in die rechte hand gehöre.*"

Abarten der italienischen Orgeltabulatur sind die „englisch-niederländische" und die „französische" Orgeltabulatur. Beide zeichnen sich gegenüber der hinsichtlich der Linienzahl variablen italienischen Schreibweise durch ziemlich starres Festhalten an einer spezifischen Form aus.

Die englisch-niederländische Tabulatur hat — von wenigen Ausnahmen abgesehen — stets zwei Systeme zu je 6 Linien [153]. Sie kommt in England bereits in Quellen aus der Zeit um 1520 vor, gelangte von dort nach den Niederlanden und auch nach Norddeutschland, wo sie jedoch — nach unserer Quellenkenntnis — nur eine nebengeordnete Rolle gespielt zu haben scheint [154]. In England ist sie freilich bis gegen 1700 im Gebrauch geblieben, bis auch hier die französische Manier den Sieg errang.

Als französische Orgeltabulatur wird die Notation auf zwei Systeme zu je 5 Linien mit der Vorzeichnung von je einem Schlüssel bezeichnet. Besonderes Kennzeichen dabei ist der Wechsel der Schlüssel im Verlaufe des Stückes zur Vermeidung des Gebrauchs von Hilfslinien. Der Name „französische Orgeltabulatur" kommt zwar im Wortgebrauch des 16. und 17. Jahrhunderts direkt nicht vor [155], sondern scheint erst im 19. Jahrhundert aufgekommen zu sein; doch hat man in Frankreich seit Attaingnants Tabulaturbüchern (um 1530) keine andere Notationsart benutzt. In Deutschland wandte sie bereits J. U. Steigleder beim Stich seiner *Ricercar Tabulatura* (1624) an, im übrigen kommt sie erst bei den im letzten Drittel des 17. Jahrhunderts erscheinenden pädagogischen Werken vor. Eine Begründung für diese Vereinfachung der Notation findet sich in der Vorrede zum *Wegweiser* [156].

---

[150] Vgl. *Nothwendiger Vorbericht zu Kurtzer, jedoch gründlicher Wegweiser ... die Orgel ... zu schlagen,* Augsburg 1689.

[151] Vgl. F. W. Riedel, *Studien zur Wiener Musikgeschichte in der 1. Hälfte des 18. Jahrhunderts* (in Vorbereitung); auch B. Pasquini bediente sich noch der italienischen Tabulatur (Berlin, Deutsche Staatsbibliothek Mus. ms. L 215).

[152] Vgl. Anm. 186.

[153] Vgl. Seiffert, *Klaviermusik,* S. 55.

[154] Vgl. S. Scheidt, Vorrede zur *Tabulatura Nova* 1624 (s. o. S. 33 f.). Beispiele: Schloßmuseum Lübbenau, Mss. Lynar A 1 und A 2; Lüneburg, Ratsbücherei Mus. ant. pract. KN 147; New Haven (Conn.), Library of the Yale Music School, Ma. 21 H 59.

[155] Der Organist Caspar Vincentius aus Speyer empfahl im Vorwort des letzten Teiles der von ihm verfertigten Bc.-Stimme zum *Promptuarium Musicum* des Abraham Schadaeus (1617) den im Generalbaß weniger erfahrenen Organisten, die Stücke in die deutsche, italienische oder französische Tabulatur zu übertragen. Doch gab er für die letztgenannte keine nähere Definition.

[156] „... *Die zu End beygefügte Praeambula, &c. betreffend / so hat man sich in selbigen / so viel möglich beflissen / die rechte und lincke Hand nicht mit einander zu confundiren / das ist / alles was zu der rechten / in die obern / was zu der lincken Hand gehöret / in die untern Linien zu bringen / welches dann zu bewerckstelligen / notwendig die öfftere Aenderung der Schlüsseln des Alts und Tenors erfordert worden / so fern sie aber manchem zu leicht / einfältig / oder nicht kunstreich genug vorkommen / dienet zur Nachricht / daß solche mit Fleiß*

In den neunziger Jahren beherrschte die französische Tabulatur bereits den größten Teil der deutschen Druckproduktion, vor allem die Variations-, Suiten- und Sonatensammlungen. Die Amsterdamer Drucker benutzten sie ebenfalls in diesen Jahren, um 1700 setzte sie sich auch in England und Italien durch. Jetzt bezeichnete man sie allgemein als „italienische Tabulatur" im Gegensatz zu der immer mehr im Rückzug befindlichen „deutschen" Buchstabentabulatur [157].

Aus der französischen Tabulatur hat sich auch die heute übliche „Orgel-Notation" von drei Systemen zu je fünf Linien entwickelt, die durch die Absonderung der Pedalstimme entstand [158]. Man findet sie zuerst bei den ausdrücklich für die große Kirchenorgel bestimmten Orgelbüchern der französischen Meister gegen das Ende des 17. Jahrhunderts, in Deutschland aber erst im 18. Jahrhundert und zwar lediglich bei Stücken mit obligater Pedalstimme (Triosonaten, große Choralbearbeitungen [159]), nicht aber bei Toccaten und Praeludien oder bei Fugen, in denen die Ausführung manualiter oder pedaliter ohnehin selten festgelegt wurde [160]. Allgemeine Anwendung auf die spezifische Orgelmusik fand die drei-systemige Notierung erst im 19. Jahrhundert.

Überblickt man die Gesamtentwicklung der Notationsformen für die Tastenmusik [161], so zeigt sich im 16. Jahrhundert eine landschaftlich getrennte Herausbildung verschiedener Notierungssysteme, von denen mehrere im 17. Jahrhundert — unter der Vorherrschaft der italienischen Formen — nebeneinander weiterbestanden, bis sich zu Beginn des 18. Jahrhunderts die französische Orgeltabulatur als die noch heute allgemein gültige Klaviernotierung durchgesetzt hat.

Zusammenfassend ergibt sich aus den Quellen das folgende Bild der notationsgeschichtlichen Situation in der zweiten Hälfte des 17. Jahrhunderts:

A. Spanische Orgeltabulatur in Ziffern:

nur noch eine Druckquelle in Spanien nachweisbar.

B. Deutsche Orgeltabulatur in Buchstaben:

in Norddeutschland vorherrschend, in Mitteldeutschland neben anderen Formen gebräuchlich (keine Drucke mehr).

---

also / nicht zwar vor die Künstler und erfahrne Organisten / sondern den Lernenden zum besten / leicht anfänglich vorgestellet worden; dann Anfangenden gleich des Frescobaldi oder andere schwere Toccaten vorzulegen / wird kein Vernünfftiger gut sprechen ..."
Doch hat sich im Süden offenbar die Notierung von Toccaten in französischer Orgeltabulatur nur langsam durchgesetzt. Georg Muffat stellt sie im Vorwort seines Apparatus Musico-Organisticus von 1690 (dem einzigen damals gedruckten Buch mit Toccatae majores) als ein Novum hin. Bei der handschriftlichen Aufzeichnung bediente man sich weiterhin der italienischen Tabulatur, z. B. in Pasquinis Sonate per gravecembalo (Berlin, Deutsche Staatsbibliothek Mus. ms. L 215) und bei den großen Toccaten und Capricci von Gottlieb Muffat (Wien, Musikarchiv des Minoritenkonventes und Berlin, Deutsche Staatsbibliothek).

[157] Z. B. bei Daniel Vetter, Musicalische Kirch- und Haus-Ergötzlichkeit I, Leipzig 1709; Walther, Lexicon, S. 592; Mattheson, Capellmeister, S. 58 ff.; Adlung, Anleitung, 16. Kapitel.
[158] Schon früher gab es gelegentlich das Bestreben, innerhalb der Griffnotierung die Pedalstimme gesondert zu schreiben, z. B. bei Annibale Padovano, Toccate et Ricercare d'Organo (1609) und bei A. van Noordt, Tabulatuur-Boeck van Psalmen en Fantaseyen, Amsterdam 1659; ferner in der Handschrift Lynar A1 und im Kodex E. B. 1688; vgl. Anm. II 77 und II 316.
[159] Z. B. bei J. S. Bach (Clavierübung III, Kanonische Veränderungen, 6 Choräle, 18 Choräle). Im 18. Jahrhundert hob man die obligate Pedalstimme gelegentlich (bei der Notierung auf 2 Systeme) auch durch Schreibung mit roter Tinte hervor; vgl. Berlin, Deutsche Staatsbibliothek Mus. ms. 2681/1 und Mus. ms. 17 337 (beide z. Z. Marburg, Westdeutsche Bibliothek).
[160] Vgl. oben S. 20.
[161] Die zahlreichen, für den Gesamtzusammenhang unwichtigen Verbesserungsversuche der Notation können hier außer acht gelassen werden.

C. 1. Italienische Partitur in Noten:
in ganz Europa bekannt, jedoch im Westen selten nachzuweisen [161a].

2. Italienische Orgeltabulatur in Noten:
in Italien und in Süddeutschland vorherrschend.

3. Englische Orgeltabulatur in Noten:
in England vorherrschend, in den Niederlanden und in Norddeutschland in geringerem Maße im Gebrauch.

4. Französische Orgeltabulatur in Noten:
in Frankreich fast ausschließlich verwendet, von dort nach allen Seiten vordringend, gegen Ende des Jahrhunderts in ganz Europa dominierend.

## Zusammenhänge zwischen Notation und Stil

Wie aus der vorstehenden Übersicht hervorgeht, war der Gebrauch der Notenschrift bei weitem vorherrschend, am meisten in den Formen der Partitur sowie der italienischen und der französischen Tabulatur. Sie kommen oft nebeneinander bei demselben Meister und z. T. in einer Quelle vor. Diese Tatsache läßt sich so erklären, daß die verschiedenen Notationsformen — ursprünglich nur landschaftlich verschiedene Gewohnheiten der Schreibweise — jetzt dazu benutzt wurden, den *Stylus* der Kompositionen im Notationsbild zu verdeutlichen.

Während das 16. Jahrhundert die Griffnotation für jede Art von Tastenmusik bevorzugte, kann man beobachten, daß etwa gleichzeitig mit der bewußten Scheidung von *Prima Prattica* und *Seconda Prattica* die Stimmennotierung in Partiturform für Kompositionen im *stile antico* angewandt wurde [162]. Es bedarf noch des Nachweises, inwieweit hier die römische Palestrina-Schule einen Einfluß hatte. Jedenfalls schrieb man Messen von Palestrina (größtenteils ohne Text!) in Partiturform auf [163], sowohl für das Kontrapunktstudium wie auch für das Spiel auf Tasteninstrumenten. Aus der römischen Schule ging Frescobaldi hervor, der innerhalb seiner Tastenmusik beide *prattiche* notationsmäßig streng voneinander schied [164]. Alle freistimmigen Kompositionen erschienen in Griffnotierung *(Intavolatura)*, alle strengstimmigen in Stimmennotierung *(Partitura)*. Eine Angleichung beider *prattiche* erreichte Frescobaldi in seinem Spätwerk *Fiori Musicali* (1635), wo selbst die Toccaten strengstimmig komponiert und in Partitur notiert sind [165].

Eine weitere Differenzierung des Verhältnisses von Stil und Notation findet man bei Frescobaldis Schüler Froberger [166] um die Mitte des 17. Jahrhunderts. Inzwischen war die Unterscheidung der Stile zum festen Bestandteil der Musiklehre geworden. In den autographen Prachtkodizes [167] verwendete Froberger für den *stylus fantasticus* (Toccaten) die italienische Orgeltabulatur, für den *stylus motecticus* (Ricercari, Canzonen, Capricci) die Partitur, für den *stylus choraicus* (Tanzsätze) bzw. für den *stylus*

---

[161a] Doch veröffentlichten die Pariser Drucker wie auch John Playford in London textierte Partituren von Kirchen- und Opernmusik.
[162] S. o. S. 34 f.
[163] Z. B. Wien, Musikarchiv des Minoritenkonventes XIV 708; s. u. S. 85.
[164] S. u. S. 118.
[165] Vor ihm bereits die oben auf S. 34 erwähnten Drucke von Mayone und Trabaci.
[166] S. u. S. 121 ff.
[167] S. u. S. 75 f.

*melismaticus* (Variationen) die französische Orgeltabulatur[168]. Diese Unterscheidung läßt sich bis in die neunziger Jahre vielfach in den gedruckten und handschriftlichen Quellen nachweisen[169], freilich nicht überall mit der gleichen Strenge wie bei Froberger. Tanzsätze und Variationen findet man jedenfalls fast ausschließlich in französischer Manier notiert[170], die großen Fugensätze im strengen Stil — falls sie nicht für den praktischen Gebrauch intavoliert und bearbeitet sind — in Partitur[171]; für Toccaten war aus rein praktischen Gründen (zur Vermeidung von Hilfslinien bei weiter ausgreifenden Passagen[172]) die italienische Tabulatur die gegebene Notierung. Von diesem Gesichtspunkt her ist vielleicht Georg Muffats Hinweis auf die Neuartigkeit seiner Notierungsart (zwei Systeme zu je 5 Linien mit wechselnder Schlüssel-Vorzeichnung) in der Vorrede seines hauptsächlich Toccaten enthaltenden *Apparatus Musico-Organisticus* zu verstehen[173]. Allerdings findet man die französische Orgeltabulatur bei Toccaten in deutschen Handschriften gelegentlich bereits vor diesem Zeitpunkt[174].

Die in der letzten Phase des Barockzeitalters sich vollziehende Annäherung und Mischung der Stile mag der innere Grund dafür gewesen sein, daß auch die Notation vereinheitlicht wurde.

## Metrische Eigentümlichkeiten in der Notationspraxis

Der Aufschwung der Instrumentalmusik, vornehmlich der Lauten- und Tastenspielkunst und die damit verbundene Entwicklung der verschiedenen Notierungssysteme haben anscheinend mit dazu beigetragen, die Proportionslehre der mittelalterlichen Mensuralnotation zu verdrängen. Lehnten sich die Orgeltabulaturen des 15. Jahrhunderts — soweit sie aus England und Deutschland bekannt sind — noch eng an die Mensuralnotation[175], so bestanden seit dem Beginn des 16. Jahrhunderts hinsichtlich der metrischen Zeichen zwei Systeme nebeneinander. Während alle Noten-Tabulaturen und -Partituren die aus der Mensuralnotation bekannten Zeichen übernahmen, benutzten fast sämtliche Buchstaben- und Zifferntabulaturen eine andere Bezeichnung, die nach heutiger Kenntnis ihren Ursprung in der italienischen Lautentabulatur hat[176]. Die Gestalt, in der sie in Petruccis Lautenbüchern (1507/08) zu Beginn des 16. Jahrhunderts auftritt, ist — von den Vereinfachungsmethoden der einzelnen Schreiber abgesehen — bis weit in das 18. Jahrhundert hinein gültig geblieben, und zwar bei den folgenden Notationsarten:

---

[168] Seiffert, *Klaviermusik*, S. 170 und Frotscher, S. 477 (Anm. 1) sehen hierin nur die Abhängigkeit Frobergers von italienischen, französischen, niederländischen und deutschen Vorbildern.

[169] S. o. S. 23 ff.

[170] Ausnahmen: Wien, Musikarchiv des Minoritenkonventes XIV 713 (1683); J. K. Kerll, *Modulatio Organica* (1686), Anhang: Incipits der Tanzsätze (vgl. unten S. 136).

[171] Ein besonders auffallendes Beispiel bietet Pogliettis *Rossignolo* (vgl. unten S. 143 f.): Alle Sätze (Toccata, Canzona, Tänze, Aria mit Variationen, Capricci) sind in französischer Tabulatur notiert mit Ausnahme des Ricercars und der dazu gehörigen *Syncopatione*, die in Partitur aufgezeichnet sind.

[172] Vgl. das Zitat S. 36.

[173] Vgl. Anm. 156.

[174] Z. B. im Kodex *E. B. 1688* (s. u. S. 99 ff.).

[175] Dies war schon bedingt durch die Aufzeichnung der Oberstimme in Mensuralnoten.

[176] Vgl. Apel, a. a. O. S. 62.

1. Italienische Lautentabulatur;
2. Spanische Lautentabulatur [177];
3. Deutsche Lautentabulatur;
4. Französische Lautentabulatur;
5. Spanische Orgeltabulatur (2. Art) [178];
6. Deutsche Orgeltabulatur [179].

Die Frage, ob die italienische Lautentabulatur tatsächlich das Vorbild für sämtliche anderen Buchstaben- und Zifferntabulaturen war, ist bis jetzt noch nicht untersucht worden. Die Einheitlichkeit ist hier jedenfalls viel stärker als in den Notentabulaturen, die eine Reihe von Besonderheiten aufweisen.

Die engste Verbindung mit der Mensuralnotation finden wir bei der englischen Orgeltabulatur [180], vornehmlich in den Quellen aus der Zeit von 1520 bis 1560. Besondere Merkmale sind:

1. das Fehlen oder die unregelmäßige Einzeichnung von Taktstrichen [181];

2. der Gebrauch der Ligaturen „cum opposita proprietate", der sich überhaupt nur in englischen Quellen nachweisen läßt;

3. die Anwendung des Color in zwei verschiedenen Bedeutungen:

a) für die Mittelstimmen in dreistimmigen Sätzen (der Wert der schwarzen Noten entspricht dem der weißen), zuweilen liegt in solchen Fällen der c. f. in der Mittelstimme [182];

b) zur Angabe von Triolierungen:

Apel ist freilich im Irrtum, wenn er behauptet, die englischen Handschriften des 16. Jahrhunderts seien „the only sources of keyboard notation employing blackened notes" [183]. Denn wir finden die Verwendung des Color in der Tastenmusik allenthalben noch bis zum Ende des 17. Jahrhunderts [184].

Besonders häufig verwendet Frescobaldi den Color für den Dreiertakt bei der Mensurvorzeichnung 3, und zwar in der Regel innerhalb der in Partitur notierten Ricercari, Capricci und Canzonen. In der Vorrede des *Primo Libro di Capricci* (1624) gibt er Anweisungen für das Zeitmaß im Tripeltakt, die zeigen, wie wenig hier noch von *Proportio* im alten Sinne die Rede sein kann. In ähnlicher Weise kommt der Color auch in den folgenden Drucken vor:

---

[177] Mit Ausnahme von Milan's Tabulatur (1535), in der statt dessen Notenzeichen gesetzt sind.
[178] S. o. S. 32.
[179] Mit Ausnahme der frühen (aus Buchstaben und Noten gemischten) Form.
[180] Vgl. Apel, a. a. O. S. 9 ff.
[181] Bei der deutschen Orgeltabulatur findet man dies ebenfalls, teilweise auch bei der italienischen.
[182] Eine ähnliche Art findet sich in der Handschrift XIV 714 im Musikarchiv des Wiener Minoritenkonventes auf Bl. 164r.
[183] A. a. O. S. 10; Apel hat allerdings die Entwicklung nach 1600 nicht weiter verfolgt.
[184] Natürlich auch bei Kirchenwerken, z. B. in der *Missa SSmae Trinitatis* von Johann Joseph Fux (Wien, Musikarchiv des Minoritenkonventes XII 598).

G. B. Fasolo, *Annuale*, Venedig 1645; F. Fontana, *Ricercari*, Rom 1677[185]; J. K. Kerll, *Modulatio Organica*, München 1686[186]; Georg Muffat, *Apparatus Musico-Organisticus*, Augsburg 1690[187]; F. X. A. Murschhauser, *Octi-Tonium Novum Organicum*, Augsburg 1696[188]; Johann Krieger, *Anmuthige Clavier-Ubung*, Nürnberg 1699[189].

Auch in Handschriften ist der Color noch angewandt worden. Außer Frobergers Autographen, wo er häufiger vorkommt, seien noch die Handschriften Berlin, Deutsche Staatsbibliothek Mus. ms. 40335 (z. Z. Marburg, Westdeutsche Bibl.)[190] und New Haven, Library of the Yale Music School LM 5056[191] genannt.

In allen Fällen kommt der Color niemals in sämtlichen Stimmen gleichzeitig vor, die geschwärzten Noten haben daher auch dieselben Werte wie die weißen[192]. Eine Erklärung der verschiedenen *Prolationes* mit Beispielen in Color-Notierung enthält Pogliettis *Compendium* (1676)[193].

Als weiterer Rest der Mensuralnotation hat sich die Verwendung weißer Noten für kleine metrische Werte in den Quellen der Tastenmusik bis in das 18. Jahrhundert gehalten.

Wir begegnen diesen Formen zuerst in den Tabulaturbüchern des Pierre Attaingnant (um 1530). Er gebraucht die weißen Noten allerdings nur für die Semiminima und für die Fusa, die Semifusa wird in der Gestalt der modernen Sechzehntelnote gesetzt. Ähnliches findet man bei Frescobaldi. Froberger verwendet ausschließlich weiße Noten gelegentlich bei $^{6}_{4}$-Vorzeichnung.

Auch diese Notierungsart kommt nur im Tripeltakt und häufig in Verbindung mit dem Color (entweder abschnittsweise hintereinander[194] oder übereinander[195]) vor; daher findet sie sich gleichfalls in den obengenannten Quellen; aber noch François Couperin (le Grand) hat sie angewendet[196].

[185] Nr. 8.

[186] Anhang *(Subnecto initia . . .)* Nr. 17 *(Ciaccona variata);* dasselbe Inzipit in gleicher Notierung auch als Beispiel zu der oben (S. 36) erwähnten Bemerkung auf dem Vorsatzblatt eines Exemplars von Frescobaldis *Fiori Musicali* im Besitz des Wiener Minoritenkonventes.

[187] S. 46 *(Toccata Undecima).*

[188] S. 69 ff. *(Variationes super Cantilena „Gegrüest seyest du O Jesulein"),* S. 73 ff. *(Aria Pastoralis variata).*

[189] *Ricercar* Nr. 2.

[190] Bl. 38ᵛ f.

[191] S. 55 *(Ciaccona del Sig.ʳᵉ Joh. Gasparo Kerll);* vgl. Anm. 186.

[192] Z. B.  oder

[193] S. 16; s. u. S. 80 ff.

[194] So bei Georg Muffat (s. Anm. 187).

[195] So bei J. K. Kerll (s. Anm. 186 und 191).

[196] *Les Fastes de la grande et ancienne Mxnxstrxndxsx (Quatrieme Acte)* im *Second Livre Pièces de Clavecin*, Paris 1717; ebenso in der am Ende des 18. Jahrhunderts angefertigten Abschrift von Pogliettis *Rossignolo* im Kodex Berlin, Deutsche Staatsbibliothek Mus. ms. 17 670, fol. 18 (z. Z. Marburg; vgl. unten S. 144).

# II.

# DIE QUELLEN

# DIE GEDRUCKTEN QUELLEN

*„Keine andere Kunst hat mehr Berechtigung, ihren Blick auf die zukünftigen Jahr-*
*hunderte zu richten als die Typographie. Denn, was sie heute schafft, kommt der*
*Nachwelt nicht weniger zugute als der lebenden Generation."*    Giambattista Bodoni

## Die verschiedenen Druckverfahren und ihre Anwendung auf die Vervielfältigung von Tastenmusik

Die Erfindung der Druckerkunst gehört zu den bedeutendsten und folgenreichsten
Ereignissen der Weltgeschichte. Für die historische Quellenforschung liegt hier ein ent-
scheidender Wendepunkt, der den Übergang vom Mittelalter zur Neuzeit in besonderer Weise kennzeichnet. Von diesem Zeitpunkt an tritt nämlich die gedruckte Quelle
neben die handschriftliche, ihre Bedeutung für die Geschichtsschreibung steigt in den
folgenden Jahrhunderten in zunehmendem Maße. Der Unterschied beider Quellen-
gruppen liegt in ihrer Wirkungsmöglichkeit bei den Zeitgenossen und Nachfahren.
Eine handschriftliche Quelle — sei sie eine Urkunde, ein Bericht, ein Traktat o. ä. —
ist in ihrer Wirkungsbreite auf einen verhältnismäßig kleinen Personenkreis beschränkt, während ein Druck — zumal durch Neuauflagen und Nachdrucke die Zahl der
Exemplare sich ständig vermehren läßt — das Wissen, Denken und Empfinden sehr
vieler Menschen beeinflussen kann. Wer sich als Forscher in die Situation einer vergangenen Zeit hineinversetzen will, muß diesen Unterschied in der Quellenüberlieferung wohl beachten.

Der Druck von Musikwerken setzte gegen das Ende des 15. Jahrhunderts ein. Seine
Entwicklung in der Verknüpfung mit der Geschichte der Tastenmusik und ihrer Notierungsformen soll hier kurz umrissen werden [1].

Die Vervielfältigung von Musikwerken kann auf zwei Arten geschehen:

1. durch den Satz mit beweglichen Typen,
2. durch das Gravieren auf Platten.

Während der Typendruck trotz mancher Verbesserungsversuche (vor allem in der
Absicht, mehrere Noten auf einem System übereinander anzubringen) unverändert
geblieben ist und im 18. Jahrhundert aufgegeben wurde, ist der Druck mittels Platten
das älteste, immer wieder auf andere Weise erprobte und bis heute in Geltung ge-
bliebene Verfahren. Um 1500 wurde es als Holzschnitt ausgeführt, seit dem Ende des
16. Jahrhunderts war für rund 200 Jahre der Kupferstich in Blüte, bis zu Beginn des
18. Jahrhunderts der Zinnstich aufkam, der die Grundlage der modernen Verviel-
fältigungsverfahren wurde.

Der H o l z t a f e l d r u c k kam hauptsächlich für die Musikbeispiele in Traktaten zur Anwendung. In dieser Art findet sich ein Stück in deutscher Orgeltabulatur (ältere Form) in Se-

---

[1] Vgl. F. Chrysander, *Abriß einer Geschichte des Musikdruckes vom fünfzehnten bis zum neun-*
*zehnten Jahrhundert* in *Allgemeine Musikalische Zeitung*, Lepizig 1879, Sp. 161, 177, 193,
209, 225, 241.
Diese Untersuchung ist — wenn auch ergänzungsbedürftig — heute noch grundlegend, leider
aber nur in wenigen Exemplaren zugänglich. Eine Gesamtdarstellung der Entwicklung des Notendruckes wäre dringend notwendig. Eine kurze Übersicht findet man bei J. Wolf, *Handbuch der*
*Notationskunde*, Teil II, Leipzig 1919, S. 475 ff.

bastian Virdungs *Musica getutscht*, Basel 1511[2]; doch wurde dieses Verfahren schon von dem Zeitgenossen Schlick[3] verurteilt, zumal nachträgliche Korrekturen schwer möglich waren. Nur die ganz frühen italienischen Tabulaturdrucke *(Frottole intabulate*, Rom 1517, Antico; *Recerchari, Motetti, Canzoni . . . per Marcoantonio da Bologna*, Venedig 1523) wurden in sehr schönen, aber wohl recht kostspieligen Holztafeldrucken hergestellt.

Das 16. Jahrhundert war die Blütezeit des T y p e n d r u c k e s. Er eignete sich besonders gut für die Vervielfältigung von Buchstaben- und Zifferntabulaturen (deutsche und spanische Orgeltabulatur, sämtliche Arten der Lautentabulatur), während er bei Notentabulaturen ein weniger übersichtliches Bild ergab, da sich mehrere Noten übereinander in einem System nicht gut anbringen ließen und keine Balkung der kleinen Notenwerte möglich war[4]. Darum kam der Typendruck hauptsächlich für Chorbücher, Stimmbücher und Partituren in Frage. Allerdings wurden gelegentlich auch Notentabulaturen mit beweglichen Lettern gedruckt[5]; auch ließ man es nicht an Versuchen fehlen, die Ausführung zu verbessern, da der Typendruck stets das billigste Verfahren war.

Erst die Anwendung des K u p f e r s t i c h e s auf die Notenvervielfältigung durch den römischen Verleger Simone Verovio *(Diletto spirituale*, 1586) bzw. dessen Stecher Martinus van Buyton Hollandus ermöglichte die Herstellung gut lesbarer Notentabulaturen[6]. Vorteilhaft war vor allem die übersichtliche Wiedergabe kleiner Notenwerte durch Balkung sowie überhaupt die Möglichkeit, daß der Komponist das Gravieren der Platten selbst vornehmen und dadurch unabhängig von einer Druckoffizin seine Werke veröffentlichen konnte. Seit der Mitte des 17. Jahrhunderts erschienen auch die Lautenbücher in der nunmehr allenthalben gebräuchlichen französischen Lautentabulatur im Kupferstich. Johann Erasmus Kindermann stach seine noch in deutscher Orgeltabulatur notierte *Harmonia Organica* (1645) ebenfalls in Kupfer, doch fiel dieser Versuch wenig glücklich aus und fand keine Nachahmung. Das Verschwinden der deutschen Orgeltabulatur mag nicht zuletzt die Folge der drucktechnischen Entwicklung gewesen sein[7].

Wir finden also in der zweiten Hälfte des 17. Jahrhunderts nur noch die N o t e n -vervielfältigung vor, und zwar in zwei Arten:

1. Typendruck für die Partituren;
2. Kupferstich für die Notentabulaturen.

## Musikdruck und Musikhandel in ihrer Bedeutung für die Geschichte der Tastenmusik

Die Vervielfältigung von Musikwerken für die Tasteninstrumente läßt sich bis in die Frühzeit des Notendruckes zurückverfolgen[8].

---

[2] Fol. J^v f.

[3] Arnolt Schlick, *Tabulaturen etlicher Lobgesang*, Mainz 1512, Vorrede.

[4] Zu Anfang des Jahrhunderts verwendete man den Doppeldruck, d. h. Linien und Noten wurden nacheinander gedruckt (z. B. die Oberstimme in Schlicks *Tabulaturen*). Seit Attaingnant (um 1530) benutzte man die von Pierre Hautin erfundene Kombination der Noten mit einem Liniensystem-Segment; dies verursachte jedoch vielfach Ungenauigkeit und Unübersichtlichkeit im Notenbild.

[5] Zuletzt noch durch den Nürnberger Drucker und Verleger Wolfgang Moritz Endter um 1690, z. B. J. Kriegers *Sechs Musicalische Partien* (1697).

[6] Vgl. M. Seiffert, *Bildzeugnisse des 16. Jahrhunderts* in AfMw I, S. 49.

[7] Überhaupt ist die Entwicklung des Notendruckes mit der Geschichte der Tastenmusik auf das engste verknüpft. Die meisten Neuerungen dienten einer Verbesserung und Verbilligung zur Vervielfältigung von Tastenmusik bzw. wurden hier zuerst angewandt.

[8] Über die allgemeine Situation des Musikhandels im 16. Jahrhundert vgl. O. Ursprung, *Der kunst- und handelspolitische Gang der Musikdrucke von 1462—1600* im Festbericht der Beethoven-Zentenarfeier, Wien 1927, S. 168 ff.

Der älteste bekannte Orgeltabulatur-Druck befindet sich in Arnolt Schlicks *Tabulaturen etlicher Lobgesang*, Mainz 1512, einem der ältesten gedruckten praktischen Musikwerke in Deutschland überhaupt. In Italien folgten die *Frottole intabulate*, Rom 1517 bei Andrea Antico sowie Marcoantonio da Bologna mit seinen *Recerchari*, Venedig 1523 [9]. In Paris veröffentlichte Pierre Attaingnant in den 1530er Jahren sieben Tabulaturbücher. Alle diese Werke haben keine unmittelbare Nachfolge gefunden.

Erst um die Mitte des 16. Jahrhunderts setzte in I t a l i e n mit Venedig — der Hauptpflegestätte des Orgelspiels — als Zentrum eine regelmäßige Produktion von Tastenmusik ein, die in den Jahren 1574—1625 ihre größte Dichte und zugleich internationale Bedeutung erlangte. Während die venetianischen Drucker ausschließlich den Typendruck anwandten, wurde Rom der Herstellungs- und Verlagsort der Kupferstichausgaben. So druckte man seit der Jahrhundertwende in Venedig Tastenmusik fast nur noch in Partituren, in Rom dagegen hauptsächlich in Tabulaturen. Im zweiten Viertel des 17. Jahrhunderts ging jedoch die Drucktätigkeit in Italien allmählich zurück, wobei Bologna als Verlagsort für Tastenmusik (vor allem im strengen Stil) etwas in den Vordergrund trat. Nach 1650 sind nur noch wenige Werke von Bedeutung in Italien erschienen.

In S p a n i e n und P o r t u g a l sind nach heutiger Kenntnis im 16. und 17. Jahrhundert nur gelegentlich größere Druckwerke mit Tastenmusik veröffentlicht worden [10]. Ob ihre Wirkung über die Grenzen der Halbinsel hinausging, ist noch nicht untersucht worden.

In F r a n k r e i c h stehen nach fast hundertjähriger Pause die Orgelbücher des Jean Titelouze [11] in der ersten Hälfte des 17. Jahrhunderts ebenso vereinzelt da wie vorher die Tabulaturen des Pierre Attaingnant. Vielleicht ist das zähe Festhalten der Pariser Drucker am Typendruck eine der Ursachen für diese Erscheinung. Erst seit etwa 1660, d. h. nach der Regierungsübernahme durch Ludwig XIV., die eine der glänzendsten Epochen der französischen Kultur und zugleich ihre Herrschaft über ganz Europa einleitete. setzte in Paris eine gegen das Ende des Jahrhunderts immer mehr sich steigernde Produktion von Klavier- und Orgelbüchern ein. Sie wurden in Kupfer gestochen, erschienen aber zunächst meist im Selbstverlag der Autoren. Um 1700 stand ganz West- und Mitteleuropa unter dem Einfluß des französischen Musikhandels, jedenfalls soweit er die Tastenmusik betraf.

In E n g l a n d , wo die bis 1659 häufig neu gedruckte *Parthenia* (1612) und die *Parthenia inviolata* (1614) [12] die einzigen Drucke mit „Virginalmusik" blieben, wurde das ganze Musikleben durch Revolution und Commonwealth stark behindert. Erst nach der Restauration (1660) setzte unter zunehmendem französischen Einfluß die Veröffentlichung von Tastenmusik ein, die nach der Revolution von 1688 rasch emporwuchs und mit dem politischen Aufstieg Englands zu Beginn des 18. Jahrhunderts, vor allem durch die Erfindung des Zinnstichverfahrens für den Notendruck zu internationaler Bedeutung gelangte.

H o l l a n d , im 17. Jahrhundert die führende handeltreibende Nation in Europa, wurde in den neunziger Jahren gleichsam der Umschlagplatz für die Tastenmusik ganz Europas, vornehmlich durch die Raubdrucke der Amsterdamer Drucker Mortier und Roger.

Wir sehen also in diesen drei Staaten des Westens Druck und Handel von Tastenmusik gegen das Ende des 17. Jahrhunderts stark anwachsen unter sichtbaren politischen, wirtschaftlichen und kulturellen Begünstigungen, alles jedoch in den Hauptstädten zentralisiert. Unter der Vorherrschaft der französischen Musik machte sich ein starker Zug zur Vereinheitlichung in bezug auf Notierung und Repertoire der Aus-

---

[9] Zu beiden Publikationen vgl. Knud Jeppesen, *Die italienische Orgelmusik am Anfang des Cinquecento*, Kopenhagen 1943.
[10] Vgl. Anm. I, 118.
[11] *Hymnes de L'Eglise povr tovcher svr l'orgve*, Paris 1623, Pierre Ballard; *Le Magnificat, ov Cantique de la Vierge povr tovcher svr l'orgve*, Paris 1626, Pierre Ballard.
[12] Vgl. Grove, *A Dictionary of music and musicians*, 5. Auflage, Artikel *Parthenia inviolata*.

gaben bemerkbar. Sehr viel komplizierter lagen naturgemäß die Verhältnisse in Deutschland.

Das recht umständliche und vermutlich auch kostspielige Druckverfahren der Schlick-Tabulatur (Diskant in Notentypen, Unterstimmen in Buchstabentypen) ist weiter nicht zur Anwendung gekommen. Die reine Buchstabennotierung ließ sich leichter drucken, und so erschienen seit 1571 — nach fast sechzigjähriger Pause — in Deutschland eine Reihe von Tabulaturbüchern (1571 und 1575 Ammerbach; 1577 Schmid d. Ä.; 1583 Ammerbach, Paix und Rühling), deren Inhalt jedoch großenteils aus italienischer Musik bestand. Seit 1592 wurden italienische Drucke mit Tastenmusik auch in den deutschen Meßkatalogen angeboten[13], während die deutschen Druckpressen wiederum für zwanzig Jahre keine Tabulatur zutage förderten. Nur vereinzelt erschienen in der ersten Hälfte des 17. Jahrhunderts noch Drucke in deutscher Buchstabentabulatur (1607 Schmid d. J.; 1617 Woltz; 1645 Michel[14], 1645 Kindermann).

Sie fanden jedoch eine starke Konkurrenz durch das in den zwanziger Jahren in Deutschland aufkommende Bestreben, nach italienischem Vorbild die Tastenmusik im Notendruck zu veröffentlichen (1624 Scheidt, Steigleder; 1627 Steigleder, 1631 Klemm), wobei durch Steigleder 1624 zum ersten Male in Deutschland der Kupferstich angewandt wurde. Die übrigen Werke erschienen dagegen im Typendruck und in Partitur notiert, wobei Scheidt ausdrücklich auf den Gegensatz zur *„engelländisch-niederländischen Manier"* hinwies[15]. Denn bereits im Jahre 1613 war die ein Jahr zuvor erschienene *Parthenia* (s. o.) in drei deutschen Meßkatalogen angezeigt worden[16]. Der Einfluß der englischen Musik wirkte also direkt auf die deutschen Organisten und nicht nur auf dem Umwege über die deutschen Sweelinck-Schüler. Doch haben diese gerade einen wesentlichen Anteil an der Verbreitung der von ihrem Meister nicht selbst veröffentlichten Tastenmusik gehabt. So kündigte der Verleger Melchior Oelschlegel in Halle für die Leipziger Herbstmesse 1630 eine *Tabulatura. Fantasien mit 3. Stimmen durch alle Tonos von J. P. Sweelinck Organisten zu Amsterdam komponiert und von Samuele Scheid Hallense kolligiert* an[17], deren Erscheinen aber vielleicht durch die Kriegswirren im Magdeburgischen verhindert wurde; ein Exemplar läßt sich jedenfalls nicht nachweisen. Deutschland war also längst Sammelbecken und Absatzgebiet für die italienischen und englisch-niederländischen Erzeugnisse, als die ersten Eigenschöpfungen deutscher Tastenmusik, die keine Bearbeitungen fremder Vorlagen waren, an das Tageslicht gelangten. Dann versiegte die Produktion wieder völlig, während sich die Organisten — vor allem in Norddeutschland — um so mehr auf die Publikation von Lied- und Ariensammlungen, Solokonzerten und instrumentaler Ensemblemusik verlegten.

Sieht man von dem völlig vereinzelt dastehenden Werk Scherers[18] ab, so setzte ein regelmäßiges Erscheinen von Klavierbüchern erst um 1680 ein und steigerte sich dann in den neun-

---

[13] Vgl. A. Göhler, *Verzeichnis der in den Frankfurter und Leipziger Meßkatalogen der Jahre 1564 bis 1759 angezeigten Musikalien*, Leipzig 1902. Das Werk ist nach Jahrhunderten eingeteilt, im folgenden wird nach Göhlers eigenen Abkürzungen zitiert: 16. Jahrhundert = Göhler I; 17. Jahrhundert = Göhler II; 18. Jahrhundert = Göhler III (die arabischen Ziffern geben die lfd. Nr. in Göhlers Verzeichnis an).

[14] Eitner, *Quellenlexikon*, gibt 1645 als Erscheinungsjahr an, die Meßkataloge führen das Werk bereits seit Frühjahr 1639 (Göhler II 955).

[15] Vgl. oben S. 33.

[16] Göhler I 90; einen Beweis für die Verbreitung der *Parthenia* in Deutschland gibt Ms. Lynar A 2 im Schloßmuseum zu Lübbenau, das den Inhalt der *Parthenia* größtenteils enthält; vgl. Lydia Schierning, *Quellengeschichtliche Studien zur Orgel- und Klaviermusik in Deutschland aus der ersten Hälfte des 17. Jahrhunderts unter besonderer Berücksichtigung der Lübbenauer Orgeltabulaturen der Grafen Lynar*, Phil. Diss. Kiel 1957 (maschinenschriftlich).

[17] Göhler I 915; ob dieses nicht die anonymen Fantasien in der Handschrift Leipzig, Städtische Musikbibliothek II 2. 51 sind? Eins von den dort aufgezeichneten Stücken ist unter dem Namen P. *Sivert* in der Handschrift Wien, Musikarchiv des Minoritenkonventes XIV 714 (früher Ms. 8) überliefert; M. Seiffert hat deshalb sämtliche 13 Fantasien unter Sieferts Namen veröffentlicht (Organum, Reihe IV, Heft 20, Leipzig 1942).

[18] Sebastian Anton Scherer, *Operum Musicorum Secundum*, Ulm 1664; s. u. S. 58.

ziger Jahren nach dem Eindringen des französischen Einflusses bis zur Herausgabe von jährlich fünf bis sechs Werken (einschließlich der Neudrucke). Nürnberg, Augsburg, Leipzig[19] und Mainz waren die Verlagszentren, während der Südosten und der Norden — von einigen Gelegenheitswerken abgesehen — fast ganz ausschieden. Erst zu Beginn des 18. Jahrhunderts entwickelte sich Hamburg durch Matthesons und Telemanns Wirksamkeit zu einem führenden Verlagsort.

Diese chronologische Übersicht der Druckproduktion in den einzelnen Ländern gibt freilich noch keinen Aufschluß darüber, welche räumliche und zeitliche Wirkungsbreite die einzelnen Publikationen gewannen. Lediglich der häufige Nachdruck eines Werkes ist ein Zeichen für die Beliebtheit und schnelle Verbreitung unter den Zeitgenossen. Wie weit können wir die geographische Verbreitung eines Druckes verfolgen? Wie lange ist er im Handel geblieben? Welche ausländischen Publikationen wurden beispielsweise in Deutschland angeboten, zumal während der nahezu fünfzig Jahre, in denen kein einheimisches Werk in die Druckpresse kam?

Um diese und weitere Fragen beantworten zu können und um ein annähernd klares Bild über die tatsächlichen Verhältnisse in der 2. Hälfte des 17. Jahrhunderts zu erhalten, muß man — speziell für Deutschland — hauptsächlich folgende Hilfsmittel zu Rate ziehen:

1. Meßkataloge;
2. Verlagskataloge;
3. Musikinventare;
4. Besitzervermerke in den erhaltenen Exemplaren;
5. Handschriftliche Kopien von Drucken.

Für die auf den Messen angebotenen Musikalien besitzen wir eine gute Übersicht[20]. An Verlagskatalogen sind aus dem 17. Jahrhundert nur wenige zugänglich. Dringend erwünscht wäre die Veröffentlichung der noch greifbaren Inventare sowie die Mitteilung aller Besitzervermerke in den künftig erscheinenden Bibliographien und Quellenlexika. Auch die Abschriften von Drucken sind bisher nur in geringem Maße beachtet worden. Im folgenden soll versucht werden, an Hand des z. Z. greifbaren Materials ein ungefähres Bild von der Situation des Musikhandels mit Tastenmusik in dem uns interessierenden Zeitabschnitt zu entwerfen.

Die Bücherkataloge der Leipziger und Frankfurter Messen, die seit 1564 erschienen, verzeichnen die meisten in Deutschland gedruckten Klavierbücher, daneben auch — wie oben bereits erwähnt — eine Reihe von ausländischen Drucken, diese jedoch nur zwischen 1592 und 1613, später nicht mehr[21]. Diese Kataloge sind insofern wichtig, als sie über verschollene Publikationen wie auch über die Entstehungszeit undatierter Werke Auskunft geben. Dabei muß man jedoch in Betracht ziehen, daß die Verleger oder die Drucker häufig ihre Erzeugnisse anzeigten, bevor sie fertiggestellt waren, so daß manches Werk erst ein halbes oder ganzes Jahr später erschien[22]. Viele Publikationen wurden mehrmals angezeigt[23], ohne daß es

---

[19] Durch Kuhnaus Wirksamkeit.
[20] Göhler (vgl. Anm. 13), dazu vom selben Verfasser: *Die Meßkataloge im Dienste der musikalischen Geschichtsforschung* in SIMG III (1902) S. 294; als weitere Quelle kämen die Zeitungen in Frage, in denen sich gelegentlich Anzeigen neuer Drucke finden (vgl. die Vorrede zu G. F. Kauffmanns *Harmonische Seelenlust*). — Georg Draudius, *Bibliotheca Librorum Germanicorum*, Frankfurt a. M. 1611, verzeichnet nur die Tabulaturbücher von Ammerbach (1575, 1571 bzw. 1583), Paix (1583) und Bernhard Schmid (1606), in der Neuausgabe von 1625 außer diesen die *Nova Musices Organicae Tabulatura* von J. Woltz (1617).
[21] Nach Göhlers Angaben.
[22] Vgl. J. Kuhnaus Vorrede zu *Neuer Clavier Übung Anderer Theil*, Leipzig 1692.
[23] Z. T. von anderen Verlegern oder Buchhändlern.

sich jedesmal um eine Neuauflage zu handeln brauchte. Dabei ist es nicht ausgeschlossen, daß manches angekündigte Werk gar nicht erschienen ist. Demgegenüber können auch gelegentlich ältere Musikalien wieder auf den Markt gekommen sein. So zeigte beispielsweise der Hamburger Buchhändler Tobias Gundermann 1649 und 1651 in den Frankfurter und Leipziger Meßkatalogen Samuel Scheidts *Tabulatura Nova* von neuem an[24]. Ob es sich hier um eine — eventuell auf Scheidts Veranlassung erfolgte — Neuauflage des Druckes von 1624 handelte oder lediglich um ein antiquarisches Angebot, läßt sich nicht feststellen, da ein Exemplar solch einer späteren Auflage nicht erhalten ist. Doch zeigt uns diese Tatsache, daß man sich noch um die Jahrhundertmitte etwas vom Absatz dieses Werkes versprach. Dementsprechend wurden auch die Veröffentlichungen Kuhnaus und J. K. F. Fischers wegen ihrer großen Beliebtheit immer wieder von neuem angeboten[25].

Auch in den Verlags- und Buchhandelskatalogen findet man Angebote älterer Musikalien. Einer der wichtigsten um die Mitte des 17. Jahrhunderts war der *Indice di tutte le opere di musica . . . di Alessandro Vincenti*, Venedig 1649[26], der die Fortsetzung eines (nach Eitner) 1619 unter dem gleichen Titel erschienenen Kataloges[27] darstellt. Es handelt sich um einen Sortiments- und Antiquariatskatalog, der die Erzeugnisse verschiedener Drucker (mit Preisangaben) verzeichnet und teilweise noch Werke aus dem 16. Jahrhundert aufführt. In der Abteilung *XXXXII. Intavolature d' Organo* verzeichnet Vincenti folgende Drucke, deren Titel hier unter Beifügung von Jahreszahlen und Verleger- bzw. Druckernamen vervollständigt sind[28]:

1593 Andrea e Giovanni Gabrieli, *Intonationi d' Organo*, Libro I, Venedig, Gardano[29];
1595 Andrea Gabrieli, *Ricercari composti e tabulati*, Libro II, Venedig, Gardano;
1596 Andrea Gabrieli, *Il terzo Libro de Ricercari*, Venedig, Gardano;
?    Andrea Gabrieli, *Messe*, Libro IV (Venedig, Gardano?)[30];
1605 Andrea Gabrieli, *Canzoni alla francese et Ricercari ariosi*, Libro V, Venedig Gardano[31];
1605 Andrea Gabrieli, *Canzoni alla francese*, Libro VI, Venedig, Gardano;
1604 Annibale Padovano, *Toccate et Ricercari d'Organo*, Venedig, Gardano;
1605 Claudio Merulo da Correggio, *Ricercari*, Venedig, Gardano;
     Claudio Merulo da Correggio, *Canzoni d'intavolatura d'Organo* (Libro I 1592, Libro II 1606, Libro III 1611), Venedig, Gardano;
1588 Marco Facoli, *D'Intavolatura di Balli*, Libro I e II (Libro I vor 1588 erschienen);
1591 Sper' in Dio Bertholdo, *Canzoni Francese*, Venedig, Gardano;
(1637) Matteo Asola, *Canto fermo sopra Messa*, Venedig, Vincenti[32];
1614 Bernardino Bottazzi, *Choro et Organo*, Venedig, Vincenti;
(1638) Adriano Banchieri, *Organo Suonarino*, Venedig, Vincenti[33];
(1626) Girolamo Diruta, *Il Transilvano Dialogo*, Venedig, Vincenti[34];
(1622) Girolamo Diruta, *Seconda Parte del Transilvano*, Venedig, Vincenti[35];

---

[24] Göhler II 1313; 1649 zeigte Gundermann noch weitere Werke von Scheidt an; vgl. Chr. Mahrenholz, *S. Scheidt, Leben und Werk*, Leipzig 1925, S. 37 f.
[25] Vgl. S. 54.
[26] Abgedruckt als Beilage zu MfM XIV/XV (R. Eitner und Fr. X. Haberl).
[27] Ebenda abgedruckt; Cl. Sartori, *Dizionario degli Editori Musicali Italiani*, Florenz 1958, S. 166, gibt 1621 als Erscheinungsjahr des ersten Katalogs an.
[28] Vgl. Cl. Sartori, *Bibliografia della Musica Strumentale Italiana*, Florenz 1952.
[29] Bei Vincenti heißt es *Toccate di Andrea e Gio. Gabrieli, sopra tutti li tuoni*.
[30] Dieses Buch, das in keiner Bibliographie erwähnt wird, gilt als verschollen; aus Vincentis Katalog ist jedenfalls der ungefähre Wortlaut des Titels feststellbar.
[31] 1649 bezeichnet es Vincenti (falls nicht bei Eitner ein Druckfehler vorliegt) als *Libro quarto*, dagegen 1619 (1621) richtig als *Libro quinto*.
[32] Editio princeps 1596 (die eingeklammerte Jahreszahl gibt den letzten nachweisbaren Druck an, der aller Wahrscheinlichkeit nach von Vincenti angeboten wurde).
[33] Ed. pr. 1605.
[34] Ed. pr. 1593.
[35] Ed. pr. 1609.

1621 Giovanni Picchi, *Intavolatura di Balli d'arpicordo*, Venedig, Vincenti;
1642 Girolamo Frescobaldi, *Il primo libro di Capricci, Canzon Francese e Ricercari*, Venedig, Vincenti[36];
1635 Girolamo Frescobaldi, *Fiori Musicali*, Venedig, Vincenti[37];
1598 Claudio Merulo da Correggio, *Toccate d'intavolatura d'Organo*, Libro I, Rom, Verovio;
1604 Claudio Merulo da Correggio, *Toccate d'intavolatura d'Organo*, Libro II, Rom Verovio[38];
1642 Antonio Croci, *Frutti musicali*, Venedig, Vincenti;
1645 Girolamo Frescobaldi, *Canzoni alla Francese in Partitura*, Venedig, Vincenti;
1644 Galeazzo Sabbatini, *Regole facile e breve*, Venedig, Salvatori[39];
? Tomaso Cecchino, *Note Musicali per risponder*[40];
1645 Giovanni Battista Fasolo, *Annuale*, Venedig, Vincenti.

Man sieht, daß die Werke der berühmten venezianischen Meister vom Ende des Cinquecento auch um die Mitte des 17. Jahrhunderts nicht in Vergessenheit geraten und als Makulatur verwendet worden waren, sondern noch fast vollständig angeboten wurden.

Der Katalog Vincentis ist sicherlich auch in Deutschland bekannt geworden. Hier veröffentlichte der Buchhändler Paul Parstorffer in München 1653 einen Katalog unter dem gleichlautenden Titel *Index di tutte le opere di Musica*, der nicht mehr vorhanden zu sein scheint, sich aber nach den Angaben Walthers[41] jedenfalls teilweise rekonstruieren läßt. Er scheint nur italienische Drucke enthalten zu haben. Offenbar stand Parstorffer mit Vincenti in Verbindung, denn die meisten (nach Walther festzustellenden) Werke finden sich ebenfalls in Vincentis Katalog:

1628 Girolamo Frescobaldi, *In Partitura il primo libro delle Canzoni . . . date in luce da B. Grassi*, Rom, Masotti[42];
1642 Girolamo Frescobaldi, *Il primo libro di Capricci, Canzon Francese e Ricercari*, Venedig, Vincenti;
1635 Girolamo Frescobaldi, *Fiori Musicali*, Venedig, Vincenti;
1645 Giovanni Battista Fasolo, *Annuale*, Venedig, Vincenti[43];
1644 Galeazzo Sabbatini, *Regole facile e breve*, Venedig, Salvatori[44];
1645 Martino Pesenti, *Correnti, Gagliardi e Balletti*, Venedig, Vincenti[45];
1652 Scipione Giovanni, *Partitura di Cimbalo et Organo*, Venedig, Vincenti[46].

Wurden demnach die älteren Werke in Deutschland anscheinend um diese Zeit nicht mehr angeboten, so sind doch einige der bedeutendsten italienischen Notendrucke in Parstorffers

---

[36] Ed. pr. 1626.
[37] Titel bei Vincenti: *Kyrie, Toccate, Ricercari, Frescobaldi per l' Organo.*
[38] Vincenti vermerkt ausdrücklich: *stampate a Rom in stampa di rame; s. o. S. 47.*
[39] Ed. pr. 1628; vgl. Anm. 89.
[40] Expl. nicht nachweisbar.
[41] *Lexicon*, Vorrede Bl. 5ᵛ f.; dort berichtet Walther, daß der Parstorffersche Verlag „vor nunmehro 50 Jahren" (also um 1682) von Fr. X. Anton Murschhauser angekauft wurde. Dieser besaß zur Zeit der Abfassung des Lexikons vom Gesamtbestand noch 104 Werke. — Auch Gerber, *Lexikon der Tonkünstler*, führt den Parstorfferschen Katalog an (nach ihm dann Robert Eitner, *Buch- und Musikhändler, Buch- und Musikdrucker*, Beilage zu MfM 36/37), doch handelt es sich dort lediglich (wie auch bei vielen anderen Artikeln) um eine Übernahme der Angaben Walthers.
[42] Walther, *Lexicon*, S. 261; die Angabe ist ungenau, da jedoch ebenda noch 2 *Canzonetten-Wercke von 1. 2. 3. und 4 Instrumenten* genannt werden, kann das zuerst angeführte Werk nur der Partiturdruck von 1628 sein.
[43] Ebda. S. 240.
[44] Ebda. S. 537.
[45] Ebda. S. 473; Vincenti (s. o.) nennt dieses Werk in der Abteilung XXVIII. *Canzon per sonar a piu voci e Sinfonie* (Nr. 6, 7 u. 23).
[46] Walther, *Lexicon*, S. 282.

Katalog aufgeführt, woraus man sehen kann, daß der Musikhandel wahrscheinlich viel mehr für die Verbreitung der italienischen Tastenmusik und für ihren Einfluß auf die Kompositionsweise der Deutschen gesorgt hat als die wenigen nachweisbaren Schüler der italienischen Meister. Diese Tatsache wird dadurch bekräftigt, daß die genannten und darüber hinaus weitere italienische Drucke sich gerade in deutschen Konventsbibliotheken und im Besitz deutscher Musiker am häufigsten nachweisen lassen. Manche der erwähnten Sammlungen erfreuten sich einer hohen Schätzung bis weit in das 18. Jahrhundert hinein, wie ein Blick in die Bibliothek des Wiener Minoriten-Paters Alexander Giessel zeigt [47].

Um die Mitte des 17. Jahrhunderts waren die K ä u f e r der Druckausgaben in der Hauptsache noch die Fachmusiker und die musikalisch hochgebildeten Liebhaber, daneben auch einzelne Kapellbibliotheken. Der große Aufschwung der Druckproduktion war bedingt durch das Eindringen der Tastenspielkunst in breite Kreise des Bürgertums anstelle des bis dahin florierenden Lautenspiels [48]. Schon äußerlich ist die Veränderung der Situation im Notenhandel zu erkennen. An die Stelle der alten, mit großer Sorgfalt hergestellten Riesenkodizes [49] traten — in Italien schon gegen das Ende des 16. Jahrhunderts — Hefte von verhältnismäßig geringem Umfang, um den Preis niedrig zu halten [50]. Erst bei späteren Neudrucken wurden mehrere Hefte, deren Absatz sich rentiert hatte, zu größeren Bänden zusammengefaßt oder aber der Inhalt der früheren Ausgaben beim Neudruck erweitert [51].

Gegen Ende des 17. Jahrhunderts hat offenbar auch die auf allen Gebieten wirksame von Frankreich ausgehende M o d e s u c h t ihren Einfluß auf den Musikhandel geltend gemacht. Man bedenke, welche Wirkung die Aufhebung des Ediktes von Nantes im Jahre 1685 und die daraufhin einsetzende Hugenotten-Einwanderung in Deutschland auf die wirtschaftlichen und kulturellen Verhältnisse ausübte [52]. Nach dem Abflauen der das ganze Reich heimsuchenden Pest (1682) [53] und der Beseitigung der Türkengefahr war der Boden für einen wirtschaftlichen und kulturellen Aufschwung ohnehin günstig. Die Franzosen haben damals die Luxus- und Mode-Industrie in Deutschland entwickelt; so konnte der französische Einfluß — der vorher nur an den fürstlichen Höfen und in den Adelskreisen wirksam war — in das Bürgertum eindringen, bis er sich um die Jahrhundertwende in ganz Europa durchgesetzt hatte. In diesem Zusammenhang wurde auch die für den bürgerlichen Liebhaber bestimmte Tastenmusik der Mode unterworfen. Wir sehen dies einmal an dem starken Anwachsen der Druckproduktion, wobei die Verleger — um konkurrenzfähig zu bleiben — den Geschäftstrick anwenden mußten, bei älteren Werken die Titel und die Jahreszahlen zu ändern und sie als Neuerscheinungen anzubieten. Andererseits sahen sich viele Komponisten genötigt, leicht spielbare und unkomplizierte Stücke zu ver-

---

[47] Vgl. Anm. 252.
[48] Vgl. oben S. 14 f.
[49] Vor allem die deutschen Tabulaturbücher (Schmid, Woltz, Scheidt).
[50] Z. B. die Werke des Andrea Gabrieli und die frühen Frescobaldi-Ausgaben.
[51] Z. B. die späten Ausgaben der Werke Frescobaldis; auch die beiden Teile von Kuhnaus *Clavierübung* erschienen später in einem Band.
[52] Es kamen ca. 30 000 Franzosen nach Deutschland, davon allein 20 000 nach Brandenburg-Preußen (die Bevölkerung Berlins bestand damals zu mehr als zwei Dritteln aus Franzosen), 6000 nach Hessen, die übrigen nach Brandenburg-Ansbach, Braunschweig-Lüneburg, Württemberg, Hamburg und in die Pfalz. Die streng lutherischen Lande (vor allem Sachsen) verweigerten die Aufnahme der Hugenotten. Vgl. W. Treue, *Wirtschafts- und Sozialgeschichte vom 16. bis zum 18. Jahrhundert* in: B. Gebhardt, *Handbuch der Deutschen Geschichte*, Bd. II, Stuttgart 1955, S. 400 ff.
[53] Seit 1679 wütete in fast ganz Deutschland (am schlimmsten im Südosten und in Mitteldeutschland) eine aus dem türkischen Reich eingeschleppte Pestepidemie. Ihre Folgen haben überall sehr tief, z. T. auch auf das Leben und Schaffen namhafter Musiker (Kerll, Pachelbel) gewirkt.

öffentlichen, wenn sie bei dem alle „tiefsinnige" Musik[54] verabscheuenden Liebhaber Anklang finden wollten. Manche versuchten es mit einer Kompromißlösung, indem sie Veröffentlichungen anspruchsvoller Musik einige modische Kompositionen anfügten[55]. Die Folge war natürlich ein allmähliches Absinken des Niveaus, so daß schließlich im 18. Jahrhundert „gelehrte" Werke kaum noch im Druck erschienen.

Sieht man die zwischen 1648 und 1700 nachweisbaren Publikationen[56] auf ihren Bestimmungszweck und ihr R e p e r t o i r e hin an, so kann man feststellen, daß die in erster Linie für den Hausgebrauch des Liebhabers verwendbaren Tanz-, Variations- und Sonatensammlungen zahlenmäßig an der Spitze stehen. Im weiten Abstand folgen die Versettenbücher für den gottesdienstlichen Gebrauch, neben ihnen die Lehrbücher der Clavierkunst, während Kompositionen im strengen Stil nur noch vereinzelt im Druck erschienen. Sammlungen größerer und technisch anspruchsvoller Stücke (Toccaten u. ä.) sind ebenfalls selten anzutreffen. Offenbar fanden diese Kompositionen zu wenig Absatz, da sie in den interessierten Kreisen meistens handschriftlich weitergegeben wurden.

Das Risiko eines Verlegers war ohnehin groß, da die Drucke nicht urheberrechtlich geschützt waren. Einerseits drohte die Gefahr des Raubdruckes[57], andererseits war es allgemein üblich, sich Druckwerke durch Abschrift anzueignen. Kennzeichnend für diese Situation ist Adlungs Bemerkung[58]:

*„Mit Kupfernoten sollte man auch billig mehr zurück halten. Wenn ein Verleger sein Vermögen dran gewendet, so wird bisweilen in einer großen Stadt 1 Exemplar verkauft; 30 und mehr Liebhaber nehmen davon die Abschrift, und der Verleger muß seine Exemplarien behalten."*

Daher mußten viele Komponisten ihre Werke selbst stechen[59] und ließen sie dann im Selbstverlag oder in Kommission bei einem Buchhändler oder Kollegen verkaufen[60]. Eine Möglichkeit, für das Bekanntwerden der Werke zu sorgen, bestand darin, einzelne Exemplare an Fürsten, kirchliche und weltliche Behörden oder an namhafte und einflußreiche Kollegen zu senden[61]. D i e  A u f l a g e n s t ä r k e der Publikation ist schwer festzustellen, doch scheint sie — besonders bei Kupferstichen — nicht hoch gewesen zu sein[62]. Von den in der zweiten

---

[54] Vgl. oben S. 15.
[55] Z. B. Georg Muffat, *Apparatus Musico-Organisticus*, Salzburg 1690 und Johann Krieger, *Sechs Musicalische Partien*, Nürnberg 1697.
[56] S. u. S. 57 ff.
[57] Am schlimmsten trieben es in dieser Hinsicht wohl die Amsterdamer Verleger Roger und Mortier, die vermutlich aus diesem Grunde ihre Publikationen undatiert ließen.
[58] *Anleitung*, S. 727 (Anm. 9).
[59] Z. B. Kindermann und Scherer.
[60] Z. B. Kuhnau und die meisten Pariser Organisten. Eine besondere Art der Vervielfältigung findet man bei den *Pièces d'Orgue* von Francois Couperin (1690), die er in Abschriften mit gestochenem Titelblatt verkaufte; vgl. M. Reimann, Artikel *Couperin* in MGG II (Sp. 1720).
[61] Z. B. Samuel Scheidt; Joh. Krieger sandte seine *Anmuthige Clavier-Ubung* an Johann Mattheson (vgl. Mattheson, *Capellmeister*, S. 442).
[62] Für die Auflagenhöhe der Frühdrucke im allgemeinen bringt K. Schottenloher, Artikel *Auflagenhöhe* im *Lexikon des gesamten Buchwesens*, Bd. I, Leipzig 1935 einige Belege: „Peter Schöffer in Mainz druckte das Missale für Breslau von 1483 in 400 Exemplaren, Johann Sensenschmidt das Meßbuch für Freising von 1487 in 300 Abzügen, davon 50 auf Pergament, wovon das Perg.-Expl. 13 1/2 Gulden, die Papierausg. 3 1/2 Gulden kostete. Aber es sind daneben sowohl höhere als niedere Zahlen überliefert. Johann von Speyer in Venedig hat 1469 von seiner ersten Ausgabe der Epistolae familiares des Cicero nur 100 Stücke, Johann Philippus von seinen meisten Druckwerken nur 150 Exemplare hergestellt, während Baptista de Tortis bis zu 2000 Abzüge druckte, was in der damaligen starken Nachfrage nach juristischen Büchern be-

Hälfte des 17. Jahrhunderts veröffentlichten Werken haben neben den Lehrbüchern vor allem die Sammlungen einiger berühmter Meister wie Froberger, Kuhnau und J. K. F. Fischer zahlreiche Neuauflagen erfahren [63], teilweise bis gegen die Mitte des 18. Jahrhunderts. Wenn man sich diese Tatsache vor Augen hält, wird einem die Vielschichtigkeit und Kompliziertheit der musikgeschichtlichen Situation der Epoche erst recht deutlich: Tradition und Fortschritt liefen nebeneinander her, modische *Galanterien* und *tiefsinnige Kunststücke* erschienen gleichzeitig auf dem Musikalienmarkt; von einer geradlinigen „Entwicklung" kann kaum die Rede sein.

Sichere Belege für die Einflußsphäre eines Druckwerkes und für seine Wertschätzung durch Zeitgenossen und spätere Geschlechter bieten die A b s c h r i f t e n . Wie die Musiker und Sammler hierbei vorgingen, können wir Adlungs Bericht [64] entnehmen:

*„Wenn ein Stück* [gemeint ist eine Druckveröffentlichung] *durchaus angefüllt ist mit schönen Gedanken, so mache ich es mir zu eigen vor Geld, oder durch eine Abschrift. Andere Stücke, worinne die brauchbaren Blumen seltener vorkommen, ziehe ich aus* [65], *wie man die besten Redensarten aus einem lateinischen Schriftsteller ziehet. Doch zugleich bin ich bemühet von jedem Claviercomponisten wenigstens 1 Stück zu haben, um ihn nur zu kennen, wie auch von jeder Setzart eins oder etliche, daß man vor die Scholaren gute und hinreichende Modelle habe zur Nachahmung."*

Man muß demnach folgende Gruppen bei den Abschriften unterscheiden:

1. Vollständige Kopien von Druckwerken;
2. Teilabschriften von Druckwerken (Auswahl aus jeweils einer Ausgabe);
3. Kopien von Einzelstücken aus Druckwerken in handschriftlichen Sammlungen.

Die letzte Gruppe ist z. Z. noch völlig unübersichtlich, da die Einzelstücke meist ganz verstreut und anonym in den Sammelhandschriften vorkommen und deshalb besser unter der handschriftlichen Quellenüberlieferung besprochen werden können, wie überhaupt die Abschriften an dieser Stelle nur deshalb erwähnt werden, weil sie uns das Bild von der Wirkungsbreite der gedruckten Quellen erweitern.

Unter den z. Z. bekannten kompletten Abschriften (von den Teilabschriften sind bis jetzt nur wenige nachweisbar) stehen die Werke Frescobaldis bis in das 18. Jahrhundert

---

gründet gewesen zu sein scheint." — Der Erstdruck des berühmten Mainzer Psalters von Fust und Schöffer im Jahre 1457 soll (nach H. Presser, *Das Buch der Psalmen in Schrift und Druck*, Kleiner Druck der Gutenberg-Gesellschaft Nr. 64, 1957, S. 12) „sehr wahrscheinlich zwanzig Stück" nicht überschritten haben, zumal das Werk auf Pergament gedruckt wurde. — Im ganzen werden die Auflagenstärken von Musikdrucken etwa gleich denen der liturgischen Bücher und der Ausgaben lateinischer und griechischer Werke gewesen sein, d. h. sich zwischen 100 und 400 Exemplaren gehalten haben. Bei der Tastenmusik — für die sich doch gerade im 16. und 17. Jahrhundert nur ein recht kleiner Abnehmerkreis fand — wird sie im Vergleich zur kirchlichen und weltlichen Vokalmusik wesentlich geringer gewesen sein. Man dürfte die Auflagenstärke hier im Durchschnitt auf etwa 50—100 Exemplare schätzen, nur bei berühmten Meistern (Frescobaldi, Kuhnau) werden die späteren Ausgaben in größerer Anzahl gedruckt worden sein. — Man bedenke auch, daß bei Kupferstichausgaben die Platten mehr oder weniger schnell abnutzten, zumal sie oft wenig geschickt gestochen waren.
[63] Kuhnau (Vorrede zu *Neuer Clavier Übung Anderer Theil*, Leipzig 1692) berichtet über den guten Absatz des ersten Teiles, während Johann Kriegers Kompositionen (lt. Nachwort des Verlegers in *Anmuthige Clavier Übung*, Nürnberg 1699) nur wenig Anklang fanden.
[64] *Anleitung*, S. 726.
[65] Hieraus könnte man auch schließen, daß Einzelkompositionen gemeint seien, die Adlung zusammengezogen oder teilweise abgeschrieben habe; doch verwirft er (S. 728 f.) ausdrücklich die *„Freygeisterey der Abschreiber"*.

an der Spitze. Daneben findet man andere italienische Drucke (Fasolo, Rossi, Battiferri, Fontana), unter den deutschen Ausgaben sind es u. a. die Werke von Froberger, Kuhnau und Speth [66].

---

[66] Als Beispiele seien die nachstehenden Abschriften genannt (hinter dem Fundort ist der Schreiber genannt; falls nur ein Besitzer bekannt ist, steht dessen Name in Klammern):

Girolamo Frescobaldi: *Il primo libro delle Fantasie a quattro* (1608)
Berlin, Deutsche Staatsbibliothek Mus. ms. L 121: Bernardo Pasquini.
Girolamo Frescobaldi: *Fiori Musicali* (1635)
1. Dresden, Sächsische Landesbibliothek Mus. 1/B/98: J. Dismas Zelenka (1718).
2. Dresden, Sächsische Landesbibliothek Mus 1/B/98a: Kopie von Mus. 1/B/98 (nach 1718).
3. Wien, Musikarchiv des Minoritenkonventes XIV 709 a + b (Anfang 18. Jahrhundert; beide ergänzen sich inhaltlich; Handschriften nahezu identisch).
4. Wien, Musikarchiv des Minoritenkonventes XIV 710: (P. Alexander Giessel; 1. Viertel 18. Jahrhundert)
5. Berlin, Deutsche Staatsbibliothek Mus. ms. 6610/1 (z. Z. Marburg): (Anfang 18. Jahrhundert? unvollständig)
6. Berlin, Deutsche Staatsbibliothek Mus. ms. 6610 (z. Z. Marburg): P. Angelus Widmann (um 1775).
7. Berlin, Deutsche Staatsbibliothek Mus. ms. W 38: Karl v. Winterfeld.
Girolamo Frescobaldi: *Toccate d' intavolatura di Cimbalo . . . libro 1°* (1637)
1. Wien, Musikarchiv des Minoritenkonventes XIV 696: (P. Alexander Giessel; 1. Viertel 18. Jahrhundert)
2. Berlin, Deutsche Staatsbibliothek Mus. ms. 6610 (z. Z. Marburg): P. Angelus Widman (um 1775).
Girolamo Frescobaldi: *Il secondo libro di Toccate . . .* (1637)
1. Wien, Musikarchiv des Minoritenkonventes XIV 697: (P. Alexander Giessel; 1. Viertel 18. Jahrhundert; Teilabschrift)
2. Wien, Musikarchiv des Minoritenkonventes XIV 698: (P. Venantius Sstanteysky; 1. Viertel 18. Jahrhundert; Teilabschrift)
3. Berlin, Deutsche Staatsbibliothek Mus. ms. 6610 (z. Z. Marburg): P. Angelus Widmann (um 1775).
Girolamo Frescobaldi: *Il primo libro di Capricci, Canzon Francese e Recercari* (1642)
1. Wien, Musikarchiv des Minoritenkonventes XIV 694: P. Alexander Giessel (um 1725).
2. Wien, Musikarchiv des Minoritenkonventes XIV 695: (P. Alexander Giessel; 1. Viertel 18. Jahrhundert).
3. Berlin, Deutsche Staatsbibliothek Mus. ms. 6611 (z. Z. Marburg): P. Angelus Widmann (1775).
4. Berlin, Deutsche Staatsbibliothek Mus. ms. 6611/1 (z. Z. Marburg): (1. Hälfte 19. Jahrhundert).
Giovanni Battista Fasolo: *Annuale* (1645)
1. Wien, Musikarchiv des Minoritenkonventes XIV 728: P. Alexander Giessel (um 1725; Teilabschrift).
2. Berlin, Deutsche Staatsbibliothek Mus. ms. 40266 (z. Z. Marburg): P. Angelus Widmann (um 1775).
Luigi Battiferri: *Ricercari* (1669)
1. Wien, Musikarchiv des Minoritenkonventes XIV 711: (P. Alexander Giessel; 1. Viertel 18. Jahrhundert)
2. Dresden, Sächsische Landesbibliothek Mus. 1/B/98: J. Dismas Zelenka (1718/19).
3. Dresden, Sächsische Landesbibliothek Mus. 1/B/98a: Kopie von 1/B/98a (frühestens 1719).
4. Brüssel, Bibliotheque Royal Ms. 2008: (1719?).
5. Leipzig, Städtische Musikbibliothek III. 8. 25: J. G. Schicht (um 1780).
6. Berlin, Deutsche Staatsbibliothek Mus. ms. 1200 (z. Z. Marburg): (Ende 18. Jahrhundert).
7. Berlin, Deutsche Staatsbibliothek Mus. ms. 1200/1 (z. Z. Marburg): (Anfang 19. Jahrhundert).
8. Berlin, Deutsche Staatsbibliothek AmB. 464: W. Friedemann Bach.

Fabritio Fontana: *Ricercari* (1677)
Wien, Musikarchiv des Minoritenkonventes XIV 711: (P. Alexander Giessel; 1. Viertel 18. Jahrhundert).

Michel Angelo Rossi: *Toccate e Corrente* (1657)
Wien, Musikarchiv des Minoritenkonventes XIV 699: (P. Alexander Giessel; 1. Viertel 18. Jahrhundert, Teilabschrift).

Johann Jakob Froberger: *Diverse Ingegnosissime . . . Partite Musicali* (1693/95)
1. Berlin, Bibliothek der ehem. Hochschule für Musikerziehung und Kirchenmusik, verschollenes Ms.: *C. S.* (29. August 1711).
2. Berlin, Deutsche Staatsbibliothek Mus. ms. 6712 (z. Z. Marburg): Gottlieb Muffat (um 1730?).
3. Leipzig, Städtische Musikbibliothek
*Divese* [sic] *Curiose e Rare Partite Musicali* (1696)
1. Brüssel, Bibliotheque Royal Ms. 2978.
2. Berlin, Deutsche Staatbibliothek Mus. ms. 6712: Gottlieb Muffat (um 1730?).

Johann Speth: *Ars magna consoni et dissoni* (1693)
Wien, Musikarchiv des Minoritenkonventes XIV 700: (P. Alexander Giessel; 1712?)

Johann Kuhnau: *Frische Clavier Früchte* (1696)
Wien, Musikarchiv des Minoritenkonventes XIV 701: (P. Alexander Giessel; Anfang 18. Jahrhundert)

Jacque Boyvin: *Premier Livre d'Orgue* (1689)
1. Berlin, Deutsche Staatsbibliothek Mus ms. 2329 (z. Z. Marburg): Johann Gottfried Walther (1. Drittel 18. Jahrhundert).
2. Berlin, Deutsche Staatsbibliothek AmB. 529: (18. Jahrhundert).

Jacque Boyvin: *Second Livre d'Orgue* (1699)
Berlin, Deutsche Staatsbibliothek Mus. ms. 2329 (z. Z. Marburg): Johann Gottfried Walther (1. Drittel 18. Jahrhundert).

Nicolas de Grigny: *Premier Livre d'Orgue* (1699/1700)
Berlin, Deutsche Staatsbibliothek Mus ms. 8550 (z. Z. Marburg): Johann Gottfried Walther (?) (1. Drittel 18. Jahrhundert).

Verzeichnis der von 1648—1700
im Druck veröffentlichen Musik
für Tasteninstrumente [67]

NB. Die zum folgenden Verzeichnis gehörigen Anmerkungen stehen auf S. 68 ff.

| Jahr | Autor (Herausgeber) | Titel (verkürzt) | Erscheinungsort |
|------|---------------------|------------------|-----------------|
| 1648 | Wolfgang Ebner | *Aria Augustissimi ... Imperatoris Ferdinandi III. ... XXXVI modis variata* | Prag |
| (1649) | Samuel Scheidt | *Tabulatura Nova* | Hamburg |
| 1650 | Samuel Scheidt | *Tabulatur-Buch Hundert Geistlicher Lieder und Psalmen* | Görlitz |
| 1650 | Scipione Giovanni | *Intavolatura di Cembalo, et Organo, Toccate, Capricci, Hinni* | Perugia |
| 1651 | —— | *Parthenia or the Maidenhead* | London |
| 1652 | Scipione Giovanni | *Partitura di Cembalo, et Organo, Toccate, Romanesche, Partite* | Venedig |
| 1655 | —— | *Parthenia or the Maidenhead* | London |
| 1657 | Michelangelo Rossi | *Toccate e Corenti d'intavolatura d'Organo e Cimbalo* | Rom |
| 1657 | Henry Du Mont | Meslanges à II. III. IV. & V. parties | Paris |
| 1659 | Anthoni van Noordt | *Tabulatuur-Boeck van Psalmen en Fantaseyen* | Amsterdam |
| 1660 | (François Roberday) | *Fugues et Caprices à 4 parties, mises en partition pour l'Orgue* | Paris |
| 1662 | Mauritio Cazzati | *Partitura di Correnti, e Balletti per sonare nella Spinetta* | Bologna |
| 1663 | Mauritio Cazzati | *Partitura di Correnti, e Balletti* | Bologna |
| 1663 | (John Playford) | *Musick's Handmaid* | London |
| 1664 | Bernardo Storace | *Selva di varie compositioni d'intavolatura Cimbalo ed Organo* | Venedig |
| 1664 | Seb. Anton Scherer | *Operum Musicorum Secundum, distinctum in libros duos: 1. Tabulatura in Cymbalo et Organo Intonationum Brevium 2. Partitura in Cymbalo et Organo* | Ulm |
| 1665 | G. Gabriel Nivers | *Livre d' Orgue* | Paris |
| (1667) | G. Gabriel Nivers | *Second Livre d'Orgue* | Paris |
| 1667 | Fr. A. M. Pistocchi | *Capricci Puerili variamente composti, e passegiati* | Bologna |
| 1668 | —— | *Kurtzer, jedoch gründlicher Wegweiser ... die Orgel ... zu schlagen* | Augsburg |

| Verleger (Drucker, Stecher) | Notierung | | | | Verwendungs-möglichkeit | | | | | Meßkataloge | | Anmer-kungen |
|---|---|---|---|---|---|---|---|---|---|---|---|---|
| | P | I | E | Fr | G | H | L | K | M | Frankfurt | Leipzig | |
| ——— | | | | + | + | | | | | | | 68 |
| Tobias Gundermann | + | | | | | | | | + | ⎰(1659 F ⎱(1651 F | ⎰1649 F ⎱1651 F | 69 |
| Martin Hermann | + | | | | + | + | | | | | 1649 H | 70 |
| Eredi del Bart. et A. Laurenti | | + | | | | | | + | | | | 71 |
| John Clark(e) | | | + | | | + | | | | | | 72 |
| Alessandro Vincenti | + | | | | | | | + | | | | 73 |
| John Clark(e) | | | + | | | + | | | | | | 74 |
| Carlo Ricarii | | + | | | | | | + | | | | 75 |
| Robert Ballard | | | | | | + | | | | | | 76 |
| Willem Beaumont | | + | | | | | | + | | | | 77 |
| Jacque de Sanlecque | + | | | | | | + | | | | | 78 |
| Antonio Pisarri | + | | | | | + | | | | | | 79 |
| Her. di E. Dozza | + | | | | | + | | | | | | 80 |
| John Playford | | + | | | | + | | | | | | 81 |
| ——— | | | + | | | | + | | | | | 82 |
| Balthasar Kühn | | | | | | | | | | 1663 H | 1663 H | 83 |
| (Autor) | | + | | | + | | | | | | | |
| Balthasar Kühn | + | | | | | | | | + | | | |
| Robert Ballard | | | | + | + | | | | | | | 84 |
| Robert Ballard | | | | + | + | | | | | | | 85 |
| Giacomo Monti | | | | | | + | | | | | | 86 |
| J. Koppmayer u. J. Görlin | | | | + | | + | | | | 1668 H | 1668 H | 87 |

| Jahr | Autor (Herausgeber) | Titel (verkürzt) | Erscheinungsort |
|---|---|---|---|
| 1669 | Bertoldo Spiridion | *Nova Instructio pro pulsandis organis, Spinettis* | Bamberg |
| 1669 | Galeazzo Sabbatini | *Regole facile, e breve per sonare sopra il Basso continuo* | Rom |
| 1669 | Luigi Battiferri | *Ricercari a quattro, a cinque, e a sei* | Bologna |
| 1670 | J. Chambonnieres | *Les Pièces de Clavessin ... Livre Premier* | Paris |
| 1670 | Bertoldo Spiridion | *Nova Instructio pro pulsandis organis ... Pars Prima* | Bamberg |
| 1671 | Bertoldo Spiridion | *Nova Instructio pro pulsandis organis ... Pars Secunda* | Bamberg |
| 1671 | Pietro degli Antonii | *Partitura, Balletti, Correnti, & Arie diversi* | Bologna |
| 1672 | Bertoldo Spiridion | *Nova Instructio pro pulsandis organis ... Pars Secunda* | Bamberg |
| 1673 | Matthew Locke | *Melothesia or certain general rules for playing on a Continued Bass* | London |
| 1674 | Dietrich Buxtehude | *Fried- und Freudenreiche Hinfahrt ... in 2. Contrapuncten abgesungen* | Lübeck |
| 1675 | G. Gabriel Nivers | *3e Livre d'Orgue* | Paris |
| (1675) | Bertoldo Spiridion | *Nova Instructio ... Pars III/IV* | Gerbstädt |
| 1676 | Johann Jungnickel | *Fugen in Pedal und Manual durch alle tonos* | Frankfurt/M. |
| (1676) | Nicolas-Antoine Le Bègue | *Les Pièces d'Orgue* | Paris |
| 1677 | Nicolas-Antoine Le Bègue | *Les Pièces de Clavessin* | Paris |
| 1677 | Fabritio Fontana | *Ricercari* | Rom |
| 1677 | Ruiz de Ribayez | *Luz e norte musical* | Madrid |
| 1678 | (John Playford) | *Musick's Hand-maid ... 2. book* | London |
| 1679 | Benedict Schultheiß | *Muth- und Geist-ermuntrender Clavier-Lust Erster Theil* | Nürnberg |
| 1680 | Benedict Schultheiß | *Muth- und Geist-ermuntrender Clavier-Lust Anderer Theil* | Nürnberg |
| 1680 | Benedict Schultheiß | *Muth- und Geist-ermuntrender Clavier-Lust Erster und Anderer Theil* | Frankfurt/M. |

| Verleger (Drucker, Stecher) | Notierung | | | | Verwendungs-möglichkeit | | | | | Meßkataloge | | An-mer-kungen |
|---|---|---|---|---|---|---|---|---|---|---|---|---|
| | P | I | E | Fr | G | H | L | K | M | Frankfurt | Leipzig | |
| Johann Georg Seiffert | | | | + | | | + | | | | | 88 |
| Gio. Batt. Caifabri | | | | | | | + | | | | | 89 |
| Giacomo Monti | + | | | | | | + | | | | | 90 |
| Jollain | | | | + | + | | | | | | | 91 |
| Johann Jakob Immel | | | | + | | | + | | | 1670 H | 1670 H | 92 |
| Johann Georg Seiffert | | | | + | | | + | | | 1671 H | 1671 H | 93 |
| Giacomo Monti | + | | | | | + | | | | | | 94 |
| Johann Georg Seiffert | | | | + | | | + | | | | | 95 |
| John Carr | | | + | | | | + | | | | | 96 |
| Ulrich Wettstein | + | | | | | | | + | | | | 97 |
| Robert Ballard | | | | + | + | | | | | | | 98 |
| Johannes Salver | | | | + | | | + | | | 1675 F | 1675 F | 99 |
| Johann Christoph Wust | | | | | | + | | | | 1676 F | 1676 F | 100 |
| Baillon | | | | + | + | | | | | | | 101 |
| Baillon | | | | + | | + | | | | | | 102 |
| Gio. Angelo Mutij | + | | | | | | | + | | | | 103 |
| Luiz Alvarez | | | | | | | + | | | | | 104 |
| John Playford | | | + | | | + | | | | | | 105 |
| Michael u. J. Fr. Endter | | | | + | | + | | | | | | 106 |
| Michael u. J. Fr. Endter | | | | + | | + | | | | | | 106 |
| Johann Philipp Gerhardt | | | | + | + | | | | | | | 107 |

| Jahr | Autor (Herausgeber) | Titel (verkürzt) | Erscheinungsort |
|------|---------------------|------------------|-----------------|
| (1680) | Perrine | Pieces de Luth ... et sur le Claves-sin | Paris |
| 1683 | Bertoldo Spiridion | Nova Instructio ... V. Pars = Musicalische Ertz-Gruben | Würzburg |
| 1683 | Johann Pachelbel | Musicalische Sterbensgedanken | Erfurt |
| 1683 | Nicolas Gigault | Livre de Musique ... sur l'Orgue & sur le Clavessin | Paris |
| 1685 | Nicolas Gigault | Livre de Musique pour l'Orgue | Paris |
| 1686 | Johann Kaspar Kerll | Modulatio Organica super Magnificat | München |
| 1687 | Gregorio Strozzi | Capricci da sonare Cembali, et Organi | Neapel |
| 1687 | G. B. degli Antonii | Versetti per tutti li tuoni ... Opera Seconda | Bologna |
| 1688 | Andrè Raison | Livre d'Orgue | Paris |
| 1689 | J. Henry d'Anglebert | Pieces de Clavecin | Paris |
| 1689 | Jacque Boyvin | Premier Livre d'Orgue | Paris |
| 1689 | (John Playford) | A Second Part of Musick's Hand-maid | London |
| 1689 | ——— | Kurtzer, jedoch gründlicher Wegweiser ... die Orgel ... zu schlagen | Augsburg |
| 1689 | Johann Kuhnau | Neuer Clavier Ubung Erster Theil | Leipzig |
| 1690 | Georg Muffat | Apparatus Musico-Organisticus | Salzburg |
| 1690 | Gilles Jullien | Premier Livre d'Orgue | Paris |
| 1692 | ——— | Vermehrter und nun zum dritten Mal in Druck beförderter Wegweiser | Augsburg |
| 1692 | Christian Flor | Todesgedanken in dem Liede: „Auf meinen lieben Gott" | Hamburg |
| 1692 | Johann Kuhnau | Neuer Clavier Ubung Erster Theil | Leipzig |
| 1692 | Johann Kuhnau | Neuer Clavier Übung Anderer Theil | Leipzig |
| 1693 | (Johann Speth) | Ars Magna consoni et dissoni | Augsburg |
| (1693) | Johann Pachelbel | Erster Theil etlicher Choräle (= Choräle zum Praeambuliren) | Nürnberg |
| 1693 | ——— | Vermehrter und ... zum drittenmal in Druck beförderter Wegweiser | Augsburg |
| 1693 | Johann Jakob Froberger | Diverse Ingegnosissime, Rarissime e ... Curiose Partite | Mainz |

| Verleger (Drucker, Stecher) | Notierung | | | | Verwendungs-möglichkeit | | | | | Meßkataloge | | Anmerkungen |
|---|---|---|---|---|---|---|---|---|---|---|---|---|
| | P | I | E | Fr | G | H | L | K | M | Frankfurt | Leipzig | |
| | | | | + | | + | | | | | | 108 |
| Hiob Hertz | | | | + | | | + | | | 1683 F | 1683 F | 109 |
| | | | | | | + | | | | | | 110 |
| | | | | + | | | | | + | | | 111 |
| | | | | + | + | | | | | | | 111 |
| Michael Wening | + | | | + | | | | | | | | 112 |
| Novello de Bonis | | | | | | + | | | | | | 113 |
| Giacomo Monti | | | | + | | | | | | | | 114 |
| | | | | + | + | | | | | | | 115 |
| (l'Autheur) | | | | + | + | | | | | | | 116 |
| (Autor) | | | | + | + | | | | | | | 117 |
| John Playford | | + | | | | + | | | | | | 118 |
| Jakob Koppmayer | | | | + | | | + | | | | | 119 |
| (Autor) | | | | + | | + | | | | | | 120 |
| Johann Baptist Mayr (und Autor) | | | | + | | | | | + | | | 121 |
| Henry Lesclop | | | | + | + | | | | | | | 122 |
| Jakob Koppmayer | | | | + | | | + | | | | | 123 |
| | | | | | | | | + | | | | 124 |
| (Autor) | | | | + | | + | | | | | 1691 H | 125 |
| Friedrich Groschuff (und Autor) | | | | + | | + | | | | 1692 F | 1692 F | 126 |
| L. Kroniger und G. Göbels Erben | + | | | | | | | | + | 1693 F | 1693 F | 127 |
| | | | | | | | | | | 1694 F | 1694 H | |
| Johann Christian Weigel | | | | | + | | | | | | | 128 |
| Jakob Koppmayer | | | | + | | | + | | | | | 129 |
| Ludwig Bourgeat | + | | | | | | | | + | 1693 F | | 130 |

| Jahr | Autor (Herausgeber) | Titel (verkürzt) | Erscheinungsort |
|------|---------------------|------------------|-----------------|
| 1694 | Johann Jakob Froberger | *Musikalische Werke. 1. Continuation* | Mainz |
| 1694 | L. Chaumont | *Pièces D'Orgue sur les 8 Tons* | |
| 1695 | —— | *Vermehrter und ... zum drittenmal in Druck beförderter Wegweiser* | Augsburg |
| 1695 | Johann Jakob Froberger | *Diverse Curiose e Rarissime Partite* | Mainz |
| 1695 | Johann Kuhnau | *Neue Clavier Ubung* (beide Teile) | Leipzig |
| 1696 | Johann Kuhnau | *Frische Clavier Früchte* | Leipzig |
| 1696 | Johann Jakob Froberger | *Divese* [sic] *Curiose è Rare Partite Musicale ... Prima Continuatione* | Mainz |
| 1696 | F. X. Anton Murschhauser | *Octi-Tonium Novum Organicum* | Augsburg |
| 1696 | J. K. Ferdinand Fischer | *Pièces de Clavecin = Musicalisches Blumenbüschlein* | Augsburg |
| 1696 | —— | *Vermehrter und ... zum drittenmal in Druck beförderter Wegweiser* | Augsburg |
| 1696 | Henry Purcell | *A Choice Collection of Lessons* | London |
| 1696 | G. B. degli Antonii | *Versetti da Organo per tutti li tuoni ... Opera Settima* | Bologna |
| 1697 | G. B. degli Antonii | *Versetti da Organo per tutti li tuoni ... Opera Settima* | Venedig |
| 1697 | Johann Krieger | *Sechs Musicalische Partien* | Nürnberg |
| 1698 | J. K. Ferdinand Fischer | *Musicalisches Blumen-Büschlein* | Augsburg |
| 1698 | —— | *Vermehrter und ... zum drittenmal in Druck beförderter Wegweiser* | Augsburg |
| 1699 | Johann Krieger | *Anmuthige Clavier-Ubung* | Nürnberg |
| 1699 | Johann Pachelbel | *Hexachordum Apollinis sex arias exhibens* | Nürnberg |
| 1699 | Johann Jakob Froberger | *Prima parte delle diverse curiose e rarissime partite* | Mainz |
| 1699 | Johann Jakob Froberger | *Seconda parte delle diverse curiose e rarissime partite* | Mainz |
| 1699 | Nicolas de Grigny | *Premier Livre d'Orgue* | Paris |
| 1700 | Jacque Boyvin | *Second Livre d'Orgue* | Paris |
| 1700 | —— | *Vermehrter und ... zum drittenmal in Druck beförderter Wegweiser* | Augsburg |
| 1700 | Johann Kuhnau | *Frische Clavier Früchte* | Leipzig |
| 1700 | Johann Kuhnau | *Musicalische Vorstellung Einiger Biblischer Historien* | Leipzig |

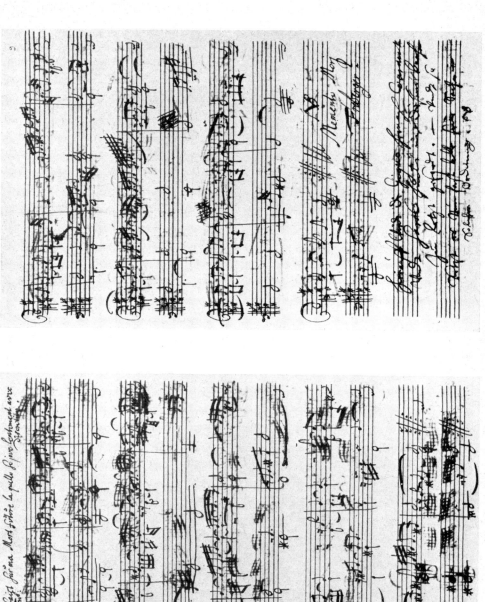

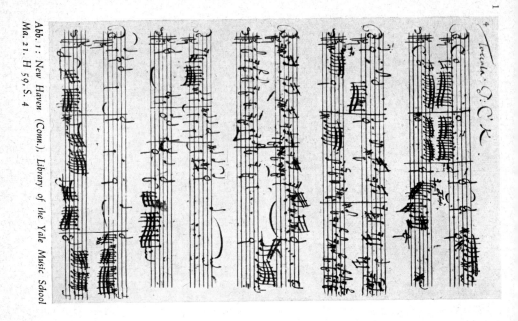

Abb. 1: New Haven (Conn.), Library of the Yale Music School
Ma. 21. H 59, S. 4

Abb. 2: Lüneburg, Ratsbücherei Mus. ant. pract. KN 147. Bl. 1ʳ (vgl. S. 95 f.).
Abb. 3: ebenda, Bl. 29ʳ (vgl. S. 95 f.).

| Verleger (Drucker, Stecher) | Notierung | | | | Verwendungsmöglichkeit | | | | | Meßkataloge | | Anmerkungen |
|---|---|---|---|---|---|---|---|---|---|---|---|---|
| | P | I | E | Fr | G | H | L | K | M | Frankfurt | Leipzig | |
| Ludwig Bourgeat | | | | | | | | | | 1694 F | 1694 F | 131 |
| | | | | + | + | | | | | | | 132 |
| Jakob Koppmayer | | | | + | | | + | | | | | 133 |
| Ludwig Bourgeat | + | | | | | | | | + | | | 134 |
| Johann Herbord Kloss | | | | + | | + | | | | | {1695 F<br>1695 H | 135 |
| J. Chr. Mieth u. J. Chr. Zimmermann | | | | + | | + | | | | | {1695 H<br>1696 F<br>1697 F | 136 |
| Ludwig Bourgeat | | | | + | | + | | | | 1696 F | 1696 F | 137 |
| L. Kroniger und G. Göbels Erben | + | | | | | + | | | | {1695 H<br>1696 F | 1695 H<br>1696 F | 138 |
| L. Kroniger und G. Göbels Erben (und Autor) | | | | + | | + | | | | | | 139 |
| Jakob Koppmayer | | | | + | | | + | | | | | 140 |
| Henry Playford | | + | | | | + | | | | | | 141 |
| Carlo Maria Fagniani | | | | | | + | | | | | | 142 |
| Giovanni Grisostomo | | | | | | + | | | | | | 143 |
| Wolfgang Moritz Endter | | | | + | | + | | | | {<br>1797 F | 1696 H<br>1697 F | 144 |
| L. Kroniger und G. Göbels Erben | | | | + | | + | | | | 1698 F | 1698 F | 145 |
| Jakob Koppmayer | | | | + | | | + | | | | | 146 |
| Wolfgang Moritz Endter | | | | + | | | | | + | 1699 F | 1699 F | 147 |
| Wolfgang Moritz Endter | | | | + | | + | | | | 1700 F | 1700 F | 148 |
| Ludwig Bourgeat | + | | | | | | | | + | | | 149 |
| Ludwig Bourgeat | | | | + | | | | | + | | | 150 |
| P.-A. Le Mercier | | | | + | + | | | | | | | 151 |
| Christophe Ballard | | | | + | + | | | | | | | 152 |
| Jakob Koppmayer | | | | + | | | + | | | | {1700 F<br>1702 H | 153 |
| J. Chr. Mieth u. J. Chr. Zimmermann | | | | + | | + | | | | | {1700 F<br>1700 H<br>1702 H | 154 |
| Immanuel Tietz (und Autor) | | | | + | | + | | | | | | 155 |

| Jahr | Autor | Titel | Erscheinungsort |
|---|---|---|---|
| (vor 1657) | Michelangelo Rossi | *Toccate e Corrente d'Intavolatura d'Organo e Cimbalo* | —— |
| (um 1657) | Michelangelo Rossi | *Toccate e Corrente d'Intavolatura d'Organo e Cimbalo* | Rom |
| (vor 1666) | Francesco della Porta | *Ricercate à 4.* | Mailand |
| (1670/1672) | Jacque Chambonierès | *Les Pieces de Clavessin . . . Livre Second* | Paris |
| (nach 1676) | N.-Antoine Le Begue | *Livre Second d'Orgue, Pieces courtes et faciles* | Paris |
| (nach 1676) | N.-Antoine Le Begue | *3. Livre d'Orgue* | Paris |
| (nach 1676) | N.-Antoine Le Begue | *Il secundo (et il terzo) libro di organo* | Paris |
| (nach 1685) | Guilio Cesare Aresti | *Partitura di Modulationi Precettive . . . Intavolate* | —— |
| (1696/1697) | N.-Antoine Le Begue | *Pièces de Clavessin* | Amsterdam |
| (1697/1698) | N.-Antoine Le Begue | *Une suite de Pieces de Clavessin* | Amsterdam |
| (um 1697/98) | Joh. Jakob Froberger | *10 Suittes de Clavessin* | Amsterdam |
| (um 1697/98) | Joh. Jakob Froberger | *10 Suittes de Clavessin . . . Seconde Edition* | Amsterdam |
| (1698/1699) | —— | *Toccates & Suittes Pour le Clavessin* | Amsterdam |
| (1697/1701) | —— | *Sonate da Organo di varii autori* | —— |

| Verleger (Drucker, Stecher) | Notierung | | | | Verwendungs-möglichkeit | | | | | Meßkataloge | | An-mer-kungen |
|---|---|---|---|---|---|---|---|---|---|---|---|---|
| | P | I | E | Fr | G | H | L | K | M | Frankfurt | Leipzig | |
| ——— | | + | | | | | | | + | | | 157 |
| Giovanni Battista Caifabri | | + | | | | | | | + | | | 158 |
| | (+) | | | | | | | + | | | | 159 |
| Jollain | | | | + | + | | | | | | | 160 |
| Baillon | | | | + | + | | | | | | | 161 |
| Bausseu | | | | + | + | | | | | | | 162 |
| Ant. Chretien | | | | + | + | | | | | | | 163 |
| ——— | | + | | | + | | | | | | | 164 |
| Estienne Roger | | | | + | | + | | | | | | 165 |
| Estienne Roger | | | | + | | + | | | | | | 166 |
| Pierre Mortier | | | | + | | + | | | | | | 167 |
| Estienne Roger | | | | + | | + | | | | | | 167 |
| Estienne Roger | | | | + | | + | | | | | | 168 |
| ——— | | + | | | | | | | + | | | 169 |

5*

# Anmerkungen zum Verzeichnis

[67] Dieses Verzeichnis stellt eine vorläufige Zusammenfassung aller mir durch Bibliographien, Lexika, Meßkataloge, Bibliothekskataloge und durch sonstige Quellenangaben bekannt gewordenen Drucke dar. Ein Anspruch auf Vollständigkeit kann — vor allem für die außerdeutschen Werke — nicht erhoben werden. In wieweit es sich bei Neuauflagen bzw. Neuangeboten lediglich um „Titelauflagen" oder in Meßkatalogen um Antiquariatsangebote handelt, konnte nicht in jedem Falle festgestellt werden. An einigen Stellen wurden die Jahreszahlen eingeklammert, da genaue Angaben über das tatsächliche Erscheinen der betreffenden Werke fehlen. Die Angaben beschränken sich auf das Wichtigste, ausführliche Quellenbeschreibungen müssen einer gesondert zu veröffentlichenden Bibliographie vorbehalten bleiben. Hinzugefügt wurden Angaben über Notierung und Verwendungsmöglichkeit sowie über die Angebote in den Meßkatalogen als Übersicht und Beleg für den in den vorhergehenden Kapiteln dargestellten geschichtlichen Verlauf.
Erklärung der Abkürzungen: P = Partitur, I = italienische Orgeltabulatur, E = englische Orgeltabulatur, Fr = französische Orgeltabulatur, G = für den gottesdienstlichen Gebrauch, H = für den Hausgebrauch, K = Kontrapunktstudienwerke, L = Lehrbuch der *Clavierkunst*, M = vermischter Inhalt ohne eindeutig erkennbaren Verwendungszweck, F = Frühjahrsmesse, H = Herbstmesse.
[68] Repräsentationswerk, vermutlich nur in wenigen Exemplaren veröffentlicht und verbreitet.
[69] Göhler II 1313; s. o. S. 50.
[70] Göhler II 1326; Walther, *Lexicon*, S. 549 berichtet von einer Neuauflage im Jahre 1653 (ohne Ort, Drucker und Verleger). Von dieser ist ein Exemplar (Halle, Marienbibliothek) erhalten, das Mahrenholz (*Samuel Scheidt, Sein Leben und sein Werk*, Leipzig 1924, S. 39) für einen Korrekturabzug hält, da es zweifelhaft ist, ob die Auflage erschienen ist; in den Meßkatalogen wird sie nicht angeboten. Es bleibt jedoch fraglich, ob ein gebundenes Exemplar einen Korrekturabzug darstellen kann.
[71] Nur Titelblatt und Vorrede abschriftlich erhalten (Bologna, Bibl. del Conservatorio Cod. ms. 31); Sartori: 1650 d).
[72] Grove, *Dictionnary*, Artikel *Parthenia*.
[73] Gleichfalls nur Titelblatt und Vorrede abschriftlich (Quelle s. Anm. 71); Sartori: 1652 a); man beachte, daß die *Partitura* (die auch in Deutschland verkauft wurde, s. o. S. 51) in Venedig gedruckt wurde, die *Intavolatura* dagegen nicht.
[74] Expl. London, British Museum K. 1. i. S (lt. W. Barclay Squire, *Catalogue of Printed Music . . . in the British Museum*, London 1912); nach Eitner, *Quellenlexikon*, auch ein Expl. in Glasgow.
[75] Sartori: 1657); s. u. Anm. 157/158.
[76] Stimmendruck, enthält Chansons mit Praeludien *pour Orgue*; vgl. Frotscher, S. 674 und M. Garros, Artikel *Du Mont* in MGG; Fétis, *Biographie universelle*, Brüssel 1837/44, nennt zwei Bücher: Livre I 1649 (nicht nachweisbar), Livre II 1657 (vermutlich das hier angezeigte.).
[77] S. o. Anm. I 158; vgl. M. Seiffert, *Anthony van Noordt* in Tijdschrift der Vereeniging vor Noord-Nederlands Muziekgeschiedenis V (1896), S. 85.
[78] Eine Beispielsammlung von Stücken im strengen Stil, enthält u. a. Kompositionen von Frescobaldi, Ebner und Froberger; vgl. Frotscher, S. 677 f.
[79] Der Titel lautet weiter: „. . . *per sonare nella Spinetta Leuto, o Tiorba; overo Violino, e Violone, col Secondo Violino a Beneplacito . . .*"; die Partitur enthält also nur zwei Stimmen, die 2. Violine erschien als Stimmheft; Sartori: 1662).
[80] Nachdruck des vorhergehenden Werkes (nach Eitner, *Quellenlexikon*; fehlt bei Sartori).
[81] Expl. London, British Museum K. 1. c. i. (lt. Katalog W. Barclay Squire, a. a. O.)
[82] Sartori: 1664 b).
[83] Göhler II 1354; beide Bücher waren ursprünglich getrennt: Liber I ist vom Autor selbst gestochen und selbst verlegt worden, Liber II ist bei B. Kühn im Typendruck hergestellt (daher die Partitur-Notierung, obwohl die Stücke nicht strengstimmig sind). Der gemeinsame Titel scheint erst nachträglich bei Kühn hergestellt worden zu sein, der das Werk zusammengebunden verkaufte. — Durch die freundliche Vermittlung von Herrn Prof. Dr. Friedrich Blume wurde mir das in der Ratsbücherei zu Lüneburg befindliche Exemplar (ein anderes befindet sich in der Bibl. Nat. zu Paris) für kurze Zeit zur Verfügung gestellt; für das Entgegenkommen der Bibliotheksleitung sei hiermit bestens gedankt.

84 Eitner, *Quellenlexikon*.

85 Frotscher, S. 682.

86 Sartori: 1667 c); „. . . *Per sonarsi nel Clavicembalo Arpa Violino & altri Stromenti . . .*".

87 Göhler I 1315; Expl. nicht nachweisbar.

88 Göhler II 1460; Expl. Dresden, Sächsische Landesbibliothek Mus. A 48 (im Kriege vernichtet); vgl. E. Valentin, *Die Entwicklung der Tokkata im 17. und 18. Jahrhundert (bis J. S. Bach)*, Münster i. W. 1950, S. 82 (Anm. 57).

89 Vgl. Anm. 39; fehlt bei Sartori; nach Eitner, *Quellenlexikon*, Exemplare in Berlin und Bologna.

90 Sartori: 1669 h).

91 Vgl. M. Reimann, Artikel *Champion* in MGG II.

92 Göhler II 1456 (dort im Selbstverlag des Autors); Expl. Wien, Musikarchiv des Minoritenkonventes XIV 684.

93 Göhler II 1457; Expl. ehemals in Gießen, Bibl. Wagener (lt. Eitner, *Quellenlexikon*).

94 Sartori: 1671 c); „. . . *a Violino, e Violone per camera, & anco per Suonare nella Spinetta, & altri Instromenti . . .*"; die Partitur besteht aus zwei Stimmen (nach freundlicher Mitteilung von Herrn Prof. Fanti, Bologna, für die ich mich an dieser Stelle vielmals bedanke; Herrn Prof. Dr. Albrecht, Kiel, bin ich für die freundliche Übermittlung der Nachricht ebenfalls zu Dank verpflichtet).

95 E. Valentin, a. a. O. S. 82, Anm. 58; vgl. auch Seiffert, *Klaviermusik*, S. 217 ff.

96 Eitner, *Bibliographie*, S. 290; Neudruck in: F. T. Arnold, *The Art of Accompaniment from a Thorough Bass as practised in the 17th and 18th Centuries*, London 1931.

97 Gelegenheitswerk; zur Frage, ob es sich in erster Linie um Tastenmusik oder um eine „Kantate" handelt, vgl. unten S. 196.

98 Eitner, *Quellenlexikon*.

99 Göhler II 1458 (Erscheinen zur Herbstmesse angekündigt); vgl. Anm. 95.

100 Göhler II 771; Expl. nicht nachweisbar; Jungnickel war Hoforganist in Darmstadt; vgl. Gerber, *Historisch-biographisches Lexicon der Tonkünstler*, Leipzig 1790/92, Sp. 701.

101 Nach Fétis, a. a. O. sind auch das 2. und 3. Buch in demselben Jahre erschienen.

102 Eitner, *Quellenlexikon*.

103 Sartori: 1677 b).

104 Beispiele in Zifferntabulatur; s. o. S. 32.

105 Expl. London, British Museum K. 4. b. 10 (nach W. Barclay Squire, a. a. O.).

106 Beide Teile in einem Bande; einziges erhaltenes Exemplar: Regensburg, Proskesche Musikbibliothek Th. A. 84; für ausführliche Mitteilungen über dieses Werk bin ich Herrn Dr. August Scharnagl, Straubing, zu großem Dank verpflichtet.

107 Expl. ehemals Gießen, Bibl. Wagener; vgl. Seiffert, *Klaviermusik*, S. 194 ff.

108 Ebenda S. 286.

109 Göhler II 1459.

110 Walther, *Lexicon* S. 458; Expl. nicht nachweisbar.

111 Vgl. J. Bonfils, Artikel *Gigault* in MGG; Fétis, a. a. O., erwähnt außerdem ein *Livre de Noëls 1685*, doch dürfte dieses mit dem erwähnten Werk identisch sein.

112 Das Exemplar aus der Bischöflich-Proskeschen Musikbibliothek zu Regensburg wurde mir zur Durchsicht und Übertragung leihweise zur Verfügung gestellt. Herrn Dr. August Scharnagl bin ich für das großzügige Entgegenkommen, Herrn Prof. Dr. Friedrich Blume für die freundliche Vermittlung zu größtem Dank verpflichtet.

113 Sartori: 1687 h).

114 Sartori: 1687 f); das Werk ist generalbaßmäßig notiert, wobei die Ziffern die genaue Tonhöhe angeben.

115 Eitner, *Quellenlexikon*; die Stücke sind teils auf 2, teils auf 3 Systeme notiert.

116 Eitner, *Quellenlexikon*.

117 F. Raughel, Artikel *Boyvin* in MGG.

118 Expl. London, British Museum K. 4. b. 10. (nach W. Barclay Squire, a. a. O.).

119 R. Eitner, *Eine Musiklehre des 17. Jahrhunderts* in MfM XI (1879) S. 17.

120 K. Päsler, Vorwort zu DDT IV (1901).

121 Das Werk erschien in mehreren Auflagen, die im einzelnen nicht genau zu datieren sind, da die Jahreszahl 1690 stets auf dem Kupfertitel stehenblieb. Das im Stift Kremsmünster erhaltene Exemplar (vgl. die Neuausgabe von R. Walter im Verlag Coppenrath, Altötting) könnte

zur Erstausgabe gehören. Es enthält außer dem bei allen Auflagen vorhandenen Kupfertitel ein im Typendruck hergestelltes zweites Titelblatt, auf dem der Autor und J. B. Mayr in Salzburg als Verleger zeichnen; es folgen die Widmung an den Kaiser und die Vorrede, beide in lateinischer Sprache. Den nach seiner Übersiedlung nach Passau verkauften Exemplaren fügte Muffat eine Notiz über die Veränderung seines Wohnsitzes auf dem gedruckten Titelblatt bei (Exemplare Kremsmünster und Göttweig). Anscheinend hatte er auch die Platten mit nach Passau genommen; denn nach seinem Tode (1704) wurden sie von seinen Erben für die in Wien erscheinenden Auflagen verwendet. Eine Auflage mit verändertem Drucktitel besaß die Berliner Staatsbibliothek (Exemplar verschollen). Hier heißt es am Schluß des Titels: *Venalis habetur apud Godefridum Muffat, Sac. Caes. Maj. Aulae et Camerae Musicum.* Dieses war anscheinend der Violinist Gottfried Muffat, der (nach Eitner, *Quellenlexikon*) vom 1. Juli 1701 bis zu seinem Tode im Jahre 1709 in der Hofkapelle tätig war. Die Auflage müßte also zwischen 1704 und 1709 erschienen sein. Später ließen die Erben Georg Muffats (vermutlich sein Sohn Gottlieb) das Werk durch den Universitätsdrucker J. P. van Ghelen (dieser druckte 1725 den *Gradus ad Parnassum* von Fux) verkaufen. In dieser Auflage fehlt (wie auch bei der vorgenannten) die Widmung, außerdem der gedruckte Titel, dafür hat van Ghelen eine deutsche Übersetzung der Vorrede mit einem Zusatz der Herausgeber im Typendruck hergestellt. Da das eine der beiden z. Z. nachweisbaren Exemplare (Wien, Bibliothek der Gesellschaft der Musikfreunde) auf dem Einband die eingeprägte Jahreszahl 1726 trägt, muß die Auflage spätestens in diesem Jahre erschienen sein. Bei dem in der Österreichischen Nationalbibliothek erhaltenen Exemplar fehlen Widmung, Vorrede und die Angabe eines Verlegers gänzlich, auch sind die Platten jeweils auf die verkehrten Seiten gedruckt (die recto-Seiten des Originals stehen auf den verso-Seiten, so daß die Anweisung *vertatur* immer auf der falschen Seite steht).

Alle bisher genannten Exemplare enthalten zwölf Toccaten, *Ciacona, Passacaglia* und *Nova Cyclopeias Harmonica*. Alois Fuchs besaß ein Exemplar ohne das letztgenannte Stück, auch A. G. Ritter soll ein solches gekannt haben. Auch steht am Ende der Passacaglia *Finis*, weil hier wohl ursprünglich die Sammlung abschloß. Aber auch am Schluß der letzten Toccata steht *Finis*, und bei der Ciacona steht erneut der Autorname. Vermutlich enthielt also die erste Ausgabe nur die Toccaten, die zweite wurde um *Ciacona* und *Passacaglia* erweitert, schließlich wurde noch die *Nova Cyclopeias Harmonica* hinzugefügt. Demnach stammte das in Kremsmünster vorhandene Exemplar nicht von der ersten Ausgabe überhaupt, wohl aber von der ersten vollständigen.

[122] Walther, *Lexicon*, S. 333; Frotscher a. a. O. S. 693.

[123] Die einzelnen Neuauflagen („Titelauflagen") dieser Ausgabe sind aufgeführt, soweit Exemplare erhalten oder sonst irgendwelche Nachrichten darüber zu finden sind.

[124] Gelegenheitswerk; vgl. Walther, *Lexicon*, S. 249; Fétis, a. a. O.; C. F. Becker, *Die Tonwerke des XVI. und XVII. Jahrhunderts*, Leipzig 1847, S. 271; Expl. nicht nachweisbar, das Werk ist bei Eitner und auch sonst in der Literatur seit Becker nicht mehr erwähnt worden.

[125] Expl. Den Haag, Gemeente Museum (nach Päsler, a. a. O.); Walther, *Lexicon*, S. 349 führt irrtümlicherweise beide Teile unter der Jahreszahl 1689 an.

[126] Göhler III 180.

[127] Göhler II 1451; Speth gibt im Titel an, daß er in dieser Sammlung Stücke verschiedener Autoren zusammengestellt habe. Bisher konnte ich nur für einen Satz die Vorlage ermitteln: Der *Versus 3tius* des *Magnificat Quinti Toni* ist eine verkürzte und vereinfachte Form des *Canzon Teutsch Trommel* von Alessandro Poglietti, das im Kodex *E. B. 1688* überliefert ist (s. u. S. 107).

[128] Walther, *Lexicon*, S. 455 nennt einen anderen Titel.

[129] Expl. nicht nachweisbar.

[130] Göhler II 569; s. u. S. 124.

[131] Göhler II 570; s. u. S. 124 f.

[132] Frotscher, S. 705.

[133] Vgl. Anm. 119.

[134] S. u. S. 125.

[135] Göhler III 181; von jetzt ab erschienen beide Teile in einem Bande mit einem neuen Kupfertitel (mit Kuhnaus Porträt).

[136] Göhler II 184/5.

[137] Göhler II 570; s. u. S. 125.

[138] Göhler II 990; vgl. M. Seiffert, Einleitung zu DTB XVIII.

[139] Seiffert, *Klaviermusik*, S. 225.
[140] Vgl. Anm. 119.
[141] Seiffert, *Klaviermusik*, S. 312 f.
[142] Sartori: 1696 e); Notierung wie in dem Werk von 1687 (vgl. Anm. 114); wahrscheinlich ist dieses der Druck, den Johann Krieger in der Vorrede zu *Sechs Musicalische Partien* (1697) kritisiert.
[143] Sartori: 1697 g); Nachdruck der vorgenannten Ausgabe.
[144] Göhler II 841; Typendruck (vgl. Anm. 5); s. auch M. Seiffert, Einleitung zu DTB XVIII.
[145] Göhler III 68; vgl. Anm. 139.
[146] Vgl. Anm. 119.
[147] Göhler II 842; Typendruck (vgl. Anm. 5); s. auch M. Seiffert, Einleitung zu DTB XVIII, S. L ff. und LVIII ff.
[148] Göhler III 344; vgl. A. Sandberger, Einleitung zu DTB II 1 , S. XXII f. und M. Seiffert, ebda. S. XXVII.
[149] Vgl. Anm. III 66.
[150] Vgl. Anm. III 66.
[151] Vgl. Walther, *Lexicon*, S. 292 (dort 1700 als Erscheinungsjahr angegeben); Frotscher, S. 649 ff.; die Stücke sind teils auf zwei, teils auf drei Systeme notiert.
[152] A. Pirro, *Preface* zur Neuausgabe der *Oeuvres completes d'Orgue de Jacque Boyvin*, Paris 1904.
[153] Göhler II 1316 (*Jacob Koppmeyer und Andr. Maschenbauer*); Expl. Wien, Musikarchiv des Minoritenkonventes XIV 687 (es fehlen die Seiten 9—16 des Traktates).
[154] Göhler III 185; vgl. Päsler, a. a. O.
[155] Päsler, a. a. O.; vgl. Anm. I 44.
[156] Die Zahl der undatierten Drucke, von denen mir bisher nur wenige zugänglich waren, ist — vor allem im letzten Jahrzehnt des 17. Jahrhunderts — wesentlich größer gewesen. Im allgemeinen ließ man im 17. Jahrhundert Drucke selten undatiert. Zunächst scheint man in den westeuropäischen Ländern dazu übergegangen zu sein, die Ausgaben nicht zu datieren, vor allem, wenn sie nicht privilegiert waren. Statt dessen wurden die Platten häufig zur Kennzeichnung mit Nummern versehen.
[157] Diese verschollene Ausgabe („*groß. Fol. oder klein-Median, ohne Ort, Zeit oder Kupferstechers Nahme.*") beschreibt Mattheson, *Capellmeister*, S. 90. Auf dem Titelblatt befand sich das Wappen der Familie Barberini (mit Kardinalshut), das man ebenfalls auf Frescobaldis *Fiori Musicali* (1635) und *Toccate d' intavolatura di Cimbalo et Organo* (1637) findet. Eine Oper von M. A. Rossi (*L'Erminia sul Giordano*) wurde 1633 und 1637 im barberinischen *Teatro delle Quattro Fontane* aufgeführt (gedruckt 1637 bei Masotti in Rom, Widmung an Anna Colonna Barberini; s. Eitner, *Quellenlexikon*). 1644 mußten die Barberini (nach dem Tode von Papst Urban VIII., vormals Maffeo Barberini) nach Frankreich fliehen, erst 1653 kehrte Kardinal Antonio für einige Jahre nach Rom zurück (vgl. F. Torrefranca, Artikel *Barberini* in MGG). Es ist möglich, daß Rossis *Toccate* bereits vor 1644 — während der Glanzzeit der Barberini — entstanden sind, zumal die spätere, undatierte Ausgabe ein anderes Wappen trägt (vgl. Anm. 158).
[158] Vgl. Anm. 75; Sartori, S. 422; E. v. Werra, *Michelangelo Rossi* in MfM 18 (1896), S. 123 ff. Beide Ausgaben sind von denselben Platten abgezogen. Verschieden sind nur die Titelblätter:
1. 1657 (Titelblatt gestochen):
TOCCATE E / CORENTI / D'INTAVOLATURA / D'ORGANO E CIMBALO / DI / MICHELANGELO ROSSI. / DI NOVO RISTAMPATO DA CARLO RICARII / ROMA. M. D. C. XXXXXVII / SI VENDONO IN PARIONE ALLA CROCE DI GENOVA.
2. o. J. (Titelblatt im Typendruck):
TOCCATE / E / CORRENTE / Per / Organo, ò Cembalo / DI MICHEL ANGELO ROSSI / [Wappen, aber nicht das von den Frescobaldi-Drucken bekannte Wappen der Barberini mit dem Kardinalshut; nach freundlicher Mitteilung von Herrn Prof. Fanti, Bologna, für die ich an dieser Stelle bestens danke] / IN ROMA, A spese di Gio: Battista Caifabri in Parione all 'Inse- / gna della Croce di Genoua.
In der Literatur wird die undatierte Ausgabe stets vor 1657 datiert. Doch kann sich das „*di novo ristampato*" auch auf eine frühere Ausgabe beziehen, die es offensichtlich gegeben hat (vgl. Anm. 157). Im übrigen ist folgendes festzustellen: Giovanni Battista Caifabri war nach Eitner

(Buch- und Musikalienhändler, Buch- und Musikaliendrucker, nebst Stecher, nur die Musik betreffend, Leipzig 1904/05, Beilage zu MfM 36/37, S. 41) Buchhändler und Musikverleger in Rom. Er gab u. a. 1668, 1669 (s. o. Anm. 89), 1675 (vgl. Eitner, Bibliographie, S. 291), und 1689 Musikwerke heraus. Für ihn druckte 1668 Belmonte, 1669 Paolo Moneta, 1675 „il Soccettore al Mascardi". Caifabri bezeichnet seine Adresse auf seinen Ausgaben „in Parione all' insegna della Croce di Genova" o. ä.; diese Angabe findet man auch auf der Ausgabe der Toccate aus dem Jahre 1657, allerdings ohne den Namen des Verlegers. Carlo Ricarii ist wahrscheinlich der Stecher, auf keinen Fall der Nachfolger Caifabris, wie Eitner im Widerspruch zu seinen oben erwähnten Angaben über Caifabri behauptet (a. a. O.); er könnte höchstens dessen Vorgänger gewesen sein, da Caifabri vor 1657 als Verleger nicht nachweisbar ist. Der Sachverhalt läßt sich auf folgende Weise klären:
Die Toccate des Michelangelo Rossi, die ohne Zweifel neben Frescobaldis Kompositionen zu den bedeutendsten Erzeugnissen der italienischen Tastenmusik des 17. Jahrhunderts gehören, erschienen wahrscheinlich schon vor 1644 (vgl. Anm. 157) und wurden mehrfach neu aufgelegt bzw. nachgedruckt, unter anderem 1657 von dem Stecher Carlo Ricarii. Diese Ausgabe wurde zu Rom „in parione alla Croce di Genova" verkauft, vermutlich durch Giovanni Battista Caifabri. Dieser ließ dann — jedoch kaum vor 1657 — für eine andere Ausgabe unter Benutzung derselben Platten ein neues Titelblatt im Typendruck herstellen, das (im Gegensatz zur Ausgabe von 1657) ein Wappen trug, jedoch nicht das von Mattheson für die verschollene Ausgabe angegebene barberinische Wappen; die neue Ausgabe führte Caifabris Namen unter derselben Adresse wie bei der Ausgabe von 1657. Auffällig ist die Tatsache, daß keine der beschriebenen Ausgaben eine Widmung und eine Vorrede enthält. — Meine Vermutungen werden durch Cl. Sartori, Dizionario degli Editori Musicali Italiani, Florenz 1958, bestätigt.

159 Sartori, S. 434; Expl. nicht nachweisbar; della Porta starb im Januar 1666.
160 Das erste Buch erschien 1670 (s. o.), Chambonnierès starb spätestens 1672; vgl. M. Reimann, Artikel Champion in MGG.
161 Das erste Buch erschien 1676 (s. o.); Eitner, Quellenlexikon.
162 Eitner, Quellenlexikon; vgl. Anm. 161.
163 Eitner, Quellenlexikon.
164 Sartori S. 434; K. G. Fellerer, Artikel Arresti in MGG, datiert das Werk ohne nähere Begründung auf 1664; da Aresti auf dem Titel als Organist an S. Petronio in Bologna bezeichnet wird, dieses Amt (nach Fellerer) aber erst 1685 erhielt, kann der Druck nicht vor diesem Zeitpunkt erschienen sein.
165 Vgl. Fr. Lesure, La Datation des Premieres Editions d'Estienne Roger (1697—1702) im Kongreß-Bericht Bamberg 1953, S. 273 ff.
166 Ebenda.
167 S. u. S. 125.
168 Vgl. Fr. Lesure, a. a. O.; früher wurde 1704 als vermutliches Datum angegeben, vgl. MfM XXXI, Beilage S. 74 ff.
169 Sartori: 1700 h); K. G. Fellerer, Zur italienischen Orgelmusik des 17./18. Jahrhunderts im Jahrbuch Peters 1938, S. 70 ff., datiert das Werk ohne nähere Begründung auf 1687; Eitner, Bibliographie, S. 294 und Sartori auf „um 1700". Der Widmungsträger Antonio Vidman war vom 13. Nov. 1697 bis 20. März 1701 Vizelegat in Bologna; 1701 zeigte Roger in Amsterdam bereits einen Nachdruck an (vgl. Fr. Lesure, a. a. O.).

# DIE HANDSCHRIFTLICHE ÜBERLIEFERUNG

## Bemerkungen zur Gliederung des Quellenmaterials

Wir haben versucht, ein Bild von der Wirkung und Verbreitung der Druckveröffentlichungen zu gewinnen. Dabei stellte sich heraus, daß auch die im Druck erschienenen Werke großenteils handschriftlich weiterverbreitet wurden. Zudem umfaßte die Druckproduktion [170] in der zweiten Hälfte des 17. Jahrhunderts rein gattungsmäßig nur einen Teil des Gesamtschaffens, nämlich in erster Linie liturgische Musik, Lehrwerke und „unterhaltende" Musik für den Liebhaber. Anspruchsvolle, schwierige, lediglich von Berufsorganisten ausführbare Werke gelangten selten zum Druck. Viele musikalisch bedeutende Kompositionen findet man daher nur handschriftlich überliefert, wobei man jedoch stets bedenken muß, daß solche Werke oft lediglich eine lokale Bedeutung gehabt und die allgemeine Entwicklung kaum oder gar nicht beeinflußt haben können [171].

Die besondere Bedeutung der Handschriften liegt nun einerseits darin, daß sie wertvolle ungedruckte Werke überliefern, andererseits aber auch darin, daß sie ein Bild von der Spielpraxis der betreffenden Zeit vermitteln, aus der sie stammen. Die Zusammensetzung des Repertoires läßt die Wertschätzung und die Einflußsphäre einzelner Komponisten erkennen, daneben aber gewinnt man einen Einblick in die Arbeitsweise der Schreiber, die ja in vielen Fällen ihre Vorlagen bearbeiteten oder überhaupt erst für das Spiel auf den Tasteninstrumenten einrichteten.

Das handschriftliche Quellenmaterial für die Geschichte der Musik für Tasteninstrumente in der zweiten Hälfte des 17. Jahrhunderts umfaßt zunächst alle Kodizes, die innerhalb dieses Zeitraumes niedergeschrieben wurden, dann aber auch solche aus späterer Zeit, sofern sie Kompositionen aus dem abgegrenzten Zeitraum enthalten. Diese späteren Quellen ersetzen verlorengegangene zeitgenössische Handschriften und zeigen außerdem das Weiterleben der Kompositionen in den folgenden Generationen.

Der Versuch, eine auch nur annähernd vollständige Übersicht des handschriftlichen Quellenmaterials geben zu wollen, ist vorläufig undurchführbar, da hierfür eine systematische Durchforschung aller zugänglichen Bibliotheken notwendig ist, eine Aufgabe, die erst im Laufe vieler Jahre, vielleicht Jahrzehnte, gelöst werden kann. Wichtig scheint es jedoch zunächst zu sein, an Hand des derzeit bekannten Bestandes eine Gliederung zu entwerfen, die eine Einordnung der einzelnen Quellen gemäß ihrer Herkunft und ihres Repertoires ermöglicht.

Man scheidet die Musik-Handschriften gewöhnlich in Autographen und Abschriften. Die Autographen gliedern sich wieder in Reinschriften (häufig in der Form von Prachtkodizes bzw. Dedikationsexemplaren) und Skizzen. Da unsere graphologische Kenntnis der Musikerhandschriften des 17. Jahrhunderts noch ziemlich beschränkt ist, ist die Zahl der einwandfrei als echt zu bezeichnenden Autographen sehr gering.

Komplizierter liegen die Verhältnisse bei den Abschriften. Neben Kopien von Druckwerken oder autographen Vorlagen (bzw. Kopien von zweiter und dritter Hand), die höchstens geringfügige Abweichungen vom Original (Schreibfehler oder Korrekturen) aufweisen, begegnet man bei der Tastenmusik einer großen Gruppe von Handschriften, in denen die Schreiber ihre Vorlagen für den eigenen Gebrauch bearbeitet, d. h. verkürzt,

---

[170] S. o. S. 53.
[171] S. o. S. 45.

erweitert oder in der musikalischen Substanz verändert haben. In diesen Fällen kann man eigentlich nicht mehr von Abschriften sprechen.

Wenn man also das Verhältnis des S c h r e i b e r s zur Quelle als maßgebend betrachtet, lassen sich drei Hauptgruppen von handschriftlichen Quellen unterscheiden:

1. P r a c h t k o d i z e s : Quellen, die als Dedikationsexemplare gedient haben und daher vom Komponisten mit besonderer Sorgfalt angelegt wurden und eine Zusammenstellung hochwertiger Werke enthalten;

2. S a m m l e r h a n d s c h r i f t e n : Quellen, in denen der Schreiber Druckwerke ganz oder teilweise kopiert oder Kompositionen eines oder mehrerer Meister (etwa seines Lehrmeisters oder eines sehr berühmten Meisters) zusammengestellt hat, weniger zum unmittelbaren praktischen Gebrauch als des Sammelns und Studierens halber. Diese Quellen sind meist sorgfältig angelegt und enthalten selten eigenmächtige Änderungen des Schreibers[172];

3. G e b r a u c h s h a n d s c h r i f t e n : Quellen, in denen der Schreiber ein gattungsmäßig einheitliches oder vermischtes Repertoire für seinen eigenen theoretischen oder praktischen Gebrauch zusammengestellt hat. Hier sind die Vorlagen oft weitgehend bearbeitet und verändert.

Wenn man demgegenüber das Verhältnis des K o m p o n i s t e n zur Quelle zugrunde legt, ergibt sich die folgende Gliederung:

1. A u t o g r a p h e n : Quellen, in denen der Komponist seine eigenen Werke niedergeschrieben hat;

2. I n d i v i d u a l h a n d s c h r i f t e n : Quellen mit Werken vorwiegend e i n e s Komponisten in Abschriften;

3. S a m m e l h a n d s c h r i f t e n : Quellen mit Werken verschiedener, oft auch ungenannter Meister.

Nun zeigt es sich, daß — soweit die Quellenbestände bekannt sind — die Autographen aus der zweiten Hälfte des 17. Jahrhunderts fast sämtlich Prachtkodizes sind und die Individualhandschriften vielfach gleichzeitig Sammlerhandschriften zu sein scheinen; ebenso ist wohl der größte Teil der Sammelhandschriften als Gebrauchshandschriften anzusehen. Selbstverständlich ist dies in jedem Einzelfall verschieden, der ursprüngliche Zweck der Anlage eines Kodex läßt sich ohnehin nicht immer feststellen. Einfacher und praktischer scheint es jedenfalls zu sein, das Quellenmaterial anhand der zweiten Gliederung zu ordnen, weil hier die Lage übersichtlicher ist als bei der ersten.

Während Autographen und Individualhandschriften wegen der geringen Anzahl greifbarer Kodizes leicht zu übersehen sind, empfiehlt sich für die umfangreiche Gruppe der Sammelhandschriften die Einteilung nach Repertoire bzw. Bestimmungszweck, wie sie oben aufgestellt[173] und auf die gedruckten Quellen bereits angewandt wurde[174].

---

[172] In der Regel handelt es sich um posthume Quellen. Einen großen Teil der auf uns gekommenen Quellen verdanken wir einer Reihe von Sammlern, aus deren Besitz sie später in die öffentlichen Bibliotheken gelangten. Im Bereiche der Tastenmusik sind hier vor allem die Kreise um Johann Joseph Fux (Johann Dismas Zelenka, Gottlieb Muffat, P. Alexander Giessel) und J. S. Bach (J. G. Walther, H. N. Gerber, Ph. E. Bach, J. Ph. Kirnberger, J. Fr. Agricola), neben ihnen P. Giambattista Martini, aus späterer Zeit Johann Nikolaus Forkel, Georg Pölchau, Josef Fischhof und Alois Fuchs zu nennen.
[173] S. o. S. 27 f.
[174] Vgl. das obige Verzeichnis.

Als besondere Abteilungen kommen noch die Sammlungen mit vermischtem Inhalt[175] und die Übertragungen vokaler und instrumentaler Ensemble-Musik hinzu.

Die Aufgabe der folgenden Darstellung wird es sein, die einzelnen Abteilungen unter Aufzählung einer Reihe von Beispielen näher zu kennzeichnen. Um die verschiedenen Arten der Überlieferung, der Anlage der Quellen und der Arbeitsweise der Schreiber aufzuzeigen, wird jeder Gruppe ein Exkurs in der Form einer ausführlicheren Beschreibung eines besonders charakteristischen und bisher nicht näher bekannten Kodex beigefügt.

## Die Autographen

Da die Handschriften-Identifizierung für das 17. Jahrhundert noch auf recht unsicheren Wegen geht, können nur die Eigenschriften von Johann Jakob Froberger, Alessandro Poglietti und Bernardo Pasquini als unzweifelhaft echt für unsere Betrachtung in Frage kommen[176]. Während Pasquinis Sammlungen für den eigenen Gebrauch angelegt worden zu sein scheinen, stellen die Manuskripte Frobergers und Pogliettis Reinschriften in Prachtausstattung dar, die den habsburgischen Kaisern Ferdinand III. und Leopold I. gewidmet wurden, möglicherweise in der Hoffnung, daß diese die finanziellen Mittel für eine Drucklegung zur Verfügung stellen würden[177].

### 1. Frobergers autographe Sammlungen

Ohne Zweifel bilden die in Wien erhaltenen Froberger-Autographen durch ihre Ausstattung, ihre Anlage und ihren Inhalt die wertvollste Gruppe handschriftlicher Quellen mit Tastenmusik, die aus dem 17. Jahrhundert erhalten ist. Nirgends ist — wie bereits dargelegt wurde[178] — die Unterscheidung der musikalischen Stile durch äußerliche Abgrenzungen wie durch verschiedene Notationsformen konsequenter durchgeführt, nirgends das Repertoire sorgfältiger ausgewählt und die einzelnen Gattungen in ein so symmetrisches Verhältnis zueinander gesetzt wie hier. Sie bilden daher einen wichtigen Maßstab für jede Betrachtung handschriftlicher Quellen aus der zweiten Hälfte des 17. Jahrhunderts. Deshalb sollen diese drei Kodizes aus der Wiener Nationalbibliothek in einer skizzierten Übersicht an die Spitze unserer weiteren Betrachtungen gestellt werden.

a) *LIBRO SECONDO / di Toccate, Fantasie, Canzone, Allemande, Courante, Sarabande, Gigue, et altre Partite. / Alla Sac^a Caes^a M^ta / Divotissim^te dedicato / In Vienna li 29. Settrembe A^o 1649 / Da Gio: Giacomo Froberger.* (Wien, Österreichische Nationalbibliothek Cod. 18706[179])

Beschreibung: Goldgepreßter Lederband (26,5 x 18 cm) mit weißroten Bändern und dem Habsburgischen Hauswappen; V + 111 Bll. qu. fol.; Bl. I—V leer, Bl. 1^r Titel, Bl. 1^v leer, Bl. 2^r ff.

---

[175] Gedruckte Klavierbücher mit vermischtem Inhalt waren in jener Zeit selten.

[176] Zur Frage der Echtheit der als Autograph des Matthias Weckmann bezeichneten Handschrift Lüneburg, Ratsbücherei Mus. ant. pract. KN 147 s. u. S. 94 ff.

[177] Der Prachtkodex mit Werken des Wiener Hoforganisten Franz Mathias Techelmann (Wien, Österreichische Nationalbibliothek Cod. 19167) ist kein Autograph.

[178] S. o. S. 38 f.

[179] Vgl. J. Mantuani, *Tabula codicorum manuscriptorum . . . in Bibliotheca Palatini Vindobonensis asservationum*, Vol. IX/X (*Codicorum Musicorum Pars I/II*), Wien 1897/99; G. Adler, Revisionsbericht zu DTÖ IV 1, S. 117.

Notentext; die Satzüberschriften sind reich verziert, im Schlußschnörkel findet sich bei jedem Stück die Angabe m[anu pro]pria.

Gliederung des Inhaltes und Notation:
*Prima parte:* 6 Toccaten in italienischer Tabulatur (6 + 7 Linien)
*Seconda Parte:* 6 Fantasien in Partitur (4 Systeme)
*Terza Parte:* 6 Kanzonen in Partitur (4 Systeme)
*Quarta Parte:* 6 Partiten in französischer Tabulatur

b) *LIBRO QUARTO / di / Toccate, Ricercari, Capricci, Allemande, Gigue, / Courante, Sarabande / Composte et humilissim^te dedicato Alla Sacra Cesarea Maestà / di / Ferdinando / Terzo / da Giov: Giacomo Froberger.* (Wien, Österreichische Nationalbibliothek Cod. 18707 [180])

Beschreibung: Reichverzierter Lederband (26,5 x 20,5 cm) mit goldgepreßtem kaiserlichem Wappen; 118 Bll. qu. fol.; Bl. 1 + 2 leer, Bl. 3r Titel, 3v leer, Bl. 4r + v Dedikation „*Sacra Cesarea Real Maestà . . .*", datiert „*. . . Vienna, l'anno 1656*".

Gliederung des Inhaltes und Notation:
*Prima parte:* 6 Toccaten in italienischer Tabulatur (6 + 7 Linien)
*Seconda parte:* 6 Ricercari in Partitur (4 Systeme)
*Terza parte:* 6 Capricci in Partitur (4 Systeme)
*Quarta parte:* 6 Partiten in französischer Tabulatur

c) *Libro / di Capricci e Ricercate, composte et humilis^te dedicato / Alla Sacra Cesarea Maestà / di / Leopoldo Primo / da Gio: Giacomo Froberger.*
(Wien, Österreichische Nationalbibliothek Cod. 16560 [181]).

Beschreibung: Goldgepreßter Lederband (26,5 x 20,5 cm) mit dem kaiserlichen Adler; 47 Bll. qu.4°; Titel (hinter *Leopoldo Primo* ist von fremder Hand etwa gegen das Ende des 18. Jahrhunderts die Bezeichnung *Libro terzo* eingefügt worden [182]), Dedikation „*Sacra Cesarea Maestà . . .*" (ohne Datum).

Datierung: Anfertigung nicht vor dem 18. Juli 1658 (Kaiserwahl Leopolds I. nach einem Interregnum von 15 Monaten).

Gliederung des Inhaltes und Notation:
6 Capricci in Partitur (4 Systeme)
6 Ricercari in Partitur (4 Systeme)

Zwei weitere, nicht mehr vorhandene Eigenschriften Frobergers erwähnt Mattheson [183]:

d) Prachtkodex, gewidmet dem Kurfürsten Johann Georg II. von Sachsen. Dieser trat erst 1656 die Regierung an. Da Matthesons Angaben — wie Beier nachgewiesen hat [184] — in jeder Hinsicht unklar sind, bleibt die Entstehungszeit dieses Kodex ungewiß. Falls in Dresden eine Begegnung Frobergers mit Weckmann, der sich zwischen 1647 und 1655 dort zuletzt aufhielt, stattgefunden und Froberger seine Klavierbücher fortlaufend durchgezählt hat, könnte es sich sowohl um das *Libro Primo* wie um das *Libro Terzo* handeln, das der Meister dann aber auf jeden Fall dem damaligen Kurprinzen Johann Georg gewidmet hätte.

---

[180] Vgl. J. Mantuani, a. a. O.; G. Adler, a. a. O. S. 118.
[181] Vgl. J. Mantuani, a. a. O.; G. Adler, a. a. O. S. 118.
[182] M. Reimann, *Froberger* in MGG (Bd. IV, Sp. 989) hat anscheinend übersehen, daß diese Eintragung nicht original ist, und nimmt daher irrtümlicherweise an, daß Froberger dem Kaiser Leopold I. noch mindestens ein *Libro Primo* und ein *Libro Secundo* gewidmet haben müsse.
[183] *Ehrenpforte*, S. 88 f.; *Capellmeister*, S. 130.
[184] F. Beier, *Über J. J. Frobergers Leben und Bedeutung für die Geschichte der Klavier-Suite*, Leipzig 1884 (Sammlung Waldersee).

Gliederung des Inhaltes:

6 Toccaten
8 Capricci
2 Ricercari
2 *Suiten*

e) Handschrift mit vier Unterabteilungen, ehemals im Besitz von Johann Mattheson. Die Sammlung dürfte nicht vor 1660 entstanden sein, da sich darin (nach Mattheson) ein Stück mit dem Titel *Plainte, fait à Londres, pour passer la melancholie* befand und Frobergers Reise nach London erst nach dem Regierungsantritt Karls II., wahrscheinlich aber zur Zeit der Fürstenhochzeit 1662 stattgefunden hat.

Gliederung des Inhaltes:

*Fugen* (Ricercari?)
Capricci
Toccaten
Suiten (*„ . . . alle mit besondern Aufschriften"*)

## 2. Pogliettis *Rossignolo*

(Wien, Österreichische Nationalbibliothek Cod. 19248)

Dieser für ein bestimmtes Ereignis zusammengestellte und daher mit symbolischen Anspielungen versehene Kodex wird im Zusammenhang mit den übrigen Poglietti-Quellen näher besprochen [185].

## 3. Bernardo Pasquinis *Sonate per gravecembalo*

Als Autographen des berühmten römischen Organisten Bernardo Pasquini gelten die Manuskripte:

Berlin, Deutsche Staatsbibliothek Mus. ms. L 214 *(Saggi di contrapuntto)*;
ebenda Mus. ms. L 215 *(Sonate per gravecembalo)*;
London, British Museum Ms. add. 31.501 (3 Bände).

Der Nachweis ihrer Echtheit und ausführliche Beschreibungen nebst Inhaltsangaben müssen einer besonderen Studie vorbehalten bleiben [186].

## Die Individualhandschriften

An geschlossenen Sammlungen mit Kompositionen jeweils einzelner Meister [187] sind in handschriftlicher Überlieferung — abgesehen von den Kopien der Druckausgaben — aus der zweiten Hälfte des 17. Jahrhunderts ebenfalls nur wenige nachweisbar. Anscheinend hat es auch nicht gar zu viele gegeben, da die Organisten und Liebhaber sich für den praktischen Gebrauch meistens Sammelhandschriften anlegten, ohne viel nach den Urhebern der Kompositionen zu fragen [188]. Erst vom Beginn des 18. Jahrhunderts an ist eine größere Anzahl Quellen erhalten, die Zusammenstellungen der wichtigsten Werke jeweils eines Komponisten enthalten. Oft stammen diese Handschriften von einzelnen Sammlern. Hier seien einige bemerkenswerte Quellen als Beispiele genannt.

---

[185] S. u. S. 143 f.
[186] Vgl. Seiffert, *Klaviermusik*, S. 269 ff.
[187] Hierzu kann man auch solche Quellen rechnen, in denen außerdem noch einige Stücke anderer Meister — oft erst nachträglich — zugefügt wurden.
[188] Man bedenke, welch große Zahl von Stücken in den Quellen anonym überliefert ist!

1. Berlin, Bibliothek der ehemaligen Hochschule für Musikerziehung und Kirchenmusik Ms. 5270 (durch Kriegseinwirkung verlorengegangen[189]):

*Toccate, Canzoni, et altre Sonate, per Sonare sopra il Cembalo è Organo. Dalli Principali Maestri Sig: Sig: Gio: Gasparo Kerll, Borro,* [sic?], *I:P: Kriegeri Composte. De An: M.DCLXXV* [Zusatz von anderer Hand:] *e MDCLXXXX.*

Diese Quelle (60 Bll. qu. fol.), die Sandberger[190] ausführlich beschrieben hat und deren Inhalt im Zusammenhang mit den übrigen Kerll-Quellen näher besprochen werden soll[191], könnte zunächst als Sammelhandschrift angesehen werden. Da sie jedoch außer einem mit *AP*[192], einem mit *PK*[193] gezeichneten Stück und einer später — anscheinend zusammen mit dem Titelblatt — zugefügten *Passagaglia J. B. S.*[194] nur Kompositionen von J o h a n n  K a s p a r  K e r l l enthält, wird sie am richtigsten zu den Individualhandschriften gezählt.

Auf keinen Fall kann es sich — wie Sandberger vermutete — um die Abschrift eines Druckes handeln[195], da Kerll sich wohl nicht die Mühe gemacht hätte, 1686 die Inzipits seiner als authentisch anerkannten Klavierstücke im Stich zu veröffentlichen, wenn die Kompositionen bereits gedruckt vorgelegen hätten[196]. Dagegen ist es wahrscheinlich, daß dieselbe Sammlung handschriftlich mehrfach existiert hat[197] und auf ein Autograph Kerlls zurückgeht, da die Reihenfolge der Stücke in der Handschrift fast die gleiche ist wie die in Kerlls gedrucktem Verzeichnis.

Datierung: Die Niederschrift des älteren Teiles der Quelle wurde beendet zu *Pürniz, d. 22. Martij 1676*[198], später wurde auf einigen vorher freigebliebenen Seiten ein Stück nachgetragen und auf neu angefügten Blättern die beiden letzten Kompositionen hinzugefügt[199]. Bedauerlicherweise ist die Überlieferungsgeschichte der Quelle nicht bekannt.

Notation: Französische Orgeltabulatur (?)

Inhalt:

8 Toccaten (sämtlich anonym = J. K. Kerll)
7 Canzonen ( 1 *AP*; 3 *JCK*; 3 anonym = J. K. Kerll)
*Ciaccona JCK*
*Battaglia JCK*

---

[189] Lt. freundlicher Mitteilung der Bibliothek der Hochschule für Musik, wonach sämtliche früher dort befindlichen Handschriften verlorengegangen sein sollen.

[190] Einleitung zu DTB II 2, S. LXIX f.

[191] S. u. S. 131 ff.

[192] Alessandro Poglietti? (Auf dem Titelblatt des *Rossignolo* zeichnet Poglietti sich *AP*).

[193] Johann Philipp Krieger? Vgl. M. Seiffert, Einleitung zu DTB XVIII, S. LXI.

[194] Sandberger versucht, dies (mit Fragezeichen) als „Jacob Borro scripsit" zu deuten, was jedoch völlig abwegig ist. Fraglich ist überhaupt, wer mit dem im Titel genannten *Borro* gemeint ist. Der Münchener Hofkapellmeister Johann Jakob Porro (auch *Borro* genannt) starb 1656, Klavierstücke von ihm sind bisher nicht bekannt geworden; daß ein Meister der älteren Generation — wenn er nicht gerade die Berühmtheit eines Frescobaldi oder Froberger besaß — in einer solchen Handschrift vorkam, ist ohnehin unwahrscheinlich. — Eher denkbar wäre es, daß *Borro* aus einer verstümmelten und undeutlichen Schreibweise des Namens Poglietti (vielfach *Boglietti, Bogl:* oder ähnlich geschrieben) entstanden ist.

[195] Ritter, S. 158, spricht sogar von einem gedruckten Heft Toccaten und Canzonen „*per sonare il Cembalo è Organo*" und erwähnt daraus vier Stücke, allerdings in einer anderen Reihenfolge.

[196] S. u. S. 130.

[197] Eitner, *Quellenlexikon*, nennt eine (nach Sandberger. a. a. O. S. LXIX bereits 1901 verschollene) Handschrift (gezeichnet mit dem Monogramm H. K.) in der Bibliothek der ehemaligen Hochschule für Musikerziehung und Kirchenmusik zu Berlin (Mappe 6). Sie enthielt von Kerll Battaglia Bl. 6, Bl. 62 ohne Bezeichnung; Toccaten Bl. 10—16, 31—61; Canzonen Bl. 18—22, 66—82; Allemande Bl. 85 (Dazwischen sollen Stücke von Froberger gestanden haben). — Alois Fuchs besaß ein aus Gottlieb Muffats Nachlaß stammendes Manuskript mit Kompositionen von Kerll, das genau in der Reihenfolge des Werkverzeichnisses niedergeschrieben waren.

[198] Lt. Eintragung auf Bl. 54r.

[199] Vielleicht bezieht sich hierauf die im 18. Jahrhundert auf dem Titelblatt zugefügte Jahreszahl 1690.

*Passagaglia JCK*
*Capriccio Cu Cu* (= J. K. Kerll; später zugefügt)
*Passaglia* [sic] *PK*
*Halter J: C: K:* (später zugefügt) [200]
*Passagaglia J. B. S.* (später zugefügt) [201]

2. Wien, Österreichische Nationalbibliothek Cod. 18731:

Ohne Titel, enthält Kompositionen von N i k o l a u s  A d a m  S t r u n c k , die im Zusammenhang mit den übrigen Strunck-Quellen näher besprochen werden [202].
Datierung: Vermutlich in den achtziger Jahren des 17. Jahrhunderts niedergeschrieben.
Notation: Partitur (4 Systeme)
Inhalt: 1 Ricercar und 6 Capricci

3. Wien, Musikarchiv des Minoritenkonventes XIV 711 (1. Teil):

Ohne Titel und Autorangabe, ist die älteste nachweisbare vollständige Quelle der Ricercari von P o g l i e t t i [203] aus dem Besitz des P. Alexander Giessel (zusammengebunden mit Abschriften der Ricercar-Sammlungen von Fabritio Fontana und Luigi Battiferri).
Datierung: Anfang des 18. Jahrhunderts
Notation: Partitur (4 Systeme)
Inhalt: 12 Ricercari (anonym = Alessandro Poglietti)

4. Berlin, Deutsche Staatsbibliothek Mus. ms. 2681 (z. Z. Marburg, Westdeutsche Bibliothek):
*Praeambula et Praeludia / dell Sr. Buxtehuden.*

Diese älteste geschlossene Sammlung mit Tastenmusik von B u x t e h u d e [204] gehörte ehemals der Bibliothek Georg Pölchaus an und stammt anscheinend aus dem Besitz Ph. E. Bachs, der sie möglicherweise von seinem Vater geerbt hat. Wahrscheinlich ist es Ph. E. Bach gewesen, der den ursprünglichen (obengenannten) Titel durchgestrichen hat und dafür den folgenden darunter setzte:
*XV / Präludien und Fugen, nebst / dem Choral: / Nun lob mein Seel pp / für die Orgel, / Von / Dietrich Buxtehude, Organist zu Lübeck.*
Die sorgfältige Handschrift läßt darauf schließen, daß es dem Schreiber vor allem darauf ankam, die wertvollsten Stücke des Meisters zusammenzustellen. Auffällig ist jedoch bei Nr. 11 die Autorangabe *Diet J. H. Buttstaed.* Der Inhalt dieser Quelle wird im Zusammenhang mit den übrigen Buxtehude-Quellen eingehend besprochen [205].
Datierung und Lokalisierung: Die Handschrift entstand (nach Spitta) etwa zu Beginn des 18. Jahrhunderts, sie scheint aus Mitteldeutschland zu stammen.
Notation: Französische Orgeltabulatur
Inhalt:

9 Präludien (Nr. 1—5, 7, 9, 12, 15)
2 Toccaten (Nr. 13 und 14)
2 Canzonetten (Nr. 6 und 10)
2 Fugen (Nr. 8 und 11)
„*Nun lob mein Seel den Herren*", 3 Variationen (Nr. 16)

---

[200] Fehlt in Kerlls Verzeichnis; vielleicht schrieb er es erst nach 1686, falls es überhaupt von ihm stammt.
[201] Vgl. Anm. 194.
[202] S. u. S. 176.
[203] S. u. S. 144 und 156 f.
[204] Vgl. Ph. Spitta, *Dietrich Buxtehude: Werke für Orgel*, Bd. I (1876), Vorrede (Quelle P); die weiteren — von J. Ph. Kirnberger und J. Fr. Agricola stammenden — Buxtehude-Quellen sind ebenfalls Individualhandschriften.
[205] S. u. S. 197 ff.

Den Hauptbestand der Klavierbücher aus dem 17. Jahrhundert bilden die Handschriften, in denen Organisten, Schüler, Liebhaber oder auch Sammler sich Kompositionen verschiedener Meister — vielfach für einen bestimmten Zweck — zusammengestellt haben. Die Autornamen werden oft nicht genannt, die Stücke sind — außer in den Studienbüchern für den strengen Stil — zuweilen verändert, d. h. transponiert, gekürzt, erweitert oder parodiert. Hier liegen also im Gegensatz zum „Urtext" der autographen Reinschriften und den ihnen an Korrektheit meistens nahestehenden Individualhandschriften in erster Linie Belege für die Spielpraxis vor.

## 1. BÜCHER FÜR DEN DIDAKTISCHEN GEBRAUCH

### a) Lehrbücher der Klavierkunst

Der didaktische Zweck vieler Sammelhandschriften steht außer Zweifel. Daher enthalten sie vielfach Anweisungen über Applikatur, Verzierungen, Kadenzen usw. In den Tabulaturbüchern des 15. und 16. Jahrhunderts[206] sind sie zuweilen recht ausführlich, in den erhaltenen Handschriften des 17. Jahrhunderts kommen sie dagegen seltener vor, vielleicht deshalb, weil jetzt Lehrbücher immer häufiger im Druck erschienen. Neben diesen gedruckten Anweisungen ist z. Z. nur ein einziges handschriftliches Lehrbuch nachweisbar, welches allerdings für unsere Kenntnis der damaligen Praxis sehr aufschlußreich ist.

POGLIETTIS COMPENDIUM ODER KURTZER BEGRIFF UND EINFÜHRUNG ZUR MUSICA

(Benediktinerstift Kremsmünster, Regenterei L 146)

Diesen erst kürzlich bekanntgewordenen Kodex[207] erwarb 1676 der damalige Regenschori zu Kremsmünster, P. Sigismund Gast, der mit dem kaiserlichen Hoforganisten Alessandro Poglietti persönlich bekannt war. Man könnte denken, es handele sich um die Abschrift eines Druckes, doch konnte ein solcher bisher nicht nachgewiesen werden. Vielleicht ist das Werk aber für den Druck bestimmt gewesen.

Beschreibung:

Pergamentband mit aufgedruckten Ornamenten auf den Deckeln; auf dem Rücken ein aus neuerer Zeit (19. Jahrhundert) stammendes Etikett mit dem eingeprägten Titel „A. Poglietti's / Kurzer / Begriff, / und Einfüh. / rung zur / Musica." 2 Vorsatzbll., 68 Bll. fol. (23,9 x 24,2 cm), beschnitten, original nicht paginiert[208]. Das ganze Buch ist sehr sorgfältig und durchgehend von einer Hand beschrieben worden[209].

---

[206] Paumanns *Fundamentum*, Buxheimer Orgelbuch, Ammerbachs Tabulaturbücher etc.
[207] P. Altman Kellner, *Musikgeschichte des Stiftes Kremsmünster*, Kassel—Basel 1956, S. 245; im Zusammenhang mit anderen Poglietti zugeschriebenen Traktaten wird die Quelle behandelt bei H. Federhofer, *Zur handschriftlichen Überlieferung der Musiktheorie in Österreich in der zweiten Hälfte des 17. Jahrhunderts*, Mf. XI, S. 264 ff.
[208] Im folgenden wird nach der in neuerer Zeit zugefügten Bleistiftpaginierung gezählt.
[209] H. Federhofer, a. a. O. hält es für möglich, daß der Kodex vom selben Schreiber stammt wie das Exemplar der Kompositionsregeln von Kerll bzw. Poglietti in der Bibliothek der Gesellschaft der Musikfreunde in Wien.

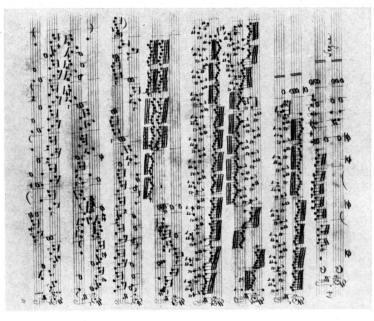

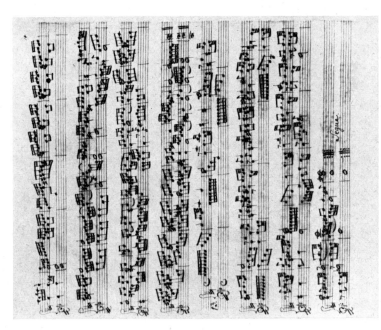

J. K. Kerll, *Canzone 3° (anonym) in Dresden, Sächsische Landesbibliothek Mus. 1/T/6 (vgl. S. 134 f.)*

Abb. 1: New Haven (Conn.), Library of the Yale Music School
LM 5056, S. 147 (vgl. S. 192 ff.)

Abb. 2: New Haven (Conn.), Library of the Yale Music School LM 5056,
S. 159 (vgl. S. 174 f.)

S. 1: Titel in einem gezeichneten Rahmen, die inneren Linien und die Majuskeln teilweise mit Goldbronze bemalt:

COMPENDIUM / oder / Kurtzer Begriff, und Einführung / zur Musica. / Sonderlich einem Organisten dienlich / Worinnen Erstlich von der Orgel, / dem Clavier, dessen gebrauch, denen / Thonen, der Partitur, Accompagnir. / ung, Toccaten, Fugeten, Ricercaren / Praeludien, sowol bey dem Choral, als / sonsten zu gebrauchen, tractirt wird / Sodann, / Seind auch in Appendice mancher. / .ley Caprizien angeführt, wie man auf / dem clavier unterschiedlicher thür, Vogl- / gesänger, und anders imitiren möge. / Zusamben Componirt / und gesetzt / durch / Der Röm: Kays: May. Camer / organisten. / Allessandro Poglietti / Anno. M. DC. LXXVI.

S. 2: leer
S. 3: Vorrede „Ad Lectorem. / Günstiger Lieber Leßer ...“
S. 5: Traktat mit Zeichnungen und Notenbeispielen:
(a) Bau der Orgel und Gebrauch der Register:
S. 8/9 (eingeklebter Bogen) Zeichnung eines Orgelprospektes mit aufgeklappten Türen: Zu beiden Seiten des Dachfirstes Engel mit Trompeten, im Giebeldreieck das kaiserliche Wappen, darunter die Inschrift „LAUDATE DOMINUM IN CHORDIS ET ORGANO. M.DC.LXVI“ [210]. Rechts neben der Manualklaviatur zwölf Registerzüge. Umfang der Klaviaturen: Manual F₁ — a³ (ohne gis³), Pedal F — h (ohne b).
S. 12 Verzaichniß. / Der Register zugebrauchen. (Jeweils alle möglichen Kombinationen für Manual mit Pedal und Rückpositiv mit Pedal.)
(b) Elementare Musiklehre: Noten- und Pausen, Schlüssel, Transpositionen, Tempus-Zeichen, Claves, Konsonanzentabellen, Proportionsberechnungen, Hexachord.
(c) Applikatur-Regeln mit Übungsbeispielen: Passagen, Triller, Kadenzen, Arpeggien, häufiger vorkommende Figuren.
(d) Choral: Noten und Ligaturen, Psalmtöne, Kadenzen der zwölf Kirchentöne (vierstimmig in Partitur),
S. 42 Praeludia, Cadenzen vnd / Fugen ... über die acht Choral Ton gerichtet / ... vnd zu Vespern, wie auch Ambtern sehr tauglich ... (französische Orgeltabulatur).
(e) Generalbaß: Zehn Regeln mit Beispielen aus Kirchers Musurgia, von Carissimi und von Poglietti selbst.
(f) Anhang, in dem verschiedene Gegenstände behandelt werden:
S. 92 Capriccio / sopra / do. re. mi. fa. / sol la. la. sol fa mi / re do (italienische Orgeltabulatur) mit dem Vermerk: „Aus disen Capriccien kan man abnehmen, wie die transpositiones / durch daß ganze clavir geschlagen werden“ [211].
S. 97 Toccatina / per l'Introito / D Messa / con il pedale / A. Pogl. (italienische Orgeltabulatur) mit dem Vermerk: „Damit man auch etwaß wisse von dem Pedal, seze ich hier die Toccati. / .na, welche in dem Pedal auf den Choral [212] gericht ist, vnd ist nuzlich auf / einem großen Werckh zugebrauchen.“
S. 98 Beschreibung, wie man ein Canon schlagen, oder / singen soll ... mit vier Beispielen (einstimmig notiert, davon einer kreisförmig, ein anderer im Dreieck); anschließend die Zeichnung einer „guidonischen“ Hand (ex Kirchero).
S. 100 Accord / Wie man ein Instrument mit gebührlichen numeris der / Saitten beziehen soll von unten an im Subbaß und Wie man ein Instrument rain und perfect / stimmen soll; dazu ein Kielflügel, ein Spinett und ein Clavichord geöffnet und in Aufsicht gezeichnet.
S. 102 Über die Erfindung von allerhand Capricien, so auf dem In. / .strument, unterschiedliche Harmonias, sowol der Vögl, als anderen Klang imitiren (mit zahlreichen Inzipits [213], in italienischer und französischer Orgeltabulatur notiert).

---

[210] Vermutlich ein Schreibfehler; denn 1666 kann das Compendium noch nicht entstanden sein, da die als Beispiele notierten Ricercari von Battiferri erst 1669 im Druck erschienen.
[211] S. u. S. 149 f.
[212] Kyrie aus der Missa in Dominicis infra annum.
[213] S. u. S. 158 f., wo die in der Quelle notierten Notenbeispiele näher besprochen werden.

S. 131 Beispiele für eine vereinfachte Notation, bei der die Töne mittels Buchstaben oder Ziffern auf den Notenlinien bezeichnet werden (für den Anfangsunterricht bestimmt). S. 132 Über Fugen und doppelte Kontrapunkte (mit Inzipits von acht Ricercaren [213] und drei Beispielen im doppelten Kontrapunkt); danach ein Hinweis auf die *Compositions Reglen* [214], am Schluß die Bemerkung: „*Waß anlangt die Canzonen außzuführen, hat man eben solche / observanz wie ein Ricercar; die Praeludia, vnd Toc= / =caten aber haben kein gewisse Regl, sondern werden / pro libitu des organistens producirt, doch muß / man observiren, daß man das End dem Anfang gleich / : waß den ton anlangt: formire.*"

Obwohl man in Pogliettis *Compendium* eine genaue systematische Ordnung vermißt, sind doch alle Abteilungen der *Clavierkunst* berücksichtigt worden. Interessant — weil sonst in jener Zeit kaum behandelt — sind die Registrierangaben und die Ausführungen über Programm- und Charakterstücke. Die Beispiele für den strengen Stil zeigen, daß die Lehre von Johann Joseph Fux auf einer alten Wiener Tradition fußt [214]. In seiner umfassenden Anlage ist Pogliettis *Compendium* den meisten gedruckten Anweisungen überlegen. Wir finden hier nicht nur die Gültigkeit von Adlungs Darstellung der *Clavierkunst* [215] auch für die zweite Hälfte des 17. Jahrhunderts bestätigt, sondern sehen zugleich an einem verhältnismäßig frühen Beispiel, wie die gesamte Musiklehre am Klavier entfaltet wurde.

## b) Studiensammlungen für den strengen Stil

Die Gewohnheit, Kompositionen im strengen Stil zu Studienzwecken zu sammeln, scheint — unserer jetzigen Quellenkenntnis nach zu urteilen — wohl auf bestimmte Kreise beschränkt geblieben zu sein. Am stärksten war man offenbar in Wien daran interessiert, in Norddeutschland sind vor allem J. Ph. Förtsch und Joh. Theile mit ihrem Schülerkreis zu nennen [216], in Mitteldeutschland ebenfalls Theile, daneben Zelenka und der Kreis um J. S. Bach. Zentrum und Ausstrahlungspunkt aber scheint Wien gewesen zu sein [217]. Hier sind die meisten Quellen erhalten, von denen offenbar auch mehrere der an anderen Orten befindlichen abhängig sind. So liegen eine Reihe von Kodizes vor, die fast alle von Sammlern angefertigt wurden und Werke im *stile antico* enthalten, dessen ununterbrochenes Weiterleben im 17. und 18. Jahrhundert sie belegen. Zwar erschienen Fugenbücher seit der Mitte des 17. Jahrhunderts nur selten im Druck, doch wurden die älteren Sammlungen immer wieder abgeschrieben und als Muster für den *alla breve*-Stil verwendet [218].

Obwohl solche Sammlungen oft in erster Linie zu theoretischen Zwecken angelegt wurden, sind sie doch — aus den oben dargelegten Gründen [219] — zur Tastenmusik zu rechnen, zumal viele der aufgezeichneten Kompositionen ursprünglich Tastenmusik waren. Abgesehen von den bereits erwähnten Kopien älterer Druckwerke gehören zu dieser Gruppe auch eine Reihe von Individualhandschriften [220]; mehrere von diesen findet man in zeitgenössischen Konvoluten. Sämtliche Quellen dieser Gruppe sind in Partitur notiert [221].

---

[214] Vgl. H. Federhofer, a. a. O.

[215] S. o. S. 22.

[216] Dietrich Buxtehude, Martin Radek, Joh. Adam Reincken u. a.; s. u. S. 181 f.

[217] Das persönliche Interesse einiger Kaiser (Ferdinand III., Leopold I., Josef I.) mag hier fördernd gewirkt haben. Der ganze Zusammenhang, der vielleicht auch das Spätwerk J. S. Bachs in einem anderen Lichte erscheinen läßt, als es bisher gesehen wurde, bedarf noch einer gründlichen Untersuchung.

[218] Vgl. Anm. 66.

[219] S. o. S. 34 f.

[220] S. o. S. 79.

[221] Außer den im folgenden genannten Quellen seien noch als Beispiele genannt:
Wien, Musikarchiv des Minoritenkonventes:

(Dresden, Sächsische Landesbibliothek Mus. 1/B/98 bzw. 1/B/98 a) [222]

Der aus Böhmen gebürtige kurfürstlich sächsische Kammermusikus und Hofkirchenkompositeur Johann Dismas Zelenka (1679—1749) hat neben seinem eigenen Schaffen eine umfangreiche Bibliothek mit älteren Musikwerken hinterlassen [223]. Hierunter ist besonders bemerkenswert eine Sammlung, die Zelenka während seines Studienaufenthaltes in Wien in den Jahren 1717 bis 1719 angelegt hat. Das Original aus Zelenkas Besitz (nach G. Adler [224] 392 Seiten qu. fol.) ist 1945 beim Brande des „Japanischen Palais" in Dresden vernichtet worden, doch blieb eine Abschrift erhalten, die anscheinend ein Schüler oder Kopist Zelenkas in sorgfältiger Reinschrift angefertigt hat [225].

Beschreibung:

Halblederband, 208 Bll. qu. 8° (24 x 33 cm), nicht paginiert, einige Blätter vor oder während der Niederschrift der Noten herausgeschnitten [226]. Wasserzeichen DRESDEN.

Datierung:

Das Originalmanuskript ist im Jahre 1717 begonnen und am 10. Februar 1719 abgeschlossen worden (vgl. die unten angeführten Daten). Die einzelnen Bücher entstanden nebeneinander und wurden später zusammengebunden. Die Kopie scheint kurze Zeit später angefertigt worden zu sein, und zwar in Dresden. Darauf deutet, abgesehen vom Wasserzeichen, auch die Eintragung am Schluß des III. Buches hin (s. u.), die anscheinend vom Kopisten stammt, aber leider nicht genau datiert ist. Ob der auf dem Titelblatt des III. Buches genannte Philippus Troyer (Zelenkas Kopist in Wien) der Schreiber des ganzen, von e i n e r Hand geschriebenen Kodex ist, läßt sich nicht feststellen, da eine Beschreibung der Originalhandschrift nicht existiert [227] und daher ein Vergleich der Handschriften, Text- und Noteneintragungen auf ihre Übereinstimmung hin nicht möglich ist. Fraglich bleibt auch, ob die ganze Originalhandschrift von einer Hand geschrieben wurde, und zwar von dem erwähnten Troyer oder von Zelenka selbst [228] oder aber von mehreren Schreibern. Es ist jedoch anzunehmen, daß die meisten originalen Texteintragungen in die Kopie übernommen wurden, freilich hat sie der des Lateinischen und Italienischen unkundige Schreiber ziemlich verballhornt.

XIV 709 a + b (Poglietti, 7 Ricercari; Frescobaldi, *Fiori Musicali*);
XIV 711 Poglietti, 12 Ricercari; Fontana, *Ricercari* 1677; Battiferri, *Ricercari* 1669);
Berlin, Deutsche Staatsbibliothek:
Mus. ms. 30142 (Frescobaldi, 16 Ricercari; Froberger, 6 Ricercari und 6 Capricci; J. Krieger, 7 Fugen; Froberger, Hexachordfuge);
Mus. ms. 6715 (Froberger, 6 Ricercari und 6 Capricci; J. Krieger, 7 Fugen; Froberger, Hexachordfuge);
Mus. ms. 6715/1 (Inhalt wie Mus. ms. 6715);
AmB. 448 (Inhalt wie Mus. ms. 6715);
AmB. 366 (Gregor Joseph Werner, 6 Fugen; Froberger, 6 Ricercari und 6 Capricci; J. Krieger, 7 Fugen; Froberger, Hexachordfuge).

[222] Alte Signaturen: Mus. Da 2a bzw. Da 2b.
[223] Jetzt Dresden, Sächsische Landesbibliothek.
[224] G. Adler, Revisionsbericht zu DTÖ IV 1, S. 121 (Quelle S).
[225] Auf der Innenseite des Vorderdeckels befindet sich neben der alten Signatur die Bleistifteintragung (aus neuerer Zeit): „[Kopie v. Da 2a] [Zelenka]."
[226] Im Notentext sind nirgends Lücken; nur an einer Stelle (Liber II, Nr. 26) ist ein Blatt falsch eingebunden.
[227] Eitner, *Quellenlexikon*, führt die Quelle mehrmals an (Artikel *Bernabei*, *Fux*, *Morales*, *Poglietti*, *Raggazzi*, *Zelenka*), doch sind seine Angaben unvollständig und unklar.
[228] Ein Vergleich mit einigen in Dresden befindlichen Eigenschriften Zelenkas zeigte deren völlige Verschiedenheit von den Schriftzügen des Schreibers der vorliegenden Kopie.

Notation: Partitur (1—6 Systeme)

Titel und Inhalt der einzelnen Bücher:

(I)

*Collectaneorum / Musicorum / Liber I. / 16 Magnificat à 4. del Morales.*

Auf der Rückseite des Titelblattes:

*Praesens, Excellentissimi in rebus musicis Magistri opus, / copiandum accepi à magno illo Capellae Caesareae magistro / P:ae generoso Dno Joanne Josepho Fux, meo tunc in compositione / magistro venerandissimo. / Viennae Austriae 1718.*

Entgegen der Angabe des Titels enthält das Buch nur 15 Magnificatbearbeitungen von Morales[229], und zwar in zwei Serien:

a) I.—VIII. Toni;

b) I.—VII. Toni.

Ob das fehlende Stück in der Originalhandschrift vorhanden war, läßt sich nicht mehr feststellen. Eitner nennt zwar 16 Magnificat als Inhalt des Buches, doch ist es sehr fraglich, ob er den Band näher untersucht hat.

(II)

*Collectaneorum Liber II. / Fiori Musicali / di Girolamo Frescobaldi / Organista / di / S. Pietro à Roma / opus rarum. / Adjecta sunt pauca quaedam alia / varjorum Autorum / à Vienna / 1718.*

Die *Fiori Musicali* von Frescobaldi (1635) sind fast vollständig kopiert[230], wobei die einzelnen Titel z. T. sehr verballhornt wurden. Bemerkenswert sind einige Textunterlegungen bei dem *Canzon dopo l'apistola* aus der *Messe della Madonna* (Nr. 37). Sie scheinen studienhalber hinzugefügt worden zu sein und sind nicht konsequent durchgeführt.

Die Abschrift der *Fiori Musicali* endet auf Bl. 46r des zweiten Buches oben mit der ersten Zeile. Darunter steht vor der Akkolade des nächsten Stückes:

*Il Fine. / Sequitam / Ricercari / de S: Poilexi.*

Es schließen sich sieben Ricercari aus der in vielen Quellen überlieferten Sammlung von Alessandro Poglietti an, und zwar in der Reihenfolge:

1. *Recercar 8tavi toni*

2. *Recercar 6ti toni*

3. *Ricercar [Pri]Mi toni*

4. *Ricercar [Pri]Mi toni*

5. [Ricercar Primi Toni]

6. *A B.*[231] *Ricercar 2di toni*

7. *Ricer: 4ti toni.*

Die gleichen Stücke in eben derselben Reihenfolge (nur mit Hinzufügung der vielfach unter Pogliettis Namen überlieferten Hexachordfuge) enthält die Handschrift Wien, Musikarchiv des Minoritenkonventes XIV 710, ebenfalls kombiniert mit einer Abschrift der *Fiori Musicali* von Frescobaldi[232].

---

[229] Cristobal Morales, *Magnificat 4 vocum* (16 Vertonungen), zuerst vollständig veröffentlicht in einem Sammeldruck Venedig 1562 bei Gardano; Individualdrucke: Venedig 1583 (Gardano) und 1614 (B. Magni); sämtliche Ausgaben in Stimmbüchern (nach Eitner, *Quellenlexikon*).

[230] Einige Sätze fehlen; da jedoch gerade an dieser Stelle ein Blatt falsch eingebunden ist (vgl. Anm. 226), könnten einige weitere verlorengegangen sein.

[231] Alessandro Boglietti.

[232] Die Hexachord-Fuge könnte beim Binden der Dresdener Handschrift evtl. verlorengegangen sein.

(III)

*Collectaneorum Libr: III. / Messe del Palestina [sic]. / à 4. 5. e 6./: Detto del Sigr: Bernardo Pasquini: / Quello che pretende d'essere Maestro di Musica et / anche Organista; e non gustira il Pettore, e non vi. / vera del Latte di queste divine compositioni del / Palestina, saui sempre poverello. / Copiandas accepi à Dominum Georgio Reitter, Capellae Ma- / gistro apud Sanctum Stephanum Viennae Austriae. 1717. Copiavit D: / Philippus Troyer me hoc tempore existente, J: Disma Zelenka. / Accesserunt quaedam pauca alia. / variorum Autorum.*

Die auf dem Titel angezeigten und hoch gepriesenen Messen von Palestrina sind nicht vorhanden. Sie können auch nicht beim Binden verlorengegangen sein, da die Noteneintragungen schon auf der Rückseite des Titelblattes beginnen. Ob sie in der Originalhandschrift vorhanden waren, läßt sich nicht einwandfrei feststellen[233]. Denselben Titel, ebenfalls mit dem nachfolgenden Zitat, trägt eine Handschrift von 1719 aus dem Besitz des P. Alexander Giessel in Wien[234]. Sie enthält vier Messen von Palestrina in Partitur (*Missa de Beata Virgina 4 v., Missa ad Fugam, Messa Ad coenam agni providi, Messa Del Papa Marcelli*), drei davon ohne Text. Vermutlich hatte Zelenka dieselben Stücke kopiert.

Der tatsächliche Inhalt des III. Buches setzt sich aber in der vorliegenden Kopie aus folgenden Stücken *variorum Autorum* zusammen:

1. *Del Sigr Luigi Battifero Urbinati. Ricercar con 5 Soggetti* (Nr. 11 des Druckes von 1669; kommt im IV. Buch auch vor)[235]
2. *Ricercar con sei soggeti. del istesso Authore* (Nr. 12 ebenda; ebenfalls im IV. Buch)
3. *Del Sigr: Frohberger* (= Wien, Österreichische Nationalbibliothek Cod. 16 560, fol. 26ʳ *Ricercar I*)
4. *Dal S: Fux Soggetto principiato d'un suo Scolare e mandato gli da finir, il qual si preso un altro Sogetto e là condotto in questa maniera / Pars 5. ad libitum* (Text: „Cum Sancto Spiritu")
5. *Sonata à 4 D'istesso Authore*
6. *Sonata a 3. un poco variato. del istesso Authore.*
7. *del istesso Authore. Sonata a 4.*
8. *Sonata a 3 del istesso Authore.*
9. *Benedictus dalla Messa Ariosa del istesso Authore*[236]
10. *Del S: Angelo Ragazzi. Maestro del Concerti della S: M: C: e Catho: Canone* (Text: 1. „Joannes Josephus Fux Excellens Musicus"; 2. „Inveni hominem secundo meum").
11. *Canone. Canon Tribut docebys Concinendus Trinus et unus Quales Pater, Talis Filius, Talis Spiritus Sanctus* (ohne Autorenangabe)
12. *Bernabei*[237]. *Alma Redemptoris Mater* (2 Soprane, Baß, B. c.)
13. *Canon ad Uniconum Del S: Fux* (11 Kanons)
14. *Seqit[ur] Canone. J. D. Zelenka, quae idem ad imitationem Aetissimi sui Magistri supra eundem cantum firmum sic posuit.* (9 Kanons)
15. *Sequurit[ur]: varia J. D: Zelenka* (Kanon, ein-, zwei-, drei- und vierstimmig mit stets gleichbleibendem Diskant; auf der nächsten Seite folgen Anweisungen „Variari post Cantilena 14", d. h. für 14 Variationsmöglichkeiten dieses Kanons). Am Schluß findet sich die Eintragung:

---

[233] G. Adler, a. a. O. nennt Palestrina, doch scheint es zweifelhaft, ob er den Band persönlich eingesehen hat.

[234] Wien, Musikarchiv des Minoritenkonventes XIV 708; der Titel lautet hier korrekter: *MESSE del PALESTINA* [sic] / a. 4. 5. e. 6. / Detto del Sig[nore] Bernardo / Pasqvini. / Qvello chè pretende d'essere Maestro di / Musica ed'anche Organiste, e non gustira / il Nettore non beverà Latte di qvesto di. / vine Compositioni del Palestina, sarà / sempre poverello.

[235] Eitner, *Quellenlexikon*, gibt für dieses Stück als Quelle *Liber V* an, für das folgende dagegen richtig *Liber III*; ein *Liber V* hat es auch in dem Originalmanuskript nicht gegeben (vgl. Adler, a. a. O.).

[236] L. v. Köchel, J. J. Fux, Wien 1872, Anhang Nr. 2.

[237] Vincenzo Bernabei (vgl. Eitner, *Quellenlexikon*).

„Le cor mi! / Videre Liber quae sequuntur / Virtuosi Possessoris honori japponere illa voluit / Joannes Dimas [sic!] Zelenka. / Fidus in principio in fine amicus / et Servus. / Dabuntur Vero illa in Dresdano / Vatertia aprilis in abitu solis. —"

16. *Cantilena Circulare* [zweistimmiger Krebskanon] „*Vide domine et consedera laborem meum*", darunter zweistimmiger Kanon „*Contate* [sic!] *Domino*".

Es ist fraglich, ob der Inhalt dieses Buches mit dem des Originalkodex übereinstimmt. Eitner nennt jedenfalls nicht alle verzeichneten Kompositionen[238], doch sind seine Angaben — die er vermutlich von R. Kade bezog — in jeder Hinsicht unklar. Darum läßt es sich auch nicht entscheiden, ob die Zusammenstellung des Inhaltes auf Zelenka oder auf die Kopisten zurückgeht. Es ist möglich, daß Zelenka dieses Buch erst in Dresden zusammenstellen ließ und dafür in Wien gesammelte Kompositionen auswählte[239]. Da er eigene Kontrapunktarbeiten hinzufügte, hat es den Anschein, als ob er die ganze Sammlung für den Unterricht seiner Schüler anlegte und sie von diesen abschreiben ließ.

Die Zusammensetzung des Inhaltes aus Sonatensätzen für mehrere Instrumente, Vokalmusik, Fugen und Kanons ist nicht so ungewöhnlich, wie sie zunächst erscheint. Bereits 1689 veröffentlichte Giovanni Battista Vitali eine Sammlung *Artificii Musicali*[240], die ein ganz ähnliches Repertoire enthielt und auch hauptsächlich als Studienbuch gedacht war, da sich kaum Angaben für irgendeinen Verwendungszweck finden; die Stücke sind ebenfalls in Partitur bzw. — sofern es sich um Kanons handelt — auf ein System notiert. Ein weiteres Beispiel dieser Art ist J. S. Bach *Musicalisches Opfer*[241].

(IV)

*Collectaneorum Liber IIII. / Ricercari del Luigi / Battiferro / da / Urbino / Vienna Austria / 1718 / Accesserunt pauca quaedam alia / variorum autorum.*

Dieses Buch enthält eine vollständige Kopie der 1669 von Battiferri veröffentlichten Ricercar-Sammlung, die mehrfach abschriftlich überliefert ist[242]. Die auf dem Titelblatt genannten Stücke anderer Autoren fehlen. Auf dem letzten Blatt (recto) der Dresdener Quelle findet man die Notiz:

„*à Vienna 10 Februaria / 1719.*"

Demnach hat Zelenka die Abschrift dieser Stücke im Jahre 1718 begonnen und am 10. Februar 1719 vollendet; anders lassen sich die Daten kaum deuten, zumal sie sich nach Adler[243] auch in der Originalhandschrift befunden haben sollen. Die Tatsache, daß die im III. Buch bereits aufgezeichneten beiden letzten Ricercari von Battiferri (s. o.) hier noch einmal vorkommen, zeigt, daß die einzelnen Bücher getrennt voneinander angelegt wurden und das III. Buch offenbar erst nachträglich in Dresden hinzugefügt wurde.

Als Quellen seiner Kopien gibt Zelenka Johann Joseph Fux und Georg Reutter (d. Ä.) an. Der Inhalt von *Liber III* besteht fast ausschließlich aus Kompositionen Wiener Meister, *Liber II* und *Liber IV* wurden in Wien angefertigt. Nun sind aus dem Nachlaß des Regenschori an der Wiener Minoritenkirche, P. Alexander Giessel[244], der mit Karl Reutter in Verbindung stand[245], eine Reihe von Kodizes erhalten, deren Inhalt mit dem von Zelenkas Kollektaneen identisch

---

[238] Nr. 3—7 werden nicht erwähnt.
[239] Die genannten Komponisten waren alle am Kaiserhofe tätig.
[240] Vgl. Sartori; nähere Auskünfte über dieses Werk verdanke ich der Güte des Herrn Prof. Fanti in Bologna.
[241] Vgl. E. Schenk, *Das Musikalische Opfer von J. S. Bach* im Anzeiger der phil.-hist. Klasse der Österreichischen Akademie der Wissenschaften Jg. 1953, Nr. 3; den Zelenka-Kodex erwähnt Schenk nicht.
[242] Vgl. Anm. 66; auffallenderweise haben mehrere der Abschriften die Jahreszahl 1719.
[243] A. a. O.
[244] Vgl. Anm. 252.
[245] Giessel erhielt am 20. März 1727 von Karl Reutter ein Druckexemplar des *Annuale* von Fasolo zum Geschenk (Wien, Musikarchiv des Minoritenkonventes XIV 683; handschriftliche Eintragung von Giessels Hand).

ist: *Liber II* entspricht der Handschrift XIV 710, *Liber IV* der Handschrift XIV 711 (3. Teil des Konvolutes), *Liber III* hat in der vorliegenden Kopie nur denselben Titel wie die Handschrift XIV 708 im Musikarchiv des Wiener Minoritenkonventes, enthielt aber in der Originalfassung wahrscheinlich auch dieselben Kompositionen[246]. Offenbar liegt hier d a s Repertoire vor, das sich die aus der Wiener Schule mit ihrem Oberhaupt Johann Joseph Fux hervorgegangenen Meister für Unterricht und eigenes Schaffen „zu Mustern" nahmen. Es handelt sich um eine Reihe von Standardwerken hoher kontrapunktischer Meisterschaft, die wahrscheinlich schon im letzten Drittel des 17. Jahrhunderts — manche schon früher — und bis in das 19. Jahrhundert hinein immer wieder in den Quellen vorkommen[247]. Es muß einer besonderen Darstellung vorbehalten bleiben, diese Zusammenhänge und ihre Ausstrahlungen aufzuzeigen. Hier interessiert nur die Tatsache, daß unter den genannten Werken auch ein nicht geringer Bestand an Tastenmusik vorkommt, der — ähnlich wie die a-cappella-Kirchenmusik von Palestrina und Morales — im Laufe der Zeit entgegen seinem ursprünglichen Zweck zum Objekt des musiktheoretischen Unterrichtes geworden war. Offensichtlich bildete die Tastenmusik das Übergewicht gegenüber den Vokalwerken. Hieraus mag man ersehen, welche fundamentale Stellung sie im Laufe des 17. Jahrhunderts in Musikpraxis und Musiktheorie gewonnen hatte[248]. Zudem wird ersichtlich, daß dieser Zweig der Fugenkomposition im *alla-breve*-Stil schon in der Quellenüberlieferung völlig getrennt verläuft von der aus der Spielpraxis hervorgegangenen, nicht im *antico stile* gearbeiteten Fugenkomposition, der wir in der folgenden Quellengruppe in ihrer kleinsten und schärfsten Ausprägung begegnen.

## 2. BÜCHER FÜR DEN GOTTESDIENSTLICHEN GEBRAUCH

### Versettenbücher

Die Hauptaufgabe der Orgel im katholischen Kultus besteht seit dem tridentinischen Konzil darin, die einzelnen liturgischen Gesänge — sofern sie nicht auch begleitet werden — zu intonieren oder sie im Wechsel mit dem Chor zu musizieren. Diese solistische Orgelmusik wird natürlich bis heute in der Regel improvisiert, doch besitzen wir bereits in den ältesten Quellen Stücke zum Praeambulieren oder zum Alternieren. Die ersteren konnten frei oder in Anlehnung an den c. f. komponiert sein, den letzteren lag häufig ein c. f. zugrunde.

In der zweiten Hälfte des 17. Jahrhunderts machte sich jedoch die Tendenz bemerkbar, die strenge Bindung an den Choral aufzugeben. Dadurch wurde die Verwendungsmöglichkeit der einzelnen Stücke bedeutend erweitert, da es jetzt lediglich auf den passenden „Ton" ankam. Andererseits war es möglich, fast alle Gattungen von Tastenmusik für diesen Zweck — gegebenenfalls durch Umarbeitung — zu verwenden.

Abgesehen von der nicht geringen Anzahl gedruckter Versettenbücher[249] hat sich wohl jeder Organist im Laufe der Lehrzeit oder der ersten Amtszeit solch eine Sammlung angelegt, die in der Regel nach Tönen geordnet war. Diese Stücke wurden aus den gedruckten Versettenbüchern oder aus den Kollektaneen des Lehrers, Vorgängers bzw. der Freunde und Kollegen ausgewählt. Oft löste man auch Abschnitte aus größeren

---

[246] S. o. S. 85.
[247] Auch in den Lehrbüchern des Kontrapunktes wurden sie als Beispiele herangezogen: vgl. F. W. Marpurg, *Abhandlung von der Fuge*, Berlin 1753/54; S. W. Dehn, *Lehre vom Contrapunkt, dem Canon und der Fuge*, Berlin 1859 (in der Musikbeilage ist ein Ricercar von Battiferri vollständig abgedruckt).
[248] S. o. S. 15 f.
[249] Versette sei hier lediglich als übergeordneter Begriff verstanden, die Struktur des Satzes (ob Praeludium, Fughette oder c-f.-Bearbeitung) bezeichnet er nicht.

Kompositionen (Toccaten, Sonaten u. ä.) heraus, transponierte sie oder arbeitete sie anderweitig um. Das Ganze mag als Beispielsammlung zur Anregung für die eigene Improvisation und Komposition, bei weniger begabten Organisten auch als ständiges Repertoire gedient haben.

Die übliche Kürze der Orgelstücke im Gottesdienst erforderte stärkste Konzentration der Mittel. Wir haben daher in diesen Sammlungen Miniatur-Praeludien und -Fugen vor uns, unter denen sich neben reichlicher Durchschnittsproduktion manches Meisterstück befindet.

Der hier gebräuchliche Fugentyp ist wesentlich verschieden von den großen Fugengattungen des *alla-breve*-Stils (Ricercar, Capriccio, Fantasie, Canzon). In der Regel kommt nur eine Durchführung vor, strenge Stimmigkeit ist nicht erforderlich, noch weniger ausgefallene kontrapunktische Künste, obwohl man sie doch hin und wieder antrifft. Die Länge dieser Stücke ist ebenfalls ganz verschieden, kurze Intonationen stehen neben umfangreicheren Sätzen. Kategorien lassen sich nicht aufstellen, jeder Schreiber hat es wieder etwas anders gehalten. Doch ist der kurze „Versettentyp" vorherrschend, dem man in den Quellen vom 16. Jahrhundert bis in das 19. Jahrhundert immer wieder begegnet[250]. Häufig sind ein oder mehrere Praeambeln (Praeludien, Tokkaten) mit einer Reihe von Fughetten zyklisch verbunden, was natürlich nicht auf einen zusammenhängenden Vortrag deutet. Diese kurzen Praeambeln oder *Toccatae minores* bildeten eine besondere Gattung neben den *Toccatae majores*, wie sie beispielsweise Frescobaldi, Froberger, Kerll und Georg Muffat geschaffen haben[250a].

Leider ist diese geschichtlich sehr interessante und recht umfangreiche Quellengruppe bisher weder vollständig erfaßt noch genügend gewürdigt worden[251].

---

[250] Aus dem 18. und 19. Jahrhundert z. B. die Versettensammlungen von Georg Matthias Monn (Wien, ÖNB), Georg Christoph Wagenseil (ebda.), Johann Georg Albrechtsberger (gedruckt; vgl. DTÖ XVI 2), Franz Schubert (Skizzen in Dresden, Sächsische Landesbibliothek). — Auch aus dem protestantischen Raum sind einige nach Tonarten geordnete Versettenbücher überliefert (vgl. Anm. 251). Manche mehrteiligen Praeludien oder Toccaten norddeutscher Meister entsprechen in ihrer Anlage den Versettenzyklen der süddeutschen Organisten, nur daß bei den norddeutschen oft noch verbindende Kadenzenabschnitte vorhanden sind. Fraglich bleibt immerhin, ob diese Stücke stets zusammenhängend vorgetragen wurden.

[250a] Mit Recht weist Georg Muffat in der Vorrede seines *Apparatus Musico-Organisticus* (1690) darauf hin, daß seit Frescobaldi keine derartigen *Toccatae majores* veröffentlicht wurden. In der Zwischenzeit waren (mit Ausnahme von Rossis *Toccate e Corrente*, die Muffat vielleicht nicht bekannt waren) in ganz Europa nur Bücher mit kleinen, für liturgische Zwecke bestimmten Toccaten oder Praeambeln gedruckt worden. Einige Toccaten von Froberger erschienen dann 1693 (s. o. S. 62).

[251] Neben den im folgenden genannten Quellen seien noch als Beispiele genannt:
Wien, Musikarchiv des Minoritenkonventes:
XIV 713 Tabulaturbuch des Fr. Wolfgang Schwabpauer; s. Anm. 265;
XIV 725 Versettenbuch des P. Vincentius Höggmayr; s. Anm. 267;
XIV 727 (Frescobaldi, Poglietti und anonym);
XIV 729 *Complementum octo Tonorum* (1. Teil);
XIV 730 (G. Reutter, A. Poglietti);
Berlin, Deutsche Staatsbibliothek Mus. ms. L 297 (1699);
München, Bayerische Staatsbibliothek Ms. 4114 (Tabulaturbuch des Franciscus Maximilian de Pückh 1687);
Berlin, Bibliothek der ehemaligen Hochschule für Musikerziehung und Kirchenmusik Ms. 471 (Pachelbel);
London, British Museum Ms. 31.221 (Pachelbel);
New Haven (Conn.), Library of the Yale Music School LM 4982 (Orgelbuch des Johann Günther Bach);
Mylau (Vogtland), Kirchenarchiv, *TABULATUR Buch 1750*; vgl. AfMw I, S. 607 ff.

(Wien, Musikarchiv des Minoritenkonventes XIV 717–722)

Aus dem Besitz des P. Alexander Giessel OFMConv (1694–1766), der spätestens seit 1721 an der Minoritenkirche zum Hl. Kreuz in Wien als Organist, später als Regenschori tätig war und zu den bedeutendsten Musikerpersönlichkeiten im Umkreise von Johann Joseph Fux gerechnet werden kann[252], ist eine mehrbändige Versettensammlung überliefert. Die Titel der erhaltenen Bände lauten:

1. *C / Varia Praeludia, Toc: / :catae, Fugae, et Versiculi, / ex C ♮ dur et C ♭ mol.* (28 Bll. fol.)
2. *D / Varia Praeludia, / Toccatae, Fugae et / Versiculi, ex D ♮ dur / et d ♭ mol* (38 Bll. fol.)
3. *E / Varia Praeludia, / Toccatae, Fugae, et Ver: / :siculi, ex E ♮ dur et E mol* (18 Bll. fol.)
4. *F / Varia Praelu: / :dia, Toccatae, Fugae, / et Versiculi, ex F.* (23 Bll. fol.)
5. *G / Varia Praeludia, / Toccatae, Fugae, et / Versiculi ex G ♮ dur et G ♭ mol* (50 Bll. fol.)
6. *B et H / Varia Praeludia, / Toccatae, ex B et H / cum aliqvibus Fugis, et Versiculis*[253]. (7 Bll. fol.)

---

[252] Pater Alexander Giessel *Silesius* OFMConv, geboren am 19. März 1694, legte am 1. November 1713 in Oppavia (Troppau in Schlesien) die Profeß ab. Am 17. September 1717 wurde er zum Priester geweiht; schon damals bezeichnete man ihn als *insignis organista*. In Wels studierte er Philosophie, anschließend in Wien Theologie, war nebenbei als Organist und Bassist tätig. 1721 erwarb er den Titel eines Magisters der Theologie, 1723 wurde er Novizenmeister im Wiener Konvent, 1726 Regenschori an der Kirche „Zum Hl. Kreuz"; schon 1729 galt er als hervorragende Autorität *in Musicalibus*. In diesem Jahrzehnt (1720–1730) waren die meisten seiner erhaltenen Kompositionen entstanden (4 Messen, 1 Salve Regina und andere kleinere Kirchenwerke). Mit Karl Reutter (Organist an St. Stefan; vgl. Anm. 245) und Gottlieb Muffat (lt. handschriftlicher Eintragung in Giessels Exemplar der *Componimenti Musicali* von Muffat) war er persönlich befreundet, wahrscheinlich gehörte er auch dem Schülerkreis von Johann Josef Fux an, wie die aus seinem Besitz erhaltenen Studiensammlungen und seine Abschriften Fuxscher Kompositionen zeigen. Doch galt Giessels Interesse keineswegs nur der Musiktheorie und Musikpraxis, vielmehr war er ein universalgebildeter Mann, aus dessen Bibliothek noch jetzt zahlreiche wissenschaftliche Werke erhalten sind. Leider lassen sich von seinem Leben und Wirken z. Z. nur wenige Tatsachen feststellen, auch ein zu seinen Lebzeiten angefertigtes Porträt ist nicht mehr vorhanden (bei der Verlegung des Konventes vom Kloster „Zum Hl. Kreuz" in der Wiener Innenstadt in das Gebäude des aufgehobenen Trinitarier-Ordens in der Josefstadt im Zuge der josefinischen Reformen scheinen schon manche Bestände aus dem Besitz des Konventes — wohl auch aus der Bibliothek — verlorengegangen zu sein). Zwei Jahre vor seinem Tode war Giessel blind und taub. Er starb am 12. Juni 1766 im Minoritenkloster „Zum Hl. Kreuz" in Wien.

Der im Besitz des Minoritenkonventes zu Wien großenteils noch erhaltene Nachlaß Giessels (er bildet die wichtigste Quellengrundlage für diese Arbeit) birgt eine Musikaliensammlung, die ein kleines Gegenstück zur Bibliothek seines berühmten Ordensbruders P. Giambattista Martini darstellt. In Deutschland dürfte keine ältere Privatsammlung in einem so verhältnismäßig geschlossenen Zustand erhalten sein, obwohl auch von Giessels Nachlaß im Laufe der Zeit große Bestände abhanden gekommen sind. Die Musiktheorie ist vertreten durch die *Istitutioni harmoniche* von Zarlino, die *Documenti armonici* von Berardi, die *Musica poetica* des J. A. Herbst, die *Kleine Generalbaßschule* von J. Mattheson (einst im Besitz von A. Sittard; vgl. M. Seiffert, Einleitung zu *J. P. Sweelinck, Werken voor Orgel en Clavicimbel*, ²1943, S. XLIV) und andere Werke, größtenteils in Abschriften. Am umfangreichsten ist der Bestand der Tastenmusik. In Druckexemplaren oder abschriftlich besaß Giessel fast sämtliche Werke von Frescobaldi, ferner vollständige Sammlungen von Fasolo, M. A. Rossi, Poglietti, Battiferri, Fontana, Speth, Murschhauser, Kuhnau, J. K. F. Fischer und Gottlieb Muffat, daneben eine Reihe von Sammelhandschriften (darunter der in der Literatur häufig mit seinem Namen genannte Kodex XIV 714, früher Ms. 8, der Kompositionen von Gabrieli, Sweelinck, Scheidt, Steigleder, Erbach und anderen Meistern aus dem frühen 17. Jahrhundert enthält). Auch Kammermusikwerke (z. B. eine Abschrift von Corellis Trio- und Quartettsonaten) und Vokalmusik (z. B. die *Missa primitiva* von Johann Joseph Fux) sind in Giessels Nachlaß zu finden. — Eine ausführliche Studie

Beschreibung:

Alle sechs Bände haben den gleichen, mit Kamm-Marmor-Papier bezogenen Pappband. Die Titel sind auf kleine ovale Etikettes (quer auf die Vorderdeckel geklebt) geschrieben. Auf der Innenseite des Vorderdeckels befindet sich jeweils der Besitzervermerk: „Ad usum P[at]ris Alexandri Giessel Ord: Min: S: Franc: Conventualium". Die Seiten sind original nicht paginiert. Das Papier hat innerhalb der einzelnen Bände mehrere verschiedene Wasserzeichen, von denen manche in anderen Bänden der Sammlung ebenfalls vorkommen. Lediglich im letzten Buch findet sich durchgehend dasselbe Wasserzeichen.

Die Handschrift ist unbeholfen und stammt von einem jugendlichen Schreiber. Mit der Noten-schrift von Giessels Autographen aus den Jahren 1722—1724 hat sie fast keine gemeinsamen Züge. Eine gewisse Ähnlichkeit besteht zu der Handschrift einer ebenfalls Giessel gehörenden Kopie der Ars Magna Consoni et Dissoni von J. Speth (1693)[254]. Hier steht links oben auf der Innenseite des Vorderdeckels die Jahreszahl 1712, die aber ausgestrichen ist. Giessel nennt sich hier noch „Frater", daher muß die Niederschrift bzw. der Erwerb des Buches vor 1717 erfolgt sein. In den Versettenbüchern zeichnet er sich „Pater", doch könnten die Namenseintragungen nachträglich vorgenommen worden sein. Sollte die Versettensammlung tatsächlich von Giessel selbst geschrieben sein, so könnte er sie während seiner Studienjahre in Troppau und Wels angelegt haben. Für Troppau als Entstehungsort sprechen mehrere von P. Martinus Gros (vgl. Anm. 270) stammende Stücke, für Wels einige von dem dortigen Organisten Johann Georg Copisio komponierte, ferner die aus einer „efferdingischen"[255] Vorlage stammenden und die von dem vor 1721 in Linz wohnenden Minoriten P. Vincentius Höggmayr überlieferten Sätze.

Im Gegensatz zu den älteren und auch vielen zeitgenössischen Versettensammlungen[256] sind die Stücke nicht nach Kirchentönen geordnet, sondern nach dem in der nicht temperierten Stim-mung gebräuchlichen Tonartensystem, welches vielfach den Partiten- und Sonatensammlun-gen[257] zugrunde gelegt wurde.

Die gottesdienstliche Verwendung der Sammlung wird belegt durch die Bemerkung Sub ele-vatione in Bd. 1, Bl. 21ᵛ. Auch lassen gelegentlich vorkommende Pedalvorschriften[258] auf den Gebrauch der Kirchenorgel schließen.

Notierung: Französische Orgeltabulatur (Diskant- und Baßschlüssel)

Inhalt:

Die sechs Bücher enthalten zusammen über 800 Sätze, von denen manche nur wenige Takte lang sind. Der praktische Wert der Sammlung erscheint uns heute gering. Um so mehr wird unser Interesse auf die Arbeitsweise des Schreibers als Sammler und Bearbeiter gelenkt. In vielen Fällen läßt sich feststellen, aus welchen Quellen er geschöpft hat, zumal manche von ihnen ebenfalls in Giessels Nachlaß erhalten sind. Neben bekannten Druckwerken sind die handschrift-lichen Sammlungen anderer Konventualen und Kollegen benutzt. Vielfach gibt der Schreiber überhaupt bei den Stücken nur den Namen des Übermittlers, nicht aber den des Komponisten an[259]; zuweilen nennt er jedoch beide[260], manche Stücke lassen sich auch auf Grund eines Konkordanzenvergleichs identifizieren.

---

über Giessel und seine Bibliothek, zugleich eine genauere Untersuchung der vorliegenden Ver-settenbücher wird der Verfasser in seinen Studien zur Wiener Musikgeschichte in der ersten Hälfte des 18. Jahrhunderts bringen.

[253] Ein Band mit Versetten in A-dur und a-moll ist nicht mehr vorhanden.
[254] Wien, Musikarchiv des Minoritenkonventes XIV 700.
[255] Gemeint ist Eferding nördlich von Wels.
[256] Z. B. noch in Gottlieb Muffats 72 Versetl Sammt 12 Toccaten (1726).
[257] Z. B. in Kuhnaus Veröffentlichungen, aber auch in Handschriften.
[258] Orgelpunkte.
[259] XIV 718, Bl. 26ʳ steht Kerlls Canzone I mit der Überschrift Canzona Dni Lebhard in D: Moll.
[260] XIV 717, Bl. 20ʳ praeludium bonum P: Venantij authore Frescobalde; Bl. 23ᵛ Tocata rara in C: Dni. Frescobaldi, et a Dno. Höggmayr accepta.

Nach vorläufigen Feststellungen hat der Schreiber die nachstehenden Drucke als Vorlagen benutzt:

Johann Kaspar Kerll, *Modulatio Organica* 1686
Georg Muffat, *Apparatus Musico-Organisticus* 1690
Johann Speth, *Ars Magna Consoni et Dissoni* 1693
J. K. F. Fischer, *Musicalisches Blumenbüschlein* 1696 [261]
Johann Kuhnau, *Frische Clavier Früchte* 1696 [262]
*Vermehrter und . . . zum drittenmal in Druck beförderter . . . Wegweiser . . . die Orgel recht zu schlagen . . . [nebst] . . . weiland Herrn Giacomo Carissimi Singkunst und leichte Grund-Regeln . . . Augsburg . . . 1700* [263]
J. K. F. Fischer, *Ariadne Musica* 1702 [264]

Ferner benutzte er handschriftliche Versettenbücher aus dem Besitz von Fr. Wolfgang Schwabpauer [265], P. Venantius Sstanteysky [266], P. Vincentius Höggmayr [267], Johann Georg Copisio [268], Adalbert Lebhardt [269], P. Donatus [269], P. Martinus Gros [270].

Außer den bereits genannten lassen sich noch die folgenden Komponisten nachweisen: Christian Erbach [271], Girolamo Frescobaldi [272], Johann Jakob Froberger, Wolfgang Ebner, Alessandro Poglietti, Johann Kaspar Kerll [273], Ferdinand Tobias Richter, Bartholomäus Weißthoma [274], Johann Ludwig Wendler [275], Kaspar Jäger [276], Kaspar Schmidt [277].

---

[261] Eine vollständige Abschrift ist aus dem Besitz von P. Venantius Sstanteysky (vgl. Anm. 266) erhalten (XIV 702).

[262] Eine vollständige Abschrift besaß Giessel selbst (XIV 701).

[263] Der Schreiber zitiert diese Quelle einfach *Charissimi* oder *von Augsburg.* Ein Exemplar der Ausgabe von 1700 besaß Fr. Wolfgang Schwabpauer in Wien (XIV 687); vgl. Anm. 265.

[264] Giessel besaß einen Nachdruck mit der Verlagsangabe *Viennae Austriae, Prostat apud Adamum Damer, in Zwettelhoff* 1713.

[265] Fr. Wolfgang Schwabpauer *Bavarus*, geboren 1659, war Laienbruder und als Organist, Schreiber, seit 1696 als Apotheker im Wiener Minoritenkloster tätig. Der Titel seines Notenbuches lautet *Sum[mula] ex musica Fratris Wolffgangi ordinis S. Francisci Minorum: Conventualium Laici Professi anno 1683 Monachii Collecta.* Der erste Teil enthält Versetten, der zweite Tanzsätze.

[266] P. Venantius Sstanteyski (Standeski) *Bohemus*, geboren 1671, legte 1693 die Profeß ab, wurde 1694 zum Priester geweiht, war dem Glogauer Konvent gehörig. Er studierte in Wien, Linz und Brünn, wo er auch Organist war. 1705 wurde er in Wien *Vicarius Chori* und *Praefectus Musices,* 1721 endgültig in den Wiener Konvent aufgenommen, 1723 erwarb er den Grad eines Magisters der Theologie; er starb am 5. Oktober 1729 nach zweijährigem Leiden.

[267] P. Vincentius Höggmayr *Bavarus*, geboren 1684, legte 1702 die Profeß ab und wurde 1707 zum Priester geweiht, gehörte zunächst dem Linzer, später dem Wiener Konvent an. Er war Professor der Mathematik und galt als *mathematicus insignis;* über seine musikalische Betätigung ist nichts bekannt; er starb im Jahre 1740. Giessel erhielt von ihm am 24. Februar 1721 ein Versettenbuch (XIV 725).

[268] Organist in Wels (nach einer Bemerkung in Giessels Versettenbüchern).

[269] Biographisches Material nicht auffindbar.

[270] P. Martinus Gros *Silesius*, geboren 1687, Angehöriger des Konventes zu Oppavia (Troppau in Schlesien) legte 1711 die Profeß ab und wurde 1712 zum Priester geweiht; erwähnt wird seine Tätigkeit als Prediger, von einer musikalischen Betätigung ist keine Rede. Vielleicht ist bei Giessel auch eine andere Person gemeint. Genauere Angaben zur Lebensgeschichte aller genannten Mönche in meiner oben (Anm. 252) genannten Schrift.

[271] Vgl. E. v. Werra, Einleitung zu DTB IV 2, S. XXVI.

[272] U. a. Stücke aus einer Versettenreihe (durch alle Kirchentöne), die auch in anderen Handschriften der Klosterbibliothek vollständig vorkommt. Sie stehen nicht unter den gedruckten Werken, weichen auch stilistisch von Frescobaldis Schreibweise ab.

[273] Außerhalb der *Modulatio Organica.*

[274] Über diesen Komponisten fehlt bis jetzt jegliche biographische Nachricht. Es lassen sich z. Z. auch nur zwei mit seinem Namen gezeichnete Toccaten nachweisen:

In einigen Fällen hat der Schreiber größere Kompositionen ungekürzt aufgenommen[278], zuweilen sind sie auch zusammengezogen oder zerlegt worden. Mehrfach kommen dieselben Stücke in verschiedenen Heften gleichzeitig vor, da sie in andere Tonarten transponiert wurden, was gelegentlich vermerkt ist. Aber auch innerhalb eines und desselben Bandes kommen manche Stücke zweimal vor[279], da sie in mehreren Vorlagen gestanden haben und der Schreiber anscheinend nicht mehr wußte, daß er die betreffenden Kompositionen schon einmal notiert hatte. Manchmal ist ein Werturteil über einzelne Sätze bei den Überschriften vermerkt[280]; gute, mittelmäßige und schlechte Stücke sind nebeneinander aufgeschrieben. Alles ist notiert, wie es dem Sammler gerade in die Hände kam; eine bestimmte Ordnung — wie man sie in manchen, in sorgfältiger Reinschrift angelegten Versettenbüchern findet — ist nicht vorhanden.

Das Repertoire der Versettenbücher des P. Alexander Giessel gibt uns ein lebendiges Bild von der Sammlertätigkeit und von den Bearbeitungsverfahren der Organisten Süddeutschlands im 17. und 18. Jahrhundert. Darüber hinaus erfährt man etwas über die (räumliche und zeitliche) Reichweite, die Beliebtheit und die praktische Verwendung mancher in Drucken verbreiteter Kompositionen aus der zweiten Hälfte des 17. Jahrhunderts. Man sieht dabei, daß einige Stücke (z. B. Kuhnaus Sonaten) in der Praxis zu ganz anderen Zwecken benutzt wurden, als es vom Autor beabsichtigt war[281]. Die Weitergabe der Kompositionen von einem zum anderen Schreiber führte nicht nur zu (willkürlichen oder versehentlichen) Veränderungen des Originals, sondern ließ auch allmählich den Namen des Autoren — auf den man in der Praxis ohnehin keinen so großen Wert legte — in Vergessenheit geraten, so daß statt dessen oft auch der Name des Überlieferers zu finden ist, sofern die Stücke nicht überhaupt anonym sind. Diese Tatbestände müssen bei der Untersuchung von Gebrauchshandschriften stets berücksichtigt werden. Sie lassen bei den Fragen der Autorenzuweisungen und der Lesartenunterschiede stets zur Vorsicht raten.

## 3. BÜCHER FÜR DEN HAUSGEBRAUCH DES MUSIKLIEBHABERS

### Tanz- und Variationssammlungen

Handschriftliche Sammlungen von Tastenmusik, die vorwiegend für den Hausgebrauch bestimmt war, enthalten — ähnlich wie die entsprechenden Drucke — in der Hauptsache Tanzsätze und Variationen[282].

Die Entstehung dieser Quellen muß man sich ähnlich vorstellen wie die der Versettenbücher. In erster Linie haben sich wohl Liebhaber, daneben auch viele Berufsorganisten, die „zur Tafel aufwarten" mußten, gelegentlich sogar Mönche ein Repertoire von Tanzsätzen und Liedvariationen zusammengestellt. Die Tanzsätze kommen entweder

---

1. Wien, Musikarchiv des Minoritenkonventes XIV 719, fol. 6ᵛ *Toccata Dⁿⁱ gross authore a Sig: Barthol Weisthoma:*
2. New Haven (Conn.), Library of the Yale Music School, Kodex LM 5056, S. 58 f. *Toccata di Barth. Weisthoma;* s. u. S. 107.
Man möchte annehmen, daß Weisthoma aus dem südöstlichen Teil des Reiches stammte.

[275] Vgl. A. Sandberger, Einleitung zu DTB II 2, S. XXIII.

[276] Biographisch nichts bekannt; weitere Versetten von ihm enthalten die Handschriften XIV 734—736.

[277] Lebensdaten unbekannt.

[278] Z. B. eine Toccata aus Georg Muffats *Apparatus Musico-Organisticus.*

[279] Z. B. ist in XIV 719 Nr. 40 mit Nr. 71 identisch.

[280] Vgl. Anm. 260.

[281] Auch das Mylauer Tabulaturbuch (vgl. Anm. 251) enthält bearbeitete Sätze aus Kuhnaus Sonaten.

[282] Gelegentlich in Verbindung mit einfachen geistlichen und weltlichen Liedsätzen.

einzeln ohne bestimmte Ordnung oder in zyklischer Reihung *(Partien)* vor, ein zusammenhängender Vortrag ist jedoch — auch bei den Variationszyklen — nicht als selbstverständlich anzunehmen. Dies geht schon aus dem Vergleich mehrerer Quellen hervor, in denen dieselben Stücke vorkommen, aber jeweils in einer anderen Zusammenstellung[283]. Es wird sich in den meisten Fällen — wie bei den Versettenbüchern — um eine Zusammenstellung nach Tonarten handeln, aus der man sich nach Bedarf einige Sätze auswählte. Da auch hier die Überlieferung größtenteils anonym ist, bleibt die Frage der Urheberschaft oft ungelöst. Diese ganze Quellengruppe harrt noch einer genauen Untersuchung[284].

## DAS „HINTZE"-MANUSKRIPT

(New Haven, Connecticut, Library of the Yale Music School Ma. 21. H 59[285]

Der europäischen Musikforschung bisher gänzlich unbekannt geblieben ist ein Tabulaturbuch aus dem 17. Jahrhundert, das vor 1884 von einem gewissen Fritz Hintze in Lüneburg oder Celle gekauft wurde und über dessen Neffen Louis Hintze in Los Angeles 1938 in den Besitz der Bibliothek der Yale Music School gelangte.

Beschreibung:

Das Manuskript hat einen Papierumschlag (32 x 20 cm) und besteht aus einer Lage von 8 Bogen fol., von denen die sechs inneren alle dasselbe Wasserzeichen haben (auf Bl. 4, 7, 9, 11, 12, 14). Es stellt eine Kanne mit den Initialien *H. I.* dar, aus der oben ein blumenartiges Gebilde mit einer vierblätterigen Blüte und einer Mondsichel an der Spitze herausschaut. Die beiden äußeren Bogen haben dagegen ein anderes Wasserzeichen (auf Bl. 15 und 16), bestehend in einem Siegel mit den Initialien *M H* im Zentrum und der Umschrift *D I T E R S B A C H*. Die

---

[283] Man vergleiche z. B. Frobergers „Suiten" in den verschiedenen Quellen (Eigenschriften, Drucke, Gebrauchshandschriften).

[284] Neben der im folgenden beschriebenen Quelle seien noch als Beispiele genannt:
Wien, Musikarchiv des Minoritenkonventes:
XIV 713 Tabulaturbuch des Fr. Wolfgang Schwabpauer 1683 (2. Teil); s. Anm. 265;
XIV 729 *Complementum octo Tonorum* (2. Teil);
XIV 731 (Froberger, Ebner, Kerll u. a.);
XIV 743 (Froberger, Richter, Georg Muffat, B. Pasquini);
Wien, Österreichische Nationalbibliothek:
Cod. 16 789 Grimms Tabulaturbuch 1699;
Cod. 19 499 Tabulaturbuch der Prinzessin Amalie von Braunschweig;
Berlin, Deutsche Staatsbibliothek:
Mus. ms. 40 076 *C. A. A.* 1683 (vermißt);
Mus. ms. 40 147 (um 1670) (vermißt);
Lüneburg, Ratsbücherei Mus. ant. pract. 1198 A° 1687 2. *Martij* (vermißt);
Leipzig, Städtische Musikbibliothek II. 6. 19 *Partite ex Vienna* 1681;
Darmstadt, Hessische Landesbibliothek:
Mus. 17 *Allemanden Couranten, Sarabanden, Giqven, Gavotten* 1672;
Mus. 18 *Neue Allemanden, Couranten, Sarabanden, Giqven* ... 1674;
Nyköbing (Falster), Privatbesitz von Postmeester Ryge, *Familien Ryge's Slægtsbog* (um 1700).
[285] Die Nachricht von der Existenz dieser Quelle, die Übersendung eines Mikrofilmes (über das Deutsche Musikgeschichtliche Archiv, Kassel) sowie die Mitteilung einer Reihe wichtiger Einzelheiten zur Beschreibung des Kodex verdanke ich der Güte von Mr. Brooks Shephard, Jr., Bibliothekar an der Library of the Yale Music School, New Haven (Conn.).

Figuren beider Wasserzeichen befinden sich als Dekoration auf der noch erhaltenen Lederhülle, die ein späterer Besitzer für das Manuskript anfertigen ließ [286].

Die Sammlung trägt den Titel

*Französische Art Instrument-Stücklein,*

der oben auf dem Umschlag steht. Auf Bl. 1ᵛ ist rechts unten der Name *Geo: Böhm* mit Bleistift geschrieben, jedoch ist hier allem Anschein nach eine ursprüngliche, allmählich verblaßte Tintenschrift von einer späteren Hand nachgezogen worden. Auf Bl. 3ʳ beginnt der Notentext; hier beginnt eine Bleistiftpaginierung von einer späteren Hand. Der Kodex stammt von der Hand e i n e s Schreibers, der offenbar auch die Korrekturen bei manchen Stücken in deutscher Buchstabentabulatur vorgenommen hat, da diese mit derselben Tinte wie der Notentext geschrieben worden zu sein scheinen. Die Eintragung des Titels auf dem Umschlag könnte — der Schrift nach zu urteilen — von einer anderen Hand stammen.

Notation: Englische Orgeltabulatur (6 + 6 Linien; oberes System: C-Schlüssel auf der untersten, G-Schlüssel auf der drittuntersten Linie; unteres System: F-Schlüssel auf der drittuntersten, C-Schlüssel auf der zweitobersten Linie); Korrekturen und Zusätze sind in deutscher Orgeltabulatur notiert.

Datierung und Lokalisierung:

Das „Hintze"-Manuskript ist nicht nur in derselben Notationsweise angelegt, sondern auch von derselben Hand geschrieben worden wie der größte Teil des Kodex Mus. ant. pract. KN 147 der Ratsbücherei zu Lüneburg [287], der aus der ehemaligen Bibliothek der St. Johanniskirche zu Lüneburg stammt und womöglich aus dem Besitz des dort von 1698 bis 1733 tätigen Organisten Georg Böhm dahin gelangte. Mehr oder weniger große Ähnlichkeit mit den Schriftzügen der beiden Tabulaturbücher zeigen die Handschriften der Lüneburger Kodizes Mus. ant. pract. KN $\frac{207}{14}$ [288], KN $\frac{207}{6}$ [289] und KN 206 [290]. Die bisherigen Bearbeiter dieser Quellen [291] haben fast alle den sächsischen Hoforganisten und späteren Hamburger Jakobi-Organisten Matthias Weckmann für den Schreiber gehalten. Aus einer neuen Durchsicht der Quellen ergibt sich der folgende Zusammenhang:

---

[286] Das erstgenannte Wasserzeichen ist (lt. freundlicher Auskunft des Papierforschungsinstitutes in Mainz) in Südwestfrankreich gebräuchlich gewesen. Sehr ähnlich geformte Kannen als Wasserzeichen, die von Schriftstücken aus den Jahren 1640—1670 gepaust wurden, findet man bei Edward Ard Heawood, *Watermarks. Mainly of the 17th and 18th centuries*, Hilversum 1950. Das zweite Wasserzeichen findet man in ähnlicher Form bei G. M. Briquet, *Les Filigrans*, Leipzig ¹²1923 unter Nr. 1398; das dort angeführte Schriftstück stammt aus dem Jahre 1561. Ein anderes Mal soll dasselbe Wasserzeichen bei Schriftstücken von etwa 1610/19 vorgekommen sein. Ernst Kirchner, *Das Papier*, I. Teil, Biberach 1897 S. 138 (Nr. 40) hat bei einem 1690 beschriebenen Schriftstück, dessen Papier aus der Papiermühle zu Dittersbach in Sachsen stammt, im Wasserzeichen das Monogramm *C. H.* gefunden. Möglicherweise war dieser C. H. der Sohn des M. H., der das Papier für das „Hintze"-Manuskript lieferte.
[287] Vgl. F. Welter, *Katalog der Musikalien der Ratsbücherei Lüneburg*, Lippstadt 1950. S. 35 und S. 321 ff.
[288] ebda. S. 319 f.
[289] ebda. S. 320 f.
[290] ebda. S. 35; für die leihweise Überlassung von Mikrofilmen und Fotokopien der Lüneburger Quellen bin ich Herrn Professor Dr. Hans Albrecht, Kiel, zu größtem Dank verpflichtet.
[291] R. Buchmayer, *Aus historischen Klavierkonzerten*, Heft I, Leipzig 1927, S. V; M. Seiffert, *Matthias Weckmann und das Collegium Musicum in Hamburg* in SIMG II (1900/01), S. 76 f.; E. Valentin, *Die Entwicklung der Tokkata im 17. und 18. Jahrhundert*, Münster i. W. 1930, S. 57 und 69 ff. (gibt nicht Weckmann als Schreiber an, bezeichnet auch den Inhalt als anonym); G. Ilgner, *Matthias Weckmann, sein Leben und seine Werke*, Wolfenbüttel — Berlin 1939, S. 81; Neuausgaben: R. Buchmayer, a. a. O. Heft I—III; M. Seiffert, Organum IV Heft 3; G. Ilgner, *Matthias Weckmann: Werke* (LD Schleswig-Holstein und Hansestädte Bd. 4).

Die Handschrift KN $\frac{207}{14}$ trägt auf dem Deckblatt den flüchtig geschriebenen und anscheinend erst nachträglich zugefügten Titel

*Sonate à 3 e 4. istromenti MW.*

Diese Initialen finden sich in der gleichen verschlungenen Form auch bei den Überschriften der 7. und 10. Sonate sowie am Schluß der 8. Sonate (unter der Anweisung „*Repetatur â principio ad Sesquialteram primam*"). Der Notentext (45 Ss. Partitur) ist durchgehend von e i n e r Hand recht sorgfältig geschrieben worden. Hinter der ersten Sonate ist auf S. 7 ff. ein später ausgestrichenes Fragment eingetragen mit der Überschrift „*Ein anderer Anfang Zu meiner ersten Sonate â 4 istromenti aus dem f. b-moll*". Damit ist jedoch nicht die erste Sonate in der Handschrift gemeint, die in d-moll steht, sondern vermutlich eine gedruckte Ausgabe. Korrekturen in deutscher Buchstabentabulatur sowie aufführungspraktische Anweisungen finden sich an mehreren Stellen des Manuskriptes. Es handelt sich also sehr wahrscheinlich um eine Eigenschrift Weckmanns.

Der Kodex KN $\frac{207}{6}$ ist eine Sammlung von drei geistlichen Konzerten für Vokal- und Instrumentalbesetzung (78 Ss. Partitur) mit dem nachträglich zugefügten Titel: *Weine nicht, Es hat überwunden. à. 9. / 3 Voc: & 6 Strom:/ Zion spricht, der Herr hat mich verlaßen. à 8. //3 Voc: & 5. Strom: / Wie liegt die Stadt so wüst. à. 7. / Cant: & Baß. cum 5 Strom: / Compos: di Matth: Weckman./ Anno. 1663.*

Ab S. 15, T. 3 finden wir wieder die Handschrift des Schreibers von KN $\frac{207}{14}$, die sich vor allem durch die eigentümliche Form des G-Schlüssels auszeichnet. Dagegen stammen die ersten Seiten wie auch der Titel ganz offensichtlich von einer anderen Hand, was den bisherigen Bearbeitern entgangen zu sein scheint. Die vermutlich Weckmann zugehörigen Schriftzüge beginnen mitten im ersten Stück (Anfang des 2. Teiles), so daß der Übergang schwer zu erkennen ist. Auch hier finden sich eine Reihe von Korrekturen in deutscher Orgeltabulatur und aufführungspraktische Anweisungen. Am Schluß des zweiten Stückes steht die Notiz: „*Soli Deo Gloria Anno 1663 Die 9 Februarij MWeckmann*". Das folgende Stück ist ausgestrichen, die Autorangabe am Schluß unkenntlich gemacht. Das dritte Stück (das ausgestrichene ist nicht mitgezählt) hat in der Überschrift das Datum „*15 Aug Ao 1663*", ist sehr flüchtig geschrieben und schließt mit der Bemerkung „*DEO Soli Gloria Sempiterna Amen MW.* [verschlungen] *14 Octobris Anno 1663.*" Zwischen Komposition und Niederschrift liegen also zwei Monate Zeit. Auch diese Quelle ist — mit Ausnahme der Titelaufschrift und der ersten 15 Seiten des Notentextes — aller Wahrscheinlichkeit nach ein Autograph Weckmanns.

Schwieriger gestaltet sich die Zuweisung der Handschrift des Kodex KN 206, einer Studienpartitur (160 Bll.) mit Kirchenwerken italienischer und deutscher Meister der ersten Hälfte des 17. Jahrhunderts. Am Schluß (Bl. 160$^v$) steht die Bemerkung: „*Soli Deo Laus Honor et Gloria in Sempiterna Saeculo* [darunter ein durch mehrfache Überzeichnung unkenntlich gewordener Namenszug, aus dem man vielleicht die Abkürzung H Schedm. identifizieren könnte, wogegen die Initialien MW und JAR, die Seiffert herausgelesen hat, nicht zu erkennen sind] *Hamburgi 15 Junij Ao 1647*". Eine Notiz auf Bl. 45$^v$ ist mit den verschlungenen Initialen MV unterschrieben; nach Welter [292] ist diese Eintragung jedoch später zugefügt worden. Der Band ist nicht — wie bisher angenommen wurde — das Werk eines einzigen Schreibers. Vielmehr stammt der Abschnitt von Bl. 108$^v$ bis Bl. 124$^r$ von einer anderen Hand als die übrigen Eintragungen. Die Schriftzüge des Hauptschreibers zeigen manche Ähnlichkeiten mit denen der mutmaßlichen Weckmann-Autographen, vor allem in den Schlüsselformen, jedoch herrscht keine vollständige Identität. Natürlich können sich Weckmanns Schriftzüge in dem Zeitraum von 17 Jahren, der zwischen den Niederschriften der beiden Manuskripte liegt, verändert haben.

Das Tabulaturbuch KN 147 (anonyme Toccaten, Canzonen, Tanzsätze und Variationen) ist ebenfalls bisher als Ganzes für ein Autograph Weckmanns gehalten und der Inhalt ihm zu-

---

[292] A. a. O. S. 35.

geschrieben worden. Nun lassen sich aber auch in dieser Quelle zwei Schreiber nachweisen, deren Eintragungen gattungsmäßig eine verschiedene Zusammensetzung haben. Im ersten Teil (Bl. 1—28) ist der Schriftduktus im ganzen, speziell aber in den Formen der Schlüssel, Taktvorzeichnungen und Überschriften von dem der Kodizes KN $\frac{207}{14}$ und KN $\frac{207}{6}$ wesentlich verschieden [292a]. Der Inhalt dieses Abschnittes besteht aus 5 Toccaten und einem (vielleicht zur letzten Toccata gehörigen) Canzon. Der zweite Abschnitt des Manuskriptes (Bl. 29 — 77) beginnt mit einer „Partie" *(Allemand, Courant, Sarabanda, Gigue)*, hinter einer leeren Seite folgen vier Canzonen, von denen die restlichen Stücke (1 „Partie", 1 Zyklus Liedvariationen, 3 „Partien") ebenfalls durch leere Seiten getrennt sind. Die Schriftzüge sind hier mit denen der vorgenannten Handschriften im wesentlichen identisch. Die Frage, ob Weckmann der Autor der in dem Tabulaturbuch aufgezeichneten Stücke (aller oder einzelner) gelten kann, muß vorläufig unbeantwortet bleiben, da Konkordanzen nicht nachzuweisen sind und nur sehr wenige Weckmann zugeschriebene „Tabulatur"-Stücke in anderen Quellen vorliegen.

Ist Weckmann tatsächlich der eine Schreiber des Tabulaturbuches KN 147, so stammt auch das „Hintze"-Manuskript von ihm. Die Korrekturen in deutscher Orgeltabulatur wie auch die Bemerkungen zu einzelnen Stücken erinnern stark an die Eintragungen in den Kodizes KN $\frac{207}{14}$ und KN $\frac{207}{6}$. Auch die Schriftzüge der Notentexte stimmen weitgehend überein [293], doch erheben sich hinsichtlich der Beischriften trotz mancher Gemeinsamkeiten einige Zweifel an der Identität. Insbesondere der Titel auf dem Umschlag hat abweichende Schriftzüge (vielleicht wurde er von einer anderen Hand später zugefügt), teilweise auch die Notiz auf S. 9 unten (s. u.), die allerdings dafür spricht, daß der Schreiber mit Froberger persönlich in Verbindung stand. (Der charakterisierende Titel des besagten Stückes findet sich auch nur in dieser Quelle.) Dagegen könnte die Frage „Memento Morj Froberger?" darauf hindeuten, daß Frobergers Ableben dem Schreiber nicht bekannt geworden sei [293a].

Am auffallendsten ist jedoch das Vorkommen einer Toccata von Johann Kaspar Kerll in der Sammlung (Nr. 4). Kerlls Tastenmusik ist bisher nicht vor 1675 in den Quellen nachzuweisen (s. u). Weckmann starb am 24. Februar 1674. Er könnte das Stück wohl nur auf Grund persönlicher Beziehungen zu Kerll erhalten haben. Kerll siedelte im Herbst 1673 von München nach Wien um, dort ist er ausschließlich als Organist tätig gewesen, hat möglicherweise damals erst seine Tastenmusik komponiert oder zumindest zusammengestellt und verbreiten lassen. Demnach müßte Weckmann das „Hintze"-Manuskript erst kurz vor seinem Tode angefertigt haben. Die Unsicherheit der Schriftzüge im Gegensatz zu denen der übrigen Kodizes scheint dies zu bestätigen. Doch ist aus den letzten Lebensjahren des Meisters (seit 1670), in denen er schon leidend gewesen zu sein scheint, nichts mehr über seine musikalische Tätigkeit bekannt. Mit voller Sicherheit kann man ihn daher nicht als den Schreiber des „Hintze"-Manuskriptes (und damit auch der übrigen genannten Quellen, vor allem der Tabulatur KN 147) bezeichnen [294]. Erst eine exakte graphologische Untersuchung, zu der vor allem die von Weckmann geführten Rechnungsbücher der Jakobikirche in Hamburg hinzugezogen werden müßten, und der Nachweis von Kerlls Tastenmusik in Quellen, die vor 1675 angefertigt wurden, kann in dieser Frage eine restlos befriedigende Klärung schaffen. Falls aber Weckmann tatsächlich der Schreiber war, ist es denkbar, daß die Manuskripte nach seinem Tode an den Katharinenorganisten J. A. Reincken in Hamburg gelangten, von dem sie dann Georg Böhm (der vielleicht sein Schüler war) erhalten haben kann, dessen Name wohl als Besitzervermerk im „Hintze"-Manuskript geschrieben steht.

---

[292a] Vgl. Tafel II, Abb. 2 u. 3.
[293] Vgl. Tafel II, Abb. 1 u. Tafel I.
[293a] Frobergers Tod scheint damals gänzlich unbekannt geblieben zu sein; s. u. S. 126
[294] Die beiden Wasserzeichen des „Hintze"-Manuskriptes kommen in den genannten Lüneburger Kodizes nicht vor. Herrn Dr. Wendland, Ratsbücherei Lüneburg, sage ich für die freundliche Mitteilung meinen ergebensten Dank.

Inhalt:

| Nr. | Seite | Titel in der Handschrift | Konkordanzen |
|---|---|---|---|
| 1 | 1 | *Allemande plörant. J o n a s  T r e s o r* [295] | |
| 2 | 2 | *Cour.[ant] Jo.[nas] Tr.[esor]* | |
| 3 | 3 | *Sarabande* | |
| 4 | 4 | *Toccata: J: C K* | 1. J. K. K e r l l : *Subnecto initia . . .*, (Anhang zur Modulatio Organica 1686): *Toccata 8ᵛᵃ.* 2. Berlin, Bibl. der ehem. Hochschule f. Musikerz. u. Kirchenmusik Ms. 5270 *(Toccate, Canzoni . . . De An. M.DCLXXV.):* *Toccata VIII* (anonym). 3. New Haven (Conn.), Library of the Yale Music School LM 5056: Nr. 39 *Toccata* (anonym). 4. Berlin, Deutsche Staatsbibliothek Mus. ms. 40 335 (z. Z. Marburg) Nr. 1 (ohne Titel, T. 1—22 fehlen). |
| 5 | 8 | *Meditation, faict sur ma Mort fvtvre la quelle se jove lentement avec discretion. di G i o :  G i a :  F r o b :* [am Schluß (S. 9 unten) steht:] *NB Memento Morj Froberger? hierauff Auch die Gigue hernach Courant Vndt Sarab hintn in diesen Buch zu letzt gesandt* [sic?] [296] — *Vndt so Setzt er Nun fast alle seine Sachen in Solcher Ordnung. NB* | 1. 10 *Suittes de Clavessin* composées Par Monsieur G i a c o m o  F r o b e r g u e . . . Amsterdam . . . Mortier, o. J.: *Allemande.* (10. Suite.) 2. 10 *Suittes de Clavessin . . .* composées Par Monsieur G i a c o m o  F r o b e r g u e . . . Seconde Edition . . . Amsterdam . . . Roger . . ., o. J.: Nr. *Allemande* (10. Suite). |
| 6 | 10 | *Passagaglia. B a l t h :  E r b e n :* [297] *Aus Sives* [sic?] *Buch* | |
| 7 | 10 | *Gavotte Royale.* | |
| 8 | 11 | *Triscottes de Pans.* | |
| 9 | 11 | *Triscottes de Blois.* | |
| 10 | 11 | *Amanttis* [sic?] | |
| 11 | 12 | *Covrant* | |

[295] Über Person und weitere Werke dieses Komponisten ließ sich nichts feststellen.
[296] Die in den Amsterdamer Drucken zu dieser Allemande gehörigen Sätze sind im „Hintze"-Manuskript nicht vorhanden.
[297] 1626—1686; Kapellmeister an St. Marien in Danzig (vgl. H. Engel, Artikel *Danzig* in MGG). Tastenmusik ist von Erben bis jetzt nicht bekanntgeworden, doch befanden sich eine Reihe von Kirchenwerken in der ehemaligen Bibliothek der Michaeliskirche zu Lüneburg (vgl. den Katalog von M. Seiffert in der SIMG IX. S. 603); weitere Kirchenwerke führt Eitner an; eine Sonate über das Hexachord für 2 Violinen und Bc. befindet sich in Uppsala (vgl. E. H. Meyer, *Die mehrstimmige Spielmusik des 17. Jahrhunderts*, Kassel 1934, S. 198). Der von Eitner erwähnte gleichnamige Organist an der Stadtkirche zu Weimar (1657) ist wohl nicht dieselbe Person. Von welchem der beiden Musiker die im vorliegenden Manuskript aufgezeichneten Stücke herrühren, läßt sich nicht feststellen.

7

| Nr. | Seite | Titel in der Handschrift | Konkordanzen |
|---|---|---|---|
| 12 | 12 | *Courante. B. Erben* | |
| 13 | 14 | *Sarabande d'Erben.* | |
| 14 | 15 | *Allemande.* | |
| 15 | 16 | *Covrante.* | |
| 16 | 17 | *La Altesse* | |
| 17 | 17 | *La Duchesse.* | |
| 18 | 18 | *Sarabande* | |
| 19 | 20 | *Allemande.* | |
| 20 | 21 | *Covrant.* | |
| 21 | 22 | *Sarabande.* | |
| 22 | 23 | *Covrante Frob:* | Wien, Österreichische Nationalbibliothek Cod. 18 707 (Froberger-Autograph): *Courante der 5. Partite.* |
| 23 | 24 | *Sarabande.* | |
| 24 | 24 | *Petite Bovreè* | |
| 25 | 25 | *Cour[ante]* | |
| 26 | 26 | *Courante.* | |
| 27 | 27 | *Courante.* | |
| 28 | 28 | *Ballo di Mantova.* | |

Wie der Titel besagt und das Repertoire beweist, ist der Inhalt des Kodex nach dem Vorbild französischer Tanzsammlungen angelegt worden. Einen Fremdkörper in diesem Zusammenhang bildet nur die Toccata von Kerll (Nr. 4). Inwieweit die vorliegenden Tänze Übertragungen von Sätzen für mehrere Instrumente sind, läßt sich z. Z. nicht klären. Der Schreiber hat den Inhalt aus mehreren Vorlagen zusammengestellt, worauf die Notizen bei Nr. 5 und Nr. 6 sowie die Anmerkungen bei einzelnen Korrekturen hindeuten.

Eine bestimmte Ordnung in der Anlage der Sammlung läßt sich nicht erkennen. In einem motivischen Zusammenhang stehen die Sätze Nr. 1—3. Tonartlich zusammengehörig sind ferner die Sätze Nr. 12/13, 14/15, 19—21, 22—24 (vielleicht als Ergänzung zu Nr. 5)[298], 25—27. Fraglich bleibt, ob diese Zusammenstellungen den Vorlagen entsprechen oder vom Schreiber herrühren. Jedenfalls gehören die in der Handschrift vorhandenen Stücke von Froberger weder in den Autographen noch in den Drucken zusammen, die der Courante Nr. 22 angefügte anonyme Sarabande ist nirgends als Frobergers Werk überliefert. Auffallend ist jedoch die stilistische Ähnlichkeit vieler Sätze des Kodex, auch wenn verschiedene Urheber genannt werden. Hier wird deutlich, wie wenig gerade auf dem Gebiete der Tanzkomposition für Tasteninstrumente aus dem 17. Jahrhundert auf Grund von Gebrauchshandschriften der Personalstil irgendeines Meisters sich eindeutig bestimmen läßt.

## 4. KLAVIERBÜCHER MIT VERMISCHTEM INHALT

Neben den bisher betrachteten Handschriften, deren Repertoire jeweils einer einzelnen Gattung der Tastenmusik und damit einem bestimmten Zweck gewidmet war, gibt es eine Gruppe von Quellen mit vermischtem Inhalt, die sich in keine bestimmte Kategorie einordnen lassen. Oft handelt es sich um Klavierbücher, die sich „anfahende" Musiker unter der Anleitung ihres Lehrmeisters angefertigt haben. Daher ist auf die Qualität der Auswahl vielfach großes Gewicht gelegt. Da der Schüler möglichst Beispiele aller Gattungen besitzen sollte, zeigen diese Sammlungen ein

---

[298] Vgl. Anm. 296.

recht mannigfaltiges Bild[299]. In einigen Fällen sind wir in der Lage, das Studienrepertoire namhafter Meister oder ihrer Schüler nachweisen zu können. Bedauerlicherweise sind aus der zweiten Hälfte des 17. Jahrhunderts nur wenige Quellen dieser
Art auf unsere Zeit gekommen. Eine ganze Reihe ist im Laufe der vergangenen Jahrzehnte in Verlust geraten, bevor genaue Beschreibungen und Indizes angefertigt
wurden[300].

## Der Kodex E. B. 1688

(New Haven, Conn., Library of the Yale Music School LM 5056)[301]

Eines der wichtigsten, aus der zweiten Hälfte des 17. Jahrhunderts erhaltenen Tabulaturbücher ist der Kodex E. B. 1688, der in der Literatur zwar gelegentlich behandelt und auch
als Quellenvorlage für Neuausgaben benutzt, bisher jedoch noch nicht eingehend untersucht
worden ist.

Seine Überlieferungsgeschichte läßt sich bis zum Jahre 1776 zurückverfolgen. Damals kaufte
der Kasseler Hoforganist Johannes Becker (1726—1804) den Kodex auf einer Auktion[302]
und benutzte die noch nicht beschriebenen Seiten für die Aufzeichnung von Tastenspielmusik
aus dem 18. Jahrhundert[303]. Er vermachte das Buch seinem Schüler und Nachfolger Johann

---

[299] In diesen Quellen befinden sich in der Regel auch größere Kompositionsgattungen (Toccaten,
intavolierte Ricercari, Capricci u. a.), die in den Praeambel- und Versettenbüchern in unge-
kürzter Gestalt selten Platz fanden. Bearbeitungen protestantischer Kirchenlieder kommen
dagegen nach 1650 nur noch vereinzelt in Quellen mit vermischtem Repertoire vor, da sie im
besonderen Sammlungen zusammengefaßt wurden.
Etwas schwierig wird eine klare Abgrenzung bei den zahlreich vorhandenen Konvoluten, d. h.
den aus dem Zusammenbinden mehrerer (z. T. von verschiedenen Schreibern stammenden) Handschriften entstandenen Kodizes.
Andere Bücher haben demgegenüber neben dem ursprünglichen Inhalt noch Eintragungen von
späteren Besitzern. Hier muß in jedem Einzelfalle untersucht werden, ob eine Herauslösung des
ursprünglichen Inhaltes nicht die Zuordnung zu einer anderen Quellengruppe zuläßt.
[300] Außer der im folgenden beschriebenen Quelle seien noch als Beispiele genannt:
Berlin, Deutsche Staatsbibliothek:
Mus. ms. 40035 Tabulaturbuch des J. V. Eckelt, 1692 (vermißt);
Mus. ms. 40268 Klavierbuch des H. N. Gerber, 1718 (z. Z. Marburg);
Mus. ms. 40335 *Pro Organo.* / *Incognita*, um 1700 (z. Z. Marburg);
AmB. 340 Ms. in deutscher Orgeltabulatur, um 1664 (z. Z. Tübingen);
Leipzig, Städtische Musikbibliothek II. 2. 51 (3. Teil, um 1700).
Verschollen (in Klammern der Name des einstigen Besitzers):
Tabulaturbuch von G. V. Scharffe 1673 (E. L. Gerber; vgl. *Neues Lexikon*, Bd. IV, S. 71);
Tabulaturbuch von Georg Grobe 1675 (Organist Hildebrand in Sondershausen; vgl. Ritter, S. 174);
Klavierbuch von Georg Friedrich Händel 1698 (vgl. F. Chrysander, *G. F. Händel*, Bd. I,
Leipzig 1858, S. 42 f.).
[301] Diese Quelle ist von Seiffert (vgl. Anm. 311) als „Lowell Mason Kodex" bezeichnet worden,
Hedar (vgl. Anm. 312) nennt sie daneben auch „Yale-Handschrift". Da sich in der Library of the
Yale Music School noch weitere Handschriften mit Tastenmusik des 17. Jahrhunderts be-
finden (LM 4982, LM 4983; Ma. 21. H 59), von denen zwei aus der ehemaligen Bibliothek des
Lowell Mason stammen, empfiehlt es sich, zur Vermeidung von Verwechslungen den vorliegenden
Kodex (wie dies häufig bei älteren Tabulaturbüchern geschieht) nach den Initialen und der
Jahreszahl auf dem Einband zu betiteln. — Ausführliche Angaben über die Handschrift verdanke ich der Güte von Mr. Brooks Shephard, Jr., Bibliothekar an der Yale Music School in
New Haven (Conn.).
[302] Lt. Eintragung auf S. 228.
[303] Johannes Becker, der erste namentlich bekannte Eigentümer des Tabulaturbuches, wird zwar
in den meisten Lexika und Enzyklopädien des 19. Jahrhunderts (Gerber, *Lexicon der Tonkünstler* und *Neues Lexikon*; v. Apell, *Galerie der vorzüglichsten Tonkünstler . . . in Cassel*; G. Schil-

Conrad Herrstell (1764—1836) [304], nach dessen Tode es sein Sohn Adolf Herrstell am 6. Juni 1836 [305] dem bekannten Darmstädter Hoforganisten Christian Heinrich Rinck (1770—1846) schenkte. Rinck ist bekannt als Sammler älterer Musikwerke, vor allem Bachscher Kompositionen. Bei seinem Tode hinterließ er eine kostbare Bibliothek. Sie wurde im Juni 1852 [306] von dem amerikanischen Musikforscher Lowell Mason [307], der sich damals auf einer Studienreise in Deutschland befand, angekauft und blieb daher ein halbes Jahrhundert den deutschen Musikgelehrten unbekannt. 1873 — nach dem Tode Lowell Masons — gelangte dessen Bibliothek

---

ling, *Encyclopädie*; H. Mendel, *Musikalisches Konversations-Lexikon*; Eitner, *Quellenlexikon*; S. Kümmerle, *Encyclopädie der Evangelischen Kirchenmusik* u. a.) genannt, doch sind die Angaben über seinen Lebenslauf und über seine Beziehungen zu anderen Musikern jener Zeit recht dürftig und z. T. fehlerhaft. Hier seien auf Grund des erreichbaren Aktenmaterials (für die großzügige Überlassung zahlreicher Aktenexzerpte bin ich Herrn Staatsarchivrat i. R. Dr. Ewald Gutbier, Marburg, zu größtem Dank verpflichtet) und der literarischen Angaben die für unseren Zusammenhang wichtigen Tatsachen wiedergegeben.

Geboren am 1. September 1726 zu Epterode in Hessen (nach F. W. Strieder, *Grundlage einer Hessischen Gelehrten und Schriftsteller Geschichte* Bd. 7, Kassel 1787, S. 19 ff., gestützt auf Beckers eigene Angaben; die Lexika nennen sämtlich Helsa bei Kassel als Geburtsort) als Sohn eines Musiklehrers, erhielt Becker von früher Jugend an Musikunterricht bei verschiedenen Lehrern, von denen nur sein Kontrapunktlehrer, der damals berühmte Hofmusikus Johann Ernst Süß (über dessen Bekanntschaft mit Kirnberger berichtet M. Seiffert in VfMw V, S. 366) namentlich genannt wird. Becker war zunächst Lehrer in kleineren Orten, bis er 1759 als Lehrer an die Stadtschule in Kassel kam. 1761 wurde er Stadtorganist für St. Martin und für die Altstädter Kirche, 1764 dazu nach Aufgabe der Lehrerstelle an der Stadtschule fürstlicher Pagen-Schreib- und Rechenmeister. Seit 1766 unterrichtete er zugleich am Kollegium Karolinum. Im Jahre 1770 erhielt Becker das Amt des Hoforganisten und Instrumentisten, *das ihn verpflichtete, die Orgel in den protestantischen Hofgottesdiensten zu spielen, bei der „Tafel ... fleißig aufzuwarten und auf denjenigen Musikalischen Instrumenten, deren er kundig ...", zu musizieren und die fürstlichen Instrumente zu beaufsichtigen.* Da der von 1760—1785 regierende Landgraf Friedrich II. zum katholischen Glauben übergetreten war, unterhielt er für seinen Privatgebrauch eine katholische Hofkapelle mit einem eigenen Organisten (vgl. H. Kummer, *Beiträge zur Geschichte ... der Musik ... zu Kassel ... 1760—1822,* Diss. Frankfurt/M 1923). Dieses Amt eines katholischen Hoforganisten bekleidete seit 1773 Johann Christoph Kellner (gest. 1803), der Sohn des als Kopist Bachscher Werke bekannten Johann Peter Kellner (1705—1772) aus Gräfenroda (Thüringen). Die von Becker nach 1779 auf den leeren Seiten des Kodex E. B. eingetragenen Kompositionen stammen — soweit ihre Urheber identifiziert werden konnten — von J. S. Bach und J. Ph. Kirnberger. Vielleicht hat Kellner jr. seinem Kollegen die Vorlagen für die Abschriften der Bach-Werke aus dem Nachlaß seines Vaters zur Verfügung gestellt. Über die sonstige Sammlertätigkeit Beckers oder über irgendwelche Beziehungen zu den Bach-Söhnen oder zu den bekanntesten Sammlern Bachscher Werke ist nichts zu ermitteln.

Neben den vielseitigen Aufgaben seiner verschiedenen Ämter entfaltete Becker eine rege Tätigkeit als Orgelgutachter für die ganze Landgrafschaft Hessen-Kassel sowie als Lehrer einer großen Zahl von Schülern, unter denen Christian Kalckbrenner, Georg Christoph Grosheim und sein Nachfolger Joh. Conrad Herrstell die bedeutendsten waren. Am 24. 12. 1800 erhielt Becker den Titel Musikdirektor. Er starb am 1. Juli 1804 (nicht 1803, wie sämtliche Lexika angeben). [304] Johann Conrad Herrstell, geboren 1764 in Helsa bei Kassel, war zehn Jahre lang Beckers Schüler und wurde 1797 Organist an der Oberneustädter Kirche in Kassel. Daneben unterrichtete er am Lehrerseminar. Gleichzeitig mit Beckers Ernennung zum Musikdirektor (24. 12. 1800) wurde ihm Herrstell als Adjunkt „cum spe succedendi" beigegeben, der nach dem Tode seines Lehrers (1. Juli 1804) dessen Ämter als Hoforganist und Aufseher über die Musikinstrumente erhielt, daneben auch die Aufgaben Beckers als Orgelgutachter und Orgellehrer übernommen zu haben scheint. Die *Allgemeine musikalische Zeitung* 1810 (S. 574 f., 597 f.) bezeichnet ihn als den besten Orgelspieler in Kassel (Kummer, a. a. O. S. 97). Er starb am 11. März 1836 (Quellen vgl. Anm. 303). [305] Lt. Eintragung auf dem Vorsatzblatt; Adolf Herrstell war Organist an der Altstädter Kirche in Kassel. [306] Lt. Aufdruck auf der Rückseite des 1. Blattes. [307] S. Artikel *Lowell Mason* in Grove, *Dictionary* [5]1954.

durch Schenkung in den Besitz der Yale University in New Haven (Connecticut)[308]. Erst im Jahre 1904 erfuhr man in Europa durch O. G. Sonneck[309] von dem Vorhandensein des Rinckschen Nachlasses in New Haven. Nähere Angaben, auch einen Hinweis auf den vorliegenden Kodex brachte 1913 der Artikel *Music Libraries* in der 2. Auflage von Groves *Dictionary*. Die erste Quellenbeschreibung verfaßte daraufhin Fritz Berend in einer Studie über Nikolaus Adam Strunck in demselben Jahre[310]. Er vertrat die Ansicht (gestützt auf die Meinung des an den Untersuchungen beteiligten damaligen Universitätsbibliothekars in New Haven, J. C. Schwab), Strunck sei der Schreiber des älteren Teiles der Handschrift gewesen, da die Schriftzüge der Textbeischriften denen anderer erhaltener Eigenschriften Struncks (keine Noten!) ähnlich seien. Demgegenüber führte ein von Max Seiffert[311] durchgeführter Vergleich mit Schriftstücken Struncks aus dem Hannoverschen Staatsarchiv zu dem Ergebnis, daß Strunck nicht als Schreiber gelten könne. Außerdem hätte sich — nach Seifferts Meinung — ein Musiker vom Range Struncks nicht derart zahlreiche Schreibversehen zuschulden kommen lassen, wie sie der Kodex aufweist. Seiffert vermutete jedoch — auf Grund des Repertoires — einen Schüler Struncks als Schreiber, der nach Vorlagen aus Struncks Besitz das Buch zusammengestellt habe[312].

Beschreibung:

Der Einband des Kodex (33,5 x 23 cm) ist aus braunem Kalbsleder, der Rücken ist mit einem Goldmuster versehen. Auf dem Vorderdeckel sind außen die Initialien *E. B.*, auf dem hinteren Deckel ist die Jahreszahl *1688* mit Gold eingeprägt. Das Papier (ursprünglich — abgesehen von den Ansetzblättern der Einbanddeckel — 172 Bll. fol.) ist in 21 Lagen von jeweils 2—6 Bogen Umfang eingeteilt. Die Paginierung ist von neuerer Hand und reicht nur bis S. 228. Bis S. 124 hat das Papier stets dasselbe, jedoch undefinierbare Wasserzeichen, mit S. 125 beginnt eine andere, etwas dünnere Papiersorte, bis S. 228 ohne Wasserzeichen, hinter S. 228 mit einem Wasserzeichen, das aus einem Fleur-de-lis von ca. 7 cm Umfang und den darunterstehenden Initialien *I. C. B.* von 2 cm Höhe besteht.

Auf dem Vorsatzblatt steht von der Hand Chr. H. Rincks: *„Dieses Buch wurde mir zum Andenken von A. Herrstel Organist in Cassel gemacht d. 6. Juni 1836 gesandt."*

Die Seiten 1—227 enthalten Tastenmusik aus dem 17. Jahrhundert, geschrieben durchgehend von einer Hand, anscheinend stets mit derselben schwarzen Tintensorte (außer den Seiten 170—171, wo die Tinte bräunlich gefärbt ist). Der Schreiber benutzte verschiedene Federn, so daß es oft den Anschein hat, als sei eine andere Hand mit beteiligt gewesen, was sich jedoch bei näherer Betrachtung als ein Irrtum erweist. Die Handschrift[313] ist ausgeprägt und

---

[308] Lt. Aufdruck auf der Innenseite des Vorderdeckels.
[309] *Nordamerikanische Musikbibliotheken* in SIMG V (1913) S. 331.
[310] F. Berend, *Nicolaus Adam Strunck 1640—1700. Sein Leben und seine Werke* . . ., Diss. München 1913, S. 191 ff.
[311] *Dietrich Buxtehudes Werke für Orgel*, Ergänzungsband zur Ausgabe v. Ph. Spitta, hrsg. von M. Seiffert, Leipzig 1939 S. VII; weitere Neuausgaben von Seiffert nach dem vorliegenden Kodex in Organum IV, Heft 18 (Kuhnau) und 19 (Strunck).
[312] Auf Seifferts Ergebnissen fußt die jüngste Beschreibung der Handschrift durch Josef Hedar, *Dietrich Buxtehudes Orgelwerke*, Stockholm 1951, S. 15 ff.; auch für seine neue Gesamtausgabe der Orgelkompositionen Buxtehudes benutzte Hedar den Kodex als Vorlage.
[313] Besondere Kennzeichen des Schreibers sind (vgl. hierzu Tafel IV):
a) die dicke, geschwungene Balkung der Sechzehntel- und Zweiunddreißigstel-Noten;
b) die zunächst rechtwinkelig angesetzte, dann im Bogen fortgeführte Form des Achtel-

fähnchens ♪ ♫;

c) der Halsansatz stets rechts vom Notenkopf, besonders bei den halben Noten.
Die Schrift hat bis S. 63 einen schwungvollen, in den Beischriften etwas verschnörkelten Duktus. Im folgenden Abschnitt (bis S. 77) sind die Noten kleiner und dünner, bei den Überschriften fehlen die Schnörkel. Späterhin sind die Schriftzüge oftmals denen des Anfangsabschnittes ähnlich. Zunächst will es scheinen, als seien zwei Schreiber an der Niederschrift beteiligt gewesen.

gut leserlich, doch nicht immer einheitlich; auch scheint die Niederschrift häufig in großer Eile vor sich gegangen zu sein, wie die zahlreichen Auslassungen und Flüchtigkeitsfehler zeigen, die selten korrigiert sind. Eine spätere Hand (vielleicht aus dem 18. Jahrhundert) hat mit Bleistift zahlreiche Korrekturen und Zusätze eingetragen [314].

Der ältere Teil der Handschrift, der mit Ausnahme der Seiten 172 (Schluß der VIII. Papierlage), 220 (Schluß der X. Lage) und 221 (Anfang der XI. Lage) fortlaufend beschrieben ist, endet auf S. 227. Auf der folgenden, nicht mit Notenlinien versehenen Seite 228 steht die sorgfältig und verschnörkelt geschriebene Bemerkung:

„*Vorstehendes / habe in einer Auction gekaufft, und das / Folgende habe ich zusammen getragen. / 1776 gekauft und 1779 das folgende anfang / Cassel d. 21t. Jan: 1779 / J Becker*"

Ein Hinweis auf den Ort der Versteigerung und den früheren Besitzer ist leider nicht vorhanden. Es folgen auf den nächsten (nicht paginierten) Seiten die Noteneintragungen von Beckers Hand, die bis S. (279) reichen, wovon jedoch die ersten 7 Bll. herausgeschnitten und verlorengegangen sind. Das folgende Blatt — enthaltend den Schluß (13 Takte) eines dreistimmigen Vorspiels zu dem Kirchenlied „Komm, Heiliger Geist, Herre Gott" — ist dabei mit eingeschnitten worden. Die letzten 65 Seiten des Kodex hinter Beckers Eintragungen sind leer. Die von Becker aufgeschriebenen Stücke werden bei den weiteren Betrachtungen außer acht gelassen [315].

---

So findet man auch zwei verschiedene Formen des Baßschlüssels. Die erste &#x1D122; wird vom Anfang bis S. 47, auf S. 48 nur im Nachtrag, dann von S. 49 bis 75 gebraucht, die zweite &#x1D122; -nz nächst nur auf S. 47 f., dann aber von S. 76 bis zum Schluß. Nur auf S. 159 kommt in der 3. Zeile noch einmal die erste Form vor. Die Tatsache, daß hier beide Schlüsselformen innerhalb desselben Stückes auftreten, beweist, daß sie von demselben Schreiber angewendet wurden. Die Veränderung der Schriftzüge im Laufe der Niederschrift mag eine Folge der Benutzung verschiedener Federn sowie der wahrscheinlich in größeren zeitlichen Abständen erfolgten Eintragungen gewesen sein.

[314] Vorwiegend handelt es sich um das Zeichen *NB* (verschlungen), z. B. auf den Seiten 8 (Zeile 4), 11 (Z. 2), 19 (Z. 4), 30 (Z. 6), 32 (Z. 6), 117 (Z. 4), 120 (Z. 1), 129 (Z. 1 und 2), 183 (Z. 1), ferner um Ergänzungen und Korrekturen in der Form von Notenzeichen oder Tonbuchstaben, z. B. auf den Seiten 4 (4. Zeile), 19 (Z. 4), 78 ff. (sehr häufig) 94 (Z. 1 und 5). Auch einige Zusätze bei den Titeln sind später hinzugefügt worden (vgl. das Inhaltsverzeichnis der Quelle auf S. 106 ff.). Noch jüngeren Datums scheinen einige Bleistifteintragungen zu sein, die Bemerkungen zu den Titeln enthalten, so die Notiz „*Steht in Tabulatur in F*" auf S. 113, der Name „*H. Buttstett*" auf S. 142 und zwei nicht zu entziffernde Eintragungen auf S. 92 und S. 100.

[315] Es handelt sich um die folgenden Stücke:
1. Choralbearbeitung „Komm Heiliger Geist Herre Gott", dreistimmig (nur die letzten 13 Takte, das Vorhergehende entfernt)
2. *Praeludium con Fuga Cdur di Sebastian Bach* (BWV 547);
3. *Praeludium pedaliter pro Organo — Fuga* (BWV 548);
4. *Inventio di Kirnberger*
5. *Fugetta*
6. *Men: con Variationi*
7. *Praeludium* (Fragment)
8. *Fuga a 3 Voc.*
9. *Allegro Prestissimo* (Kirnberger)
10. *Praeludium* (BWV Anh. 112)
11. *Fuga à 3 in modo Phrygio*
12. *Praeludium*

Gliederung des Inhaltes und Notation:

Der ältere Teil des Manuskriptes gliedert sich in drei Abschnitte:

I.—VIII. Lage (S. 1—172; die letzte Seite nicht beschrieben): Tastenmusik verschiedener Gattungen und von verschiedenen Meistern (vermischt) in französischer Orgeltabulatur [316];

IX.—X. Lage (S. 173—220; die letzte Seite nicht beschrieben): 2 Ricercari und 7 Capricci von N. A. Strunck in Partitur (4 Systeme) [317];

XI. Lage (S. 221—228; die erste Seite nicht beschrieben) [318]: Toccata von Bernardo Pasquini in französischer Orgeltabulatur.

Im einzelnen bemerkenswert ist die Verwendung des Kolor und der alten Art der weißen Notation auf S. 55 ff. [319]. Vielfach problematisch ist die Akzidentiensetzung, oft ergeben sich Diskrepanzen zwischen der allgemeinen Vorzeichnung und den einzelnen Akzidentien. Dies könnte z. T. daher rühren, daß manche Stücke aus Vorlagen in deutscher Orgeltabulatur übertragen worden zu sein scheinen.

Daß es sich bei dem vorliegenden Kodex um eine Gebrauchshandschrift handelt, zeigen besonders die spielpraktischen Anweisungen. Tempo- bzw. Ausdrucksbezeichnungen kommen nur an wenigen Stellen vor [320], daneben findet man gelegentlich Artikulationsangaben [321]. Auch Fingersätze und Pedalvorschriften sind vorhanden [322]. Verzierungen findet man verhältnismäßig selten [323].

---

[316] Die Schlüsselvorzeichnung ist in der Regel der Diskantschlüssel für das obere, der Baßschlüssel für die untere System. Gelegentlich wird auch der Violinschlüssel im oberen System gebraucht (S. 37, 54 f., 222), während im unteren System des öfteren Schlüsselwechsel vorkommt. Der Spielanteil der Hände ist nicht getrennt. In einem Falle (S. 81—83; Übertragung einer Triosonate) ist die Pedalstimme gesondert unter dem unteren System in Buchstabentabulatur aufgezeichnet (vgl. Anm. I 158).

[317] Auch durch die Sorgfalt und Korrektheit der Niederschrift sticht dieser Teil des Kodex von den übrigen ab.

[318] Die Paginierung dieser letzten Seiten scheint wieder von einer anderen Hand zu stammen.

[319] S. o. S. 41; auch die altertümliche Taktvorzeichnung $\frac{16}{24}$ bzw. $\frac{8}{6}$ zur Bezeichnung des geraden Taktes nach vorhergehendem Triolenrhythmus ($\frac{24}{16}$ bzw. $\frac{6}{8}$ kommt gelegentlich vor (S. 5 f.; S. 59).

[320] Z. B. in Nr. 51 (S. 77) und Nr. 92 (S. 201) *Adagio* jeweils für die Schlußkadenz. Bei den mehrteiligen Kompositionen der norddeutschen Meister haben die einzelnen Abschnitte zuweilen Tempovorschriften (*Allegro* auf S. 120 und S. 139; *Adagio* auf S. 132 und S. 154; *Presto* und *Lento* auf S. 151). Ähnlich verhält es sich mit der Toccata Nr. 3, doch rechnet dieses Stück gleichzeitig zu den Programm-Kompositionen, in denen man ebenfalls einige derartige Angaben findet (*adagio modo* auf S. 32; *Lagreable* auf S. 26). Die bei den zum *Stylus fantasticus* (s. o. S. 24 f.) gehörigen Werken oft angewandte Vorschrift *Avec discretion* steht in dem vorliegenden Kodex nur einmal (S. 21).

[321] Die Toccata Nr. 3 hat auf S. 3 (Zeile 3) die Vorschrift arp: (desgl. auf S. 162 in Nr. 77); auf S. 10 (Z. 3) ist ein Abschnitt *Spicato* überschrieben, bei dem die Zweiunddreißigstel-Figuren mit Bögen versehen sind. Ähnliche Bogensetzungen findet man bei Nr. 5 (S. 12 f.), Nr. 16 (S. 26), Nr. 17 (S. 27 f.) und Nr. 52 (S. 79 ff.).

[322] Auf S. 159 über den ersten Noten des Fugensubjektes (Nr. 76) und auf S. 106 oben im 2. und 3. Takt, wo auch die Verteilung der Hände genau angegeben ist. Die Pedalvorschriften sind nicht immer eindeutig. Abgesehen von der in Anm. 316 erwähnten obligaten Pedalstimme von Nr. 53 findet sich auffallenderweise eine Pedalvorschrift innerhalb des Programmstückes Nr. 52. Eine genauere Bezeichnung der Pedaleinsätze haben nur Nr. 67 (hier fehlt in der Überschrift die Angabe ped:) und Nr. 74. Beide Stücke zeichnen sich auch dadurch aus, daß die Stimmführung in den fugierten Abschnitten an unübersichtlichen Stellen durch Striche gekennzeichnet ist. Im übrigen haben einige Kompositionen am Anfang die Vorschrift ped: (Nr. 54, 55, 68, 73), dazu einige Angaben im Verlauf des Notentextes (S. 124, 134, 142, 146). Keine generelle Pedalvorschrift, aber vereinzelte Hinweise (*Pedaliter, Ped:*) innerhalb des Notentextes findet man bei Nr. 71 (S. 134) und Nr. 72 (S. 139; kurz darauf wieder *Man:*). Für

Datierung und Lokalisierung:

Die auf der Rückseite des Einbandes eingepreßte Jahreszahl 1688 gibt wahrscheinlich den Zeitpunkt des Einbindens an. Innerhalb des ersten Abschnittes der Handschrift finden sich folgende Datierungen:

S. 126 *Praeambulum ex E Sig: Jacobus Bölsche Org: ad Bürge Dorff 1683 Pedaliter.*

S. 142 *Toccata Sigre. Box de Hude ex D ped: 1684.*

Jakob Bölsche war aber nur bis 1669 in Burgdorf als Organist tätig, er starb als Organist in Braunschweig im Jahre 1684 [324]. Vermutlich hat also der Schreiber die Angabe „*Org: ad Bürge Dorff*" einer älteren Vorlage entnommen und die Zahl 1683 als Zeitpunkt für die eigene Niederschrift hinzugefügt. Ähnlich wird es sich auch bei dem anderen Datum verhalten.

Demgegenüber stammen im zweiten Abschnitt (S. 173—220) die den Stücken von N. A. Strunck beigefügten Daten (s. u.) zweifellos ursprünglich vom Komponisten, da sie nicht chronologisch aufeinanderfolgen. Das erste Stück (S. 173 ff.) trägt das späteste Datum (8. Juli 1686), demnach muß der ganze Komplex nach diesem Zeitpunkte niedergeschrieben worden sein, d. h. also wohl spätestens im Jahre 1688, da dieser Abschnitt des Kodex als bereits fertiges Manuskript beim Binden mit eingefügt worden zu sein scheint [325].

Einen weiteren Anhalt für die Datierung bietet die auf S. 78 ff. notierte *Wienerische Lamentation*, ein suitenartiges Programmstück, dessen einzelne Sätze die Türkenbelagerung Wiens im Jahre 1683 schildern. Da diese vom Juli bis September des Jahres dauerte, kann die Eintragung in den Kodex frühestens im Juli 1683 erfolgt sein. Somit sind die Seiten 78 bis mindestens 126 (im Höchstfalle bis S. 141) in der zweiten Hälfte des Jahres 1683 beschrieben worden. Die Eintragungen auf den Seiten 1—77 sind demnach — wahrscheinlich in größeren Abständen, worauf äußerlich etwa die Veränderungen der Schriftzüge [326] hindeuten — bis spätestens Juli 1683 vorgenommen worden; die Stücke hinter der datierten Toccata auf S. 142 wurden während des Jahres 1684 oder später niedergeschrieben.

Die Frage, ob einige der letzten Stücke erst nach dem Binden eingetragen wurden, läßt sich nicht eindeutig beantworten. Der Komplex mit den Strunck-Kompositionen ist ja — wie oben gezeigt wurde — wahrscheinlich für sich geschrieben worden. Es ist daher durchaus möglich, daß die Blätter der voraufgehenden (sechs Bogen umfassenden) Papierlage (S. 149—172) noch nicht voll beschrieben waren, als der Kodex gebunden wurde. Die letzte Seite ist gänzlich frei geblieben, während das auf die voraufgehenden Seiten notierte Stück (S. 170—171) mit einer sonst in der Handschrift nicht vorkommenden Tintensorte geschrieben wurde. Auch die auf den Strunck-Komplex folgende Toccata von B. Pasquini kann nach dem Binden eingetragen worden sein. Die Sammlung sollte beträchtlich erweitert werden, da der Band noch über hundert leere Seiten enthält.

Die Niederschrift der ersten Stücke des Kodex kann man auf das Ende der siebziger oder auf den Beginn der achtziger Jahre des 17. Jahrhunderts ansetzen, jedoch nicht vor das Ende des Jahres 1676, weil die *Toccata fatta sopra la Cassedio di Filipsburgo* frühestens im November jenes Jahres komponiert wurde [326a]. Im wesentlichen scheint also das ganze Manuskript im Laufe

---

Nr. 70 wird am Anfang ausdrücklich *Manual:* gefordert, hingegen haben Nr. 2 und Nr. 56, die sich ohne Pedal nicht spielen lassen, gar keine Pedalvorschrift. Hieraus mag man ersehen, wie wenig der Schreiber Gewicht auf die genaue Bezeichnung legte, da die Spielweise sich nach den technischen Voraussetzungen des jeweils benutzten Instrumentes zu richten hatte und deshalb nicht generell festgelegt werden konnte (s. o. S. 20).

[323] Bis S. 39 bedient sich der Schreiber nur des Zeichens //, von S. 47—78 nur des *tr*, von S. 106 bis 169 verwendet er beide Zeichen, dazu in Nr. 59 auch $\sim\!\!\sim$, während bei den Struckschen Kompositionen wieder nur *tr* (bzw. auf S. 198 *trillo*) gesetzt ist.

[324] Vgl. Walther, *Lexicon*, S. 99.

[325] Dies beweist die Tatsache, daß dieser gerade zwei Papierlagen umfassende Teil durch leere Seiten von den übrigen Eintragungen getrennt ist.

[326] Vgl. Anm. 313.

[326a] S. u. S. 160 f.

des Jahrzehntes von 1680 bis 1690 angefertigt worden zu sein. Eine nähere Betrachtung des Inhaltes und der Veränderungen der Schriftzüge im Laufe der Niederschrift legt die Vermutung nahe, daß mehrere Abschnitte (z. B. S. 1—63, S. 81—104, S. 109—115 und S. 117—159) ziemlich zusammenhängend und womöglich jeweils nach einer oder zwei Quellenvorlagen geschrieben wurden [327].

Die Person des Schreibers läßt sich weder aus dem Monogramm E. B. noch aus anderen Merkmalen identifizieren. Die Notierung des größten Teiles der Handschrift in französischer Orgeltabulatur schließt aller Wahrscheinlichkeit nach einen Norddeutschen aus [328], dialektbedingte Namensschreibungen [329] lassen die Herkunft aus dem thüringisch-sächsischen Raum vermuten. Bestätigt wird dies durch die Tatsache, daß der Schreiber den Namen der norddeutschen Meister sowie denen Pogliettis und Pasquinis den Ort ihres Wirkens und z. T. auch die Amtsbezeichnung beigefügt hat, wohl deshalb, weil sie ihm nicht näher bekannt waren [330], während bei den mitteldeutschen Komponisten Pachelbel, Krieger, Kuhnau lediglich die Namen (nicht einmal immer die Vornamen) angegeben sind, obwohl diese Meister zur Zeit der Niederschrift des Manuskriptes noch nicht allgemein bekannt gewesen sein dürften. Daß sich einige Stücke dieser Meister im vorliegenden Kodex befinden, die später in anderen Fassungen im Druck erschienen [331], kann als Beweis für direkte Beziehungen des Schreibers zu deren Urhebern gelten.

Der Schreiber des Kodex muß ein gutes musikalisches Urteilsvermögen und eine im Vergleich zu den Schreibern anderer erhaltener Quellen ungewöhnliche Literaturkenntnis besessen haben. Die in der Handschrift vertretenen Komponisten stammten aus fast allen Teilen des Reiches. Mehrfach sind allerneueste Kompositionen aufgezeichnet worden, die der Schreiber nur aus persönlichen Verbindungen oder aus Quellen erster Hand bezogen haben kann. In dieser Hinsicht überragt der Kodex E. B. 1668 alle anderen aus dieser Zeit überlieferten Handschriften.

Inhalt: siehe nächste Seite [332]:

---

[327] S. 1—63: Wiener Meister; S. 81—104: norddeutsche Meister; S. 109—115: Johann Krieger; S. 117—139: norddeutsche Meister.

[328] Aus dem norddeutschen Raum sind aus dem 17. Jahrhundert nur Handschriften in Notenpartitur, in englischer Orgeltabulatur (selten, vgl. Anm. I 154), hauptsächlich aber in deutscher Orgeltabulatur (bis weit ins 18. Jahrhundert hinein; s. o. S. 33 f.) überliefert.

[329] *Box de Hude*, *Box de H.*, *Box de Hou* statt Buxtehude; *Libek* statt Lübeck; *Bachelbel* statt Pachelbel.

[330] Die falschen Autorenzuweisungen verstärken diese Vermutung; vgl. das Konkordanzenverzeichnis auf S. 106 ff.; man beachte, daß M. Radek einmal als *Org: Hamburg* (Nr. 69), das andere Mal als *in Coppenhagen Org:* bezeichnet wird.

[331] Nr. 63, 76, 85.

[332] Der vorliegende Kodex bietet hinsichtlich der Konkordanzen- und Echtheitsnachweise eine Reihe von Problemen, die jeweils im Zusammenhang mit den Quellenüberlieferungsfragen bei den einzelnen Meistern behandelt werden. Daher werden nur solche Fragen, die dort keine Berücksichtigung finden können, in den folgenden Anmerkungen erwähnt.

| Nr. | Seite | Titel in der Handschrift | Konkordanzen [334] |
|---|---|---|---|
| 1 | 1 | *Toccata di Sign. A l e x. P o g l i e t t i Org: di S. M. Caes:* | G i r o l a m o F r e s c o b a l d i, *Il secondo libro di toccate...*, ed. pr. 1627 [335]: *Toccata Terza Per l'Organo da sonarsi alle levatione* |
| 2 | 4 | *Toccata Sign. A : P o g l i e t t i* | a) J. K. K e r l l, *Subnecto initia...* (Anhang zur *Modulatio Organica*, 1686): *Toccata 6ª* (Inzipit) |
|   |   |   | b) Berlin, Bibl. der ehem. Hochschule für Musikerziehung und Kirchenmusik Ms. 5270 [336]: *Toccata VI* (anonym) |
| 3 | 7 | *Toccata fatta sopra Cassedio di Filipsburgo di Sign. A l e x. P o g l i e t t i Org: di S. M. Caes:* | |
| 4 | 12 | *Toccata de A l e x. P o g l i e t t i* [2 Takte Noten] *etc. ist schon da* | = Nr. 1 |
| 5 | 12 | *Capricio Sign: A. P o g l i e t t i Über das Hannergeschreij* | Graz, Bibl. Ferd. Bischoff, Ms. ohne Signatur [337], Nr. 6 *Capriccio Vber das Hennengeschreij* |
| 6 | 15 | *Capricio Über die Nachtigal od. Rosignol Sig. A l e x. P o g l i e t t i* | a) Wien, Österreichische Nationalbibliothek Cod. 19 248 (Autograph) |
|   |   |   | b) Berlin, Deutsche Staatsbibliothek Mus. ms. 17 670 (z. Z. Marburg) |
|   |   |   | c) Stift Kremsmünster, Regenterei L 146 [338], S. 121 (Inzipit) |
| 7 | 17 | *Una Partia Suittes Nachtigall Alemand. Sing: A l e x. P o g l i e t t i* | a) Quelle s. Nr. 6 a) |
|   |   |   | b) Quelle s. Nr. 5 |
|   |   |   | c) Kremsier, Mauritius-Archiv, fragmentarisches Manuskript |
|   |   |   | d) Quelle s. Nr. 6 b) |
| 8 | 18 | *Double* | Quellen s. Nr. 7 |
| 9 | 19 | *Double 2.* | a) Quelle s. Nr. 6 a) |
|   |   |   | b) Quelle s. Nr. 5 |
|   |   |   | c) Quelle s. Nr. 6 b) |
| 10 | 21 | *Courand. Avec discretion.* | Quellen s. Nr. 6 |
| 11 | 22 | *Double* | Quellen s. Nr. 6 a) und b) |
| 12 | 23 | *Saraband* | Quellen s. Nr. 6 a) und b) |
| 13 | 23 | *Double* | Quellen s. Nr. 6 a) und b) |
| 14 | 24 | *Gigue* | Quellen s. Nr. 6 a) und b) |
| 15 | 25 | *Double* | Quellen s. Nr. 6 |

[333] Angaben in runden Klammern sind spätere Zusätze.

[334] Die Titel der Stücke sind nur dann genau angegeben, wenn sie von der Fassung im Kodex E. B. stark abweichen und ein anderer Autor genannt ist.

[335] Die Abweichungen der vorliegenden handschriftlichen Fassung vom Druck sind nicht erheblich und bestehen meistenteils in Flüchtigkeitsfehlern. Völlig verderbt sind die Schlußtakte. An einigen Stellen wurden die Akkorde durch zusätzliche Töne aufgefüllt, an anderen ist die Harmonik durch Akzidentienänderungen geglättet, bei den Kadenzen die Rhythmik vereinfacht worden.

[336] S. o. S. 78 f.

[337] S. u. S. 147.

[338] S. o. S. 80 ff.

| Nr. | Seite | Titel in der Handschrift | Konkordanzen |
|---|---|---|---|
| 16 | 26 | *Imitation di Nactigall Lagreable* | Quellen s. Nr. 6 |
| 17 | 27 | *Una altra Capricio di Nachtigall* | Quelle s. Nr. 6 a) |
| 18 | 29 | *Canzon Sign: A l e x .   P o g l i e t t i   Teutsch Trommel* | J. S p e t h , *Ars Magna Consoni et Dissoni*, Augsburg 1693: *Versus 3tius* des *Magnificat Quinti Toni* (vereinfacht und verkürzt) |
| 19 | 32 | *Franzoik Trommel adagio modo* | |
| 20 | 33 | *Praeludium*[339] | |
| 21 | 34 | *Allemand* | andere Fassung (anonym): Wien, Musikarchiv des Minoritenkonventes XIV 731 fol. 4ᵛ *Allamand* |
| 22 | 34 | *Double* | |
| 23 | 35 | *Courante* | |
| 24 | 36 | *Sarabanda* | |
| 25 | 36 | *Gigue* | |
| 26 | 37 | *Capricietto Sopra il Cu Cu* | |
| 27 | 38 | *Allemande La Bravade di A l e x . P o g l i e t t i* | |
| 28 | 38 | *Courante* | |
| 29 | 39 | *Sarabanda* | |
| 30 | 40 | *Binder Gigue* | Quelle s. Nr. 6c), S. 109 (Inzipit) |
| 31 | 40 | *Allemand di A l. P o g l.:* | |
| 32 | 41 | *Double* | |
| 33 | 42 | *Courant* | |
| 34 | 43 | *Saraband* | |
| 35 | 43 | *Saraband* | |
| 36 | 43 | *Gigue* | |
| 37 | 44 | *Toccata 1. Toni* | J. K. K e r l l , *Toccata 1.ᵐᵃ*, Quellen s. Nr. 2 |
| 38 | 47 | *Praelud ex G♮ di J o h : K u h n a u* | |
| 39 | 49 | *Toccata* | a) Quelle s. Nr. 2a): J. K. K e r l l , *Toccata 8ᵛᵃ* b) Quelle s. Nr. 2b): *Toccata VIII* (anonym) c) New Haven (Conn.), Library of the Yale Music School Ma. 21. H 59[340] Nr. 4 *Toccata J: C K* d) Berlin, Deutsche Staatsbibliothek Mus. ms. 40335 (z. Z. Marburg) Nr. 1 (Fragment: T. 1—22 mit Titel fehlen) |
| 40 | 52 | *Toccata*[341] | |
| 41 | 54 | *Toccata* | |
| 42 | 55 | *Ciaccona del Sig.ʳᵉ J o h . G a s p a r o K e r l l* | Quellen s. Nr. 2 und Wien, Musikarchiv des Minoritenkonventes XIV 682 (Inzipit) |
| 43 | 58 | *Toccata di B a r t h . W e i s t h o m a*[342] | |

[339] Nr. 20—26 gehören offensichtlich zusammen, desgl. Nr. 27—30 und Nr. 31—36.
[340] S. o. S. 93 ff.
[341] Nr. 40 und 41 sind kürzere Stücke, anscheinend süddeutscher Herkunft.
[342] Vgl. Anm. 274.

| Nr. | Seite | Titel in der Handschrift | Konkordanzen |
|-----|-------|--------------------------|--------------|
| 44 | 60 | *Fuga* | Johann Erasmus Kindermann: *Fuga* (Nr. 20) in *Harmonia Organica* (1645)[343] |
| 45 | 61 | *Ricercar* | = Nr. 49 |
| 46 | 64 | *Praelud. H. Böhme (Churf. Ss. Hoff Organist*[344]*)* | den fugierten Satz ohne Praeludium enthalten folgende Quellen unter dem Namen Johann Pachelbel:<br>a) Berlin, Deutsche Staatsbibliothek Mus. ms. 30021<br>b) ebenda Mus. ms. 16485<br>c) München, Bayer. Staatsbibliothek Ms. 1177<br>d) München, ehem. Privatbibliothek von Prof. Dr. A. Sandberger, Ms. von der Orgel der Nürnberger Sebalduskirche |
| 47 | 66 | *Praelud*[ium] *Bachelbel* | die zugehörige Fuge allein:<br>a) Mylau (Vogtland), Kirchenarchiv, *TABULATUR / Buch / 1750* S. 12 *Fuga ex C♮* (46 Takte; anonym)<br>b) Berlin, Deutsche Staatsbibliothek Mus. ms. 38111 (z. Z. Marburg) S. 2 *Fuga* (53 Takte; anonym; davor ein anonymes *Praeludium*, das in anderen Quellen Pachelbel zugeschrieben wird) |
| 48 | 69 | *Praelud*[ium] *B.* | |
| 49 | 70 | *Ricercar* | = Nr. 45 |
| 50 | 73 | *Ricercar* | a) Berlin, Bibl. der ehem. Hochschule für Musikerziehung und Kirchenmusik, Ms. (45 Bll) *Frobergers Fugen und Capricen* (um 1690)<br>b) Berlin, Deutsche Staatsbibliothek Mus. ms. 6715 (z. Z. Marburg)<br>c) ebenda Mus. ms. 6715/1 (z. Z. Marburg)<br>d) ebenda Mus. ms. 30142<br>e) ebenda AmB. 434[345]<br>f) Quelle s. Nr. 47 a) S. 21 *Fuga alla brev:* (Fragment von 129 Takten, in Verbindung mit einem *Praeludium ex C♮* G. E. Pestell, Fuge ohne Autorbezeichnung) |

[343] Die handschriftliche Fassung stimmt mit der in deutscher Orgeltabulatur notierten Druckfassung (vgl. DTB 21—24, S. 17) fast völlig überein.

[344] Nach Walther, *Lexicon*, S. 98, war Johann Christian (sic) Böhme 1682 Vize-Organist, bald darauf *„würcklicher Hof- und Cammer-Organist"* in Dresden, gestorben 1699.

[345] Die Quellen a)—e) enthalten sämtlich die gleichen Stücke von Froberger.

| Nr. | Seite | Titel in der Handschrift | Konkordanzen |
|-----|-------|--------------------------|--------------|

| 51 | 76 | Praeludium alla breve Sig: J o h. K u h n a u | die zugehörige Fuge allein: Quelle s. Nr. 47 a) S. 158 Fuga ex B. K r ü g e r |
| 52 | 78 | Sigr. [undefinierbare. verschlungene Initialen] Wienerische Lamentation[346] | |
| 53 | 81 | Sonata â 2 Clavir Pedal: (B o x  d e  H o u) | |
| 54 | 84 | Praeludium D. B o x  d e  H u d e (Org. Libeck) | Die ersten drei Takte in Matthesons Capellmeister, S. 89 Anfang einer Toccate von F r o b e r g e r |
| 55 | 88 | Praeambulum di Sig. D. B o x  d e  H[ude] Ped: | |
| 56 | 92 | Praeludium del Sig. D.B o x  d e  H. | a) Lund, Universitätsbibliothek W. Litt. N 5 b) Berlin, Deutsche Staatsbibliothek Mus. ms. 2681 (z. Z. Marburg) c) ebenda Mus. ms. 2683 (z. Z. Marburg) d) ebenda Mus. ms. 2681/1 (z. Z. Marburg) e) ebenda AmB. 462 f) ebenda AmB. 430 g) Berlin, Bibl. der ehem. Hochschule für Musikerziehung und Kirchenmusik Ms. 1476 |
| 57 | 100 | Canzon Sig. D. B o x  d e  H. | Der Mittelteil allein: Berlin, Deutsche Staatsbibliothek Mus. ms. 40 268 (z. Z. Marburg) |
| 58 | 105 | Toccata. di A l e x a n d e r  P o g l i e t t i | a) Quelle s. Nr. 2 a): J. K. K e r l l : Toccata 5. a b) Quelle s. Nr. 2 b): Toccata V (anonym) c) Leipzig. Städtische Musikbibliothek II. 2. 51, 2. Teil, Bl. 16 Tucata tutta de salti del Sig: G i o v. C a s p a r  C h e r l l d) Toccates & Suittes pour le Clavessin . . . Amsterdam . . . Roger, o. J. (K e r l l) e) Toccates et Suittes . . . Amsterdam . . . Mortier, o. J. (K e r l l) f) A Second collection of Toccatas . . . London . . . Walsh, o. J. (K e r l l) |
| 59 | 109 | Toccata J o h. K r ü g e r  J u n : | |
| 60 | 111 | Praeludium J. K r ü g  J u n. | |
| 61 | 112 | Toccata J. K. J u n: | |
| 62 | 113 | Fuga J. K. J u n | |

[346] Mehrteiliges Stück mit programmatischen Satzüberschriften; es schildert die Türkenbelagerung Wiens im Jahre 1683.

| Nr. | Seite | Titel in der Handschrift | Konkordanzen |
|---|---|---|---|
| 63 | 114 | *Fuga (di J o h : K r ü g e r)* | New Haven, Library of the Yale Music School LM 4982, S. 17 *J. K. j u n i o r* |
| 64 | 115 | *P r a e l u d i u m* [347] | |
| 65 | 116 | *Praelud*[ium] | |
| 66 | 117 | *Fuga Sig: B o x d e H u d e* | |
| 67 | 120 | *Praeludium Sig: D. B o x d e H o u.* *Org: Libec* | Tabulaturbuch von Georg Grobe 1675 (verschollen): *Preludio. D. B u x t e h u d e* |
| 68 | 126 | *Praeambulum ex E Sig: J a c o b u s B ö l s c h e Org: ad Bürge Dorff 1683 Pedaliter* | |
| 69 | 129 | *Praeambl Noni Toni M a r t i n u s R a - d e x Org: Hamburg* | |
| 70 | 132 | *Canzone Manual: Sig: M a r t i n u s R a d e x in Coppenhagen Org:* [348] | |
| 71 | 134 | *Praeludium Sig: B o x d e H u d e a Libeck* | |
| 72 | 137 | *Praeludium Sig*[re] *B o x d e H u d e ex G*♮ | |
| 73 | 142 | *Toccata Sig*[re]*. B o x d e H u d e ex D ped: 1684* (Bleistiftnotiz über dem Stück: *H. B u t t s t e t t*) | |
| 74 | 147 | *Fuga P. H e i d o r n â Crempe Ped:* | (Parodie der *Canzone 3*[a] von J. K. Kerll) [349] |
| 75 | 151 | *Toccata P. H e i d o r n â Crempe* | |
| 76 | 159 | *Fuga di J o h. K u h n a u* | J o h. K u h n a u, *Neuer Clavier Übung Anderer Teil,* 1692: *Sonate aus dem B, 2. Satz* (transponiert nach C und verändert) |
| 77 | 162 | *Toccata del 7° tuono di A l e x : P o - g l i e t t i* [350]*.* | |
| 78 | 164 | *Canzona del 7° Tuono di A l e x. P o g l i e t t i* | |
| 79 | 165 | *Allemand Sig: A l e x. P o g l i e t t i* | |
| 80 | 165 | *Double* | |
| 81 | 166 | *Corrent* | |
| 82 | 166 | *Gigue* | |
| 83 | 167 | *Saraband* | |
| 84 | 167 | *Double* | |
| 85 | 168 | *Fantasie Sig: J o h. K r ü g e r J u n.* | (Eine ähnliche *Fantasia* in J. K r i e - g e r s *Anmuthige Clavier-Übung* 1699; vgl. DTB XVIII, S. 59) |
| 86 | 170 | *Toccata ex Db K r u e g e r* | |
| | 172 | [unbeschrieben] | |

---

[347] Nr. 64 und 65 gehören anscheinend zu dem Komplex der Krieger-Stücke.
[348] Biographische Angaben bei Eitner, *Quellenlexikon,* und bei J. Bolte, *Das Stammbuch J. Val. Meder's* in VfMw VIII (1892), S. 502.
[349] S. u. S. 192 ff.
[350] Nr. 77—84 bilden (jedenfalls der Tonart nach) einen zusammenhängenden Komplex.

| Nr. | Seite | Titel in der Handschrift | Konkordanzen |
|---|---|---|---|

<br>

87 173 *Capriccio Iᵐⁱ Tuoni Singore* [sic]
*N i : A : S t r u n c k Vienna il 8. . Julij
ao 1686.*

88 178 *Ricercar di G: ♮ dall N : A : S t r u n g k
fatto il 29 Julij ao: 1683.* — Wien, Österreichische Nationalbibliothek Cod. 18731, Nr. 1

89 183 *Cappriccio della Chiave F: dall N:
A : S t r u n g k fatto il 4 Aug: 1683* — ebenda, Nr. 2

90 188 *Capriccio 2 del Chiave E: dall N : A :
S t r u n c k fatto il 7 Aug: 83*
  a) ebenda, Nr. 3
  b) Berlin, Deutsche Staatsbibliothek Mus. ms. 30112, S. 156 (anonym; nach G-dur versetzt)

91 192 *Capriccio della Chiave Gb dall N : A :
S t r u n c k fatto il 20 xbr:* [Dezember] *78.*
  a) Wien, Österreichische Nationalbibliothek Cod. 18731, Nr. 4
  b) Berlin, Deutsche Staatsbibliothek Mus. ms. 30112, S. 160 (anonym)

92 196 *Capriccio della Chiave A dall N : A :
S t r u n c k* — Wien, Österreichische Nationalbibliothek Ms. 18731, Nr. 5

93 202 *Capriccio Sopra il Chorale Ich dank
dir schon durch deinen Sohn, Herr
Gott pp dall N : A : S t r u n c k ao.
1684 d[ie] 31. Martij.*
  a) ebenda, Nr. 6
  b) Berlin, Deutsche Staatsbibliothek Mus. ms. 40037 (z. Z. Marburg)
  c) Königsberg, Universitätsbibliothek, Abt. Gotthold Nr. 15839, Slg. Walther Ms. 499 [351]
  d) Plauen, Bibl. des Kirchenchores, handschriftliches Orgelchoralbuch [352]
  e) Den Haag, Gemeente-Museum, sog. „Frankenbergersches Walther-Autograph"
  f) Berlin, Deutsche Staatsbibliothek Mus. ms. 30245

94 208 *Capriccio dalla Chiave A di N : A :
S t r u n g k Il 20 Jan: ao. 1681*
  a) Wien, Österreichische Nationalbibliothek Cod. 18731, Nr. 7
  b) Leipzig, Städtische Musikbibliothek II. 2. 51
  c) Berlin, Deutsche Staatsbibliothek Mus. ms. 30112, S. 153 (anonym)

95 212 *Ricercar Sopra la Morte della mia
carissima Madre Catharina Maria
Stubenrauen Morsa a Brunsviga il 28
d'Augusto ao. 1685 Venet: il 20. Decemb: 1685. N: A: S t r u n g k*

  220 [unbeschrieben]
  221 [unbeschrieben]

96 222 *Toccata Sig.ʳ B. P a s q u i n o in
Rom* [353] [Ende der Niederschrift auf
S. 227, 1. Zeile]

[351] Verschollen.
[352] Vernichtet.
[353] Das Stück befindet sich nicht in Pasquinis autographen Sammlungen (s. o. S. 77). Für die Durchsicht der betreffenden Quellen sage ich Herrn Dr. Köhler (Deutsche Staatsbibliothek Berlin) und Herrn Dr. Schofield (British Museum London) meinen besten und ergebensten Dank.

111

## 5. Übertragungen

Die Unterscheidung zwischen Originalkomposition und Übertragung bzw. Bearbeitung gibt es erst seit dem 19. Jahrhundert. Die Musikpraxis älterer Zeiten — auch des 17. und 18. Jahrhunderts — kennt sie nicht. Die Einrichtung vokaler oder instrumentaler Ensemblemusik für das Spiel auf Tasteninstrumenten ist vermutlich der Anfang der nach Noten gespielten Tastenmusik (*Tabulatur*) überhaupt gewesen; von den ältesten erhaltenen Quellen bis in die Gegenwart bilden derartige Stücke einen wesentlichen Teil des in der Praxis nachweisbaren Repertoires.

Die Forschung hat diese Musik bisher als zweitrangig angesehen und ihr wenig Beachtung geschenkt. Nun sind aber die meisten arteigenen Gattungen der Tastenmusik aus der Übertragungspraxis hervorgegangen. Im 16. und im frühen 17. Jahrhundert bevorzugte man die „Intavolierung" — und „Kolorierung" — vokaler Musik, nach 1600 traten die Übertragungen instrumentaler Ensemblemusik mehr und mehr in den Vordergrund. In der zweiten Hälfte des 17. Jahrhunderts wurden fast alle Gattungen instrumentaler Ensemblemusik (Suite, Sonate, Ouverture, Konzert) für das Tastenspiel benutzt. Die Entwicklung der um 1700 sich herausbildenden zyklischen Formen der Tastenmusik (Suite, Sonate, Ouverture und Konzerte [354]) dürfte auf dem Wege über die Übertragungspraxis erfolgt sein. Andererseits ist bei vielen Klavierstücken in den Handschriften (vor allem bei Tanzsätzen) gar nicht zu erkennen, ob es sich um Originalkompositionen oder um Übertragungen (bzw. auch Bearbeitungen) handelt [355]. Auch die auf zwei Systemen notierten Kompositionen für Violine und Bc. lassen sich allein auf einem Tasteninstrument spielen [356].

---

[354] Ganz und gar arteigene Gattungen für *vollstimmige* Instrumente (s. o. S. 14) sind vor allem Variationsformen und Toccaten. Es ist auffällig, daß gerade Musik für Solo-Instrumente (Tasten-, Zupf- und eine Reihe Streichinstrumente), die zum *Stylus fantasticus* gehört (s. o. S. 24 f.), häufig untereinander ausgetauscht wurde (z. B. bei Bach, vgl. Anm. I 70).
[355] S. u. S. 128.
[356] Z. B. Wien, Musikarchiv des Minoritenkonventes XIV 726; vgl. F. W. Riedel, *Studien zur Wiener Musikgeschichte in der 1. Hälfte des 18. Jahrhunderts* (in Vorbereitung).

# III.

# DIE MEISTER

*„Unter den Dichtern und Künstlern . . . legitimieren sich die wahrhaft großen als solche durch die Herrschaft, welche sie bisweilen schon bei Lebzeiten über ihre Kunst ausüben, wobei, wie überall, die Erkenntnis oder stille Überzeugung mitwirkt, daß die große Begabung stets etwas höchst Seltenes sei. Es bildet sich das Gefühl, daß dieser Meister absolut unersetzlich sei, daß die Welt unvollständig wäre, nicht mehr gedacht werden könnte ohne ihn . . . Was die primären Meister der Welt als freie Schöpfung geschenkt, das kann, vermöge der Art der Überlieferung in diesen Gebieten, von trefflichen sekundären Meistern als Stil festgehalten werden . . . Die Meister der dritten Stufe, die der Veräußerlichung, zeigen dann wenigstens noch einmal, wie mächtig der große Mensch gewesen sein muß, . . . welche Seiten an ihm besonders aneignungswert . . . und welche am ehesten entlehnt werden konnten."*         Jacob Burckhardt[1]

Geschichtliche Ereignisse und Entwicklungen beruhen auf einer ständigen Wechselwirkung zwischen individuellen Leistungen und allgemeinen Bedürfnissen und Tendenzen. Das Werk keiner historisch bedeutsamen Persönlichkeit kann daher als eine absolute Größe betrachtet werden. Man muß unterscheiden, inwieweit es einerseits von den allgemeinen Zeitströmungen abhängig ist, in welcher Weise es auf der anderen Seite selbst anregend und gestaltend in das Zeitgeschehen eingegriffen hat. Ferner muß gefragt werden, wo der Wirkungskreis dieser Persönlichkeit seine räumliche und zeitliche Begrenzung gefunden hat, ob der Einfluß auf die Zeitgenossen beschränkt blieb, ob er sich späteren Geschlechtern mitteilte oder ob er überhaupt erst unter diesen wirksam wurde, während die Zeitgenossen ihm verschlossen blieben.

Jede Generation sieht das Werk und die geschichtliche Rolle eines Mannes bzw. einer ganzen älteren Generation mit ihren eigenen Augen, ihr Urteil ist wiederum bedingt durch die eigenen Tendenzen und Bedürfnisse; nur allzu leicht werden die Leistungen der eigenen Zeitgenossen als Maßstäbe für die Geschichtsbetrachtung genommen. Das Bild der einzelnen Persönlichkeit schwankt im Wandel der Zeiten. Die einzige Basis für eine einigermaßen gerechte Beurteilung kann deshalb nur die exakte historische Quellenforschung bieten, vor der — obwohl auch sie auf Grund von Neuentdeckungen ihre Ergebnisse ständig revidieren muß — sich alle pragmatische und tendenziöse Geschichtsbetrachtung zu beugen hat.

Für die Musikgeschichte — wie überhaupt für die Kunstwissenschaft — ergibt sich in diesem Zusammenhang das schwierige Problem der Unterscheidung von Zeitstil und Personalstil. Das Werk eines einzelnen Meisters wird erst dann im rechten Licht erscheinen, wenn es inmitten seiner Umgebung gesehen wird, wenn man seine Wurzeln kennt und seine Ausstrahlung nachweisen kann. Hierbei wird sich herausstellen, ob der betreffende Meister „Epoche gemacht" hat, ob er eine räumlich und zeitlich begrenzte Bedeutung besaß, ob er erst auf spätere Geschlechter einen Einfluß ausübte, in welcher Weise seine Werke zu denen anderer Meister in Beziehung standen u. a. m.

In den vorangehenden Betrachtungen wurde der Versuch unternommen, die verschiedenen Formen der Quellenanlage und Quellenüberlieferung, der Kompositions- und Spielpraxis bei der Tastenmusik in der zweiten Hälfte des 17. Jahrhunderts darzustellen, um ein Bild von der allgemeinen Situation zu gewinnen und die Fülle des Materials der damaligen Praxis entsprechend gliedern zu können. Will man nun das Werk eines einzelnen Komponisten und seine Rolle innerhalb der Gesamtsituation herausstellen, die Zuverlässigkeit der Autorangaben, die Verbreitung der Stücke, ihre

---

[1] *Weltgeschichtliche Betrachtungen*, 5. Kapitel: *Das Individuum und das Allgemeine (Die historische Größe)*, hrsg. v. R. Marx, Stuttgart 1955, S. 219.

Bearbeitung durch andere Musiker, ihren Einfluß auf die Zeitgenossen und auf die folgenden Generationen oder ihre Bedeutung für die Entwicklung einzelner Gattungen nachprüfen und nachweisen, so kann allein das primäre Quellenmaterial als Fundament derartiger Untersuchungen gelten. Beweise auf analytischem Wege haben sekundären Wert und müssen als hypothetisch betrachtet werden, solange der Befund nicht durch die Quellenlage bestätigt wird[2].

In den folgenden Ausführungen über einzelne, für die Geschichte der Tastenmusik in der zweiten Hälfte des 17. Jahrhunderts in mancher Hinsicht besonders wichtige Meister wird daher auf stilkritische Betrachtungen weitgehend verzichtet. Vielmehr soll versucht werden, anhand der Werküberlieferung die geschichtliche Bedeutung dieser Komponisten aufzuzeigen und daneben Probleme der Autorzuweisung, der Parodiepraxis und der Werkverbreitung zu erörtern. Als Quellengrundlage dienen in der Hauptsache die im vorhergehenden Kapitel behandelten Kodizes, deren bisher unbekannte Repertoires eine beträchtliche Erweiterung unseres Gesichtskreises bilden, das Werk einiger Meister erst neu erschließen, die geschichtliche Rolle der anderen hingegen in mancher Hinsicht in einem neuen Lichte erscheinen lassen. Da jedoch nur ein geringer Prozentsatz des tatsächlich existierenden Quellenbestandes zur Verfügung stand, dürfen viele Ergebnisse mehr oder weniger nur als vorläufig betrachtet werden, die durch weitere Forschungen bestätigt, erweitert, aber auch gegenstandslos werden können. Drei Fragen sollen bei diesen Betrachtungen im Vordergrund stehen:

1. Welche älteren Meister haben in besonderem Maße die Kompositions- und Spielpraxis der Tastenmusik in der zweiten Hälfte des 17. Jahrhunderts beherrscht bzw. beeinflußt?

2. Welche Rolle haben die in der zweiten Hälfte des 17. Jahrhunderts wirkenden Meister innerhalb dieses Zeitraumes gespielt?

3. Wie weit reicht der Einfluß der in der zweiten Hälfte des 17. Jahrhunderts wirkenden Meister über diesen Zeitraum hinaus?

---

[2] Echtheitsfragen und historische Zusammenhänge sind von vielen Musikforschern auf dem Wege über die Stilkritik untersucht worden. M. Seiffert, *Klaviermusik* hat ganze Stammbäume motivischer Verwandtschaften bei den Fugensubjekten verschiedener Meister zusammengestellt, F. Dietrich, *Geschichte des deutschen Orgelchorals im 17. Jahrhundert*, Kassel 1932, und J. Hedar, *Dietrich Buxtehudes Orgelwerke*, Stockholm-Frankfurt/M. 1951 — um nur einige naheliegende Beispiele herauszugreifen — versuchten, Stileinflüsse und persönliche musikalische Verbindungen zwischen verschiedenen Meistern vorwiegend auf Grund analoger Satztechniken und Spielfiguren nachzuweisen. Diese Methode soll hier keineswegs abgelehnt werden, aber sie darf erst dann zur Anwendung kommen, wenn das Quellenmaterial kritisch gesichtet worden ist. Hier liegt nun der Fehlansatz der meisten Untersuchungen. Gedruckte und handschriftliche Quellen, Autographen und Abschriften, dazu noch wissenschaftliche und praktische Neuausgaben werden als g l e i c h w e r t i g e Grundlagen benutzt, Autorenzuweisungen nicht nachgeprüft, Bearbeitungsverfahren der Schreiber nicht berücksichtigt (obwohl Spitta und Seiffert gelegentlich in ihren Ausgaben älterer Tastenmusik auf diese Umstände hingewiesen haben). So zeigt sich trotz der Verdienste der genannten Forscher, daß ihre Ergebnisse nur einen begrenzten Wert haben.

Eine besondere Gefahr liegt für den Historiker darin, daß mit dem wachsenden Abstand von einer früheren Epoche die inneren Gegensätze im allgemeinen wie auch bei einzelnen Menschen für den späteren Beobachter mehr und mehr verwischen und vielfach alles als eine Einheit erscheint. Um hier nur ein ganz äußerliches Beispiel zu nennen: Welche Schwierigkeiten bereitet uns die Identifizierung älterer Handschriften, wie leicht verleiten uns gewisse Ähnlichkeiten der Schriftzüge, zwei oder mehrere verschiedene Handschriften einem und demselben Schreiber zuzuweisen? Sollten wir dementsprechend nicht auch bei stilkritischen Untersuchungen etwas vorsichtiger sein?

# DER EINFLUSS DER ÄLTEREN MEISTER

Unter den Orgelmeistern aus der ersten Hälfte des 17. Jahrhunderts sind es haupt-sächlich vier Persönlichkeiten gewesen, die „Schule gemacht" haben: Jan Pieterszoon Sweelinck in Amsterdam, Girolamo Frescobaldi in Rom, Jean Titelouze in Rouen und Samuel Scheidt in Halle. Ist der Einfluß der beiden letztgenannten auf ihr Vaterland beschränkt geblieben, so haben Sweelinck und Frescobaldi — der eine in der Metropole des Nordens, der andere in der Metropole des Südens wirkend — einen internationalen Ruf unter den Zeitgenossen erlangt. Während es bei Sweelinck nicht ganz geklärt ist, ob er mehr als Spieler oder als Komponist geschätzt wurde, und sein Einfluß sich vornehm-lich auf Norddeutschland erstreckt hat, auch nach der Jahrhundertmitte nur noch von geringer Bedeutung gewesen zu sein scheint[3], ist Frescobaldi in der Tat d i e beherr-schende Gestalt des g a n z e n Jahrhunderts gewesen. Neben ihm hat nur sein Schüler Johann Jakob Froberger (dessen Werk vorwiegend um die Jahrhundertmitte entstanden zu sein scheint) einen ähnlichen Einfluß — hauptsächlich in Deutschland — ausgeübt[4]. Merkwürdigerweise ist die Werküberlieferung beider Meister völlig verschieden gelaufen. Während Frescobaldis Werk bereits im dritten Jahrzehnt des Jahrhunderts nahezu vollzählig in zahlreichen Druckausgaben vorlag, von da an aber außer durch den Handel in immer stärkerem Maße handschriftlich verbreitet wurde, gelangte Frobergers Tasten-musik zunächst ausschließlich auf dem Wege der handschriftlichen Überlieferung in die Hände der Zeitgenossen, bis sie am Ende des Jahrhunderts posthum in Auswahl gedruckt wurde und für längere Zeit auf dem Musikalienmarkt blieb. Wie der Einfluß der beiden Meister auf verschiedenen Wegen gegangen ist, so scheint er auch auf verschiedene Weise sich ausgewirkt zu haben, wie die folgenden Untersuchungen zeigen werden.

## Girolamo Frescobaldi[5]

*„Girolamo Frescobaldi . . . bezeichnet einen der Wendepunkte in der Musik . . . Seine Werke, denen der Stempel des Genius aufgeprägt ist, stehen . . . als Werke klassischen Gehaltes da, denen keine Zeit mehr etwas wird anhaben können. Daß sie gleichsam mit einer Hand nach einer eben abgeschlossenen großen Kunstepoche zurück- und mit der anderen nach der hoffnungsreichen Zukunft . . . vorwärtsdeuten, gibt ihnen einen eigenen und wunderbaren Reiz."*  August Wilhelm Ambros[6]

---

[3] Der überlieferte Bestand der ihm zugeschriebenen Tastenmusik ist verhältnismäßig gering innerhalb des Gesamtschaffens. Während das Vokalwerk zu seinen Lebzeiten im Druck erschien, existieren von der Tastenmusik keine Autographen, sondern lediglich Abschriften bzw. Be-arbeitungen von unterschiedlichem Quellenwert. — Vor einer Überschätzung der „Sweelinck-Schule" hat bereits Dietrich, a. a. O. S. 7, gewarnt. Einflüsse Sweelincks noch bis zum Ende des 17. Jahrhunderts in Norddeutschland verfolgen zu wollen, dürfte ein ziemlich abwegiges Unter-fangen sein.
[4] Im Schaffen beider Meister steht — im Gegensatz zu den vielen anderen Komponisten des 17. Jahrhunderts — die Tastenmusik eindeutig im Vordergrund.
[5] Ein ausführliches Verzeichnis der Neuausgaben und der bisher erschienenen Literatur enthält der von M. Reimann verfaßte Artikel *Frescobaldi* in MGG; ein (nicht ganz lückenloses) Ver-zeichnis der z. Z. nachweisbaren Originaldrucke findet sich bei Sartori.
[6] *Geschichte der Musik*, Bd. IV, Breslau 1868, S. 438.

Die Katalogisierung der Quellenüberlieferung von Frescobaldis Tastenmusik ist eine Forschungsaufgabe von besonderer Dringlichkeit[7]. Bisher ist weder der Umfang der Druckproduktion seines Schaffens noch das Ausmaß der handschriftlichen Verbreitung vollständig überschaubar, obwohl Frescobaldi in der Geschichte der Tastenmusik zweifellos eine so zentrale Stellung einnimmt, wie sie späterhin nur wenige Meister erlangt haben.

Der Erfolg und die Verbreitung von Frescobaldis Publikationen läßt sich daher z. Z. nur in den Umrissen erkennen. Das erste nachweisbare Werk, *Il primo libro delle fantasie a quattro* (Mailand 1608) hat offenbar gegenüber der starken Konkurrenz der großen venezianischen Meister, deren Werke gerade damals im Druck erschienen, nicht bestehen können. In keinem älteren Lexikon oder Katalog findet sich eine Erwähnung des Werkes, erhalten ist nur ein einziges Exemplar und eine erst gegen das Ende des Jahrhunderts angefertigte Abschrift[8]; Neuauflagen und Nachdrucke sind nicht nachweisbar, ebensowenig ein zugehöriges *Secondo Libro*. Seit 1615 erschienen in Rom das erste Tabulaturbuch (*Toccata e Partite d'Intavolatura*, ed. pr. 1615), die *Recercari et Canzoni* (ed. pr. 1615) und die *Capricci* (ed. pr. 1624), fast alle im Kupferstich[9], wohl zuerst nur in geringer Auflagenstärke, doch folgten mehrfach Neuauflagen bzw. Nachdrucke.

Im Jahre 1626 übernahm der venezianische Drucker und Verleger Alessandro Vincenti die Herausgabe sämtlicher Partituren Frescobaldis im Typendruck[10], ein Zeichen dafür, daß Frescobaldis Ruhm den der großen Markusorganisten in den Schatten gestellt hatte. Die in Rom bereits erschienenen *Recercari et Canzoni* und *Capricci* faßte Vincenti in einem Band zusammen, den er bis 1642 mehrfach nachdruckte. Daneben gelangten neu zur Veröffentlichung die *Fiori Musicali* (1635) und die *Canzoni alla Francese* (1645, posthum!).

Die Verlegung der Tabulaturen (deren Inhalt des öfteren erweitert wurde) verblieb in Rom bei Nicolo Borbone[11]. Krönung und Abschluß dieser Veröffentlichungen bildete die gemeinsame Herausgabe der beiden Tabulaturbücher im Jahre 1637, anscheinend in einer großen Auflagenstärke, da heute noch eine beträchtliche Anzahl Exemplare erhalten sind.

Galt Frescobaldi bereits zu Lebzeiten als der bedeutendste Orgelspieler des Erdkreises, so hat sein Werk vor allem auf die zweite Hälfte des 17. Jahrhunderts einen tiefgreifenden Einfluß ausgeübt, dessen Spuren wir weitgehend verfolgen können.

In Italien scheint der Meister keineswegs so rasch vergessen gewesen zu sein, wie es gemeinhin angenommen wird. Die große Zahl der dort erhaltenen Druckexemplare, die offensichtliche Anlehnung mancher Komponisten[12] an Stil und Repertoire von Frescobaldis Veröffentlichungen bei der Herausgabe ihrer eigenen Werke (vielfach ebenfalls

---

[7] Ein thematisches Verzeichnis fertigte Alois Fuchs im Jahre 1838 an (Berlin, Deutsche Staatsbibliothek); es könnte als Grundlage für die Aufnahme der handschriftlichen Überlieferung dienen. Wichtig ist daneben die Aufnahme sämtlicher erhaltener Einzelexemplare der Druckausgaben, da es sich oftmals — trotz gleicher Titel und Datierungen — um verschiedene Ausgaben handelt. Auch manche der „Neuauflagen" (so bei M. Reimann, a. a. O.) sind Nachdrucke bzw. Neudrucke mit anderem Inhalt, Umfang und Format.

[8] Vgl. Anm. II 66.

[9] Außer den Partituren der *Recercari et Canzoni* von 1615 und der *Capricci* von 1624.

[10] In seinem Verlagskatalog von 1621 (s. o. S. 50) erwähnt Vincenti bezeichnenderweise Frescobaldi noch gar nicht.

[11] S. o. S. 47.

[12] Z. B. bei G. B. Fasolo und Scipione Giovanni.

bei Vincenti), die Pflege seines Stiles unter ausdrücklicher Berufung auf ihn[13], alles dieses deutet darauf hin, daß er auch für die folgende Generation das Vorbild war, wenngleich die Beschäftigung mit seinem Werk — der hohen technischen und musikalischen Ansprüche wegen — allenthalben auf die Kreise der Fachmusiker beschränkt blieb.

Während Frescobaldi in den westlichen Ländern keinen nachhaltigen Einfluß ausgeübt zu haben scheint, fand sein Werk in Deutschland die wichtigste und dauerhafteste Pflegestätte. Vor allem die venezianischen Drucke sind hier in starkem Maße verbreitet gewesen. Spätestens um die Jahrhundertmitte sind sie auf dem deutschen Musikalienmarkt erschienen[14]; nicht nur in Kirchenbibliotheken, sondern auch im Privatbesitz mancher Organisten lassen sich Exemplare nachweisen[15]. Dem verhältnismäßig großen Bestand erhaltener Originaldrucke steht eine nicht geringe Anzahl kompletter Abschriften gegenüber, bei denen vielfach die Namen der Kopisten oder Besitzer bekannt sind. Die Überlieferung einzelner Stücke in Sammelhandschriften ist z. Z. noch unübersehbar, zumal vieles anonym ist oder durch die Weitergabe von einem zum andern Schreiber die Autorbezeichnungen geändert sind und zuweilen wohl lediglich der Name des Überlieferers genannt ist[16].

Geographisch läßt sich Frescobaldis unmittelbare Einwirkung bis nach Norddeutschland verfolgen, wie das einst im Besitz des Hamburgischen Katharinenorganisten J. A. Reincken (1623—1722) befindliche Exemplar des zweiten Toccatenbuches eindeutig beweist[17]. Von den Kompositionsgattungen Frescobaldis wurde hauptsächlich die Canzone von den norddeutschen Meistern gepflegt, während die mehrteilige, auf dem Prinzip der Themenvariation beruhende Anlage ihrer Toccaten vielfach an den Bau der Capricci des römischen Meisters erinnern[18].

---

[13] Z. B. bei L. Battiferri und F. Fontana.
[14] S. o. S. 51 f.
[15] Z. B. J. A. Reincken (vgl. Anm. 17), J. S. Bach, P. Alexander Giessel (vgl. Anm. II 252).
[16] S. o. S. 106 (Nr. 1 des Kodex E. B. 1688); demgegenüber finden sich auch Kompositionen unter Frescobaldis Namen, die nicht in den Drucken veröffentlicht sind (vgl. Anm. II 272).
[17] Expl. in der Staats- und Universitätsbibliothek zu Hamburg, durch Kriegseinwirkung verlorengegangen (lt. freundlicher Mitteilung der Bibliotheksabteilung); Sartori erwähnt die Ausgabe gar nicht; Eitner, *Quellenlexikon*, gibt folgendes an: *Libro Secondo di Toccate e Partite . . . Roma . . . 1628, fol.*, 90 Seiten Musik, Dedikation von 1627 mit Porträt.
[18] Hedar, a. a. O. gibt zahlreiche Beispiele für analoge Partien in der Spielfiguration bei Frescobaldi und norddeutschen Meistern (Buxtehude in erster Linie). Eindeutige Parodien Frescobaldischer Werke durch norddeutsche Meister hat er jedoch nicht nachweisen können, wie er seinen Untersuchungen überhaupt nur eine beschränkte Auswahl der Werke Frescobaldis (Ausgabe von Haberl) zugrunde gelegt hat.
Die angeblichen norddeutschen Schüler des römischen Meisters sind für seine Einwirkung im nordischen Raum ohne Bedeutung. Während N. Cappeler für die Tastenmusik gänzlich ausfällt, hat J. Hennings in Deutsche Musikkultur VI, S. 137 das durch Mattheson verbreitete Gerücht von Tunders Schülerverhältnis zu Frescobaldi als unzutreffend zurückgewiesen (M. Reimann, a. a. O. rechnet Tunder trotzdem zu den mutmaßlichen Schülern Frescobaldis). Ob Johann Heckelauer (gottorfischer Hoforganist, Orgelbauer, Baumeister und Amtsinspektor) trotz des gleichzeitigen Aufenthaltes mit Frescobaldi in Florenz (vgl. Hennings, a. a. O.) Anregungen von ihm in Norddeutschland (besonders an Tunder) weitergegeben hat, läßt sich nicht belegen.
Der Nachweis persönlicher Schülerverhältnisse ist überdies für die Beurteilung stilistischer Beeinflussungen von geringer Bedeutung. Selbständige Köpfe sind in der Regel ihre eigenen Wege gegangen (z. B. Froberger als Schüler Frescobaldis), die Kompositionen der kleineren Geister sind vielfach gar nicht überliefert, so daß eine Beurteilung nicht möglich ist. Wichtiger als persönliche Schülerverhältnisse (zumal wir die Art des Unterrichts in den meisten Fällen gar nicht kennen) war zweifellos die Verbreitung der Kompositionen eines Meisters in Drucken und Handschriften (s. o. S. 54).

In Mitteldeutschland müssen seine Kompositionen schon frühzeitig bekannt gewesen sein[19]. Bis zum Ende des Jahrhunderts lassen sie sich — vor allem in Sammelhandschriften — nachweisen, meist für den praktischen Gebrauch „intavoliert"[20].

Am stärksten und nachhaltigsten hat Frescobaldis Werk den Süden des Reiches beherrscht. Die Konventsbibliotheken besaßen vielfach die Originaldrucke, wie aus ihren heutigen Beständen oder aus den erhaltenen Inventaren zu ersehen ist[21]. Auch Kopien lassen sich dort nachweisen[22]. Ausschnitte von Toccaten und Canzonen wurden noch bis in das 18. Jahrhundert in die Versettenbücher aufgenommen und somit in der Praxis verwendet[23].

Offenbar haben die römischen Kupferstichausgaben der Tabulaturbücher Frescobaldis kein so starkes Echo gefunden wie die venezianischen Partituren. So sind die Toccaten, Variationen und Tänze zwar schon recht früh[24], aber doch meist nur vereinzelt in Handschriften zu finden. Der Grund hierfür mag vielleicht darin liegen, daß diese Gattungen in ihrem Stil viel mehr zeitgebunden und dem Geschmackswandel unterworfen waren als die Kompositionen im strengen Stil[25].

Wenn auch die praktische Bedeutung der letzteren im Laufe der Zeit zurückgetreten zu sein scheint, so fanden sie um so mehr Wertschätzung als Musterbeispiele strenger kontrapunktischer Satzkunst. Vor allem die *Fiori Musicali* galten — besonders im Kreise um Johann Fux[26] — als „Hohe Schule" des instrumentalen Kontrapunktes und standen im Range neben Palestrinas Messen, mit denen man sie gelegentlich zusammen aufgezeichnet findet[27]. Die Reihe der Abschriften — unter denen die Streichquartettbearbeitungen bemerkenswert sind — läßt sich bis in das 19. Jahrhundert verfolgen[28], d. h. bis zum Erscheinen der ersten Neudrucke. in denen ebenfalls die Fugensätze (speziell aus den *Fiori Musicali*) bevorzugt wurden. Vollständig liegen die Publikationen Frescobaldis im Neudruck erst wieder in der kürzlich erschienenen Gesamtausgabe der Tastenwerke vor[29]. Durch die Verbindung von satztechnischer Meisterschaft mit musikalischem Einfallsreichtum innerhalb seiner im strengen Stil geschriebenen Kompositionen hat Frescobaldi also seine hervorragende Bedeutung für Musiktheorie und Musikpraxis bis in die Gegenwart ununterbrochen behalten.

[19] Die in den zwanziger Jahren des 17. Jahrhunderts angefertigte Handschrift Berlin, Deutsche Staatsbibliothek Mus. ms. 40316 (durch Kriegseinwirkung verlorengegangen) enthielt von Frescobaldi: 1 Toccata, 8 Fantasien, 1 Capriccio, 1 „Partite".
[20] Z. B. in der Handschrift Leipzig, Städtische Musikbibliothek II. 2. 51.
[21] Z. B. Wien, Minoritenkonvent; Einsiedeln; St. Urban in der Schweiz (vgl. Mf. IX, S. 274 ff.).
[22] Vgl. Anm. II 66.
[23] Z. B. in Giessels Versettenbüchern (s. o. S. 89 ff.).
[24] Vgl. Anm. 19.
[25] Vgl. aber das Zitat in Anm. I 156.
[26] S. o. S. 86 f.
[27] S. o. S. 85.
[28] Vgl. Anm. II 66; ein Beispiel dafür, daß Frescobaldi auch noch dem Zeitalter Beethovens kompositorische Anregungen zu geben vermochte, bietet die interessante Sammlung *30 Fugen für das Piano-Forte. Verfaßt nach einem neuen System von Anton Reicha*, Wien o. J., Tobias Haslinger (No. 49). Das 14. Stück ist über das *Recercar Cromatiche post il Credo* aus der *Messa delli Apostoli* in den *Fiori Musicali* gearbeitet und trägt den Titel: *Le Thème suivant.* [Inzipit] *avec lequel cette fugue» fantasie est composée, est de Girolamo Frescobaldi, un des plus célèbres au comencement du 16ème Siècle à Rome.*
[29] Girolamo Frescobaldi, *Orgel- und Klavierwerke*, hrsg. von P. Pidoux, 5 Bände, Kassel-Basel 1949/54; es handelt sich um eine praktische Ausgabe; eine kritische Ausgabe, die sämtliche Drucke berücksichtigt, fehlt z. Z. noch.

## Johann Jakob Froberger [30]

Frescobaldi hatte schon zu Lebzeiten durch ein für die damaligen Verhältnisse eminentes Ausmaß von Druckpublikationen die musikalische Welt — vornehmlich in Italien und Deutschland — beherrscht. Frobergers Kompositionen wurden dagegen erst ein Menschenalter nach seinem Tode veröffentlicht [31], obwohl er als Spieler und Komponist gleichfalls zu Lebzeiten einen internationalen Ruf besaß, zumal er häufiger als viele seiner Kollegen (auch Frescobaldi) Konzertreisen unternahm und allenthalben als Virtuose gefeiert wurde. Freilich mögen die äußere Bewegtheit seines Lebens, das Fehlen eines ständigen Schülerkreises und die Zurückhaltung des alternden Künstlers — der seine Kompositionen anderen nicht überlassen wollte, *„da viel nit wisten mit umbzugehen, sondern selbige nuhr verderben"* — die Veröffentlichung der Tastenmusik des Meisters verhindert haben, während der größte Teil der heute erhaltenen Kompositionen in fürstlichen Bibliotheken verwahrt wurde, damals also nur wenigen Zeitgenossen zugänglich gewesen sein kann. So hat es den Anschein, als sei Froberger am Ende des Jahrhunderts „wiederentdeckt" worden und habe erst durch das Erscheinen der Drucksammlungen auf die allgemeine Entwicklung — besonders hinsichtlich der „Klaviersuite" — einen Einfluß ausgeübt. M. Seiffert [32] hat — bis heute im wesentlichen unwidersprochen — die Situation so dargestellt, „daß die Suite damals [1697] im Buche der deutschen Klaviermusikgeschichte auf einem ziemlich unbeschriebenen Blatte stand, trotz Frobergers. Dieser hatte der Öffentlichkeit seine Werke entzogen; er wollte nicht, *,das seine sachen under andere Leut hände komen täten'*, weil sie sie doch *,unmöglich mit rechter discretion zuschlagen'* verstünden, *,als er sie geschlagen hat'*. Die Saat, die seine wenigen, musikgeschichtlich übrigens nicht bedeutsam hervortretenden Schüler ausstreuten . . ., konnte also nur kümmerlich aufgehen. Das 1679/80 erschienene Suitenwerk von Benedict Schultheiß und Pachelbels hs. überliefertes Buch vom Jahre 1683 [33] sind dessen Zeuge. Weiteren Kreisen erschloß sich erst das Verständnis Frobergers, als Louis Bourgeat in Mainz anfangs der neunziger Jahre einige Sammlungen seiner Klavierstücke veröffentlichte. Ein rasches Anschwellen der Suitenliteratur war die Folge davon. Zu den ersten, die auf den Plan traten, gehörte Joh. Krieger." Im weiteren Zusammenhang [34] stellt Seiffert fest, das „Kriegers Tänze . . . die belebende Wirkung der neuen Froberger-Ausgaben erkennen" lassen. An anderer Stelle [35] vertritt Seiffert die Ansicht, daß erst der Einfluß der französischen Mode „während der letzten Dezennien des 17. Jahrhunderts" eine günstige Situation für die Herausgabe der Werke Frobergers geschaffen habe; „denn nunmehr war es auch dem Laien unmittelbar klar, was der Mann mit seiner Musik bot und wo er hinaus wollte."

Es ist zweifellos richtig, daß Frobergers Tastenmusik erst durch die Drucksammlungen in breitere Kreise der Musikliebhaber gedrungen ist, doch war sie in Kreisen der Fachmusiker — für die sie ja (ebenso wie Frescobaldis Kompositionen) in erster Linie

---

[30] Den neuesten Stand der Froberger-Forschung mit einem ausführlichen Literatur- und Ausgabenverzeichnis findet man bei M. Reimann, Artikel *Froberger* in MGG. Ein vollständiges Quellen- und Werkverzeichnis wird vom Verfasser dieses Buches vorbereitet.
[31] Ausnahmen bilden der Abdruck der Hexachordfuge in Kirchers *Musurgia Universalis* (1650) und die Aufnahme einer Fuge in Roberdays *Fugues et Caprices* (1660).
[32] Einleitung zu DTB XVIII, S. XLVII.
[33] S. u. S. 169 f.
[34] A. a. O. S. XLVIII.
[35] Seiffert, *Klaviermusik*, S. 226.

bestimmt war — auch schon früher weitgehend bekannt. Wir wollen versuchen, der Verbreitungssphäre des Frobergerschen Werkes und seiner Einwirkung auf die Musizier- und Kompositionspraxis nachzuspüren.

Zur Zurückhaltung seiner Kompositionen von der Öffentlichkeit scheint Froberger doch wohl erst in seinen letzten Lebensjahren bewogen worden zu sein. Früher hatte ihm offenbar viel an deren Verbreitung gelegen. Sonst hätte er gewiß nicht mehrere „druckfertige" Prachtkodizes den Kaisern bzw. dem sächsischen Kurprinzen gewidmet, womöglich in der geheimen Hoffnung, daß diese die Drucklegung finanzieren würden [36]. Auch unter Kollegen suchte er seine Kompositionen zu verbreiten. So berichtet Mattheson [37]: „*Froberger sandte dem Weckmann eine Suite von seiner eigenen Hand, wobey er alle Manieren setzte, so dass Weckmann auch dadurch der frobergerischen Spielart ziemlich kundig ward.*" Das „Hintze"-Manuskript [38] — möglicherweise von Weckmann selbst angefertigt — beweist Frobergers persönliche Verbindungen nach Norddeutschland. Hier sehen wir zugleich, wie willkürlich man seine Werke behandelte. Auf die originale Zusammengehörigkeit legte man kein Gewicht, fügte die Sätze einzeln zwischen fremde Kompositionen und ließ auch den Notentext nicht unverändert.

So scheint man in Norddeutschland Frobergers Kompositionen gern als Vorlage für Bearbeitungen benutzt zu haben [39]. Die um 1664 angefertigte Handschrift AmB. 340 in der Berliner Staatsbibliothek (z. Z. Tübingen, Universitätsbibliothek) enthält beispielsweise eine Parodie der *Fantasia sopra Sol La Re* des autographen *Libro Secondo* von 1649. Dem ersten Abschnitt, betitelt *Capriccio Mons Froberg. G♮*, folgt ein *Capriccio G♮ W. K.*, gearbeitet über eine Variante des Frobergerschen Subjektes. Am Ende der vierten Zeile steht dann *C 3 Mons. Frob.*, und es schließt sich der letzte Abschnitt der Fantasie des Autographs an, freilich mit einem erweiterten Schluß. Als weiteres Beispiel der Parodiepraxis sei Johann Adam Reinckens Partite *La Meyerin* genannt [40], die offensichtlich eine Nachahmung von Frobergers gleichnamigem Stück (ebenfalls in der Sammlung von 1649) darstellt. Ferner enthält der Kodex *E. B. 1688* ein *Praeludium D. Box de Hude*, das an anderer Stelle als *Toccata von Froberger* bezeichnet wird [41], während ein anderes mit *D. Box de H.* gezeichnetes Stück in derselben Quelle der Anlage nach auf eine Komposition Frobergers zurückgehen könnte [42]. So wäre es auch durchaus denkbar, daß das oben erwähnte Tabulaturbuch KN 147 der Ratsbücherei zu Lüneburg Parodien oder Nachahmungen Frobergerscher Toccaten enthält [43].

Im mitteldeutschen Raum lassen sich die Kompositionen des Meisters seit den siebziger Jahren des Jahrhunderts nachweisen [44], vor allem im Kreise um Johann Pachelbel [45]. Auch hier finden sich Fugensätze, die für den praktischen Gebrauch bearbeitet worden

---

[36] S. o. S. 75 f.

[37] Mattheson, *Ehrenpforte*, S. 396.

[38] S. o. S. 93 ff.

[39] Erstmalig auf die Parodieverfahren bei norddeutschen Meistern hingewiesen hat M. Reimann; vgl. ihren Aufsatz *Pasticcios und Parodien in norddeutschen Klaviertabulaturen*, Mf VIII (1955), S. 265.

[40] Handschriftlich überliefert im *Andreas-Bach-Buch* (Leipzig, Städtische Musikbibliothek III. 8. 4.).

[41] S. o. S. 109 (Nr. 54).

[42] Ebda. Nr. 55; s. u. S. 205.

[43] S. o. S. 95 f.

[44] Z. B. in Scharffes Tabulaturbuch von 1673 (vgl. Anm. II 300).

[45] Eckelts Tabulaturbuch 1692 (vgl. Anm. II 300) enthielt 9 Stücke von Froberger.

sind [46]. Zahlreiche Tanzkompositionen enthält die Handschrift *Partite ex Vienna* (1681) sowie *Grimms Tabulaturbuch* (1698/99) [47]. Auch J. S. Bach hat Froberger zunächst nach der handschriftlichen Überlieferung studiert [48].

Die im strengen Stil gearbeiteten Kompositionen Frobergers wurden — anscheinend aber nicht in so starkem Maße wie die von Frescobaldi — als Muster für die Fugenkomposition benutzt und bis in das 19. Jahrhundert [49] vielfach abgeschrieben, vor allem in den Schülerkreisen von Johann Josef Fux [50] und J. S. Bach [51]. Auffällig ist die (in Frobergers Autographen nicht vorkommende) Kombination von 6 Ricercaren mit sechs Capricci (deren Subjekte teilweise aus den Ricercarthemen abgeleitet sind) in einer im Jahre 1690 angefertigten Sammlung, die mehrfach kopiert wurde [52].

Die Wertschätzung und die praktische Bedeutung der Toccaten in der handschriftlichen Überlieferung bezeugen noch in den dreißiger Jahren des 18. Jahrhunderts Matthesons Ausführungen über Frobergers Stil [53] sowie die Bearbeitungen des Wiener Hoforganisten Gottlieb Muffat [54], denen hauptsächlich die Veröffentlichungen von Ludwig Bourgeat als Grundlage dienten. Auch W. A. Mozart hat sich mit Froberger beschäftigt [55].

---

[46] Z. B. Leipzig, Städtische Musikbibliothek II. 2. 51. — Als Beispiel für das Bearbeitungsverfahren der Schreiber sei Nr. 50 aus dem Kodex E. B. 1688 angeführt. Das ebendort anonym aufgezeichnete Stück findet sich unter Frobergers Namen in Partitur notiert in den folgenden Quellen:
1. Berlin, Bibliothek der ehem. Hochschule für Musikerziehung und Kirchenmusik, Ms. aus den 1690er Jahren (durch Kriegseinwirkung verlorengegangen) *Frobergers (zwölf) Fugen u. Capriccen:* Nr. 11 *Fuge, après laquelle dans la deuxième partie de ces livres s'ensuit un Caprice sur le mesme subject . . .* (folgt das Inzipit des zugehörigen Capriccio); vgl. Anm. I 94.
2. Berlin, Deutsche Staatsbibliothek AmB. 434 (z. Z. Tübingen, Universitätsbibliothek): *VI / Fughe / e / VI / Capricci / dal Signor / Giovanni Giacomo Froberger* (von der Hand J. Ph. Kirnbergers).
3. Ebenda Mus. ms. 6715 (z. Z. Marburg, Westdeutsche Bibliothek): *VI / Fughe / e / VI / Capricci / dal Signor / Giovanni Giacomo Froberger / Von Dr. Forkels Hand.*
4. Ebenda Mus. ms. 6715/1 (z. Z. Marburg, Westdeutsche Bibliothek).
5. Ebenda Mus. ms. 30142 (2. Teil).
Es handelt sich in allen Fällen um dieselbe Sammlung, die offenbar ziemlich verbreitet gewesen ist und für das Studium des Kontrapunktes diente. Demgegenüber ist das Stück im Kodex E. B. 1688 für den praktischen Gebrauch in der folgenden Weise umgearbeitet worden:
a) Das Stück ist griffmäßig auf zwei Systeme notiert, wobei auf die korrekte Wiedergabe der Stimmführungen kein Wert gelegt wurde;
b) die Tempus-Vorzeichnung ist in C umgeändert, sämtliche Notenwerte sind dementsprechend um die Hälfte verkürzt worden;
c) die Vorlage ist durch die Auslassung entbehrlicher Stellen (T. 7, 33 und 66 der Tabulatur) zusammengezogen worden;
d) mehrfach sind die Notenfolgen in einzelnen Stimmen zugunsten der besseren Spielbarkeit und des lebendigeren Stimmenflusses geändert worden;
e) die lydische Tonart der Vorlage ist — auch in der generellen Vorzeichnung — in F-dur umgewandelt worden.
[47] Vgl. Anm. II 284.
[48] Vgl. den bekannten Bericht im Nekrolog.
[49] K. v. Winterfeld, Alois Fuchs, J. N. Forkel.
[50] Zelenka, Giessel.
[51] Kirnberger, Ph. E. Bach.
[52] Vgl. Anm. I 94 und III 46.
[53] S. o. S. 24.
[54] S. o. S. 36.
[55] Es sind zwei fragmentarische „Intavolierungen" von Frobergers Hexachordfuge erhalten, die Mozart anfertigte (Köchel-Einstein, Anhang 109 [VII] bzw. Anhang 292).

Die Tatsache, daß seine Kompositionen selten in authentischen Fassungen weitergegeben wurden, mag Froberger in seinen letzten Lebensjahren dazu veranlaßt haben, alles zurückzuhalten, da er vermutlich nicht über die finanziellen Mittel verfügte, um — wie Samuel Scheidt[56] — eine Gesamtausgabe oder zumindest — wie J. K. Kerll[57] — ein thematisches Verzeichnis zu veröffentlichen. Bezeichnenderweise enthalten auch die posthumen Druckausgaben keine authentischen Fassungen der Stücke, demnach werden den Stechern vermutlich keine Eigenschriften des Meisters vorgelegen haben. Die handschriftliche Verbreitung der Werke Frobergers muß also — zumindest in den Fachkreisen — recht umfangreich und von nachhaltiger Wirkung gewesen sein, ehe die Sammlungen im Druck erschienen. Auch geographisch hat der Einfluß des Meisters sehr weit gereicht (vielleicht weiter als der Frescobaldis), dafür spricht das Erscheinen der Kompositionen in Rom, Paris, London, Amsterdam und Mainz.

Sieht man von den wenigen Veröffentlichungen einzelner Sätze in Sammeldrucken ab, so setzte die Publikation Frobergerscher Werke im Jahre 1693 ein und reichte — nach heutiger Kenntnis — bis zum Jahre 1734. Gedruckt wurden drei Sammlungen mit verschiedenartigen Repertoires, von denen jede mehrere Neuauflagen und Nachdrucke erfuhr. Nachweisbar sind die folgenden Ausgaben[58]:

1693 *Diverse / Ingegnosissime, Rarissime e non maj piu viste / Curiose Partite, di / TOCCATE, CANZONE / RICERCATE, ALLEMANDE, / CORRENTI, SARABANDE E GIQUE, / Di / CIMBALI ORGANI e INSTRUMENTI / Dal Eccellentissimo e Famosissimo Organista / GIOVANNI GIACOMO FROBERGER / Per la prima volte con diligentissimo Studio stampate / / Unterschiedliche / Kunstreiche / gantz rar- und ungemein curiose, und vorhin nie ins Tageslicht / gegebene Partyen von / Toccaten / Canzonen / Ricercaten / Allemanden / Courenten / Sarabanden u. Giquen / zu sonderbarem nützlichen Gebrauch für / Spineten / Orgelen / und / Instrumenten / Von dem weit u. Weltberühmten künstlichen Organisten / Joan Jacob Froberger / der gelehrten Welt und allen deroselben Liebhabern zu gantz angenehmer Nutzbarkeit erfunden / Zu finden bey Ludwig Bourgeat / Anno MDCXCIII.*
(Ohne Ort; der Katalog der Frankfurter Frühjahrsmesse gibt Mainz an)[59]
Kupferstich, italienische Orgeltabulatur (6 + 7 Linien );
Inhalt: 9 Toccaten, 1 Fantasie, 2 Ricercari, 2 Capricci.

1693 2. Ausgabe der obengenannten Sammlung, jedoch ohne den deutschen Titel; . . . *Da Ludovico Bourgeat MDCXCIII* (o. O.)[59].

1694 Ankündigung einer Ausgabe in den Frankfurter und Leipziger Katalogen zur Frühjahrsmesse 1694 mit den Angaben[60]:
*(Des weit- u. weltberühmten künstlichen Organisten) Johann Jacob Frobergers Werke, 1. Continuation, bestehende in meistentheil Allem. Sarab. Cour. & Giquen, auf 5 Linien. fol. Mainz b. Ludw. Bourgeat.*
Die Sammlung wurde wahrscheinlich nicht veröffentlicht, da der Druck von 1696 als *Prima Continuatione* bezeichnet wird, aber einen anderen Inhalt hat als der in der Anzeige von 1694 genannte; 1699 bezeichnet Bourgeat die 1693 zuerst erschienene Sammlung als *Prima parte*,

---

[56] In der Vorrede zur *Tabulatura Nova* (1624) begründet Scheidt die Veröffentlichung damit, daß seine Schüler seine Kompositionen wider seinen Willen (vermutlich parodiert) verbreitet hätten. Jetzt erst erschienen die authentischen Fassungen.
[57] S. u. S. 130.
[58] Eine Bibliographie der Froberger-Drucke fehlt bisher, da die Drucke im wesentlichen nur für Lesartenvergleiche herangezogen wurden, sonst aber keine eingehende Würdigung fanden. Auf diese Weise sind auch die Fehlurteile in der Literatur zustande gekommen.
[59] Vgl. Anm. II 130 und G. Adler, Revisionsbericht zu DTÖ IV 1, S. 118.
[60] Exemplar nicht nachweisbar; zitiert nach Göhler; vgl. Anm. II 131.

die 1696 erstmalig nachweisbare als *Seconda parte*, ein weiteres Buch scheint er demnach nicht herausgegeben zu haben.

1695 *Diverse / Curiose e Rarissime Partite / di / Toccate, Ricercate, Capricci / E Fantasie / Dal Eccellentissimo è Famosissimo Organista, / Giovanni Giacomo Froberger, / Per gli Amatori / Di Cimbali Organi E Instromenti / Con diligentissimo Studio stampate / A Moguntia / A Coste de Ludovico Bourgeat, Librario de L'Academia / M.DC.LXXXXV.*
(Nachdruck der Ausgabe von 1693) [61].

1696 *Divese* [sic] / *Curiose è Rare / PARTITE MUSICALI / del / Eccellentissimo è Famossimo / Organista, / GIOVANNI GIACOMO FROBERGER / Prima Continuatione / Per uso è Recreatione de gli Amatori / Di / Cimbali, Organi, Instrumenti / Espinetti. / Stampate. / A Moguntia / A Coste de Ludovico Bourgeat, Librario de l'Academia. / M.D.CXCVI* [62].
Kupferstich; französische Orgeltabulatur (5 + 5) Linien);
Inhalt: 5 Capricci (die beiden letzten sind mit denen in der Sammlung von 1693 identisch).

o. J. *10 Suittes / De / Clavessin / Composées Par / Monsieur Giacomo Frobergue / Mis en Meilleur ordre et corrigée d'un grand nombre de Fautes. / A Amsterdam / Chez Pierre Mortier sur le Vyendam, qui vend toutte Sorte de Musique.*
(Offenbar der Nachdruck einer früher erschienenen Ausgabe [63]; um 1697).
Kupferstich; französische Orgeltabulatur (5 + 5);
Inhalt: 10 Suiten (Satzfolge: *Allemande, Courante, Sarabande, Gique*).

1697/8 Kataloganzeige des Amsterdamer Verlegers Estienne Roger [64]:
*10 Suittes de Frobergue contenant Allemande Courante sarabande et gigue gravé.*
Es bleibt fraglich, ob hiermit die ed. pr. oder die im folgenden genannte *Seconde Edition* gemeint ist.

o. J. *10 Suittes / de / Clavessin / composées / Par / Mons.ᵣ Giacomo Frobergue / Seconde Edition trez exactement corrigée / à Amsterdam chez / Estienne Roger Marchant libraire & Compagnie* [65].
Kupferstich; französische Orgeltabulatur;
Inhalt: Gleich dem der Ausgabe von Mortier (s. o.).
(Es scheinen also mindestens vier Ausgaben derselben Sammlung veröffentlicht worden zu sein, zwei durch Mortier und zwei durch Roger. Die zeitliche Reihenfolge läßt sich z. Z. noch nicht ermitteln).

1699 *Prima parte delle diverse curiose e rarissime partite di toccate, ricercate, capricci e fantasie, dal eccellentissimo e famosissimo organista Giovanni Giacomo Froberger, per gli amatori di cimbali, organi e instrumenti con diligentissimo studio stampate . . . Maguntia . . . Bourgeat . . . 1699.*
(Nachdruck der Ausgabe von 1693) [66].

1699 *Seconda parte delle diverse curiose e rarissime partite di toccate, ricercate, capricci e fantasie, dal eccellentissimo e famosissimo organista Giovanni Giacomo Froberger, per gli amatori di cimbali, organi e instrumenti con diligentissimo studio stampate . . . Maguntia . . . Bourgeat . . . 1699.*
(Nachdruck der Ausgabe von 1696) [66].

---

[61] Vgl. G. Adler, a. a. O. S. 119.
[62] Vgl. Anm. II 137 und G. Adler, a. a. O. S. 119; von jetzt ab wurden die Froberger-Drucke nicht mehr in den Meßkatalogen angezeigt.
[63] Exemplar der ersten Ausgabe nicht nachweisbar.
[64] Vgl. Fr. Lesure, *La Dation des Premieres Editions d'Estienne Roger (1697—1702)*, Kongreßbericht Bamberg 1953, S. 273 ff.
[65] Vgl. G. Adler, Revisionsbericht zu DTÖ VI 2, S. 87.
[66] Expl. London, British Museum, Hirsch Library III 210 (vgl. *Katalog der Musikbibliothek Paul Hirsch*, Frankfurt a. M. 1936, Bd. III, S. 67 f.).

1714 *Diverse ingegnosissime, rarissime & non mai più viste curiose Partite, di Toccate, Canzone, Ricercate, Alemande, Correnti, Sarabande e Gique, di Cimbali, Organi, Instromenti, dal Eccellentissimo e Famosissimo Organista, Giov. Giacomo Froberger, per la prime [sic] volte con diligentissimo studio stampate.*

(Nach J. G. Walthers Angabe 1714 zu Frankfurt am Main erschienen, ohne Nennung des Verlegers; offenbar handelt es sich um einen Nachdruck der Ausgabe von 1693, deren italienischer Titel hier wörtlich kopiert ist [67]).

1734 *Diverse / Ingegnosissime, Rarissime e non maj piu viste Curiose Partite, di / TOCCATE, CANZONE / RICERCATE, ALLEMANDE, / CORRENTI, SARABANDE E GIQUE, / Di / CIMBALI ORGANI e INSTRUMENTI / Dal Eccellentissimo e Famosissimo Organista / GIOVANNI GIACOMO FROBERGER / Per la prima volte con diligentissimo Studio stampate // Unterschiedliche / Kunstreiche / gantz rar, und ungemein curiose, und vorhin nie ins Tageslicht / gegebene Partyen von / Toccaten / Canzonen / Ricercaten / Allemanden / Couranten / Sarabanden u. Giquen / zu sonderbaren nützlichen Gebrauch für / Spineten / Orgelen / und / Instrumenten / Von dem weit u. Weltberühmten künstlichen Organisten / Joan Jacob Froberger / der gelehrten Welt und allen deroselben Liebhabern zu gantz angenehmer Nutzbarkeit erfunden / In Verlegung Ludwig Bourgeat / Universitäts-Buchhändler in Maintz / 1734.*

(Nachdruck der Ausgabe von 1696, allerdings mit einer wortgetreuen Kopie des Titels der Sammlung von 1693 [68]).

Man sieht, daß Frobergers Kompositionen noch in den dreißiger Jahren des 18. Jahrhunderts nicht veraltet waren. Man bedenke, daß die letzte Ausgabe ein Jahr vor J. S. Bachs *Clavier Übung* II und Matthesons *Fingersprache* erschien. Offenbar hat man Froberger deshalb im 18. Jahrhundert für einen Meister des späten 17. Jahrhunderts gehalten; so ist wohl auch die folgende Bemerkung von Jakob Adlung [69] zu erklären: *„Frobergern (Joh. Jacob) hat der selige leipziger Bach jederzeit hoch gehalten, ob er schon etwas alt. Denn seine Partien sind schon 1696 heraus. Doch folgte 1714 noch ein ander Werk . . ."*

Die stattliche Reihe der auf dem Musikalienmarkt angebotenen Froberger-Drucke darf nicht darüber hinwegtäuschen, daß die Zahl der veröffentlichten Kompositionen sehr gering blieb. Es handelt sich im ganzen (einschließlich der einzeln veröffentlichten Stücke) um 10 Toccaten (davon eine nur fragmentarisch), 2 Fantasien, 2 Ricercari, 5 Capricci, 10 Suiten (Reihenfolge: Allemande, Courante, Sarabande, Gique). Vergleicht man damit das Repertoire eines der großen autographen Kodizes [70], so erkennt man, daß nur ein Bruchteil des Gesamtschaffens in die Hände eines breiteren Publikums gelangt sein kann. Trotz der offensichtlichen Beliebtheit dieser Ausgaben fragt es sich, ob erst von ihnen eine „belebende Wirkung" auf die Tastenmusik des späten 17. Jahrhunderts — insbesondere auf die Tanzkomposition — ausgegangen ist.

Die Veröffentlichung der Froberger-Ausgaben konzentrierte sich auf die Städte Amsterdam und Mainz. Die Amsterdamer Suiten-Sammlung hatte offenbar großen Erfolg, jedoch wohl hauptsächlich in den westlichen Ländern. Ob sie auf den deutschen Büchermarkt gekommen ist, läßt sich nicht feststellen. Auffällig ist jedoch, daß sie weder in den Meßkatalogen noch in den späteren Biographien Frobergers (Walther, Mattheson) erwähnt wird. Das 1698/99 — also

---

[67] Walther, *Lexicon*, S. 264; Mattheson, *Ehrenpforte*, S. 89.
[68] Vgl. Adler, Revisionsbericht zu DTÖ X 2, S. 121.
[69] *Anleitung*, S. 711.
[70] S. o. S. 75 f.
[71] Vgl. Anm. II 284.

nach dem Erscheinen der Amsterdamer Sammlung — in Mitteldeutschland angefertigte „Grimm-sche" Tabulaturbuch[71] hat mit der Druckausgabe nur die Gigue der dort veröffentlichten ersten Suite und die vollständige zweite Suite gemeinsam, jedoch in abweichenden Fassungen; der Schreiber muß diese wie auch die zahlreichen übrigen von ihm aufgezeichneten Froberger-Stücke anderen Vorlagen entnommen haben.

Fällt somit die Amsterdamer Sammlung für die Einwirkung auf die Tanzkomposition in Deutschland aller Wahrscheinlichkeit nach aus, so trifft dies erst recht für die Publikationen von Ludwig Bourgeat zu. Wie unsere bibliographische Übersicht zeigt, enthalten diese nämlich überhaupt k e i n e  T a n z s ä t z e. Der Titel der Ausgabe von 1693 ist irreführend, die im Früh-jahr 1694 angekündigte Fortsetzung, die vorwiegend Tanzsätze enthalten sollte, ist offensicht-lich nicht erschienen. Korrekte Angaben (auch hinsichtlich des übrigen Repertoires) enthält die Ausgabe von 1695, während die späten Nachdrucke wiederum den Titel der Erstausgabe führen; 1734 benutzte man ihn sogar für das Capriccien-Buch (ed. pr. 1696), das ebenfalls unter ver-schiedenen Titeln vorkommt. In sämtlichen Ausgaben bezeichnete Bourgeat die zusammen-gestellten Kompositionen als *Partite*, doch wohl nicht im speziellen Sinn von „Suite", wie man den Terminus im 18. Jahrhundert gebrauchte. Hierdurch haben sich freilich nicht nur die älteren Biographen, sondern anscheinend auch Max Seiffert täuschen lassen. Die Druckausgaben sind jedenfalls für die Entwicklung der „Klaviersuite" in Deutschland ohne Belang gewesen. Die Abweichungen der Amsterdamer Suiten-Sammlung von den Autographen hinsichtlich der Les-arten, der Zusammenstellung und der Reihenfolge der Sätze dürften eher darauf hindeuten, daß die Drucke die in der handschriftlichen Überlieferung nachgewiesene Bearbeitungspraxis wider-spiegeln.

Bekanntlich stehen Frobergers Tanzsätze in den Amsterdamer Ausgaben in der „klassischen" Reihenfolge *Allemande-Courante-Sarabande-Gique*, wie sie gegen das Ende des Jahrhunderts üblich war. Bei dem Meister selbst finden wir dagegen stets die Anordnung *Allemande-(Gique)-Courante-Sarabande*, die — wie M. Reimann[72] nach-gewiesen hat — auf französische Vorbilder zurückgeht. Wie eine Notiz in dem aus Norddeutschland stammenden „Hintze"-Manuskript zeigt[73], haben die Zeitgenossen diese Anordnung als eine Eigentümlichkeit Frobergers angesehen, die sie selbst bei der Aufzeichnung seiner Kompositionen jedoch nicht für bindend hielten.

Froberger hat die Entwicklung der Tanzkomposition zweifellos hinsichtlich der Satz-technik und der Verwendung für programmatische Schilderungen beeinflußt. Die pasticcio-förmige Zusammenstellung Frobergerscher Sätze mit fremden Stücken (die womög-lich von den Schreibern der betreffenden Quellen stammen[74]) hat hier sicherlich starke Wirkungen ausgeübt, so daß es schwerfällt, Frobergers Kompositionen von den übrigen zu unterscheiden. Auf Anregungen durch des Meisters Programmstücke beruft sich sogar noch Kuhnau[75], ebenfalls auf Grund der handschriftlichen Überlieferung, da die Programmtitel bezeichnenderweise in den Druckausgaben fehlen[76].

Die formale Gestaltung der Klaviersuite dürfte von Froberger keine Anregungen empfangen haben. Die „klassische" Ordnung hat anderswo ihren Ursprung. Merk-würdigerweise war sie bei den in Deutschland veröffentlichten Tanzsammlungen von Anfang an vorhanden (zuerst bei Schultheiß im Jahre 1679), während sie sich in den

---

[72] *Untersuchungen zur Formengeschichte der französischen Klavier-Suite*, Regensburg 1940, S. 36 u. 38.
[73] S. o. S. 97 (Nr. 5); vgl. Tafel I.
[74] S. o. S. 98.
[75] Vorrede zu *Musicalische Vorstellung Einiger Biblischer Historien*, Leipzig 1700.
[76] S. o. S. 97 (Konkordanzen zu Nr. 5).

Handschriften z. Z. bereits zu Beginn der siebziger Jahre nachweisen läßt (Lüneburg, Ratsbücherei Mus. ant. pract. KN 147[77]; ferner in Pogliettis Partiten[78]). Die „klassische" Ordnung war demnach bereits fertig[79], ehe der Einfluß der französischen Orchestersuite in Deutschland stärker wirksam werden konnte. Zur speziellen Untersuchung dieser Frage müßten in erster Linie die Klavier-Übertragungen von Suiten für Instrumental-Ensemble herangezogen werden[80]; hier könnte der Ursprung der „Klavier-Suite" liegen!

---

[77] S. o. S. 95 f.
[78] S. u. S. 161.
[79] Wenn sie sich auch noch nicht allgemein durchgesetzt hatte.
[80] S. o. S. 112; in der Handschrift Uppsala, Universitätsbibliothek Ms. 409 (Düben-Sammlung), die um die Mitte des 17. Jahrhunderts angefertigt wurde und intavolierte Tanzsätze enthält, kommt die „klassische" Ordnung bereits gelegentlich vor.

# DIE ORGANISTEN DER WIENER HOFKAPELLE
## UNTER KAISER LEOPOLD I. (BIS 1683)

Die geographische Lage Wiens im Schnittpunkt deutscher, italienischer und slawischer Kultureinflüsse, die musikalischen Fähigkeiten der habsburgischen Kaiser, ihre Freigebigkeit, die viele auswärtige Künstler anlockte, das hohe Niveau der kaiserlichen Hofkapelle und ihre Verbindungen zu den Kapellen in den habsburgischen Nebenresidenzen (Prag, Graz, Innsbruck, Brüssel) machten die Hauptstadt des Heiligen Römischen Reiches zum Sammelpunkt vielfältiger musikalischer Kräfte und Strömungen. Die neuesten Erzeugnisse der italienischen Musik fanden lebhaftes Interesse, aber auch der *stilus antiquus* hatte hier — durch Kaiser Leopold persönlich gefördert — seine vornehmste Pflegestätte. Von Wien aber strahlte ein mehr oder weniger tiefgreifender Einfluß in nahezu alle Territorien des Reiches aus.

In besonderem Maße galt dies für die Tastenmusik. In Wien ist Frescobaldis Tradition am stärksten und längsten nachweisbar[81], Frobergers Kompositionen nahmen von hier ihren Weg nach dem Norden und nach dem Westen[82], den Kaisern wurden repräsentative Werke wie Pogliettis *Rossignolo*[83] und Muffats *Apparatus* gewidmet, reisende Virtuosen wie N. A. Strunck[84] ließen sich vor den Majestäten hören.

Während die Tastenspielkunst in der Epoche Ferdinands III. in Wolfgang Ebner und Johann Jakob Froberger ihre glanzvollsten Vertreter fand, ragen in der stattlichen Reihe der Hoforganisten Leopolds I. zwei Männer hervor, deren Leben, Schaffen und Werküberlieferung sehr eng miteinander verknüpft sind: Johann Kaspar Kerll und Alessandro Poglietti[85].

Poglietti gehörte seit 1661 als Organist zur Hofkapelle, Kerll hielt sich nach seinem Ausscheiden aus den bayrischen Diensten seit Ende 1673 in Wien auf, bezog seit dem 1. Januar 1675 eine kaiserliche Pension und wurde am 1. März 1677 als Hoforganist angestellt[86]. Die Türkenbelagerung im Jahre 1683 (Juli bis September) setzte der Tätigkeit beider Meister am Wiener Hofe ein Ende: Poglietti verlor dabei sein Leben, Kerll zog „nach aufgehobter Belagerung" zurück nach München, blieb freilich bis 1692 Mitglied der kaiserlichen Hofkapelle.

Daß schon vor Kerlls Anstellung in der Hofkapelle freundschaftliche Beziehungen zwischen beiden Meistern bestanden haben, geht daraus hervor, daß Kerll und seine Gemahlin am 23. Juni 1673 bei der Taufe einer Tochter Pogliettis Gevattern waren. In den Hofkreisen erfreuten sich die Meister — die beide in den Adelsstand erhoben wurden — anscheinend gleichermaßen eines hohen Ansehens. Auch besaßen beide nähere Verbindungen zu den Ländern der böhmischen Krone, bedingt allein schon durch die Übersiedlung des Hofes nach Prag während der Pestjahre 1679/82, wobei

---

[81] S. o. S. 120.
[82] S. o. S. 122 ff.
[83] S. u. S. 152 ff.
[84] S. u. S. 184 ff.
[85] Die in diesem Kapitel angeführten biographischen Angaben fußen auf den Forschungen von A. Sandberger (Einleitung zu DTB II 2), H. Botstiber (Einleitung zu DTÖ XIII 2) und A. Koczirz (*Zur Lebensgeschichte Alexander de Pogliettis* in: Studien zur Musikwissenschaft IV, S. 116). Das Material ist noch sehr lückenhaft, neue Archivforschungen wären dringend notwendig.
[86] Die Rechnungsbücher führen ihn regulär erst ab 1. Januar 1680 (nach der Pensionierung von Marcus Ebner).

Poglietti als Besitzer eines mährischen Rittergutes zum Hofe des Fürstbischofs von Olmütz in näherer Beziehung gestanden zu haben scheint.

War Froberger ganz und gar Virtuose des Tastenspiels und konzentrierte auch sein kompositorisches Schaffen fast ausnahmslos auf dieses Gebiet, so bildete die Tastenmusik bei Kerll und Poglietti nur einen Teil des gesamten Wirkens und Schaffens. Beide sind nicht nur zeitweilig als Kapellmeister tätig gewesen, sondern haben auch als kaiserliche Hoforganisten nebenher für andere Höfe Kirchen- und Kammermusik komponiert[87].

Ihre musikalische Ausbildung empfingen Kerll und Poglietti in Italien[88], musiktheoretische Studien nach denselben Vorlagen bezeugt ein mehrfach in Abschriften überlieferter, bald Kerll, bald Poglietti zugeschriebener Traktat[89]. Ihre Kompositionen für Tasteninstrumente finden sich nicht nur nebeneinander in posthum erschienenen Klavierbüchern, sondern sind auch in den Handschriften mehrfach gemeinsam überliefert, wobei in vielen Fällen Namensverwechslungen vorkommen. Vielleicht hat dieser Umstand Kerll später mit dazu bewogen, ein Verzeichnis seiner als authentisch anerkannten Kompositionen zu veröffentlichen.

In der Musikgeschichte des 17. Jahrhunderts finden wir kaum eine so auffällige Meister-Kombination, wie sie der Fall Kerll-Poglietti darstellt. Trotzdem läßt sich auf Grund näherer Untersuchungen feststellen, daß jeder der beiden Meister in seinem kompositorischen Schaffen wie auch hinsichtlich dessen Verbreitung und Wirkung auf die übrige musikalische Welt seine besondere musikgeschichtliche Bedeutung hat.

## Johann Kaspar Kerll[90]

Kerll gehört zu den wenigen Klaviermeistern des 17. Jahrhunderts, deren Werk fest umrissen vor uns liegt. Die *„Freygeisterey der Abschreiber"* und die Verbreitung der Stücke ohne Autorangaben oder gar unter falschen Namen mögen ihn veranlaßt haben — da die finanziellen Mittel für eine Gesamtausgabe offenbar fehlten — wenigstens ein thematisches Verzeichnis zu veröffentlichen, ein für jene Zeit noch außergewöhnliches Unternehmen[91]. Es erschien als Anhang zu seiner 1686 in München gestochenen Versettensammlung *Modulatio Organica* mit dem Titel

*Subnecto initia aliarum Compositio=/num mearum pro Organo et / Clavicymbalo, in eum, quem / dixi finem.*

Den Inhalt dieses Verzeichnisses mit den derzeit feststellbaren Konkordanzen enthält die Tabelle auf S. 132 ff.

---

[87] Kerll war 1656—1673 Hofkapellmeister in München und lieferte auch später noch Kompositionen an den kurfürstlichen Hof; Poglietti war vor seiner Anstellung als Hoforganist Kapellmeister (und Organist) an der Jesuitenkirche „Zu den neun Chören der Engel" in Wien (am Hof), ein großer Teil seiner Kompositionen war für den Hof zu Kremsier bestimmt (vgl. Anm. 120).

[88] Kerll studierte in Rom bei Carissimi, während Pogliettis Lehrer nicht bekannt ist; da seine Familie jedoch aus der Toscana stammt, wird er ebenfalls in Rom studiert haben. Als direkter Schüler Frescobaldis ist keiner der beiden Meister nachweisbar; s. u. S. 151.

[89] Vgl. H. Federhofer, *Zur handschriftlichen Überlieferung der Musiktheorie in Österreich in der zweiten Hälfte des 17. Jahrhunderts*, Mf XI (1958), S. 264 ff.

[90] Vgl. O. Kaul / F. W. Riedel, Artikel *Kerll* in MGG.

[91] Johann Theile ließ 1708 einen Katalog seiner Kirchenwerke drucken.

Außerhalb dieser Reihe sind weitere Kompositionen in den älteren Quellen unter Kerlls Namen überliefert, deren Echtheit jedoch zweifelhaft ist:

1. *Toccata sive Ricercata in Cylindrum phonotacticum transferenda*
mit der Autorangabe „. . . *a Gasparo Kerll, Serenissimi Archiducis Leopoldo . . . Organoedo*".

Unter diesem Titel ist eine Komposition für ein mechanisches Musikinstrument in der *Musurgia Universalis* des Athanasius Kircher, Bd. II, Rom 1650, S. 316 ff. abgedruckt [100]. Im Cod. 18 580 der Österreichischen Nationalbibliothek (geschrieben in der ersten Hälfte des 19. Jahrhunderts) ist der Satz mit einer *Sonata modi dorii del Sig. Giovanni Gasp. Kerl* für zwei Violinen, Viola und Baß verbunden. Die Fuge soll sich unmittelbar an die Sonate anschließen und trägt den Vermerk *Fuga Moderato Kircherus 316 parte 2da*. Ein ganz ähnlicher Fall liegt bei der unter Pogliettis Namen überlieferten *Sonata* und *Fuga Do Re Mi Fa Sol La* vor, wo als Autor der Fuge der Engländer John Bull ermittelt werden konnte. In beiden Fällen scheint die Zusammenstellung von Sonate und Fuge erst von einem späteren Überlieferer vorgenommen worden zu sein. Überdies ist die bei Kircher notierte *Ricercata* (abgesehen von direkten Kopien aus der *Musurgia*) nur in der Ricercar-Sammlung des Alessandro Poglietti überliefert [101].

2. *Halter J: C: K:*

Dieses Stück ist nachträglich in die einzige erhaltene Individualhandschrift von Kerlls Tastenmusik eingetragen worden und wird in anderen Quellen unter dem Titel *Steyrischer Hirt* ebenfalls Kerll zugeschrieben. Es ist möglich, daß der Meister es erst nach 1686 geschrieben hat, falls es überhaupt von ihm stammt [102].

3. *Canzone*

In den Drucken von Roger, Mortier und Walsh ist der *Toccata tutta de salti* (s. o.) eine Canzone ohne Autorangabe beigefügt (beide sind unter einer Nummer zusammengefaßt). Ob die Canzone von Kerll später hinzugefügt wurde oder eine fremde Zutat ist, läßt sich nicht feststellen.

4. Ein Stück ohne Titel (d-moll) mit der Autorangabe *Del signor Kerl* steht in der Handschrift Paris, Bibliothèque Nationale Vm⁷ 1818, fol. 26ᵛ. Ihm folgen zwei weitere titellose Sätze, der eine in e-moll, der andere in F-dur.

5. In der Handschrift Wien, Musikarchiv des Minoritenkonventes XIV 713 steht auf S. 149 eine Variationsreihe mit der Überschrift *Schmidt Del Signo: Joan: Casp: Kerl:* .

6. Im Versettenbuch Wien, Musikarchiv des Minoritenkonventes XIV 718 steht eine *Fuga bona (clamor campestrium)*, als deren Autor Kerll genannt wird. In dem dazugehörigen Versettenbuch XIV 720 wird Kerll eine *Canzone singulariter bona* zugeschrieben.

7. Im Versettenbuch des Johann Anton Graf (Hamburg, Staats- und Universitätsbibliothek ND VI Nr. 3208; vernichtet) standen zwei Canzonen, als deren Urheber Kerll bezeichnet war. Ihre Inzipits hat Sandberger in der Einleitung zu DTB II 2 notiert.

Aus der Quellenlage kann man die Entstehungszeit der Tastenstücke Kerlls annähernd bestimmen. Da das thematische Verzeichnis im Jahre 1686 veröffentlicht wurde, müssen alle dort angeführten Kompositionen vor diesem Zeitpunkt entstanden sein. Der Komplex

---

[100] Neudruck in DTB II 2, S. 59.
[101] S. u. S. 149 und S. 151. In dem erwähnten Cod. 18 580 stehen ferner ein *Ricercar a 5 obl. jedwedes ein besonders Subjectum* und ein *Ricercar à 6 soggetti obligati*; über jedem ist später von anderer Hand der Name *Johann Kaspar Kerl* notiert worden. Beide Sätze stammen jedoch aus den *Ricercari . . . di Luigi Battiferri* (1669) und finden sich gelegentlich anonym als Musterbeispiele für den fünf- und sechsstimmigen Fugensatz in handschriftlichen Lehrbüchern (z. B. in Pogliettis *Compendium* und Kerlls *Compendiose Relation von den* [sic] *Contrapunct*; s. u. S. 146).
[102] Vgl. Sandberger, a. a. O. S. LXIX.

| Johann Kaspar Kerll:<br>*Subnecto initia . . . 1686*<br>*(Modulatio Organica)* | Berlin, Bibliothek der ehema-<br>ligen Hochschule für Musik-<br>erziehung und Kirchenmusik<br>Ms. 5270[92]:<br>*Toccate, Canzoni . . . 1675* | New Haven (Conn.), Library<br>of the Yale Music School<br>LM 5056[93]:<br>Kodex *E. B. 1688* |
|---|---|---|
| *Toccata. 1.ma* | Nr. 1 *Toccata* I    (anonym) | Nr. 37 *Toccata 1. Toni*<br>(anonym) |
| 2.*a* | Nr. 2 *Toccata* II    (anonym) | |
| 3.*a* | Nr. 3 *Toccata* III    (anonym) | |
| 4.*a* | Nr. 4 *Toccata* IV    (anonym) | |
| 5.*a* | Nr. 5 *Toccata* V    (anonym) | Nr. 58 *Toccata. di A l e x a n -<br>d e r P o g l i e t t i* |
| 6.*a* | Nr. 6 *Toccata* VI    (anonym) | Nr. 2 *Toccata Sign.*<br>*A : P o g l i e t t i* |
| 7.*a* | Nr. 7 *Toccata* VII    (anonym) | |
| 8.*a* | Nr. 8 *Toccata* VIII    (anonym) | Nr. 39 *Toccata* (anonym) |

| Handschriften im Musik- | Handschriften in anderen | Zeitgenössische Drucke [94] |
| archiv des Minoritenkonven- | Bibliotheken | |
| tes in Wien | | |

XIV 721, fol. 10ʳ f.
*Toccata Dni. A l e x i j  P o - g l i e t i  Sac:  Caes:  Mᵗᵉˢ Organoedi*

XIV 719, fol 17ᵛ
*bona Toccata Auth. J o . C a s p .  K e r l l*
(nur der Anfang)

a) Leipzig, Städtische Musikbibliothek II. 2. 51, *Tu-
   cata tutta de salti. del
   Sigr. G i o v .  C a s p a r
   C h e r l l*
b) Berlin, Deutsche Staatsbibliothek Mus. ms.
   40 335 (z. Z. Marburg)
   fol. 59ᵛ *TOCATA*
   (anonym)

a) (1698/9) *Toccates & Suit-
   tes . . . Amsterdam . . .
   Roger . . ., S. 9
   Toccata tutta de salti di
   G . K e r l e*
b) (o. J.) *Toccates & Suit-
   tes . . . Amsterdam . . .
   Mortier . . ., S. 9
   Toccata tutta de salti di
   G . K e r l e*
c) (o. J.) *A Second Collec-
   tion of Toccates Vollen-
   tarys and Fugues . . .
   London . . . Walsh.*
   (Nr. 181), S. 7
   *Tocata tutta de Salti del
   Sig.ʳᵉ G . K e r l e*

a) New Haven (Conn.),
   Library of the Yale Music School Ma. 21. H 59 [93a]
   S. 4 *Toccata: J: C K*
b) Berlin, Deutsche Staatsbibliothek Mus. ms. 40 335
   (z. Z. Marburg) fol. 1ʳ
   (Fragment, Anfang mit
   Titel fehlt)

| Johann Kaspar Kerll:<br>*Subnecto initia . . .* 1686<br>*(Modulatio Organica)* | Berlin, Bibliothek der ehema-<br>ligen Hochschule für Musik-<br>erziehung und Kirchenmusik<br>Ms. 5270[92]:<br>*Toccate, Canzoni . . .* 1675 | New Haven (Conn.), Library<br>of the Yale Music School<br>LM 5056[93]:<br>Kodex *E. B. 1688* |
| --- | --- | --- |
| *Canzone. 1.°* | Nr. 9 *Canzon*　　(anonym) | |
| 2.° | Nr. 10 *Canzon 2.*　(anonym) | |
| 3.° | Nr. 15 *Canzon J C K*<br>(dreiteilig) | (Nr. 74 Parodie: *Fuga<br>P. Heidorn â Crempe Ped*) |
| 4.° | Nr. 12 *Canzon J C K* | |
| 5.° | Nr. 13 *Canzon J C K* | |
| 6.° | Nr. 14 *Canzon J C K* | |

| Handschriften im Musik-archiv des Minoritenkonventes in Wien | Handschriften in anderen Bibliotheken | Zeitgenössische Drucke[94] |
|---|---|---|
| a) XIV 713, S. 11<br>*Canzon jmi Toni: J: C: Kerl* (2 getrennte Sätze)<br>b) XIV 718, fol. 3ᵛ<br>*Fuga in D:mol* (anonym)<br>fol. 14ʳ *Conzona. — Fuga Dni Joan Caspari Kerl*<br>*NB: 2ᵈᵃ pars ad fugam NB. Dni Copisij*<br>(fol. 3ᵛ steht der erste Teil, 14ʳ der zweite) | a) Berlin, Deutsche Staatsbibliothek Mus. ms. 40335 (z. Z. Marburg), fol. 48ʳ *CANZ[ON]A* (anonym)<br>b) ebenda, Mus. ms. 30112 S. 14 *Canzone* (ursprünglich anonym) | a) Roger (s. o.), S. 17<br>*Canzona di Caspar Kerll*<br>b) Mortier (s. o.), S. 17<br>*Canzona di Caspar Kerll*<br>c) Walsh (s. o.), S. 13<br>*Canzona de Caspar Kerll*<br>d) (o. J.) *Sonate da Organo di Varii autori ... (o. O.) Sonata 3ᵃ del Cherli* |
| | Paris, Bibl. Nationale Vm.⁷ 1817[96], fol. 7ᵛ *Fuga J. C. Kerl, Principis Bavariae Cap. Magistro* | |
| XIV 718, fol. 26ʳ<br>*Conzona Dni Lebhard in D:moll* (nur der 1. Teil) | Dresden, Sächsische Landesbibliothek Mus. 1/T/6 (3. Teil)[97]<br>Nr. 13 (ohne Titel und Autor; zweiteilig) | |
| | | a) Roger (s. o.), S. 23<br>*Canzona*<br>b) Mortier (s. o.), S. 23<br>*Canzona*<br>c) Walsh (s. o.), S. 17<br>*Canzona* |
| | Dresden, Sächsische Landesbibliothek Mus. 1/T/6 (3. Teil)[97]<br>Nr. 1 (ohne Titel und Autor) | |
| XIV 721 fol. 26ᵛ f.<br>*Fuga di Casparo Kerl in G:* | a) Dresden, Sächsische Landesbibliothek Mus. 1/T/6 (3. Teil)[97]<br>Nr. 2 (ohne Titel und Autor)<br>b) Berlin, Deutsche Staatsbibliothek Mus. ms. 30112 S. 12 *Canzone del Frescobaldi* | a) Roger (s. o.), S. 19<br>*Canzona*<br>b) Mortier (s. o.), S. 19<br>c) Walsh (s. o.), S. 15<br>*Canzona* |

| Johann Kaspar Kerll: Subnecto initia ... 1686 (Modulatio Organica) | Berlin, Bibliothek der ehemaligen Hochschule für Musikerziehung und Kirchenmusik Ms. 5270 [92]: Toccate, Canzoni ... 1675 | New Haven (Conn.), Library of the Yale Music School LM 5056 [93]: Kodex E. B. 1688 |
|---|---|---|
| Capriccio Sopra il Cucu. | Nr. 19 Cappricio Cu Cu (anonym) | |
| Battaglia | Nr. 17 Battaglia J C K | |
| Ciaccona Variata | Nr. 16 Ciaccona J C K | Nr. 42 Ciaccona del Sig.re Joh. Casparo Kerll |
| Passacaglia Variata. | Nr. 18 Passagaglia J C K | |
| Allamande. Courante. Sarabande. | | |
| Gigue. | | |
| Allamande. Courante. Sarabande. Gigue. Allamande. | | |

Handschriften im Musik-
archiv des Minoritenkonventes in Wien

Handschriften in anderen
Bibliotheken

Zeitgenössische Drucke[94]

XIV 682, Vorsatzblatt
*Exempel . . . aus des Herrn*
*Caspar Kerl seinen Can-*
*zonen* (Inzipit)[95]
XIV 731, fol. 7r
*Passagalia.* [sic] */ Del Sig:*
*Joan / Cherll.*


XIV 713
Nr. 95 *Ball: del: Sig: Kerl*
XIV 729, fol. 14v
*Guig*[ue] *7timj Tonj Casp.*
*Kerl* (Anfang abweichend)

a) Berlin, Deutsche Staatsbibliothek *Mus. ms. autogr.*
*J. K. Kerll*[98]
*A M D G S. Alexij Hono-*
*rem. Pragae Ao'. 1679*
*die: 17: Julij*
b) Hamburg, Staats- und
Universitätsbibliothek
ND VI Nr. 3335[99]
*Capriccio vel Imitatio Cu-*
*culi*
c) Leipzig, Städtische Musikbibliothek III. 8. 5
*Capriccio sopra il Cucu*
*del Sig: Giov. Casp.*
*Kerl*
a) Paris, Bibl. Nationale
Vm.[7] 1817[96], fol. 1r
*Sdiarra-muzza sive Into-*
*natio*
b) Hamburg, Staats- und
Universitätsbibliothek
ND VI Nr. 2426[99]
c) Wien, Österreichische
Nationalbibliothek, Cod.
18 685 fol. 3v *Feld/Schlacht*
(anonym)

| Johann Kaspar Kerll: | Berlin, Bibliothek der ehema- | New Haven (Conn.), Library |
|---|---|---|
| Subnecto initia . . . 1686 | ligen Hochschule für Musik- | of the Yale Music School |
| (Modulatio Organica) | erziehung und Kirchenmusik | LM 5056 [93]: |
| | Ms. 5270 [92]: | Kodex E. B. 1688 |
| | Toccate, Canzoni . . . 1675 | |

Courante.
Sarab:


Allamande.
Cuorante. [sic]
Sarab.

[92] S. o. S. 78 f.
[93] S. o. S. 100 f.
[93] S. o. S. 93 ff.
[94] S. u. S. 143.
[95] S. o. S. 36.
[96] Vgl. J. Ecorcheville, Catalogue du fonds de musique ancienne de la Bibliothèque Nationale, Paris 1910/14 (unter Kerl).
[97] Dieses Konvolut (stark beschädigter brauner Ledereinband mit Goldprägung, 134 Bll. 4°, mit verschiedenen, durch die Braunfärbung des Papiers z, T. schwer zu identifizierenden Wasserzeichen) besteht aus drei Manuskripten, die vom selben Schreiber etwa um die Mitte des 18. Jahrhunderts angefertigt wurden:
    I. SONATE / D'Intavolatura / Per L'Organo et Cembalo / Dedicata / A Sua Eccellenza / Il Sig: Conte Cornelio Pepoli Alusotti / Conte del S. R. J. di Catiglione Sparvo Barragazza / Senatori di Bologna, Nobile Ferrarese Patrizio Veneto / e Romano. / Da F. Gio: Batta Martini Minore Conventuale (Kopie des Druckes von 1742).

XIV 713
Nr. 123 *Ball: J o a n   C a s p.*
*K e r l .*

II. *SVITES / des Pieces pour / LÉ CLAVECIN / — Composées par — / — G. F. Handel —* (Ko-pie des Druckes von 1720); anschließend 24 Ouvertüren von Händel-Opern in Klavierübertragung.
III. Anonyme Stücke; schon Eitner, *Quellenlexikon* (Artikel *Händel*) vermutete, daß sie nicht von Händel seien:
Nr. 1—13 Fugen ohne Titel: Nr. 1, 2 und 13 sind von Kerll, die übrigen konnte ich noch nicht identifizieren; vgl. Tafel III.
Nr. 14 Toccata und Fuge ohne Titel = *Volentary V / aus A Second Collection . . .,* London, Walsh (Neudruck in DTB II 2; dort versehentlich unter die zweifelhaften Kompositionen Kerlls gerechnet, in den Quellen sind die Stücke nur anonym überliefert).
Nr. 15—20 je ein *Preludio* in Verbindung mit einer *Sonata:* identifizieren konnte ich bisher nur die *Sonata* Nr. 15 b; es handelt sich um die *Sonata 2ª del Pollaroli di Venezia* aus der Sammlung *Sonate da Organo di Varii Autori* (vgl. Anm. II 169). Dasselbe Stück findet sich als *Capriccio* unter dem Namen Pollaroli im sog. *Andreas-Bach-Buch* (Leipzig, Städtische Musikbibliothek III. 8. 4).
[98] Vgl. A. Sandberger, a. a. O. S. LXX.
[99] Durch Kriegseinwirkung verlorengegangen (lt. freundlicher Mitteilung der Bibliotheksleitung).

der Tanzsätze — der wohl ursprünglich eine geschlossene Sammlung bildete — muß vor 1683 fertiggestellt gewesen sein, da zwei der z. Z. nachweisbaren Stücke in einer aus diesem Jahr stammenden Quelle aufgezeichnet sind[103]. Die Magnificat-Versetten, die er 1686 unter dem Titel *Modulatio Organica* stechen ließ, komponierte Kerll — wie er im Vorwort berichtet — während der Zeit, als in Wien die Pest wütete, die im August 1679 ausbrach und erst im Herbst 1682 vollständig erloschen war. Da die Seuche in der ersten Zeit am schlimmsten um sich griff, Kerll damals vermutlich seine Gattin verlor und die Widmungsträgerin Erzherzogin Maria Antonia auch erkrankte (hierauf spielt Kerll in der Vorrede an), dürfte die Entstehungszeit schon für 1679/80 anzusetzen zu sein. Eine der drei Fassungen des *Capriccio sopra il Cucu* trägt die angeblich eigenhändige Datierung „*Pragae Ao'. 1679 die: 17: Julij*"[104]. Alle übrigen Stücke, d. h. die Toccaten, Canzonen, Ciaccona, Battaglia und Passacaglia befinden sich in der handschriftlichen Sammlung *Toccate, Canzoni, et altre Sonate, per Sonare sopra il Cembalo e Organo . . . De An: M.DCLXXV*[105], deren Niederschrift (von den späteren Sätzen abgesehen) am 22. März 1676 zu Pirnitz in Mähren durch einen ungenannten Schreiber beendet wurde. Da Kerll bis 1675 in Wien stellungslos war[106] und offenbar nur durch eine intensive Lehrtätigkeit seinen Lebensunterhalt verdiente, hat er die Sammlung vermutlich für didaktische Zwecke zusammengestellt. Das Autograph ist nicht erhalten, man kennt weder seinen genauen Titel noch seinen Index. Ob die Tanzsätze ursprünglich dazu gehörten, ließe sich erst auf Grund neuer Quellenfunde feststellen[107]. Vielleicht war das ganze Repertoire in einem Kodex — entsprechend Frobergers Sammlungen — zusammengefaßt, dessen Entstehung zwischen 1673 und 1675 anzusetzen wäre. Zwar ist die *Toccata 8ᵃ* einzeln im „Hintze"-Manuskript überliefert[108], das — falls es von der Hand Weckmanns stammt — spätestens zu Anfang des Jahres 1674, wahrscheinlich aber schon früher angelegt worden ist, auch weicht die dort notierte Fassung von den beiden späteren in vielen Einzelheiten (jedoch nicht in der Gesamtanlage) ab. Da nun die Datierung des „Hintze"-Manuskriptes nicht völlig gesichert ist und weiter keine von Kerlls Tastenstücken vor 1675 nachweisbar sind, muß angenommen werden, daß der Hauptbestand seiner Tastenmusik in der ersten Zeit seines Wiener Aufenthaltes entstanden ist. Da es sich ohnehin — im Vergleich zu Frescobaldis und Frobergers Schaffen — um eine sehr geringe Anzahl Kompositionen handelt, wird der Meister sie wohl ziemlich im Zusammenhang angefertigt haben, und zwar während seiner Tätigkeit als Organist und Lehrer der *Clavierkunst*, nicht als Kapellmeister am bayerischen Hofe, als der er in erster Linie Kirchenwerke, Kammer- und Theatermusik zu schreiben hatte. Bei anderen Meistern, die ebenfalls nacheinander verschiedene musikalische Ämter

---

[103] Vgl. Anm. II 265.
[104] Vgl. Anm. 98.
[105] S. o. S. 78 f.
[106] Die Angabe bei Doppelmayr, *Historische Nachricht von den Nürnbergischen Mathematicis und Künstlern*, Nürnberg 1730, S. 258 f., Kerll sei Organist an St. Stephan gewesen, läßt sich aktenmäßig nicht belegen und könnte ein Irrtum sein.
[107] Der verschollene Kodex aus Gottlieb Muffats Nachlaß, den Alois Fuchs besaß, enthielt (lt. Katalog der Sammlung A. Fuchs 1850): a) XIV. *große Suiten*, b) VIII *große Toccaten*, c) VI *detto Canzonen*, d) I *Capriccio*, e) I *Battaglia . . . Ferner VI große Suiten* — jede aus mehreren *Numern bestehend*. Leider hat Fuchs die Inzipits der Tanzsätze nicht notiert, auch gibt er keinen Titel der Sammlung an. — Dafür, daß Kerll die Stücke im Jahre 1675 zusammenstellte, spricht auch der Titel der Handschrift Paris, Bibliotheque Nationale Vm⁷ 1817: *Pieces datées de 1675, attribuées à J. K. Gherl*.
[108] S. o. S. 97; vgl. Tafel II, Abb. 1.

ausgeübt haben, lassen sich analoge Verhältnisse hinsichtlich der Verteilung des kompositorischen Schaffens nachweisen[109].

Steht die Tastenmusik Kerlls quantitativ weit hinter den Werken der beiden Großmeister des 17. Jahrhunderts zurück, so scheint auch ihre Verbreitung und ihr Einfluß auf die Zeitgenossen kein so eminentes Ausmaß angenommen zu haben, wie es für Frescobaldi und Frobergers Schaffen nachweisbar ist. Trotzdem mag — der sehr lückenhaften Quellenüberlieferung nach zu urteilen — eine Reihe von Stücken recht beliebt und verbreitet gewesen sein.

In den österreichischen und böhmischen Ländern des Hauses Habsburg dürfte Kerlls Tastenmusik auf Grund der persönlichen Verbindungen am stärksten und auch am vollständigsten verbreitet gewesen sein, in ähnlichem Maße vielleicht noch in München; genau nachzuweisen läßt sich dies z. Z. noch nicht. Eine frühe — vielleicht sogar persönliche — Beziehung nach Norddeutschland bezeugt die Eintragung der *Toccata 8ᵃ* im „Hintze"-Manuskript sowie die Parodierung der *Canzone 3º* durch P. Heidorn, der vermutlich dem Hamburgischen Organisten J. A. Reincken nahestand[110]. In den mitteldeutschen Quellen läßt sich Kerll ebenfalls nachweisen[111], noch J. S. Bach und G. F. Händel haben seine Werke studiert.

Auf welchem Wege einige Stücke in die Amsterdamer Drucke (und von dort zu Walsh nach London) sowie in die italienische Sammlung *Sonate da Organo* gelangten, ist noch ungeklärt. Offenbar sind jedoch in einen weiteren Umkreis nur wenige Stücke gelangt, die man als „brauchbare Blumen"[112] aus dem Gesamtrepertoire auszog. Sätze aus der *Modulatio organica* lassen sich nicht nur in vielen handschriftlichen Versettenbüchern nachweisen[113], sondern haben die Komposition liturgischer Orgelsätze unter den Zeitgenossen beeinflußt[114]. Darüber hinaus wurden auch Abschnitte der Canzonen oder zusammengezogene Toccaten als Versetten verwendet[115].

Die in Italien und in den damals unter der oranischen Dynastie in Personalunion vereinigten Ländern posthum gedruckten Stücke waren offenbar die beliebtesten in den Kreisen der Liebhaber; Roger, Mortier und Walsh kopierten sie voneinander, doch läßt sich die zeitliche Reihenfolge z. Z. nicht feststellen. Der Zusatz *tutta de salti* bei der *Toccata 5ᵃ* findet sich hier zuerst, auch ist dieser Toccata eine nicht als authentisch nachweisbare Canzone angehängt, worauf oben bereits hingewiesen wurde. In ähnlicher Weise haben die Herausgeber drei der echten Canzonen — entgegen des Meisters eigener Zusammenstellung — unter einer Nummer vereinigt.

Nach dem Erscheinen der Drucke und vielleicht in Abhängigkeit von diesen wurden die in den Handschriften Leipzig, Städtische Musikbibliothek II. 2. 51[116] und Dresden, Sächsische Landesbibliothek Mus. 1/T/6 vorkommenden Stücke aufgezeichnet. Der Kodex aus Dresden zeigt, daß noch gegen die Mitte des 18. Jahrhunderts einige Stücke in der Praxis Verwendung fanden[117]. Doch handelt es sich hier anscheinend um Ausnahmen. Kerll hinterließ keine Kompositionen im strengen Stil, denen eine längere Lebensdauer hätte beschieden sein können, seine Werke sind reine Spielmusik, darum blieb ihr Wirkungskreis zeitlich wohl im wesentlichen auf die Lebenszeit des Meisters beschränkt. Die Toccaten lassen sich überhaupt z. Z. nur in sehr wenigen — in den einzelnen Lesarten vielfach voneinander abweichenden — Quellen nachweisen, beliebter scheinen die Canzonen gewesen zu sein, die nicht nur in verschiedenartigen Fassungen vorkommen, sondern auch von anderen Komponisten als Vorlage für Parodien benutzt wurden.

---

[109] J. Kuhnau, J. S. Bach.
[110] S. u. S. 192 ff.
[111] Handschriften der Leipziger und der Dresdener Bibliothek.
[112] S. o. S. 54.
[113] S. o. S. 91.
[114] Vgl. die Vorrede zu Franz Xaver Anton Murschhausers *Octi-Tonium Novum Organicum*, Augsburg 1696 (Neudruck in DTB XVIII).
[115] Vgl. die Handschriften im Wiener Minoritenkonvent.
[116] Auch hier findet sich der Zusatz *tutta de salti*, der sonst in keiner Handschrift vorkommt.
[117] Vgl. Anm. 97.

Das obige Quellenverzeichnis zeigt überdies, daß ein großer Teil von Kerlls Tastenmusik anonym oder unter fremden Namen überliefert wurde, und zwar in einem stärkeren Maße, als dies bei anderen Meistern der Fall gewesen zu sein scheint. Man darf daher hoffen, daß eine systematische Quellen- und Inzipitaufnahme die Zahl der Konkordanzen noch beträchtlich vermehren wird[118]. Erst dann wird ein präziseres Urteil über die Bedeutung dieses Meisters möglich sein.

## Alessandro Poglietti

Leben und Schaffen des kaiserlichen Hof- und Kammerorganisten Alessandro Poglietti liegen in einem eigentümlichen Zwielicht. Weder seine Herkunft noch sein Geburtsdatum ließen sich bisher ermitteln, seine näheren Lebensumstände sind kaum bekannt. Wo er seine musikalische Ausbildung empfangen hat, wissen wir nicht genau[119]. Auch die Stellung zum Hof in Kremsier ist ungeklärt, es läßt sich nicht einmal sagen, wo das Schwergewicht von Pogliettis kompositorischem Schaffen lag. Das überlieferte Werk umfaßt außer der Tastenmusik auch Kirchenwerke und Kammermusik[120].

Besonders merkwürdig ist die Tatsache, daß zahlreiche Kompositionen fremder Meister unter Pogliettis Namen überliefert sind, wobei es sich in vielen Fällen nicht um Parodien, sondern um nachweisbare Originalfassungen handelt.

Einiges Licht in diese etwas ungewöhnliche und undurchsichtige Situation bringt das erst kürzlich durch P. Altman Kellner bekanntgewordene *Compendium* von 1676[121]. Wie im folgenden näher dargelegt werden soll, hat Poglietti, der eine bedeutende Kenntnis zeitgenössischer und älterer Musikwerke besessen zu haben scheint, Kompositionen fremder Meister vielfach ohne Autorangabe als Musterbeispiele für den Unterricht benutzt. Die Schüler und Abschreiber haben diese dann offenbar für seine eigenen Werke angesehen.

Um zu einer Klärung dieses Problems beitragen zu können, ist eine Zusammenstellung des gesamten unter Pogliettis Namen überlieferten Repertoires notwendig, soweit es z. Z. nachweisbar ist.

### A Drucke

I. Individualdruck:

*Musica Aulica*, o. O., o. J. (Ende 17. Jahrhundert)
Beschreibung (nach H. Botstiber)[122]:

---

[118] Auch die im Druck erschienenen Sätze der *Modulatio Organica* waren unter falschen Namen verbreitet. So enthielt beispielsweise Eckelts Tabulaturbuch (s. o. S. 99) zwei Versetten aus dem genannten Werk mit dem Namen *Vetter* (vermutlich Andreas Nikolaus); vgl. Seiffert, *Klaviermusik*, S. 233 (Anm. 2).

[119] Vgl. Anm. 88.

[120] Herrn Professor Dr. Ernst Hermann Meyer, Berlin, bin ich zu größtem Dank verpflichtet für die freundliche Übersendung eines Auszuges aus dem Katalog der Bibliothek des Kollegiatkapitels St. Mauritius zu Kremsier (Kroměříž). Danach sind dort die folgenden Werke von Poglietti (z. T. im Autograph) erhalten:
2 Messen, 1 Requiem, 1 Magnificat, 2 Ave Regina, 1 Heft Litaniae Lauretanae, 1 Motette, 9 Sonaten für mehrere Instrumente und zahlreiche Ballett-Suiten à 5—6.
Die Österreichische Nationalbibliothek zu Wien besitzt dazu noch 7 Ballett-Suiten à 3—6 (nach E. H. Meyer, *Die mehrstimmige Spielmusik des 17. Jahrhunderts*, Kassel 1934, S. 234).

[121] S. o. S. 88 ff.

[122] A. a. O. S. XVII; das einzige nachweisbare Exemplar befand sich im Musikarchiv des Wiener Minoritenkonventes, ist aber seit langer Zeit verschollen.

Kupferstich, 8 Bll.; auf dem Titelblatt befindet sich eine allegorische Darstellung: Der Titel *Musica Aulica* steht zwischen den beiden Armen einer Leiter. „Auf den einzelnen Sprossen dieser Leiter, auf deren unterster links ein reichgerüsteter Mann steht, während rechts von der höchsten Sprosse ein barhäuptiger Mensch herabstürzt und im Fallen all sein Geld verstreut, stehen die Silben *do re mi fa sol* und oben an der Spitze *la*. Zwischen den vertikalen Mittelstücken dieser Leiter stehen die Worte *in medio consistit virtus*. Links von der Leiter liest man den Satz *Dum tollitur Aulicus inquit* (zu ergänzen ist: *do re* etc.) und rechts davon *Dum cadit Alter ait* (nämlich: *la, sol,* etc.). Vor der ersten Notenzeile prangt die Angabe *Authore Alexandro de Poglietti Sac: Lateran: Palat: Aul: Ces: Imp: Cons: Comite Palatin: Sac. Ces. Maj. Leopo: I: Cam: aul: Organista*. Zum Schlusse des Stückes folgt noch der weise Rat:

> *In glück ubernimb dich nicht*
> *Undt in unglück Verzweyffle nicht.*

dann *In fine videbitur Cuius Toni* und darunter ein Totenschädel."
Inhalt: Fuga *Do re mi fa sol la* (vermutlich in Partitur)

## II. Sammeldrucke[123]:

1. *TOCCATES & SUITTES / Pour le Clavessin / de / MESSIEURS PASQUINI, POGLIETTI, & / GASPARD KERLE / A AMSTERDAM / Chez Estienne Roger / Marchand Libraire, o. J.* (1698/9)
Die Sammlung enthält von Poglietti:
*Tocata dell Sig. Allessandro Poglietti — Allemande — Double — Courante — Sarabande.*

2. *Toccates et Suittes pour le Clavessin . . . Amsterdam . . . Mortier . . ., o. J.*
(Inhalt identisch mit dem der Ausgabe von Roger).

3. *A Second Collection / of TOCCATES VOLLENTARYS / and / FUGUES / made on Purpose / for the / ORGAN & HARPSICHORD / Compos'd by / Pasquini, Polietti / and others / The most Eminent Foreign Authors / Engraven and Carefully Corrected / . . . / London Printed for and Sold by I. Walsh . . . No 181, o. J.*
Die Sammlung enthält von Poglietti dieselben Stücke wie die beiden vorgenannten Drucke.

## B Handschriften

### I. Autograph:

Wien, Österreichische Nationalbibliothek Cod. 19 248 [124]:
*ROSSIGNOLO. / Giach' in qᵗᵒ tempo, et grata Stagione / Comincia a Cantar il Rossignolo, qui si / vederá L'imitatione per imitar lo / al Cembalo. // Perpetuum Mobile.* [mehrere konzentrische Kreise: innen das kaiserliche Wappen (Adler schwarz, Schnäbel, Klauen, Krone und die Initialen *LE* in Gold; Wappenschild, Bänder an der Krone und Blumen rot; Kranz mit grünen Zweigen; sämtliche Einzelteile sind aus buntem Papier auf das Titelblatt aufgeklebt), ringsherum der Spruch *VIVat LeopoLDVs et ELeonora faVstos et MatVros In Annos*; den nächsten Kreis bildet ein Kanon *(Perpetuum Mobile):* außen die Zahlen 1—24, darum die Worte *Viva Leopoldo Primo Invittissimo Imperatore Augusto Romano.*] // *Compos: d. Alessandro Poglietti Organista / della M.ᵗᵃ V.ʳᵃ / Anno. / QVo LeopoLDVs et ELeonora gratlas eXprlMUnt.* (1677)
Beschreibung:

Hellbrauner Lederband mit reicher Verzierung in Goldprägung; die ursprünglich vorhandenen Verschlußbänder sind entfernt worden; II + 32 Bll. fol. (30 x 20,5 cm), Goldschnitt; Wasserzeichen: Wappen (innen u. a. eine sechsblättrige Blüte, oben ein Kleeblatt); auf Bl. IIʳ folgt die Dedikation in der Form eines symbolischen Noten- und Zahlenspiels:
*Latus ad Occasum nunquam reditur [us] adortum, / Vivo hodie, moriar crashere nat [us] eram. / HOROLOGIUM / Musicale. //* [Kreis: innen die in der Form einer Schnecke geschriebene

[123] S. o. S. 66 das Verzeichnis der undatierten Drucke.
[124] S. o. S. 77; Herrn Hofrat Universitätsprofessor Dr. Leopold Nowak, Wien, sage ich an dieser Stelle meinen ergebensten Dank für die Erlaubnis, diesen kostbaren Kodex persönlich einsehen zu dürfen.

Widmung an die Kaiserin, im Zentrum das Monogramm *AP*; ringsherum ein musikalisches Motiv von vier Noten, das zwölfmal auf den verschiedenen Tonstufen wiederholt wird; außen ein Zifferblatt mit den Zahlen I—XII, darüber der Name *Eleonora Magdalena Teresa*] // *Omnia cum pereant, est Virtus sola perennis: / Hac immortales reddere sola potest.*

Die Schriftzüge von Titelblatt und Dedikation sind kalligraphisch, desgleichen die im Notentext gelegentlich vorkommenden Zeichnungen; die Notenschrift ist dagegen etwas flüchtiger und recht klein.

Gliederung des Inhaltes und Notation[125]:

*Toccata — Canzona — Allemande — Double I/II — Courante — Double — Sarabande — Gigue — Double* (französische Orgeltabulatur)
*Aria Allemagna con alcuni Variazioni Sopra l'Eta della M.ta V.ra* (französische Orgeltabulatur)
*Ricercar per lo Rossignolo — Syncopatione del Ricercar* (Partitur)
*Capriccio per lo Rossignolo Sopra 'l Ricercar — Aria bizarra del Rossignolo — Imitatione del med:mo Ucello* (französische Orgeltabulatur).


II. Individualhandschriften[126]:

1. Wien, Musikarchiv des Minoritenkonventes XIV 710 (Konvolut aus dem ersten Viertel des 18. Jahrhunderts; der erste Teil enthält eine Kopie der *Fiori Musicali* von Frescobaldi): PARS SECUNDA. / In qva continentvr Ricercarae / D: Alexandri Poglietti Sac: Caes: Imp: Cons: / Comite Palatini Sac: Caes: Maj: Leopol: 1mi Cam: Aul: Organstae. [sic] Inhalt:
7 Ricercari (Partitur)
Fuga „Do re mi . . ." (französische Orgeltabulatur)

2. Ebenda XIV 711 (Konvolut aus dem ersten Viertel des 18. Jahrhunderts[127]). Inhalt des ersten Teiles: 12 Ricercari ohne Autorangabe (Partitur).

3. Kremsier, Bibliothek des Kollegiatkapitels St. Mauritius, Ms. vom Ende des 17. Jahrhunderts (8 Seiten, gebunden)[128]:
*Toccatina sopra la Ribellione di Ungheria*[129].

4. Berlin, Deutsche Staatsbibliothek Mus. ms. 17 670 (z. Z. Marburg, Westdeutsche Bibl.) (Konvolut aus dem Besitz von Joseph Fischhof in Wien: Manuskripte dreier Schreiber vom Ende des 18. Jahrhunderts).
Inhalt:
a) *Pièces / pour le / Clavecin ou l'Orgue / par / Alexandre de Poglietti / Organ: de Cour de l'Empereur Leopold:*
Sätze aus *Rossignolo*, z. T. in veränderten Fassungen (französische Orgeltabulatur).

b) *Do Re Mi Fa Sol La / Authore / Alexandro de Poglietti Sac: Imp: Cons: Comite / Palatin: Sac: Caes: Maj: Leop: / I. Cam: aul. Organista.:*
Hexachord-Fuge ohne Titel (französische Orgeltabulatur).

c) *Sonata a 4. / Do, re, mi, fa: etc: / Auth: Alexandro Boglietti*[130]:
Ein Satz, dann folgt noch einmal die Hexachord-Fuge (Partitur).

d) *Ricerc[ari] ä 4. Voci / d. Alessandro Poglietti:*
12 Ricercari (Partitur)[131].

---

[125] S. u. S. 154 f.
[126] Einschließlich geschlossener Teile in Konvoluten.
[127] Vgl. Anm. II 221.
[128] Vgl. Botstiber, a. a. O.
[129] S. u. S. 160.
[130] Besetzungsangabe: *Violino , 2 Viole / Basso.*
[131] Am Schluß der Niederschrift steht das bei Quelle 7 im Titel vorkommende Distichon.

5. München, Bayerische Staatsbibliothek Ms. 4495, Beiband 3 [132] (aus der zweiten Hälfte des 18. Jahrhunderts):
*Do, re, mi, fa so, la, Fuga per Tonos Authore Alexandre Poglietti* (moderne Klaviernotation).

6. Wien, Bibliothek der Gesellschaft der Musikfreunde IX 6809:
*Sonata a 4: Stromenti / Do, re, mi, fa etc: //* [hier später eingefügt: *(Violino — 2 Viole e Violonzello.)] Partitura / Composta da / Alessandro Boglietti. / Organista della Capela di Corte / Imp. e Reale in Vienna. // Auth Alexandro / Boglietti* [133].
(Die Niederschrift ist am Schluß datiert: „*die Januari* 798").
Inhalt:
*Sonata Do, re, mi, fa etc: Authore Alexandro Boglietti* [133] (Partitur)
*Fuga Do re mi fal sol la*... (Partitur).

7. Ebenda IX 23 433 (um 1800):
*XII Fughe / a 4 / von / Violino, due Viole / e Basso / del Alessandro Boglietti* [133] *// Hanc iterate Fugam! cum sit dulcissima cantu. / Arte quidem cunctis Autor erat celebris.*
Inhalt: 12 Ricercari (Partitur).

8. Ebenda IX 3283/h (1. Hälfte des 19. Jahrhunderts):
*12 Fughe a 4. con Violino, 2. Viole e Basso. Del Sig[nore]Alessandro Boglietti.*
Inhalt: 12 Ricercari (4 Stimmenhefte) [134].

9. Wien, Österreichische Nationalbibliothek Cod. 18 577 (1. Hälfte des 19. Jahrhunderts):
*Ricercate Authore d. Alexandro Poglietti Sac. Later. Pal. / Aul. Caes. Imp. Cons. Comite Palatini S. C. M. Leopoldi* Imi / *Camera Aul. Organista.*
Inhalt: 12 Ricercari (moderne Klaviernotation).

10. Stift Göttweig, Musikarchiv Ms. Poglietti (geschrieben von Ambros Rieder): *12 / Ricercate, / Authore d. Alexandro de Poglietti, / Sac. Lateran. Palat. Aulae Caes: Imp: / Cons. Comite Palatin. Sac. Caes. / Majest: Leopoldi* Imi. *Cam. Aul. / Organista.*
Inhalt: 12 Ricercare (Partitur).

11. London, British Museum Add. 32151 (Konvolut aus dem 19. Jahrhundert) [135]: *Ricercate ...*
Inhalt: 12 Ricercari

12. Kremsier, Bibliothek des Kollegiatkapitels St. Mauritius, Ms. des 18. Jahrhunderts (1 Blatt, sehr defekt; offenbar Fragment eines umfangreicheren Kodex).
Inhalt: *Allemande* mit dem ersten *Double* aus *Rossignolo* [136].

III. Einzelstücke in Sammelhandschriften:

1. Berlin, Bibliothek der ehem. Hochschule f. Musikerziehung und Kirchenmusik Ms. 5270 (*Toccate, Canzoni, et altre Sonate ... 1675*) [137]:
Nr. 11 *Canzon A P* (Alessandro Poglietti?)

2. Stift Kremsmünster, Regenterei L 146 (*COMPENDIUM / oder / Kurtzer Begriff, und Einführung / zur Musica 1676*) [138]:

---

[132] Ausführliche Angaben über diese Handschrift verdanke ich der Güte von Herrn Oberbibliotheksrat Dr. Hans Halm, München.
[133] In allen Fällen ist die Schreibung *Boglietti* später durch Rasur in *Poglietti* geändert.
[134] Hinter dem letzten Satz steht ebenfalls das bei Quelle 7 im Titel vorkommende Distichon.
[135] A. Hughes-Hughes, *Catalogue of Manuscript Music in the British Museum*, Vol. III, London 1909, S. 102.
[136] Vgl. Botstiber, a. a. O.
[137] S. o. S. 78 f.; Eitner, *Quellenlexikon* erwähnt noch eine Toccata in einer anderen Handschrift (100 Bll. 4°) derselben Bibliothek. Ritter, S. 41, erwähnt von Poglietti 1 Kanzon (wohl das aus der Sammlung von 1675), 1 Toccata (wohl die soeben erwähnte) und 7 Ricercari (offenbar die in Zelenkas Sammlung aufgezeichneten, die Ritter vermutlich durch Fürstenau kennengelernt hat).
[138] S. o. S. 80 ff.

Als Musterbeispiele enthält der Traktat folgende Tastenkompositionen von Poglietti:
S. 42 *Praeludia, Cadenzen vnd / Fugen . . . über die acht Choral Ton gerichtet / . . . vnd zu Vespern, wie auch Ambtern sehr tauglich zuschlag*[en]. (französische Orgeltabulatur) Vor dem ersten Stück steht die Autorangabe *Al: Pogl.*
S. 97 *Toccatina / per l'Introito / D Messa / con il pedale / A. Pogl.* (italienische Orgeltabulatur)
S. 99 *D A. Pogl. / Canon â 3. / Omne trinum / perfectum* (Text: *„Cantemus et laetaemur / in die Natalitiae / Caesaris nostri Leopoldi"*) (einstimmig im Dreieck)[139].
S. 102 ff. Inzipits von *„allerhand Capricien, so auf dem In= / =strument, unterschiedliche Harmonias, sowol der Vögl, als anderen Klang imitiren"* (italienische und französische Orgeltabulatur) Autorangaben fehlen, doch sind mehrere Stücke als Kompositionen von Poglietti in anderen Quellen überliefert.
S. 132 f. Inzipits von 6 Ricercaren, das erste mit der Autorangabe *D A Pogl:*[140] (Partitur) Außerdem enthält das Buch die nachstehenden Kompositionen von anderen Meistern, sämtlich ohne Autorangabe:
S. 92 *Capriccio / sopra / do. re. mi. fa. / sol la. la. sol fa mi / re do* (ital. Orgeltabulatur)
Das Stück steht im sog. „Fitzwilliam Virginal Book" (Anfang des 17. Jahrhunderts) mit der Autorangabe *Doctor Bull*[141].
S. 134 *Ricercar mit .5. Subjecten, alle different . . .; Ricercar mit .6. Subjecten, alle absonderlich . . .*
(Inzipits, Partitur).
Beide Sätze stammen aus den *Ricercari di Luigi Battiferri,* 1669[142].

3. New Haven (Conn.), Library of the Yale Music School LM 5056 (Kodex E. B. *1688*)[143].
Außer den fälschlich Poglietti zugeschriebenen Stücken enthält die Quelle folgende Kompositionen unter Pogliettis Namen (sämtlich in französischer Orgeltabulatur):
Nr. 3 *Toccata fatta sopra Cassedio di Filipsburgo di Sign. Alex. Poglietti Org: di S. M. Caes.*
Nr. 5 *Capricio Sign: A. Poglietti Über das Hannergeschreij.*
Nr. 6—17 (Sätze aus *Rossignolo* in veränderter Folge)[144].
Nr. 18 *Canzon Sign: Alex. Poglietti Teutsch Trommel.*
Nr. 19 *Franzoik Trommel adagio modo* (offenbar die Fortsetzung des vorigen Stückes).
Nr. 27—30 *Allemand La Bravade di Alex. Poglietti — Courante — Sarabanda — Binder Gigue.*
Nr. 31—36 *Allemand di Al. Pogl. — Double — Courant — Saraband — Gigue.*
Nr. 77 *Toccata del 7° tuono di Alex: Poglietti.*
Nr. 78 *Canzona del 7° tuono di Alex. Pollietti.*
Nr. 79—84 *Allemand Sig: Alex: Poglietti — Double — Corrent — Gigue — Saraband — Double*
(es bleibt fraglich, ob die einzelnen Tanzsätze, insbesondere die Doublen, von Poglietti stammen oder Zutaten des Schreibers sind).

4. Wien, Musikarchiv des Minoritenkonventes XIV 713 (*Sum*[mula] *ex musica Fratris Wolffgangi . . . anno 1683 Monachii Collecta*)[145]
fol. 112 *Ricercar 1mi Toni Poglietti S: Caes Mtis Org.* (Fragment, von fremder Hand später eingetragen und dann wieder ausgestrichen).

5. Ebenda XIV 709a fol. 1rff. 7 Ricercari (Partitur).

6. Ebenda XIV 730, fol 7rff. *Cadenze et Praeludia cum Fuga p 8: tonos A: D: Alexan. Pogletti* [sic] (Abschrift datiert „7: Februarij / 1720") (französische Orgeltabulatur).

---

[139] Wie es in der Überschrift heißt, kann man die Kanons auch schlagen; drei vorangehende Kanons sind anonym, möglicherweise auch von Poglietti.
[140] Keins von ihnen steht in der häufig überlieferten Ricercarsammlung; s. u. S. 151.
[141] Cambridge, Fitzwilliam Museum; Neuausgabe v. Fuller-Maitland u. Barclay Squire, Bd. I, S. 183.
[142] Vgl. Anm. II 90.
[143] S. o. S. 99 ff.
[144] S. u. S. 154.
[145] Vgl. Anm. II 265.

7. Ebenda XIV 731 (Anfang des 18. Jahrhunderts)
fol. 7r *Allamande del Poglieti* [146] (französische Orgeltabulatur).

8. Ebenda XIV 718 [147]
fol. 16v *Fuga Authoris Dni Alexij Poglieti.*

9. Ebenda XIV 722 [147]
fol. 3v *Toccata Dni Poglietti.*
fol. 4v *praeludium Signore Poglietti*

10. Ebenda XIV 727
fol. 1v *Ricercar* [ausradiert:] *del Sigr J: Hendler* [daneben zugefügt:] *Alex. Poglietti* [darunter Rasur] [148]
fol. 22v *Canzona d. A Pogl.* [ausgestrichen]
fol. 42r *Der Tag der ist so freudenreich* [ausgestrichenes Fragment ohne Autorangabe] [149].

11. Verschollenes Ms. vom Anfang des 18. Jahrhunderts, früher Graz, Privatbibliothek von Prof. Ferdinand Bischoff (nach Botstiber: gebunden, 26 beschriebene Seiten folio; offenbar ohne Titel) [150]:
Inhalt [151]:

1. *Toccata* (Schluß der Toccata aus *Rossignolo*)
2. *Canzona*
3. *Allemande*
4. *Double*
5. *Double* (bis hier alle Sätze aus *Rossignolo*)
6. *Canzona la Vagabonda A. Pogl.*
7. *Fuga*
8. *Canzon vel fuga A pogl.*
9. *Conzon Vber dass Henner Vnd Hannergeschreij*
10. *Capriccio vber dass Hennen Geschreij — Dass Hannen Geschraij*
11. *Gique*
12. *Gique*
13. *Gique*
14. *Toccata quinti Toni*
15. *Conzan* [sic]
16. *Conzan* [sic]

12. Dresden, Sächsische Landesbibliothek Mus. 1 / B / 98 (Kollektaneen des J. D. Zelenka 1717/18) [152].
Am Ende des 3. Buches: 7 Ricercari (Partitur).

13. Ebenda Mus. 1 / B / 98a (Zeitgenössische Abschrift der vorigen Quelle) [152].

14. Berlin, Deutsche Staatsbibliothek Mus. ms. 40335 (z. Z. Marburg) (*Pro Musica / Incognita*, um 1700)
fol. 69v *Ricerare* [sic] [152a].

---

[146] Botstiber, a. a. O., schreibt auch die folgende anonyme Allemande Poglietti zu.
[147] S. o. S. 89.
[148] = Ricercar VIII (s. u. S. 159).
[149] = Ricercar XI (s. u. S. 150).
[150] Die Musikbibliothek des Herrn Prof. Ferdinand Bischoff, Graz, wurde 1921 durch einen gewissen Antiquar Schwarz verkauft. Seitdem fehlt jegliche Spur von dieser Handschrift. — Herrn Professor Dr. H. Federhofer, Graz, sage ich meinen ergebensten Dank dafür, daß er mir bei der Suche nach dieser Quelle behilflich war.
[151] Nach H. Botstiber, a. a. O.; da sich nicht nachprüfen läßt, ob alle Stücke von Poglietti sind, ist diese Quelle nicht unter den Individualhandschriften angeführt worden.
[152] S. o. S. 83 ff.
[152a] = Ricercar IX (s. u. S. 150).

15. Berlin, Deutsche Staatsbibliothek Mus. ms. 30112 (Sammlung von Tastenmusik verschiedener Meister, Ms. des 18. Jh. aus dem Besitz von Alois Fuchs) S. 186 ff. *Ricercar di Alessandro Poglietti d. M. Imp. Leopoldo I. 1677*[153].

Überblickt man den gesamten Quellenbestand, so fällt auf, daß der weitaus größte Teil der Handschriften in Wien oder im benachbarten Mähren angefertigt wurde. Für das Bekanntwerden Pogliettischer Werke außerhalb dieses Gebietes haben wir als Belege z. Z. nur

die in Amsterdam und London um die Jahrhundertwende veröffentlichten Drucke, die eine Partite von Poglietti neben einer Toccata von Bernardo Pasquini und einigen Stücken von J. K. Kerll enthalten. Leider läßt sich nicht ermitteln, auf welche Weise die Kompositionen dorthin gelangt sind;
eine im Besitz des hamburgischen Organisten J. A. Reincken befindliche Abschrift der oben erwähnten Kompositionsregeln, in der Poglietti als Verfasser genannt wird[154];
die im Kodex E. B. 1688 aufgezeichneten Kompositionen. Diese Handschrift ist deshalb besonders wichtig, weil der größte Teil des Repertoires vermutlich noch zu Pogliettis Lebzeiten aufgezeichnet wurde und weil sie für eine ganze Reihe von Stücken die einzige Quelle ist. Der Kodex stammt — wie oben gezeigt wurde[155] — aus dem mitteldeutschen Raum. Verbindungen des Schreibers zu den habsburgischen Ländern im Südosten (Böhmen, Schlesien, Mähren, Österreich) sind darum durchaus möglich. Persönliche Beziehungen zu Poglietti hatte er wohl nicht, da sonst nicht die vielen falschen Autorangaben vorkämen. Immerhin mögen dem Schreiber des Kodex Handschriften vorgelegen haben, die aus der Umgebung Pogliettis stammten.

Auf das Ganze gesehen, scheint Poglietti — soweit die Quellenlage in dieser Frage überhaupt ein Urteil zuläßt — ein Meister von räumlich begrenzter Bedeutung gewesen zu sein. Die Verbreitung und der Einfluß seiner Kompositionen beschränkte sich hauptsächlich auf Wien und die angrenzenden Landschaften, und zwar noch bis in das 19. Jahrhundert hinein. Dies gilt vor allem für die Ricercari, die außerhalb Wiens nur in Zelenkas Sammlung (in Wien niedergeschrieben!)[156] nachzuweisen sind, während beispielsweise aus der Schule J. S. Bachs keine Abschriften erhalten sind.

Freilich könnten zufällig gerade alle diesbezüglichen Quellen in Verlust geraten sein[157]. Doch wird die Richtigkeit unserer Hypothese bestätigt durch das nahezu völlige Fehlen von Nachrichten und Urteilen der Zeitgenossen über Pogliettis Persönlichkeit und Werk. Eine systematische Archivalienforschung würde hier vielleicht manche Aufschlüsse geben[158], bedenklich stimmt einen aber schon die äußerst seltene Erwähnung des Meisters in der zeitgenössischen und in der späteren Literatur. Mattheson würdigt ihn in seiner *Ehrenpforte* nicht, Walther[159] kennt seinen Namen nur aus einem Kapellverzeichnis, spätere Lexika erwähnen ihn überhaupt nicht. Selbst Simon Molitor, der

---

[153] = Ricercar XII (s. u. S. 150).
[154] Vgl. Anm. 89.
[155] S. o. S. 104 f.
[156] S. o. S. 83 ff.
[157] Das kürzlich aufgetauchte *Compendium* wäre ein Beweis in dieser Richtung, doch ist auch diese Quelle in Wien geschrieben worden.
[158] M. Seiffert, Einleitung zu DTB VI 1, S. XXXII, erwähnt, daß ein reisender Musiker in Nürnberg 1679 die idealen Verhältnisse in der kaiserlichen Hofkapelle gepriesen und dabei besonders Schmelzer (den damaligen Hofkapellmeister) und Poglietti genannt habe.
[159] Walther, *Lexicon*, S. 486.

um 1800 in Wien eine umfangreiche Materialsammlung zur österreichischen Musikgeschichte anlegte, beschäftigte sich mit Poglietti nur am Rande[160].

So ist Poglietti aller Wahrscheinlichkeit nach der musikalischen Welt im allgemeinen unbekannt geblieben, während man in Wien die ihm zugeschriebenen Werke bis in das 19. Jahrhundert in Theorie und Praxis sehr hoch schätzte. Naturgemäß standen hierin die Ricercari und die Hexachord-Kompositionen an erster Stelle. Aber auch der *Rossignolo* fand noch in der zweiten Hälfte des 18. Jahrhunderts das Interesse eines Sammlers[161], während die Programmstücke, Toccaten, Canzonen und die Tanzsätze das 17. Jahrhundert nur wenig überlebt haben dürften.

Allerdings erhebt sich nun die Frage, wie in dem verhältnismäßig umfangreichen, unter Pogliettis Namen überlieferten Werkbestand das Echte vom Unechten zu scheiden ist, um Pogliettis Stellung in der Geschichte der Musik für Tasteninstrumente beurteilen zu können. Darüber hinaus muß auch nach der Ursache der falschen Autorenzuweisungen gesucht werden.

Das gesamte Repertoire umfaßt — wie bei Froberger — alle Gattungen der Tastenmusik: Den strengen Stil in den Ricercaren, den fantastischen Stil in den Toccaten und vor allem in den Programm- und Charakterstücken; auch der Tanzstil ist reichlich vertreten.

SONATA UND FUGA DO RE MI FA SOL LA[162]

Wie Max Seiffert als erster festgestellt hat[163], steht die mehrfach unter Pogliettis Namen überlieferte Hexachordfuge mit der Autorbezeichnung *Doctor Bull* als Nr. 51 im sog. „Fitzwilliam Virginal Book"[164].

Als Pogliettis Komposition ist dieser kunstvolle Satz — vielleicht noch zu Lebzeiten des Meisters — mit einem Titelblatt voll symbolischer Anspielungen in Kupfer gestochen worden[165]. Diese Ausgabe hat wahrscheinlich als Vorlage für die späteren Abschriften gedient, die sämtlich aus dem 18. und 19. Jahrhundert stammen. Hier ist das Stück in zwei verschiedenen Formen aufgezeichnet:

1. Als Tabulaturstück (entsprechend der Aufzeichnung im „Fitzwilliam Virginal Book") in den Quellen:
Wien, Musikarchiv des Minoritenkonventes XIV 710 (im Anschluß an sieben in Partitur notierte Ricercari)
Berlin, Deutsche Staatsbibliothek Mus. ms. 17 670 (b) (z. Z. Marburg)
München, Bayerische Staatsbibliothek Ms. 4495 (Beiband 3)

2. Als zweiter Satz zu einer ebenfalls Poglietti zugeschriebenen Sonata *Do re mi fa sol la* für Streicherbesetzung (beide Sätze in Partitur) in den Quellen:
Berlin, Deutsche Staatsbibliothek Mus. ms. 17 670 (c) (z. Z. Marburg)
Wien, Bibliothek der Gesellschaft der Musikfreunde IX 6809

---

[160] Simon von Molitor, *Biographische und kunsthistorische Stoff-Sammlungen zur Musik in Österreich*, 2 Bde. (Wien, Österreichische Nationalbibliothek Cod. 19 239/40); Poglietti wird erwähnt in Bd. II (Cod. 19 240), Faszikel XXIX (Ferdinand Tobias Richter), Bl. 1ᵛ (Anm. b), 2ʳ und 2ᵛ.
[161] S. o. S. 144 (Quelle B II. 4).
[162] Im folgenden werden der Übersichtlichkeit halber die Quellen für jedes einzelne Werk ohne Beschreibungen noch einmal aufgeführt, Hinweise auf das obige Quellenverzeichnis erübrigen sich daher. Fragmente und nicht erreichbare Einzelstücke sind unberücksichtigt geblieben.
[163] Seiffert, *Klaviermusik*, S. 180.
[164] Vgl. Anm. 141.
[165] S. o. S. 142 f.

Die erste Fassung ist offensichtlich die ältere, da sie mit denen des Kupferstiches *Musica Aulica* und des Fitzwilliam Virginal Book's übereinstimmt. Zudem findet sich der Anfang des Stückes in italienischer Orgeltabulatur anonym in Pogliettis *Compendium* von 1676 mit der Bemerkung: *„Aus disen Capriccien kan man abnemmen, wie die transpositiones / durch daß ganze clavir geschlagen werden"* [166].

Poglietti hat dieses Stück hier also lediglich zu Demonstrationszwecken verwendet. Da er die Autoren seiner Beispiele nur selten nennt [167], haben die Schüler und Abschreiber ihn selbst für den Urheber angesehen. So ist vielleicht die *Musica Aulica* gar nicht auf seine Veranlassung gestochen worden [168].

Die Sonata *Do re mi fa sol la* dürfte aus stilistischen Gründen kaum vor der Mitte des 18. Jahrhunderts entstanden sein. Somit kann die Zusammenstellung auch nicht früher vorgenommen worden sein. Vielleicht beruht die falsche Autorzuweisung auf dem Irrtum eines Abschreibers.

## DIE RICERCARI [169]

Stark verbreitet gewesen ist eine Ricercar-Sammlung, die folgende Stücke enthält (Subjekte in Tonbuchstaben):

    I. *Ricercar 2di Toni*   (d' cis' c' f fis g b a)
    II. *Ricercar 6ti Toni*   (c' f b e f g f)
    III. *Ricercar 1mi Toni*   (d' e' a' d' g' cis' f' e' d')
    IV. *Ricercar 1mi Toni*   (a' d'' d'' c'' a' b' a')
    V. *Ricercar 1mi Toni*   (d' d' f' e' d')
    VI. *Ricercar 2di Toni*   (g' b' c'' d'')
    VII. *Ricercar 4ti Toni*   (h' h' c'' h' a' g')
    VIII. *Ricercar 2di Toni*   (d'' es'' c'' d'' b' a' a' g')
    IX. *Ricercar 3tij Toni*   (A e cis d A f f e)
    X. *Ricercar 5ti Toni*   (g e a g c' h g a a g)
    XI. *Ricercar 5ti Toni*   *„Der Tag der ist so freudenreich"* [170]
    XII. *Ricercar 7mi Toni*   (d e e fis g fis g)

In dieser Reihenfolge ist die Sammlung überliefert in den Quellen
Wien, Musikarchiv des Minoritenkonventes XIV 711 (1. Teil);
Berlin, Deutsche Staatsbibliothek Mus. ms. 17 670 (d) (z. Z. Marburg);
Wien, Österreichische Nationalbibliothek Cod. 18 577;
Ebenda S. m. 5070
Stift Göttweig, Musikarchiv Ms. Poglietti;
London, British Museum Add. 32 151.
Ebenfalls alle zwölf Ricercari, jedoch in anderer Reihenfolge, enthalten die Handschriften
Wien, Bibliothek der Gesellschaft der Musikfreunde IX 23 433;
Ebenda IX 3 283.

---

[166] S. o. S. 81.
[167] S. o. S. 81.
[168] Eine in dieser Richtung weisende Vermutung spricht H. Federhofer aus; vgl. Anm. II 209.
[169] Neuausgabe: *Alessandro Poglietti, Zwölf Ricercare,* hrsg. v. F. W. Riedel, Lippstadt 1957, Kistner & Siegel.
[170] Die Melodie dieses mittelalterlichen Weihnachtsliedes ist im Südosten häufiger als Subjekt für Fugen benutzt worden. Außer Poglietti seien als Beispiele genannt:
J. K. F. Fischer in *Ariadne Musica* (ed. pr. 1702); Franz Schneider (1737—1812; Organist in Melk), *Fuga Ueber das Weihnachtslied: Der Tag der ist so freudenreich* (Berlin, Deutsche Staatsbibliothek Mus. ms. 20 021; z. Z. Marburg); Georg Pasterwitz (1730—1803; Regenschori im Stift Kremsmünster) in *VII Fughe secondo l'A B C di Musica,* Op. II; J. B. Wanhal in *VI Fugen für die Orgel,* Wien o. J., Eder u. Comp. (Nr. 588).

Nur die ersten sieben Stücke in der oben angegebenen Reihenfolge finden sich — jeweils kombiniert mit einer Abschrift von Frescobaldis *Fiori Musicali* — in den aus dem Umkreis von Johann Joseph Fux stammenden Kodizes
Wien, Musikarchiv des Minoritenkonventes XIV 710;
ebenda XIV 709 a;
Dresden, Sächsische Landesbibliothek Mus. 1/B/98;
ebenda Mus. 1/B/98 a.
Einzelne, z. T. fragmentarisch und anonym überlieferte Sätze finden sich in den Sammelhandschriften
Wien, Musikarchiv des Minoritenkonventes XIV 713 (Ricercar I);
ebenda XIV 727 (Ricercar VIII und XI);
Berlin, Deutsche Staatsbibliothek Mus. ms. 30112 (Ricercar XII);
ebenda Mus. ms. 40335 (z. Z. Marburg) (Ricercar IX).

Die Zusammenstellung der Ricercari scheint nach keiner bestimmten Ordnung vorgenommen worden zu sein; die Abweichungen von der in den älteren Handschriften zu findenden Reihenfolge, wie sie oben angegeben ist, kommen nur in den um 1800 angefertigten Quellen vor.

Auffallenderweise findet sich von keinem der zwölf Ricercari ein Inzipit im *Compendium* von 1676. Dort sind jedoch sechs andere Ricercari angeführt (eins ist ausdrücklich mit Pogliettis Namen gezeichnet), die aber bisher noch nicht in vollständiger Gestalt nachgewiesen werden konnten. Überhaupt scheint keine der erhaltenen Abschriften der vollständigen Sammlung vor 1700 angefertigt worden zu sein.

Einige Stücke der Sammlung geben zu besonderen Bemerkungen Anlaß: Nr. IV steht — wie oben bereits erwähnt [171] — gedruckt in Kirchers *Musurgia Universalis* (Rom 1650) mit der Autorangabe *a Gasparo Kerll*. In Kerlls thematischem Verzeichnis fehlt das Stück; doch könnte es sein, daß er es übersehen oder als theoretisches Lehrstück nicht mitgezählt hat. Andererseits könnte Kirchers Autorangabe falsch sein; möglicherweise haben beide Meister schon um 1650 in Rom gemeinsam studiert [172], so daß dabei die Verwechslung zustande gekommen wäre. Wahrscheinlich aber liegt hier ein Parallelfall zur Überlieferung von John Bulls Hexachordfuge vor, d. h. Poglietti hat das Stück aus der *Musurgia Universalis* oder aus einer anderen Vorlage ohne Nennung des Autors in seine Sammlung übernommen.

Ricercar XII findet man in parodierter Gestalt im *Rossignolo* unter dem Titel *Ricercar per lo Rossignolo*. Ein Vergleich beider Fassungen zeigt, daß die Ricercar-Sammlung offenbar die ursprüngliche Gestalt enthält, die als regelrechte Fuge gearbeitet ist, während im *Rossignolo* folgende Änderungen vorgenommen wurden:

1. Das Tempus ist von $C = \frac{2}{1}$ in $C = \frac{3}{1}$ umgewandelt, jedoch unter Beibehaltung der Notenwerte, so daß eine Verschiebung der Taktschwerpunkte entsteht.

2. Innerhalb des Subjektes ist die 2. Note punktiert, die 3. Note entsprechend verkürzt worden.

3. Der Baß ist von einer den übrigen Stimmen gleichwertigen Fugenstimme durch Ausfüllung der Pausen und durch Einfügung von Zwischennoten (z. B. Oktavsprüngen zur Belebung der Baßbewegung, wodurch der ganze Umfang der Baßstimme über das normale Maß einer Fugenstimme erweitert wird) in einen fortlaufenden Baß umgestaltet worden.

4. Die Oberstimmen sind teilweise auskoloriert, der Satz ist durch Zwischennoten zur Vermeidung längerer Pausen zwischen den Themeneinsätzen verdichtet worden.

5. Das ganze Stück ist durch mehrere Einschübe erweitert worden.

Man sieht also, daß auch die Komponisten selbst ihre eigenen Werke parodierten. Außerdem haben wir hier ein Beispiel dafür, wie die praktische Ausführung der Fugensätze auf den Tasteninstrumenten vor sich ging. Das Verfahren ähnelt in etwa dem oben anhand eines

---

[171] S. o. S. 139.
[172] Vgl. Anm. 88.

Froberger-Stückes nachgewiesenen[173]: Die Grundsubstanz des strengen Satzes blieb erhalten, wenngleich sie gelegentlich durch Einschübe erweitert wurde; das „abstrakte" Gebilde der Fuge verwandelte man in ein lebendiges Spielstück, in dem die Darstellung des polyphonen Gewebes (Themeneinsätze sind gelegentlich bewußt verschleiert) hinter dem klanglichen Element mehr oder weniger zurücktrat.

Da Poglietti den *Rossignolo* im Jahre 1677 zusammenstellte, muß das vorliegende Ricercar bis zu diesem Zeitpunkt entstanden sein. Vermutlich existierte damals auch schon die ganze Sammlung, deren Anfertigung — falls das Ricercar IV von Poglietti stammt — zwischen 1650 und 1677 zu datieren wäre. Da auch andere Organisten in dieser Zeit Sammlungen herausgaben, die neben eigenen Kompositionen Stücke fremder Meister (mit oder ohne Autorbezeichnungen) enthielten[174], wäre es denkbar, daß Poglietti die Ricercari für didaktische Zwecke in ähnlicher Weise zusammengestellt hat und erst die späteren Kopisten sie sämtlich für seine eigenen Werke hielten.

Jedenfalls bildet die Ricercar-Sammlung des Alessandro Poglietti ein ebenbürtiges Seiten-stück zu den im Druck veröffentlichten Fugen-Büchern von Battiferri (1669) und Fontana (1677), mit denen sie gelegentlich zusammen überliefert ist[175]. Wie oben bereits gezeigt wurde[176], ge-hörten die Ricercar-Sammlungen der drei genannten Meister neben Frescobaldis *Fiori Musicali* und Palestrinas Messen zur klassischen Mustersammlung für den Kompositionsunterricht in der Schule des Johann Josef Fux. Von hier aus läßt sich ihr Einfluß in Theorie und Praxis bis in das 19. Jahrhundert verfolgen. Im Gegensatz zu den übrigen Sammlungen sind Pogliettis Ricer-cari (abgesehen von Zelenkas Sammlung in Dresden) nur in Wien nachweisbar[177]. Hier waren sie um 1800 noch als Streichquartettsätze im Gebrauch, obwohl auch eine Klavierfassung aus jener Zeit erhalten ist[178]. Für die Wertschätzung dieser Kompositionen im 18. und 19. Jahr-hundert spricht auch das ihnen in mehreren Handschriften beigefügte lateinische Distichon:

*Hanc iterate fugam, cum sit dulcissima cantu / Arte quidam cunctis autor erat celebris.*

## Die Versetten

Das *Compendium* von 1676 enthält mit der ausdrücklichen Autorangabe *Al: Pogl.* eine Sammlung *Praeludia, Cadenzen vnd / Fugen... über die acht Choral Ton... / ... vnd zu Vespern, wie auch Ambtern sehr tauglich zuschlag[en].* Es handelt sich um je drei kurze Sätze (ähnlich denen in Kerlls *Modulatio Organica*) für jeden Kirchenton in der Reihenfolge *Tocca-tina, Cadenza, Fuga.* Vollständig, aber z. T. in anderer Reihenfolge findet sich die Sammlung in der Handschrift Wien, Musikarchiv des Minoritenkonventes XIV 730 (Niederschrift am Schluß datiert „*d. 7: Februarij / 1720*"). Einzeln kommen die Stücke in mehreren erhaltenen Versetten-büchern vor. Die Sammlung muß also weiter verbreitet gewesen sein. Sie gehört zu den ältesten dieser Art und ist noch vor Kerlls *Modulatio Organica* (komponiert um 1680[179]) entstanden. Möglicherweise ist Kerll durch Poglietti zur Herstellung dieses Werkes angeregt worden.

## Rossignolo

Unter diesem Titel widmete der Meister im Jahre 1677 Kaiser Leopold I. und seiner dritten Gemahlin Eleonore von der Pfalz zur Hochzeit einen Prachtkodex, dessen Titelblatt, Widmung und Inhaltszusammenstellung eine Reihe von Symbolismen aufweist[180].

---

[173] Vgl. Anm. 46.

[174] Z. B. Roberdays *Fugues et Caprices* (1660) und J. Speths *Ars magna Consoni et Dissoni* (1693).

[175] Vgl. Anm. II 221.

[176] S. o. S. 87.

[177] S. o. S. 148 f.

[178] Wien, Österreichische Nationalbibliothek Cod. 18 580.

[179] S. o. S. 140.

[180] Beschreibung s. o. S. 143 f.

Daneben ist das Werk in anderen, z. T. stark voneinander abweichenden Fassungen überliefert. Die Anzahl und Reihenfolge der Stücke in den einzelnen Quellen sowie ihre Korrespondenz untereinander ist aus der nachstehenden Tabelle zu ersehen (siehe S. 154 f.):

| Wien, Österreichische Nationalbibliothek Cod. 19 248 (*Rossignolo*, Autograph 1677) | Stift Kremsmünster, Regenterei L 146 (Poglietti, *Compendium* 1676) (nur Inzipits) | New Haven, Library of the Yale Music School LM 5056 (Kodex *E. B. 1688*) |
|---|---|---|
| *Toccata* | | |
| *Canzona* | | |
| | | *Capricio Über die Nachtigal od. Rosignol. Sig: Alex. Poglietti* |
| *Allemande* | | *Una Partia Suittes Nachtigal Alemand. Sing: Alex. Poglietti* |
| *Double 1re* | | *Double* |
| *Double 2ma* | | *Double 2* |
| *Courente* | S. 113 *Francösische Mode* | *Courand. Avec discretion.* |
| *Double* | | *Double* |
| *Sarabande* | | *Saraband* |
| *Double* | | *Double* |
| *Gigue* | | *Gig[ue]* |
| *Double* | | *Double* |
| *Aria Allemagna con alcuni Variationi Sopra l'Eta della M.ta Vra. [20 Partiten]* [181] | | |
| *Ricercar per lo Rossignolo* | | |
| *Syncopatione del Ricercar* | | |
| *Capriccio per lo Rossignolo Sopra 'l Ricercar* | S. 121 *Imitation / von der Nachtigal* | [s. o. an erster Stelle] |
| *Aria bizzara del Rossign:* | | *Imitation di Nactigall Lagreable* |
| *Imitatione del med:mo Uccello* | | *Una altra Capricio di Nachtigall.* |

| Kremsier, Mauritiusarchiv fragmentarisches Ms. (1 sehr defektes Bl.) | Berlin, Deutsche Staatsbibliothek Mus. ms. 17 670 (z. Z. Marburg, Westdeutsche Bibl.) (Sammlung Pogliettischer Kompositionen aus dem Besitz von Joseph Fischhof) | Verschollenes Ms. aus der ehemaligen Bibliothek von Prof. Ferd. Bischoff in Graz |
| --- | --- | --- |
| | [Toccata ohne den ersten Abschnitt und ohne Überschrift] | *Toccata* [nur die letzten 9 Takte] |
| | *Adagio Canzone* | *Canzona* |
| *ich wirdt der nachtigal genanndt / sequita comp. von A. poglietti Lat. Organista. / Allemande à La sequitta d'A. Pog. / L'aggreable Jeunesse.* [Allemande und Double 1] | *Allemande* | *Allemande* |
| | *Variaaz: 1ᵐᵃ* | *Double* |
| | *Var: 2ᵈᵃ* | *Double* |
| | *Courente* | |
| | *Double* | |
| | *Sarabande* | |
| | *Double* | |
| | *Gigue* | |
| | *Double* | |
| | *Air avec cets* [sic?] *doubles* [Thema — 24 Variationen — Tastala] | |
| | *Il Rosignolo Capricio —* 2. partie | |
| | *Petite Air gay pour Imitation de Rossignolo* | |

Die Originalhandschrift ist in Aufmachung und Anlage ein Repräsentationswerk, das Poglietti offenbar zwecks Dedikation an das kaiserliche Paar eigens zusammengestellt hat. Daß die Sätze nicht alle im Zusammenhang komponiert wurden, beweist die Aufnahme des Ricercars XII in bearbeiteter Form [182] wie auch die Tatsache, daß zwei Sätze bereits im *Compendium* von 1676 erwähnt sind. So bildet das ganze Werk auch formal keinen zusammenhängenden Zyklus, trotz der stets gleichbleibenden Tonart (D-dur). Vielmehr besteht es aus drei verschiedenen Komplexen, von denen der erste eine aus Toccata, Canzona und den Tanzsätzen in der „klassischen" Ordnung mit den zugehörigen Doublen bestehende „Partita" enthält und der zweite durch den Variationszyklus der *Aria Allemagna* mit den Anspielungen auf das Lebensalter der Kaiserin und auf die verschiedenen Nationalitäten gebildet wird. Erst für den letzten Teil trifft der Name *Rossignolo* zu, vorher wird er bei keinem der Sätze genannt.

Dieser letzte Teil, dem Pogliettis Ricercar XII zugrundeliegt, bietet ein schönes Beispiel für die Bearbeitungs- und Variierungskunst des Meisters, die sich hier in mehreren Stufen steigert. Das Ricercar ist bereits in bearbeiteter Fassung in das Werk aufgenommen worden, die *Syncopatione* bringt eine weitere Steigerung dadurch, daß derselbe Satz unter Zerlegung der Noten in Tonrepetitionen wiederholt wird. Auf diese Weise entwickelt sich das Nachtigallen-Motiv, das im *Capriccio* voll ausgebildet ist. Das Subjekt dieses Satzes ist aus dem Ricercar-Thema abgeleitet. Das Thema der *Aria bizarra* nimmt zwar die Tonrepetitionen des Nachtigallenthemas wieder auf, ist im übrigen jedoch — abgesehen von der Versetzung nach D-dur — mit dem Subjekt der Canzone III von Kerll identisch [183].

Der Prachtkodex war für den Privatgebrauch des als Tastenspieler recht geübten Kaisers bestimmt. Daher wird er kaum als Vorlage für die erhaltenen Abschriften gedient haben. Diese müssen auf ein zweites Autograph Pogliettis zurückgehen. Ob dieses mit dem Dedikationsexemplar völlig übereinstimmte, ist fraglich. Der symbolische Charakter des Werkes war für das praktische Musizieren ohne Belang. Hier diente es lediglich als eine Sammlung von Klavierstücken, deren Anzahl und Reihenfolge beliebig verwendet werden konnte. In solcher Gestalt ist uns der *Rossignolo* in dem Poglietti-Kodex aus der Bibliothek von Joseph Fischhof in Wien überliefert. Da hier offensichtlich eine Sammlerhandschrift vorliegt, könnte sie in näherer Beziehung zu Pogliettis Privatexemplar stehen, wenngleich im Laufe der Jahrzehnte durch mehrfaches Abschreiben manche Veränderungen eingetreten sein mögen [184].

Zunächst fällt auf, daß der Titel *Rossignolo* fehlt. Statt dessen wird der Zyklus *Pieces pour le Clavessin ou l'Orgue* genannt. Leider wissen wir nicht, von wem er stammt. Poglietti schrieb sämtliche Überschriften italienisch, die französischen Titel entsprachen dem Geschmack des 18. Jahrhunderts. Der Anfang der Toccata sollte offenbar später eingetragen werden; denn die beiden Seiten hinter der Titelseite sind mit Notenlinien versehen, aber unbeschrieben. *Canzone* und sämtliche Tanzsätze folgen in derselben Reihenfolge wie im Dedikationsexemplar, freilich mit einer Reihe abweichender Lesarten im Notentext. Bezeichnenderweise fehlen in dem anschließenden Variationszyklus der Titel und die charakterisierenden Überschriften der einzelnen Sätze [185], außerdem ist die Zahl der Variationen höher. Enthält die *Aria Allemagna* des Autographs insgesamt 20 „Partiten" (einschließlich der *Aria*), so besteht der Zyklus in dem Manuskript der Fischhof-Sammlung aus der *Air*, 24 Doublen und dem als *Tastala* bezeichneten toccatenartigen Schlußsatz. Diese Erweiterung stammt entweder von einem späteren Bearbeiter [186], oder aber Poglietti wählte 1677 20 Sätze entsprechend dem Lebensalter der Kaiserin aus der ursprünglich höheren Zahl der Variationen aus, ähnlich wie er das Ricercar XII in den *Rossignolo*

---

[181] S. u. S. 159.

[182] S. o. S. 151.

[183] S. o. S. 134.

[184] Der *Rossignolo* ist hier von einem Kopisten geschrieben, von dessen Hand zahlreiche Manuskripte der Fischhof-Sammlung stammen; Näheres hierüber in meinen *Studien zur Wiener Musikgeschichte in der ersten Hälfte des 18. Jahrhunderts* (in Vorbereitung).

[185] Fischhof hat sie (wohl auf Grund eines Vergleiches mit dem Dedikationsexemplar) mit Bleistift hinzugefügt.

[186] Vielleicht sogar ein s p ä t e r e r Zusatz von Poglietti selbst.

übernahm. Jedenfalls besitzt die Anlage im Fischhofschen Poglietti-Kodex durch die Wiederauf-
nahme des Anfangs in der letzten Variation mit dem angehängten Toccatenschluß eine stärkere
Geschlossenheit als die Fassung des Dedikationsexemplares.

Völlig verschieden ist die Gestaltung der Schlußteile. Hier fehlen in der jüngeren Handschrift
*Ricercar, Syncopatione* und der im Autograph als *Imitatione del. med:mo Uccello* bezeichnete
Schlußsatz. Statt dessen ist dem *Capriccio* eine 2. *Partie* im 6/8-Takt beigefügt, während die
*Aria bizarra* als *Petite Air gay* gegenüber der Fassung des Autographs eine größere Anzahl von
Abweichungen aufweist.

Die übrigen Konkordanzen zum *Rossignolo* stammen aus Gebrauchshandschriften. Diese enthalten jeweils nur eine Auswahl von Sätzen für den praktischen Bedarf des betreffenden
Schreibers. Das Kremsierer Manuskript scheidet wegen seines fragmentarischen Zustandes für
einen Vergleich aus, die verschollene Handschrift aus Graz enthielt nur die ersten Sätze (von
der Toccata nur den Schluß), diese stimmen nach Botstiber [187] in den einzelnen Lesarten mit dem
Kremsierer Fragment und mit Fischhofs Kodex weitgehend überein, so daß sie auf eine gemeinsame Quelle zurückgehen könnten, womöglich auf das Privatexemplar Pogliettis selbst.

Merkwürdigerweise hat gerade die zeitlich in unmittelbarer Nähe zum Dedikationsexemplar
niedergeschriebene Fassung im Kodex E. B. 1688 [188] die stärksten Abweichungen von den übrigen
Quellen. *Toccata* und *Canzona* fehlen ganz, statt dessen wird die Reihe mit dem *Capricio per lo
Rossignolo* eröffnet, dem die Tanzsätze sämtlich nachfolgen, und zwar ausdrücklich als *Una
Partia Suittes Nachtigal* bezeichnet [189]. Das *Double* der *Sarabande* ist gegenüber den anderen
Fassungen weitgehend umgearbeitet, die *Gique* rhythmisch verändert. Die *Aria Allemagna* fehlt
gänzlich, auf die *Partia* folgen nur noch *Aria bizarra* und *Imitatione* mit abweichenden Titeln
und zahlreichen kleinen Varianten im Notentext. Für diese Zusammenstellung ist demnach der
Name *Rossignolo* zutreffend, während er im Dedikationsexemplar nur als „pars pro toto" genommen ist.

Im *Compendium* von 1676 sind die Inzipits der *Courante* (mit der Überschrift *Francösische
Mode*) und des *Capriccio* (als *Imitation / Von der Nachtigal*) notiert. Merkwürdigerweise fehlen
aber unter der großen Anzahl Beispiele von *allerhand Capriccien* mit naturnachahmenden
Figuren gerade die in dieser Hinsicht besonders charakteristischen Sätze aus der *Aria Allemagna*.
Dies läßt sich nur so erklären, daß der Variationszyklus erst 1677 komponiert wurde, während
die Tanzsätze und die Bearbeitungen des Nachtigallenthemas (zumindest *Ricercar* und *Capriccio*)
bereits vorher existierten. Auch die unterschiedlichen Zusammenstellungen der Sätze in den
übrigen, für die Praxis bestimmten Quellen mögen hierin begründet sein. Wahrscheinlich haben
den Schreibern nur einzelne Teile als Vorlage gedient, die dann allerdings noch verändert wurden.
Vielleicht hat der vollständige Komplex nur ein einziges Mal, nämlich in der Gestalt des Dedi-
kationsexemplars existiert. Diese von Symbolismen bestimmte Ordnung mag ohnehin mehr für
das Auge als für das Ohr eingerichtet gewesen sein [190].

## PROGRAMM- UND CHARAKTERSTÜCKE

In Wien hat man nicht nur die Tradition des strengen Stiles ununterbrochen gehütet, sondern
daneben auch den *stylus phantasticus* in der Tastenmusik mit besonderer Intensität gepflegt,
speziell in der Form programmatischer oder charakterisierender Stücke.

Die Vertonung außermusikalischer Vorgänge hat die Komponisten schon im 16. Jahrhundert
gereizt; vor allem in der vokalen Gesellschaftsmusik Italiens und Frankreichs spielte sie eine

---

[187] Botstiber, a. a. O. (Revisionsbericht).

[188] S. o. S. 106 f.

[189] Auch im Kremsierer Fragment heißt es bei der Allemande „*ich wirdt die nachtigal ge-
nanndt*".

[190] Ein Gegenstück zu Pogliettis *Rossignolo* bildet J. S. Bachs *Musicalisches Opfer*. Aus unseren
Feststellungen dürfte man den Eindruck gewinnen, daß alle Ordnungsversuche der Spätwerke
Bachs zwar eine interessante Gedankenspielerei sind, aber kaum einen wissenschaftlichen Wert
besitzen, da sie auf falschen historischen Voraussetzungen basieren.

wichtige Rolle. Von hier aus hat sie wohl auf dem Wege der Übertragung von Madrigalen und Chansons in der Instrumentalmusik Eingang gefunden[190a]. Die „vollstimmigen" Instrumente eigneten sich besonders gut zur Wiedergabe derartiger Stücke, unter denen hauptsächlich drei Arten zu unterscheiden sind:

1. Nachahmungen natürlicher oder maschinell erzeugter Vorgänge (Naturerscheinungen, Vogelstimmen, Echo; Musikinstrumente, Geräusche von Handwerkszeugen, Waffen o. ä.);

2. Schilderungen bestimmter historischer Ereignisse (Schlachten, Reisen o. ä.);

3. Darstellungen menschlicher Gemütsbewegungen (Lamentationen).

Programm- und Charakterstücke für Tasteninstrumente findet man schon vor 1600 bei manchen italienischen Meistern (Banchieri, Picchi), vor allem aber in England (Fitzwilliam Virginal Book), hier allerdings noch mit den einfachsten Mittel dargestellt. Frescobaldi lieferte mit einem *Capriccio sopra la Battaglia* und einem kunstvoll gearbeiteten *Capriccio sopra il Cucho* seinen Beitrag zu dieser Gattung[191]. Kerll vertonte dieselben Gegenstände[192]. Berühmt wegen ihres Ausdrucksreichtums waren Frobergers Lamentationen, für die er hauptsächlich Allemanden wählte[193]; auch musikalische Reiseberichte finden sich unter seinen Werken.

Im deutschen Reiche konzentrierte sich bis gegen 1700 die Komposition instrumentaler Programm- und Charakterstücke fast ganz auf den Kaiserhof. Ähnlich wie die Hofpoeten und Hofmaler waren die zahlreichen Klavier-, Lauten- und Violinvirtuosen bestrebt, durch die Schilderungen von Naturvorgängen oder Ereignissen des Zeitgeschehens dem Hof eine interessante Unterhaltung zu bieten und dem Kaiser eine Huldigung darzubringen. Als Beispiel seien nur die offenbar sehr beliebten Darstellungen der Türkenbelagerung des Jahres 1683 genannt[194].

Unter den überlieferten doppelgriffigen Violinsonaten finden sich mehrere derartige „Programm"-Stücke. Sehr häufig kommen sie in der Lautenmusik vor, die offenbar die Tastenmusik der Wiener Hoforganisten beeinflußt hat[195].

Mehr als andere Meister seiner Zeit hat sich Poglietti der Herstellung beschreibender oder charakterisierender Tastenmusik gewidmet. In seinem *Compendium* von 1676 mißt er dieser Gattung eine besondere Bedeutung bei. In keinem anderen Lehrbuch jener Zeit ist derselbe Gegenstand behandelt, darum haben Pogliettis Ausführungen einen ganz besonderen Wert. Nachdem er die bekannten Erzählungen aus der Mythologie über den Ursprung der Musik durch Nachahmung der Natur wiedergegeben hat, fährt er fort: *„Nun ist aber die Musica in so große / Substanz vnd perfection gekommen, daß sie besser nit sein / kunte, seze ich also allerhand Capricien, so auf dem In- / -strument, unterschiedliche Harmonias, sowol der Vögl, als anderen Klang imitiren."* Es folgen nun — mit reich verschnörkelten Überschriften versehen — die Inzipits von naturnachahmenden Stücken. Manche von ihnen sind als Pogliettis Kompositionen in anderen Quellen überliefert, wahrscheinlich hat er die übrigen auch selbst vertont:

*Bergwerckh, oder Schmidten / Imitation.*

*Der Khuehalter.* [= *Capricio supra pastorale oder hirtengesang*, anonym in Wien, Musikarchiv des Minoritenkonventes XIV 717, Bl. 2ᵛ]

*Die welsch Kinder-Wiegen, / sonst Piva genandt*[196].

---

[190a] Eine Intavolierung von Janequins berühmter *Bataille* steht im Orgeltabulaturbuch von J. Paix (1583).

[191] In den *Capricci* (ed. pr. 1624) und im 2. Toccatenbuch (zuletzt 1637).

[192] S. o. S. 136.

[193] Zu den bisher bekannten Stücken (vgl. die Gesamtausgabe von G. Adler in den DTÖ) kommt noch die *Meditation* im „Hintze"-Manuskript neu hinzu (vgl. Tafel I).

[194] Vgl. die *Wienerische Lamentation* im Kodex E. B. 1688 (s. o. S. 109, Nr. 52); Franz Matthias Techelmann, Organist an der Michaelerkirche zu Wien (1685—1711 Hoforganist) schrieb eine *Allemande dell' allegrezze alla liberazione di Vienna* (Wien, Österreichische Nationalbibliothek Cod. 19 167).

[195] Vgl. DTÖ XXV 2.

[196] Sehr ähnlich ist das Anfangsmotiv des *Capriccio Pastorale* im 1. Toccatenbuch (1637) von Frescobaldi.

*Pindter Imitation.* [= *Binder Gigue* im Kodex *E. B. 1688*]
*Die Leyren.*
*Francösische Mode* [= *Courante* im *Rossignolo* 1677]
*Alter Weiber⸗Krieg am / Wiennerischen Graben.*
*Glocken-Geleiht an der / Pauren Kirchtag. / Auf dise weiß kan man daß Glocken gleit, wan die
Pauren / Kirchtag halten, natürlich imitiren.*
*Imitation / Von dem Canari Vogl*
*Imitation / Von der Nachtigal* [= *Capriccio per lo Rossignolo*]
*Imitation / Deß Guggu*
*Hennen-Geschreij* [= *Capriccio Vber dass Hennengeschreij*]
*Hannen Geschreij* [= *dass Hannen Geschreij*; beide in der Grazer Handschrift; s. u.]
*Lamento / oder / der Tott. / Lamento fantasia* [= *La decapitation* bei der *Toccatina sopra
la Ribellione di Ungheria*; s. u.]
Darüber hinaus lassen sich z. Z. noch die folgenden Kompositionen derselben Gattung von
Poglietti nachweisen:

1. Innerhalb des Kodex *Rossignolo* haben die nachstehend aufgeführten Variationssätze der
*Aria Allemagna* charakterisierende Überschriften:
Nr. 8 *Böhmisch: Dudlsackh*
Nr. 9 *Hollandisch: Flagolett*
Nr. 11 *Bayrische Schalmey*
Nr. 13 *Alter Weiber Conduct*
Nr. 14 *Hanackhen*[197] *Ehrentantz*
Nr. 15 *Franzosische Baiselements*
Nr. 16 *Gaugler Sailtantz*
Nr. 17 *Pollnischer Sablschertz*
Nr. 18 *Soldaten Schwebelpfeif*
Nr. 19 *Ungarische Geigen*
Nr. 20 *Steyermarckher Horn*

2. Der Schlußteil derselben Sammlung enthält die folgenden Sätze, in denen der Schlag der
Nachtigall auf verschiedene Arten dargestellt ist:
*Ricercar per lo Rossignolo*
*Syncopatione del Ricercar*
*Capriccio per lo Rossignolo Sopra 'l Ricercar*
*Aria bizarra del Rossignolo*
*Imitatione del med:mo Uccello*

3. Vielleicht als eine humorvolle Anspielung auf seinen eigenen Namen (pollo = Hahn)
charakterisierte Poglietti den Lärm des Hühnerhofes durch eine Komposition, die in zwei verschiedenen Fassungen überliefert ist:
a) Kodex *E. B. 1688*:
Nr. 5 *Capricio Über das Hannergeschreij* (C; 75 Takte);
b) Verschollenes Ms. aus dem Besitz von Prof. Ferd. Bischoff, Graz[198]:
Nr. 5 *Conzon Vber das Henner und Hannergeschreij* (⁶/₈; 32 Takte);
Nr. 6 *Capriccio vber dass Hennengeschreij* ( ₵ ; 49 Takte) — *Dass Hannen Geschraij* (³/₂;
20 Takte).

Das Capriccio im Kodex *E. B. 1688* entspricht dem mittleren Satz in der Grazer Handschrift;
es weicht jedoch in den folgenden Punkten davon ab:
1. Das Dissonanzmotiv (zur Charakterisierung des Gackerns) wird bei den beiden ersten Ein-
sätzen des Subjektes viermal statt zweimal wiederholt;

---

[197] Ein tschechischer Volksstamm.
[198] Neudruck nach dieser Vorlage in DTÖ XIII 2.

2. der Satz ist durch Auflösung der Füllakkorde in auftaktige Figuren rhythmisch belebter;

3. ab Takt 41 beginnt der fugierte Satz (anstelle der Schlußkadenz in der Grazer Handschrift) von neuem und läuft schließlich in einen virtuosen Schluß (mit Trillerketten in Terzen) aus. Womöglich ist diese Fassung eine Bearbeitung des verlorengegangenen Originals, doch scheint auch die musikalisch dürftigere Fassung der Grazer Handschrift nicht die ursprüngliche zu sein. Der Beginn eines fugierten Satzes im Tripeltakt ist damals ganz ungewöhnlich gewesen, in der Regel folgte die Umbildung des Subjektes im Tripeltakt an zweiter oder dritter Stelle, wie es im vorliegenden Falle für das *Hannen Geschraij* zutrifft. So notiert Poglietti die beiden Sätze auch in seinem *Compendium* (s. o.). Vermutlich handelt es sich bei dem *Conzon* um eine Parodie, ähnlich wie dem *Capriccio per lo Rossignolo* im Poglietti-Kodex aus Fischhofs Bibliothek eine 2. *partie* beigefügt ist, die im Autograph fehlt[199]. Ebenso folgt dem *Canzon Teutsch Trommel* (s. u.) im Kodex *E. B. 1688* ein anonymer Satz im $^6/_8$ Takt unter dem Titel *Franzoik Trommel*. In beiden Fällen ist die Urheberschaft Pogliettis nicht gesichert, dementsprechend auch nicht bei dem *Conzon Vber das Henner und Hannergeschrei* in der Grazer Handschrift, zumal hier nur das eine der beiden Motive (unter Fortlassung der Dissonanz) verarbeitet ist, so daß der Titel im Grunde nicht zutrifft.

4. Der Kodex *E. B. 1688* enthält zwei aufeinanderfolgende Sätze, die das Geräusch des Trommelschlagens imitieren:
Nr. 18 *Canzon Sign: Alex. Poglietti Teutsch Trommel* (C — $^3/_4$)
Nr. 19 *Franzoik Trommel adagio modo* ($^6/_8$)
Dem zweiten Stück liegt eine Variante des ersten Subjektes zugrunde. Ob auch dieser Satz von Poglietti stammt, muß vorläufig dahingestellt bleiben.

5. Die verschollene Grazer Handschrift enthielt eine *Canzona la Vagabonda A. Pogl.* (Nr. 6).

6. Im Kodex *E. B. 1688* befindet sich eine *Allemande La Bravade di Alex. Poglietti* (Nr. 27), die jedoch keine charakteristischen Merkmale aufweist. Die zur gleichen Gruppe gehörende *Binder Gigue* (Nr. 30) ist im *Compendium* als *Pindter Imitation* erwähnt (s. o.).

7. Wahrscheinlich auf die Verschwörung ungarischer und kroatischer Magnaten (im Bunde mit Frankreich und einigen deutschen Fürsten) gegen den Kaiser, die im April des Jahres 1671 durch die Hinrichtung der Rädelsführer zerschlagen wurde, bezieht sich ein in einer Handschrift des Mauritiusarchivs zu Kremsier überliefertes Werk Pogliettis[200] mit den Sätzen
*Toccatina sopra la Ribellione di Ungheria. Galop.*
*Allemande. La Prisonnie*
*Courante. Le proces*
*Sarabande. La Sentence*
*Gigue. La Lige*
*La decapitation, avec Discretion* [als *Lamento* im *Compendium* zitiert; s. o.]
*Passacaglia*
*Les Kloches. Requiem eternam dona eis domine*
Das Werk dürfte kurz nach dem Ereignis entstanden sein. Etwas störend im Verlauf der Handlung wirkt die Passacaglia, die keinen Programmtitel hat. Es handelt sich — wie J. Hedar nachgewiesen hat[201] — um die Parodie einer Passacaglia von Frescobaldi. Vielleicht gehörte sie ursprünglich gar nicht in den vorliegenden Zyklus.

8. Ebenfalls auf ein historisches Ereignis bezieht sich die im Kodex *E. B. 1688* befindliche *Toccata fatta sopra Cassedio* [= Assedio] *di Filipsburgo di Sign. Alex. Poglietti Org: di S. M. Caes:* (Nr. 3)
Die Festung Philippsburg auf dem rechten Rheinufer, in der Frankreich seit dem Westfälischen Frieden das Besatzungsrecht ausübte, wurde während des „holländischen" Krieges durch die

---

[199] S. o. S. 153.
[200] Neudruck in DTÖ XIII 2.
[201] J. Hedar, *Dietrich Buxtehudes Orgelwerke*, Stockholm — Frankfurt 1951, S. 67 f.

Reichstruppen unter Herzog Karl V. von Lothringen am 9. November 1676 erobert. Es ist anzunehmen, daß Poglietti bald nach dem Eintreffen der Nachricht von diesem freudigen Ereignis am Hofe das vorliegende Werk komponiert hat. Programmüberschriften im einzelnen fehlen, der Geschützdonner wird durch die bei dem Meister vielfach zu findenden Akkord-Tremoli veranschaulicht.

Poglietti hat unter den älteren deutschen Meistern zweifellos den gewichtigsten und vielseitigsten Beitrag zur programmatischen und charakterisierenden Musik für Tasteninstrumente geliefert. Nur Johann Kuhnau hat sich derselben Gattung mit gleichem Eifer gewidmet[202]. Auffallend ist jedoch, daß dieser sich hierin nur auf Froberger, nicht aber auf Poglietti berief. Pogliettis Werk war außerhalb der habsburgischen Erblande offenbar nicht bekannt geworden.

PARTITEN

Neben den bereits beschriebenen großen Zyklen der *Ribellione di Ungheria* (1671) und des *Rossignolo* (1677) sind im Kodex E. B. 1688 drei mit Pogliettis Namen gezeichnete „Suiten" überliefert, eine weitere erschien um die Jahrhundertwende in den Drucken von Roger, Mortier und Walsh. Fraglich bleibt natürlich Pogliettis Autorschaft bei den einzelnen Sätzen, da in der Regel nur jeweils der erste Satz seinen Namen trägt. Die übrigen (z. B. die Doublen) können von einem anderen Musiker hinzugefügt oder umgearbeitet worden sein, wofür die Fassung des *Rossignolo* im Kodex E. B. 1688 Beispiele bietet[203]. Verbindliche Äußerungen über Pogliettis Beitrag zur Tanzkomposition für Tasteninstrumente sind daher kaum möglich. Wenn hier trotzdem versucht werden soll, auf die Eigenarten einiger Partiten des Meisters hinzuweisen, so geschieht es deshalb, weil bei ihnen trotz der Verschiedenartigkeit der Überlieferung (Autograph, Gebrauchshandschrift, Druck) in wesentlichen Punkten Übereinstimmung herrscht.

Während nämlich nur zwei im Kodex E. B. 1688 niedergeschriebenen Partiten ausschließlich Tanzsätze (in der „klassischen" Ordnung) enthalten, sind die übrigen durch Einleitungssätze und Anhänge erweitert, wie aus der nachstehenden Tabelle zu ersehen ist:

| Ribellione[204] | Rossignolo[205] | Partite 7°tuono[206] | gedrucktes Werk[207] |
|---|---|---|---|
| Toccatina | Toccata | Toccata | Toccata |
| | Canzona | Canzona | |
| Allemande | Allemande | Allemande | Allemande |
| | Double 1 | Double | Double |
| | Double 2 | | |
| Courante | Courante | Courante | Courante |
| | Double | Gigue | |
| Sarabande | Sarabande | Sarabande | Sarabande |
| | Double | Double | |
| Gigue | Gigue | | |
| | Double | | |
| (etc.) | (etc.) | | |

Freie Einleitungssätze zu Tanzfolgen finden sich in Deutschland etwa seit der Mitte des 17. Jahrhunderts bei der instrumentalen Ensemble-Suite[208], in der Tastenmusik kommen sie in den siebziger Jahren schon gelegentlich vor[209]. Auch die französischen Meister setzten um diese Zeit

[202] S. u. S. 176.
[203] S. o. S. 154.
[204] S. o. S. 144.
[205] Autograph.
[206] S. o. S. 110 (Nr. 77—84).
[207] S. o. S. 143 (Quellen A II, 1—3).
[208] Johann Jakob Löwe 1658 und Johann Rosenmüller 1667.
[209] In den Handschriften Lüneburg, Ratsbücherei Mus. ant. pract. KN 147 (fol. 71r) und Leipzig, Städtische Musikbibliothek II. 6. 19.

ihren *Ordres* ein *Prelude* voran[210], während Froberger keine Einleitungssätze notiert hat. Erst in Johannes Kuhnaus Veröffentlichungen[211] wurde die Kombination eines Praeludiums mit der „Partie" zum Prinzip erhoben, obwohl andere Meister noch bis weit in das 18. Jahrhundert darauf verzichteten, wie die folgende Gegenüberstellung einiger Beispiele zeigt:

| ohne Einleitungssatz | mit Einleitungssatz |
|---|---|
| Froberger (Autographen, Drucke) | Kuhnau *(Clavier Ubung* 1695; *Clavier Früchte* 1696)[212] |
| Schultheiß *(Clavier-Lust* 1679/80)[212] | Fischer *(Blumenbüschlein* 1696; *Parnassus* 1738[214]) |
| Kerll (Werkverzeichnis 1686) | Mattheson *(Harmonisches Denckmahl* 1713) |
| Buxtehude (Ryge-Tabulatur)[213] | Händel *(Suites* 1720) |
| Krieger *(Partien* 1697)[212] | Bach *(Clavier Übung* I; „Englische" Suiten[215]) |
| Bach („Französische" Suiten[215]) | Gottlieb Muffat *(Componimenti Musicali* 1738/39) |

Die Einleitungssätze waren in der Regel Toccaten bzw. Praeludien oder (nach dem Vorbild der Orchestersuite) Ouverturen. Die Einfügung eines fugierten Satzes hinter dem Praeludium — entsprechend der bei Poglietti zu findenden Reihenfolge — kommt gelegentlich bei Händel und Gottlieb Muffat vor[216].

Es wurde bereits darauf hingewiesen[217], daß die Geschichte der „Klaviersuite" sich nicht isoliert betrachten läßt, daß ihre Entwicklung vielmehr in steter Anlehnung an die instrumentale Ensemblemusik verlaufen zu sein scheint. Ebensowenig darf man gewichtigere Rückschlüsse aus der in Drucken, Prachtkodizes oder Sammlerhandschriften überlieferten Literatur ziehen. Natürlich läge es nahe, anhand der obigen (beliebig zu erweiternden) Tabelle zwei Richtungen der Suitenkomposition herauszustellen und auf Grund der zeitlichen Folge Poglietti als den Schöpfer der großen Partite mit einem oder mehreren ausgedehnten Einleitungssätzen anzusehen.

Doch die Musikgeschichte umfaßt nicht nur die auf dem Papier überlieferten Noten, sondern ebenso deren praktische Verwendung und Ausführung. Man darf wohl mit ziemlicher Sicherheit annehmen, daß Froberger beim Vortrage auf dem Tasteninstrument seine Partiten durch eine Toccata einleitete, daß er womöglich weitere Doublen aus dem Stegreif hinzufügte und andere Veränderungen vornahm. Kuhnau, der sich als erster an die breite Öffentlichkeit wandte[218], wird für den in der Improvisationskunst nicht bewanderten Liebhaber die Einleitungssätze komponiert haben, während der Fachmusiker ihrer nicht bedurfte[219]. Wie sehr man Kuhnaus Partiten in der Praxis zerpflückte, zeigen beispielsweise die Versettenbücher[220].

So geben uns die Gebrauchshandschriften einen Einblick in die tatsächlichen Verhältnisse. Wie manche Schreiber die Fugen namhafter Meister mit eigenen oder von anderen Komponisten stammenden Praeludien in ihren Versettenbüchern kombinierten[221], so stellte man auch die Tanzsätze zusammen, bearbeitete sie, fügte eigene oder fremde Tänze oder auch Einleitungssätze hinzu usw.[222]. Die Fassung der *Rossignolo*-„Suite" im Kodex *E. B. 1688* (wo bezeichnen-

---

[210] Lebegue und D'Anglebert.
[211] S. u. S. 174.
[212] S. o. S. 60.
[213] S. u. S. 202 f.
[214] Lt. Gerber, *Neues Historisch-Biographisches Lexikon der Tonkünstler*, 1812.
[215] Die „englischen" Suiten tragen in den Abschriften den Titel *Préludes avec leurs Suites* oder *Suites avec Préludes* im Unterschied zu den einfach *Suites pour le Clavessin* betitelten „französischen" Suiten ohne Einleitungssatz.
[216] In der 3. u. 8. Suite der Sammlung von 1720; bei Muffat *(Componimenti Musicali)* in der 1., 4. und 6. Partie.
[217] S. o. S. 127 f.
[218] S. u. S. 177.
[219] S. o. S. 15.
[220] S. o. S. 92.
[221] S. u. S. 168 f.
[222] S. o. S. 98.

derweise der Einleitungssatz ausgewechselt ist) bietet ein anschauliches Beispiel hierfür[223]. Die Quellen des 17. Jahrhunderts — seien es Drucke, Autographen, Sammler- oder Gebrauchshandschriften — enthalten trotz mancher Übereinstimmungen in der äußeren Anlage keine Formenzyklen, sondern Repertoires! Als solche wurden sie jedenfalls in der Praxis gewertet.

Leider sind uns die Ansichten der Komponisten über die Anlage ihrer eigenen Werke und über deren praktische Verwendung zuwenig bekannt. Zwar wehrte man sich allgemein gegen die willkürliche Behandlung der Kompositionen[224]; aber haben nicht gerade die namhaftesten Meister noch im 18. Jahrhundert (z. B. Händel[225]) Sätze fremder Autoren ihren eigenen Werken einverleibt? Im allgemeinen haben die Meister des 17. und teilweise auch des 18. Jahrhunderts ihre Werke als eine Reihung von Sätzen, nicht als tektonisch zusammenhängende Großformen geschaffen.

So dürfen auch Pogliettis für seine Zeit ungewöhnliche Partiten in ihrer Bedeutung für die historische Entwicklung nicht zu hoch eingeschätzt werden. Mag der Meister sie selbst als geschlossene Komplexe angelegt haben, so zeigt doch die Quellenüberlieferung — die Virtuosität der Stücke war ohnehin einer weiteren Verbreitung hinderlich —, daß die Zeitgenossen anderer Meinung waren; einen Einfluß auf die Suitenkomposition dürfte man diesen Werken daher kaum zuschreiben.

So blieb Poglietti in seiner Zeit eine ungewöhnliche, gleichsam kometenhafte Erscheinung. Über seine Persönlichkeit ist kein völlig sicheres Urteil möglich. Zweifellos war er ein Meister von überdurchschnittlichen, vielseitigen Fähigkeiten und einem seiner Umgebung weit vorauseilenden Geist. Vor allem als Lehrmeister scheint er bedeutend gewesen zu sein, wenn auch sein Einfluß auf Österreich beschränkt geblieben zu sein scheint. Leider ist die ältere Musikgeschichte Wiens und der kaiserlichen Hofkapelle noch zuwenig erforscht, um die Stellung Pogliettis in der Hauptstadt des Reiches recht beurteilen zu können. Aus den wenigen, meist durch Zufall erhaltenen Quellen ergibt sich nur ein unvollkommenes Bild. In der allgemeinen musikgeschichtlichen Entwicklung scheint Pogliettis Werk jedoch ziemlich isoliert zu stehen.

---

[223] S. o. S. 154.
[224] S. o. S. 121.
[225] Vgl. M. Seiffert, *Händels Verhältnis zu Tonwerken älterer deutscher Meister*, Jahrbuch Peters 1907, S. 41 ff.

# DIE MITTELDEUTSCHEN MEISTER

Die musikgeschichtliche Bedeutung Mitteldeutschlands im 17. und 18. Jahrhundert ist in ihrem Wesen völlig anders als die der habsburgischen Lande. Im späten Mittelalter hatte die Führung auf wirtschaftlichem, politischem und kulturellem Gebiet bei dem patrizischen Bürgertum der altdeutschen Reichsstädte gelegen. Diese büßten durch die Verlagerung des Fernhandels nach den westlichen Häfen ihre Vormachtstellung mehr und mehr ein, während Leipzig, das 1514 ein päpstliches Messeprivileg erhielt, sich zum wichtigsten Umschlagplatz für den Handel mit den östlichen Ländern entwickelte [226]. Für die Ausbreitung der lutherischen Lehre dürfte dies — trotz Luthers persönlicher Abneigung gegen die Leipziger [227] — von großer Bedeutung gewesen sein. Wittenberg wurde für einige Zeit das geistige Zentrum des Reiches, auf das sich auch die Blicke der ausländischen Mächte richteten, freilich nur in den ersten Jahren. Denn die politische Inaktivität des Luthertums, die Spaltungen im Lager der Neugläubigen gegenüber der sich mehr und mehr festigenden Einheit und Stoßkraft der alten Kirche, der Mangel staatlicher Konzentration in den geographisch zersplitterten Gebieten Mitteldeutschlands im Gegensatz zu der durch die landschaftliche Geschlossenheit des Südostraumes begünstigten politischen Zentralisation der habsburgischen Lande, vollends durch die Niederlage im Schmalkaldischen Krieg blieb den vielen kleinen und kleinsten sächsisch-thüringischen, fränkischen und hessischen Territorien eine Rolle in der großen Politik versagt. Vielmehr wurden sie fortan als Schauplatz der kriegerischen Auseinandersetzungen — vornehmlich im Dreißigjährigen Kriege — immer wieder schwer heimgesucht, zumal sich die Mittelgebirgslandschaft für die rationale Strategie des 17. und 18. Jahrhunderts bis zu den napoleonischen Kriegen stets als ein überaus günstiges Operationsgebiet erwies. Anderseits prallten hier auch die verschiedenen konfessionellen und politischen Richtungen auf engem Raum schroff gegeneinander. Während die fränkischen Bistümer der alten Kirche wiedergewonnen wurden und gegen das Ende des 17. Jahrhunderts unter den Schönborns die von Wien her beeinflußte kulturelle Blütezeit des „fränkischen Barock" erlebten, öffnete sich das reformierte Hessen vornehmlich französischen Einflüssen. Die streng lutherischen Kurfürsten von Sachsen bekämpften dagegen nicht nur den Calvinismus aufs schärfste, sondern hielten — bedingt durch die Grenzlage ihres Territoriums zum Königreich Böhmen — stets eine kaisertreue Linie in der Politik ein, die sich auch auf kulturellem und künstlerischem Gebiet auswirken sollte.

Die politische Schwerkraft Deutschlands verlagerte sich im 17. Jahrhundert zunehmend nach dem Südosten, wo durch die Türkengefahr ohnehin eine ständige Bewegung herrschte. Das Jahr 1683 wurde nicht nur zur Geburtsstunde der habsburgischen Donaumonarchie, sondern ließ auch die fast vergessene Reichsidee in Politik und Kunst wieder aufleben [228]. Die mitteldeutsche Kleinstaatenwelt blieb davon gänzlich unberührt. Hier hat auch der Barock in der Gestalt, wie ihn der kaiserliche Hof mit seinen Nebenresidenzen, die reichsunmittelbaren Stifte und die fürstbischöflichen Residenzen in erster Linie vertraten, kaum Fuß gefaßt. Die Standesordnung des 16. Jahrhunderts blieb in der bürgerlichen Welt der Reichs- und Territorialstädte bis

---

[226] Vgl. W. Treue, *Wirtschafts- und Sozialgeschichte vom 16. bis zum 18. Jahrhundert* in: Bruno Gebhardt, *Handbuch der Deutschen Geschichte*, Band II,[8] 1955, § 117.

[227] Vgl. M. Luther, *Tischreden* (Weimarer Lutherausgabe) Nr. 5149.

[228] Man denke vor allem an den von J. B. Fischer von Erlach begründeten „Reichsstil".

in die napoleonische Zeit erhalten. Auf ihr fußten die kulturellen Erscheinungen, vor allem aber die Musikpflege[229].

Die vorbildliche Organisation des Kirchenwesens in den sächsischen Herzogtümern hatte im 16. Jahrhundert die Grundlage für eine gut organisierte Kirchenmusik geschaffen, die bis in die kleinsten Dörfer drang, wo man noch heute gelegentlich die „Jahrgänge" eines Hammerschmidt, Briegel oder Ahle in den Pfarrarchiven finden kann[230], während die höfischen Festmusiken eines Heinrich Schütz kaum in die Breite gedrungen sein dürften[231].

Eine der kultur- und musikgeschichtlich bedeutsamsten Leistungen des mitteldeutschen Raumes war zweifellos das lutherische Kirchenlied, das hier seinen Ausgangspunkt fand und auch wohl am intensivsten gepflegt wurde, so daß es bis in die Gegenwart eines der wichtigsten Fundamente der Vokal- und Instrumentalmusik blieb. Die Pflege der Kirchenliedbearbeitung als spezieller Zweig der *Clavierkunst* konzentrierte sich vornehmlich in dieser Landschaft, wo sich ein Traditionszusammenhang von den älteren nürnbergischen Meistern (Kindermann, Wecker) über Pachelbel und Buttstedt bis weit in das 19. Jahrhundert verfolgen läßt[232]. Seine Bedeutung für den allgemeinen musikgeschichtlichen Zusammenhang darf freilich nicht gar zu hoch eingeschätzt werden[233].

Im übrigen läßt sich in der Tastenspielkunst Mitteldeutschlands die frühzeitige Einwirkung Frescobaldis und Frobergers nachweisen[234], mit Norddeutschland herrschte schon seit dem Beginn des 17. Jahrhunderts ein reger Austausch[235], während gegen die Jahrhundertwende der französische Einfluß stärker hervortrat. Kennzeichnend für die eigenen kompositorischen Leistungen der mitteldeutschen Organisten war ihre Vorliebe für kurze Sätze und für eine einfache *cantable* Schreibart, zudem ihr Bestreben, spieltechnische Schwierigkeiten zu vermeiden, im Gegensatz zur Virtuosität der Wiener und der Norddeutschen. Aber Frescobaldi, Froberger, Kerll, Poglietti und Buxtehude komponierten in erster Linie für den anspruchsvollen Bedarf ihrer Fachkollegen, während die thüringisch-sächsischen Meister sich in viel stärkerem Maße an die durchschnittlich oder wenig begabten Stadt- und Landorganisten sowie an den breiten Kreis der Liebhaber wandten. Die häusliche Musikpflege in diesen Gebieten ist der Boden, auf dem Kuhnaus Drucke und im 18. Jahrhundert die zahllosen Sammlungen von *Handstücken* und Generalbaßliedern entstehen konnten.

Auffallend ist es dabei, daß Partiturstücke im strengen Stil sich so gut wie gar nicht nachweisen lassen, wie auch der *stilus fantasticus* in der extremen Form, wie ihn die

---

[229] Eine Ausnahme bildeten natürlich die kleinen und kleinsten Residenzen, in denen meist der französische Hof nachgeahmt wurde. Im übrigen blieb die „Polizeiordnung" von 1530 bis ins 18. Jahrhundert gültig.

[230] Die Bestände wurden von Georg Schünemann in den zwanziger Jahren dieses Jahrhunderts bereits einmal aufgenommen.

[231] Eine stärkere Verbreitung unter Schütz' Werken scheint nur der „Becker-Psalter" gefunden zu haben.

[232] Die Linie verläuft offensichtlich an J. S. Bach vorbei und endet keineswegs bei ihm, wie es vielfach dargestellt wird.

[233] In der neueren Forschung geschieht dies meistenteils, obwohl der protestantische „Choral" in der Musikgeschichte des 17. und 18. Jahrhunderts doch nur eine lokal begrenzte Bedeutung besaß. Erst im 19. und 20. Jahrhundert ist seine Wirkung über die konfessionellen (z. B. Reger) und politischen Grenzen gedrungen.

[234] S. o. S. 120 und 122 f.

[235] Vor allem durch Scheidts *Tabulatura Nova* (1624).

nord- und süddeutschen Meister pflegten, in den mitteldeutschen Quellen nur selten zu finden ist[236]. Die kleine Toccata, die versettenartige Fuge oder Fughette, daneben aber in starkem Maße Tanzsätze und Liedvariationen bilden — von den Choralsammlungen abgesehen — im wesentlichen das Repertoire der mitteldeutschen Klavierbücher. Jede der genannten Gattungen hat in einem der drei führenden Meister der auf Kerll und Poglietti folgenden Generation ihren geschichtlich bedeutsamen Vertreter gefunden: Johann Pachelbel für die Variationskunst, Johann Krieger für die Fugenkomposition und Johann Kuhnau für Partite und Sonate.

## Johann Pachelbel

Johann Pachelbels Tastenmusik[237], vornehmlich seine Kirchenliedbearbeitungen und Fughetten sind ununterbrochen bis in die Gegenwart im praktischen Gebrauch geblieben. Die Überlieferungskette der Handschriften reicht weit in das 19. Jahrhundert hinein, und schon 1839 erschien ein umfangreiches Repertoire im Neudruck[238], worauf zahlreiche weitere Veröffentlichungen folgten. Fast die gesamte kleinmeisterliche kirchliche Orgelmusik des 18. und 19. Jahrhunderts im protestantischen Bereich dürfte direkt oder indirekt auf Pachelbel zurückzuführen sein.

Das Quellenmaterial ist z. Z. schwer überschaubar, das Echte läßt sich vom Unechten kaum unterscheiden[239]. Auch die Frage, inwieweit Pachelbel lediglich die von Kindermann und Wecker ausgehende Nürnberger Lokaltradition fortführte[240] oder darüber hinaus selbst neue Anregungen gab, läßt sich nicht ohne weiteres beantworten, da von Wecker nur ein sehr geringer Werkbestand erhalten ist. Zweifellos reichten Pachelbels Vorbilder weit über den Nürnberger Kreis hinaus. Das Repertoire von Eckelts Tabulaturbuch bietet Belege dafür, daß Pachelbel die Werke Frobergers schätzte und sie für didaktische Zwecke verwendete, freilich oft in bearbeiteter Form[241]. Auch Kerlls Kompositionen scheinen ihm bekannt gewesen zu sein, wenngleich sein Schülerverhältnis zu diesem Meister wie überhaupt sein persönlicher Aufenthalt in Wien weder aktenmäßig noch durch Selbstzeugnisse belegt ist und — ebenso wie das von Mattheson erwähnte Stellenangebot aus Oxford — in das Reich der Fabel gehören dürfte[242].

---

[236] Ausnahmsweise, aber vermutlich unter norddeutschem Einfluß bei J. Krieger (Anmuthige Clavier-Ubung 1699) und bei J. H. Buttstedt (s. u. S. 204).

[237] Die grundlegenden Darstellungen über Pachelbels Leben und Werk sind immer noch die von Seiffert, Klaviermusik, S. 196 ff., und Sandberger (Einleitung zu DTB II 1), hinzu kommen die kritischen Berichte Seifferts in DTB II 1 und IV 1.

[238] In Commer's Musica Sacra, Bd. I (1839).

[239] Da Seiffert seine Quellen selten ausführlicher beschrieben hat, sind sie heute großenteils nicht zu ermitteln, so daß es einer umfassenden Neuaufnahme bedarf, um überhaupt eine sichere Basis für künftige Untersuchungen zu erhalten.

[240] Vgl. hierzu Buttstedts Selbstzeugnis in seiner Schrift Ut mi sol, Erfurt 1717, S. 58: „Daß man cantabel setzen soll, diese Regel habe ich nun bald für 40 Jahren von meinem Lehrmeister dem berühmten Pachelbeln, und dieser von seinem Lehrmeister W e c k e r n in Nürnberg und immer so fort einer von dem anderen empfangen."

[241] Vgl. Anm. II 45.

[242] Die einzige Quelle für die Nachricht von Pachelbels Anstellung als Vize-Organist am Wiener Stefansdom ist Doppelmayrs nicht immer zuverlässige Historische Nachricht von den Nürnbergischen Mathematicis und Künstlern, Nürnberg 1730, S. 258 f. Den betreffenden Artikel hat Walther, Lexicon, S. 457 f., wörtlich übernommen, er ließ aber noch einen besonderen Artikel über Pachelbel folgen, in dem lediglich von einer Reise nach Wien die Rede ist. Erst später

Pachelbel hat keine Repräsentationswerke hinterlassen. Er schrieb für den praktischen Gebrauch des Kirchenorganisten und des Liebhabers. Abgesehen von den wenigen Drucken ist sein Schaffen daher nur in Gebrauchshandschriften überliefert, vielfach anonym, oftmals kombiniert mit fremden Sätzen. Es umfaßt — abgesehen von einigen einzeln überlieferten Orgelpunkt-Toccaten, Ricercaren [243] und *Fantasien* — neben dem großen Bestand der Kirchenliedbearbeitungen in der Hauptsache Variationsreihen (Kirchenlieder, *Arien* und Ciaconen) und Versetten (kurze Praeludien und Fugen), während sich nur ganz wenige Tanzsätze nachweisen lassen.

## VARIATIONEN

Kein Meister des späten 17. Jahrhunderts hat die *Aria,* d. h. die Variierung geistlicher bzw. weltlicher Liedmelodien oder freikomponierter Themen in so starkem Maße gepflegt wie Pachelbel. So galten seine wichtigsten Publikationen dieser Gattung. Beide sind — vor allem auch abschriftlich — ziemlich stark verbreitet gewesen. Das ältere, noch in Erfurt erschienene Werk

*Musicalische Sterbens-Gedanken, aus 4 variirten Choralen bestehend, an.* 1683 [244]

ist verschollen. Vier Variationsreihen über Sterbelieder, vermutlich eine Abschrift des Druckes, enthielt die Handschrift Hamburg, Staats- und Universitätsbibliothek N. D. VI. 3197h [245]. Konkordanzen, z. T. in abweichenden Fassungen hinsichtlich der Anzahl und Reihenfolge der Sätze wie auch einzelner Lesarten, finden sich in mehreren anderen Manuskripten. Daneben sind weitere Variationszyklen über Kirchenlieder handschriftlich überliefert [246]. In Pachelbels Nürnberger Spätzeit fiel die Veröffentlichung des seinen berühmten Kollegen F. T. Richter in Wien und D. Buxtehude in Lübeck gewidmeten

*HEXACHORDUM APOLLINIS / SEX ARIAS EXHIBENS / Organo pneumatico, vel clavato cymbalo, / modulandas, / quarum singulis suae sunt subjectae / VARIATIONES, / Philomusorum in gratiam / adornatum. / Studio ac industria: / JOANNIS PACHELBEL NVREMBERGENSIS, / in Aede Patria Sebaldina Organoedi. / / Cornelius Nicolaus Schurtz sculpsit Norimbergae 1699.*

Das Werk erschien im Verlag W. M. Endters zur Frühjahrsmesse des Jahres 1700 [247]. 1704 und 1709 zeigte Endter nochmals 6 *Arien auf dem Clavier variirt* in den Meßkatalogen an [248], wahrscheinlich handelte es sich um Neuauflagen oder auch nur um Neuangebote des *Hexachordum*. Die Verbreitung dieser Sammlung läßt sich bis nach Dänemark verfolgen: Die „Ryge"-Tabulatur — eine der wichtigsten Buxtehude-Quellen — enthält drei Arien daraus [249]. Nach

bemerkte Walther (vgl. die *Addenda*), daß es sich hier um ein und dieselbe Person handelte. Mattheson bezog seine Kenntnisse wiederum von Walther und machte J. K. Kerll — Pachelbels angeblichen Lehrmeister — zum Organisten an St. Stefan, obwohl davon weder bei Doppelmayr noch bei Walther die Rede ist und jegliche anderen Belege fehlen. Von Pachelbels Lebensumständen vor 1677 wissen wir aktenmäßig nichts. Wie wenig man überdies Doppelmayrs Angaben trauen darf, zeigt die Tatsache, daß er H. Schwemmer als Pachelbels Lehrer *„auf dem Clavier"* angibt, während Walther und Buttstedt (vgl. Anm. 240) ihn als Schüler Weckers bezeichnen.

[243] Drei unter Pachelbels Namen überlieferte Ricercari sind offenbar Nachahmungen der mehrteiligen Ricercari von Froberger.

[244] Vgl. Walther, *Lexicon*, S. 458.

[245] Vgl. J. Wolgast, Revisionsbericht zu *Georg Böhm*, Sämtliche Werke, Bd. I, Leipzig 1927, S. XII. Eine Abschrift des genannten Werkes befand sich auch in der Bibliothek des hamburgischen Gelehrten Johann Albert Fabricius (vgl. Mf X, S. 246).

[246] Vgl. DTB II 1, S. XXIX.

[247] Göhler III 344.

[248] Göhler III 345/6.

[249] S. u. S. 202 f.

Ausweis des Mylauer Tabulaturbuches[250] waren diese Variationszyklen neben einigen ungedruckten Werken derselben Gattung noch um die Mitte des 18. Jahrhunderts im Gebrauch.

Zur Gruppe der Variationswerke — die dem Meister Gelegenheit gaben, seine *cantable* Schreibart anzuwenden — gehören ferner einige Ciaconen, die ebenfalls nur handschriftlich überliefert sind.

VERSETTEN

Nächst Kirchenlied und *Aria* nehmen die kurzen Praeambeln und Fugen in der Überlieferung von Pachelbels Werk einen wichtigen Platz ein. Zur Herbstmesse des Jahres 1704 zeigte der Verleger W. M. Endter *Fugen und Praeambuln über die gewöhnlichsten Tonos figuratos von Pachelbel* an[251]. Ob das Werk tatsächlich erschien, ist sehr fraglich, da es weder in einer Bibliographie[252] genannt wird, noch ein Exemplar sich nachweisen läßt. Dem zur Veröffentlichung bestimmten Repertoire gehören vermutlich vier nach den acht Kirchentönen geordnete, sich inhaltlich teilweise überschneidende Serien von Magnificat-Versetten an, die aus zwei nürnbergischen Handschriften vom Anfang des 18. Jahrhunderts stammen[253]. Einzelne dieser Stücke sind außerdem — z. T. anonym — in anderen Quellen zu finden, während eine Reihe satztechnisch verwandter Fugen ohne bestimmte tonartliche oder motivische Zusammengehörigkeit als Anhang in dem in London befindlichen Versettenbuch sowie in mehreren anderen Gebrauchshandschriften stehen. Einigen von ihnen sind in manchen Handschriften — besonders in Eckelts Tabulaturbuch — kurze Praeludien vorangestellt. M. Seiffert hat diese Praeludien ebenfalls als Kompositionen von Pachelbel veröffentlicht[254]. Leider hat er jedoch die originalen Autorbezeichnungen der in Verlust geratenen Sammlung Eckelts nicht mitgeteilt. Zur Untersuchung der Echtheitsfrage dieser Stücke können daher nur analoge Fälle in anderen Quellen herangezogen werden.

1. Der Kodex E. B. 1688[255] enthält eine Reihe kurzer Praeludien und Fugen in der Art der bei Eckelt notierten. Von ihnen sind drei unmittelbar aufeinanderfolgende Satzpaare in unserem Zusammenhang von Interesse:

Nr. 46 *Praelud*[ium] H. *Böhme*
Nr. 47 *Praelud*[ium] *Bachelbel*
Nr. 48 *Praelud*[ium] B.

Die zu Nr. 46 gehörige Fughette ist als Komposition von Pachelbel in den folgenden Quellen überliefert[256]:

a) Berlin, Deutsche Staatsbibliothek Mus. ms. 30021 (19. Jahrhundert);

b) ebenda Mus. ms. 16 485 (z. Z. Marburg):

*Fugen von Pachelbel / durch die Trautweinsche Buchhandlung aus Nürnberg erhalten* (Anfang 19. Jahrhundert);

c) München, Bayerische Staatsbibliothek Ms. 1177:

*Fugen, so in Abschrift aus Nürnberg kommen liesse. 1821.*;

d) München, ehem. Privatbibliothek von Prof. Dr. A. Sandberger, Ms. von der Orgel der Sebalduskirche zu Nürnberg.

Der Name H. *Böhme*[257] bezeichnet entweder den Autor des Praeludiums oder den Überlieferer beider Sätze.

Die zu Nr. 47 gehörige Fughette findet sich dagegen anonym im *TABULATUR / Buch / 1750* im Kirchenarchiv zu Mylau im Vogtland (auf S. 12), ebenfalls anonym und um einige Takte

---

[250] Vgl. Anm. II 251.
[251] Göhler III 347; diese Angabe ist bisher nirgends berücksichtigt worden.
[252] Z. B. Walther, *Lexicon*, S. 458.
[253] Vgl. Anm. II 251 (London, British Museum und Berlin, Bibliothek der ehem. Hochschule).
[254] DTB IV 1.
[255] S. o. S. 99 ff.
[256] Vgl. Seiffert, DTB IV 1, S. XV (Nr. 6).
[257] Vgl. Anm. II 344.

erweitert in der Handschrift Berlin, Deutsche Staatsbibliothek Mus. ms. 38 111 (z. Z. Marburg); im letzteren Falle geht jedoch ein anonymes *Praeludium* voran, das in anderen Quellen Pachelbel zugeschrieben wird.

2. Im Kodex LM 4983 der Library of the Yale Music School, New Haven (Conn.)[258], der aus dem Besitz des Johann Günther Bach stammt, steht auf S. 4 eine anonyme *Fuga*, die Seiffert nach Eckelts Tabulaturbuch als Pachelbels Komposition herausgegeben hat. Vorangestellt ist in der Handschrift LM 4983 ein ebenfalls anonymes Praeludium, das jedoch der *Ariadne Musica des* J. K. F. Fischer (ed. pr. 1702) entnommen ist (dort steht es in Verbindung mit einer anderen Fughette[259]). Die Zusammenstellung in der vorliegenden Handschrift geht also auf den Schreiber zurück.

3. Der Kodex LM 4982 der genannten Bibliothek (geschrieben von derselben Hand wie der Kodex LM 4983 [260]) ist eine nach modernen Tonarten geordnete Versettensammlung, in der meist mehrere Fughetten einem Einleitungssatz *(Praeludium, Toccata, Intonatio)* folgen. Mit Ausnahme je eines Satzpaares von Johann Heinrich Buttstedt und J. S. Bach am Ende des Noten-textes[261] sind sämtliche Einleitungssätze anonym, desgleichen der größte Teil der Fughetten, von denen manche aus Pachelbels Magnificat-Serien stammen, während einige andere Sätze mit *F. W. Zachau, G. C. Wecker* oder *G. C. W., J. Pachelbel* oder *J. P., J. Krieger Junior* oder *J. K. Junior* gezeichnet sind. Die Einleitungssätze hat der Schreiber wahrscheinlich selbst komponiert oder zumindest aus anderen Vorlagen hinzugesetzt. Jedenfalls hat er die Autorangaben jeweils nur den Fughetten beigefügt. Dies entspricht ganz der Praxis, wie sie anhand der Versetten-bücher des P. Alexander Giessel nachgewiesen werden konnte[262].

Die den Fugen Pachelbels in den verschiedenen Quellen vorangestellten Einleitungssätze werden demnach in den meisten Fällen nicht vom Meister selbst stammen.

## TÄNZE

Die Tanzkompositionen nehmen innerhalb der erhaltenen Tastenmusik Pachelbels nur einen minimalen Prozentsatz ein. Zwei „Partiten" befinden sich in einem z. Z. nicht nachweisbaren Manuskript aus dem Besitz von A. Sandberger, eine weitere soll (nach Seiffert) in Eckelts Tabulaturbuch mit dem Namen Pachelbel gezeichnet gewesen sein.

Nun hat jedoch M. Seiffert[263] den gesamten Inhalt des leider im letzten Kriege verloren-gegangenen Tabulaturbuches *C. A. A. 1683*[264] Johann Pachelbel zugeschrieben. Diese Sammlung enthielt 17 anonyme, nach modernen Tonarten geordnete Tanzfolgen ohne strenge Einhaltung der „klassischen" Ordnung, bestehend aus Allemanden, Couranten, Sarabanden, Giguen, Gavotten, Arien, Balletten und anderen Tänzen.

Seiffert begründete seine Behauptung folgendermaßen:

1. Die Allemande in g-moll aus dem Tabulaturbuch von 1683 finde sich in Eckelts Tabulatur-buch innerhalb einer (nach Seiffert) Pachelbel zugeschriebenen „Suite".

2. Der gesamte Inhalt des Kodex *C. A. A. 1683* sei stilistisch so einheitlich, daß er nur von einem einzigen Meister stammen könne.

---

[258] Die Kenntnis dieser Quelle verdanke ich der Güte von Mr. Brooks Shephard, Jr., Bibliothekar an der Library of the Yale Music School.
[259] Praeludium G-dur (Nr. 13); dagegen ist die Pachelbel zugeschriebene *Fuga* DTB IV 1, Nr. 45 offensichtlich von Fischer parodiert worden, vgl. *Ariadne Musica*, Fuga D-Dur (Nr. 4).
[260] Vgl. Anm. II 251.
[261] Es folgt ein *Kurtzer Unterricht, wie man ein Clavier stimen und wohl temperiren könne* (7 Seiten), dahinter noch eine Fughette.
[262] S. o. S. 89 ff.
[263] Vgl. Seiffert, *Klaviermusik*, S. 197; Seiffert, Einleitung zu DTB II 1, S. XXXIII f.
[264] Berlin, Deutsche Staatsbibliothek Mus. ms. 40 076; das erste Blatt, das vielleicht Titel und Besitzervermerk enthielt, war entfernt worden.

Dieser sehr einfachen Beweisführung müssen auf Grund unserer Beobachtungen an anderen Quellen die folgenden Bedenken gegenübergestellt werden:

1. Leider ist aus Seifferts Angaben nicht genau zu ersehen, ob die „Suite" in Eckelts Tabulaturbuch speziell mit Pachelbels Namen gezeichnet war oder ob die Sätze lediglich zu jener Gruppe gehörten, deren Herkunft Eckelt mit den folgenden Worten angibt: *„So weit habe ich sie von vetter Crompholtzen abgeschrieben, die er von Pachelbel gelernt."* Im letzteren Falle wäre Pachelbels Autorschaft ohnehin sehr zweifelhaft, da es sich lediglich um ein für didaktische Zwecke zusammengestelltes, vermutlich von verschiedenen Meistern stammendes Repertoire handelte.

2. Sollte die „Suite" in Eckelts Tabulaturbuch tatsächlich mit Pachelbels Namen gezeichnet gewesen sein, so dürfte der Name — wie damals üblich — am Anfang, d. h. bei der Allemande gestanden haben, nicht aber bei den weiteren Sätzen. Nun besitzt die von Seiffert nach Eckelts Tabulaturbuch veröffentlichte Tanzfolge eigentümlicherweise 2 Allemanden, von denen die zweite jedoch kein Double der ersten ist[265]. Es fragt sich darum, ob die Sätze überhaupt zusammengehört haben. Sollte die erste Allemande tatsächlich von Pachelbel stammen, so ist dies bei den weiteren Sätzen, besonders auch bei der zweiten Allemande (die vermutlich nur zum Auswechseln zugefügt wurde), kaum wahrscheinlich. Wie wenig man sich gewöhnlich in den Gebrauchshandschriften an die originale Reihenfolge oder Zusammenstellung der Kompositionen eines Meisters hielt, ist oben an mehreren Beispielen gezeigt worden[266]. Nun ist aber gerade die zweite, aller Wahrscheinlichkeit nicht mit Pachelbels Namen gezeichnete und vermutlich vom Schreiber hinzugefügte Allemande identisch mit der Allemande in g-moll im Kodex C. A. A. 1683, so daß Pachelbels Autorschaft für diese Satzfolge keineswegs sicher begründet ist.

3. Da der Kodex C. A. A. 1683 offensichtlich eine Gebrauchshandschrift war, dürfte das gesamte Repertoire vom Schreiber aus anderen Vorlagen gesammelt und durch Bearbeitungen und Transpositionen geordnet worden sein. So erklärt sich auch die stilistische Einheitlichkeit der satztechnischen im Gegensatz zu Pachelbels sonstigen Kompositionen recht dürftigen Sätze[267]. Gebrauchshandschriften, die ausschließlich Kompositionen eines einzigen Meisters enthalten, lassen sich aus dem 17. Jahrhundert ohnehin nicht nachweisen.

So muß Seifferts Beweisführung als zuwenig stichhaltig abgelehnt und das Repertoire der Handschrift C. A. A. 1683 aus Pachelbels Werkverzeichnis gestrichen werden.

Der allgemeinen musikgeschichtlichen Bedeutung dieses Meisters geschieht dadurch kein Abbruch; sie liegt auf dem Gebiet des Orgelchorals, der *Aria* und der Fughette in der von den Zeitgenossen gepriesenen *cantablen* Schreibart.

## Johann Krieger

Ebenfalls aus Weckers Schule kam Johann Krieger[268]. In seinen kurzen Fughetten über Kirchenlieder[269] oder freie Subjekte zeigt sich die Verbundenheit mit der nürnbergischen Tradition. Freilich stand bei ihm offenbar die Tastenmusik nicht so sehr im Vordergrund des Schaffens wie bei Pachelbel. Sein Amt als Organist und Musikdirektor in Zittau, das er über vier Jahrzehnte lang ausübte, forderte von ihm in erster Linie

---

[265] Vgl. DTB II 1, S. 81 (unten) und S. 84.
[266] S. o. S. 98, 127 und 152 ff.
[267] Hierauf weist Seiffert ausdrücklich hin.
[268] Auch hier dienen als Grundlage immer noch Seifferts Forschungsergebnisse (*Klaviermusik*, S. 209 ff.; Einleitung zu DTB XVIII, S. X ff.); dazu neuerdings Harold E. Samuel, Artikel *Krieger* in MGG.
[269] Vgl. Ritter, S. 149; die in Ritters Kopie nach Beuron gelangten Stücke sind z. Z. nicht auffindbar (lt. freundlicher Mitteilung von Herrn Dr. Harald Heckmann, Kassel). Nach Mattheson, *Ehrenpforte*, soll Krieger derartige Stücke während seines Aufenthaltes in Nürnberg zwischen 1672 und 1678 geschrieben haben.

die Komposition von Kirchenstücken, von denen sich ein umfangreicher Bestand nachweisen läßt, neben dem das erhaltene Repertoire an Tastenmusik recht gering erscheint. Offenbar hatte er auf diesem Gebiet in der breiten Öffentlichkeit wenig Erfolg. Für seine 1697 zu Nürnberg in dem neuen Typendruck-Verfahren W. M. Endters veröffentlichte Sammlung *Sechs Musicalische Partien* konnte er nicht einmal in seiner Vaterstadt genügend Abnehmer finden[270], das Werk blieb also in der damaligen Zeit völlig bedeutungslos. Trotzdem gab er zwei Jahre darauf die *Anmuthige Clavier-Ubung* heraus, die in der Fachwelt großen Anklang fand. G. F. Händel beispielsweise zählte sie zu den besten Werken seines Studienrepertoires und nahm sie sogar später mit nach England[271]. In einigen Handschriften des 18. Jahrhunderts sind die Fugen aus der *Clavier-Ubung* für Studienzwecke zusammengestellt[272]. Wie hoch man Krieger als Meister des Kontrapunktes schätzte, zeigt das Urteil des stets kritischen Mattheson[273]:

*„Es ist dieser Mann werth, daß man ihn unter die besten und gründlichsten Contrapunctisten dieses Jahrhunderts zum Andencken mit obenansetze, und wer Gelegenheit hat, seine Fugen zu untersuchen, wird grossen Nutzen daraus schöpffen; obschon die sogenannte Galanterie nicht so reichlich, als die Festigkeit der Sätze darin anzutreffen seyn mögte. Man kan nicht s e y n und g e w e s e n s e y n."*

Wie bei Frescobaldi und Poglietti zeigten auch bei Krieger die jüngeren Fachkollegen nur Interesse für die Kompositionen im strengen Stil, obwohl die *Clavier-Ubung* in Wirklichkeit — da sie „allen *Liebhabern deß Claviers"* zugedacht war— ein recht vielseitiges Repertoire bot, wie es sonst in der Regel nur in den handschriftlichen Klavierbüchern aus jener Zeit zu finden ist[274]. So besteht der Inhalt — wie schon der Titel angibt — aus *unterschiedlichen Ricercarien, Praeludien, Fugen, einer Ciacona und einer auf das Pedal gerichteten Toccata.* Das zuletzt genannte Stück vertritt den *stilus fantasticus* in der norddeutschen Manier und könnte durch die bereits seit den siebziger Jahren im thüringisch-sächsischen Raum bekannten Pedalstücke von Buxtehude angeregt worden sein[275]. Bemerkenswert ist ferner, daß Krieger zwischen *Ricercarien* in weißen Noten und *Fugen* in schwarzen Noten unterschied. Die etwas konfuse, nicht nach Stilen und Gattungen geordnete Zusammenstellung des Inhaltes dürfte wohl nicht vom Komponisten, sondern eher von dem ohnehin nicht sehr geschickten Drucker stammen.

Das Repertoire der *Clavier-Ubung* hat Krieger wahrscheinlich aus einem wesentlich umfangreicheren, im Laufe mehrerer Jahre komponierten Bestande ausgewählt und dabei wohl manche Sätze umgearbeitet. Aufschlüsse hierüber gibt der Kodex E. B. 1688[276]. Er enthält einen zusammenhängenden, in den Jahren 1683/4 niedergeschriebenen Komplex von Sätzen, die mit *Joh. Krüger Jun:* oder ähnlich gezeichnet sind[277]:

Nr. 59 *Toccata Joh. Krüger Jun:*
Nr. 60 *Praeludium J. Krüg Jun.*
Nr. 61 *Toccata J. K. Jun:*

---

[270] Nach Aussagen des Verlegers im Nachwort der *Clavier-Ubung* von 1699.
[271] Vgl. Fr. Chrysander, *G. F. Händel*, Bd. III, Leipzig 1860, S. 211 (Anm.).
[272] Z. B. Berlin, Deutsche Staatsbibliothek Mus. ms. 6715, 6715/1 (beide z. Z. in Marburg); Berlin, Bibliothek der ehem. Hochschule f. Musikerziehung und Kirchenmusik Hs. h 5753.
[273] *Capellmeister*, S. 442.
[274] Hätte Krieger nur die in der Vorrede der *Partien* 1697 angekündigten „*acht Ricercarien, nebenst acht Fugen, mehrentheils von drey bis vier Subjectis"* veröffentlicht, wäre der Absatz wahrscheinlich ebenso gering gewesen wie später bei Bachs *Kunst der Fuge.*
[275] S. u. S. 207.
[276] S. o. S. 99 ff.
[277] Neuausgabe von F. W. Riedel, Lippstadt i. W. 1957.

Nr. 62 *Fuga J. K. Jun:*

Nr. 63 *Fuga* [späterer Zusatz:] *di Joh: Krüger*

Zwei weitere Stücke sind an anderer Stelle wahrscheinlich später zugefügt worden:

Nr. 85 *Fantasia Sig: Joh: Krüger Jun.*

Nr. 86 *Toccata ex D♭ Krueger*[278]

Bei einem weiteren Stück ist die Urheberschaft problematisch. Es handelt sich um ein Praeludium mit Fuge, das im Kodex E. B. 1688 als

Nr. 51 *Praeludium alla breve Sig: Joh. Kuhnau*

überliefert ist. Die Fuge allein befindet sich dagegen auf S. 158 des Mylauer Tabulaturbuches von 1750[279] mit dem Titel

*Fuga ex B Krüger*

Wahrscheinlich liegt hier ein ähnlicher Fall vor wie bei den Pachelbel-Fugen, daß nämlich das Praeludium von Kuhnau, die Fuge aber von Krieger stammt[280].

Die später zugefügte Autorangabe der *Fuga* Nr. 63 wird bestätigt durch eine Konkordanz im Kodex LM 4982 der Library of the Yale Music School, New Haven (Conn.)[281]. Dort finden sich zwei Fugen von Krieger:

S. 16 *Fuga. J. Krieger. Junior.*

S. 17 *J. K. junior*

Das Subjekt der ersten Fuge beginnt mit drei chromatisch absteigenden Tönen, das Subjekt der zweiten Fuge ist die Umkehrung des ersten; diese zweite Fuge ist identisch mit der *Fuga* Nr. 63 des Kodex E. B. 1688. Eine Abwandlung beider Subjekte sowie ihre gleichzeitige Durchführung in einer Doppelfuge bietet das *Ricercare aus E der Clavier-Ubung*[282].

Eine ebenfalls dort abgedruckte *Fantasia*[283] ist in der Gestaltung des Ostinato-Motives und einiger Variationen mit der im Kodex E. B. 1688 aufgezeichneten *Fantasia* Nr. 85 verwandt. Es handelt sich offenbar um zwei verschiedene Bearbeitungen desselben musikalischen Gedankens, die sich vor allem in den folgenden Punkten unterscheiden:

|  | Kodex E. B. 1688 | Clavier-Ubung 1699 |
|---|---|---|
| Ostinato | 6 Takte | 3 Takte |
| Gesamtumfang | 92 Takte | 48 Takte |
| Satzgestaltung | Ständig wechselnde Spielfiguren und Bewegungsgrade, bis zu 16teln gesteigert | Viertelbewegung unter Verwendung eines ostinaten Motives |

Die *Fantasia* Nr. 85 im Kodex E. B. 1688 ist — ebenso wie die darauffolgende, in der Schreibart Frobergers komponierte *Toccata* Nr. 86 — wahrscheinlich erst nach dem Binden des Manuskriptes, also nach 1688 eingetragen worden[284]. Ob dies vor 1699 geschah, läßt sich nicht eindeutig beweisen.

Im Ganzen scheint die *Anmuthige Clavier-Ubung* das Ergebnis von Kriegers Redaktionsarbeit gewesen zu sein[285], nachdem bereits in den achtziger Jahren eine Reihe ähnlicher und sogar verwandter Stücke handschriftlich verbreitet waren. Der späte Zeitpunkt der Veröffentlichung mag mit ein Grund gewesen sein, weshalb diese Kompo-

---

[278] Hier könnte natürlich auch der Bruder Joh. Phil. Krieger gemeint sein.
[279] Vgl. Anm. II 251.
[280] S. o. S. 168 f.
[281] S. o. S. 88.
[282] Vgl. DTB XVIII, S. 34 f.
[283] Vgl. ebenda S. 59.
[284] S. o. S. 104 f.
[285] Ähnlich wie Bachs Klavierübung I und III.

sitionen keine allgemeine Verbreitung fanden. Für den Liebhaber waren sie zu „gelehrt" und nicht mehr modern. Nur die Fugensätze fanden das Interesse der Fachwelt, wurden aber zumeist handschriftlich weitergegeben. So konnte der Meister es nach seinem eigenen Zeugnis[286] nicht wagen, weitere Kompositionen im Druck erscheinen zu lassen, obwohl er *„eine große Menge von Partien, Chorälen, und andern Gattungen beisammen"* hatte.

## Johann Kuhnau[287]

Seit Frescobaldi hat wohl kein Meister mit seiner Tastenmusik den Musikalienmarkt so stark und so lange beherrscht wie Johann Kuhnau. Dies ist um so verwunderlicher, als seine vier in Kupfer gestochenen Klavierbücher lediglich Gelegenheitsarbeiten *„neben anderen Verrichtungen"* zu sein scheinen[288]. Unter den Kantoren der Leipziger Thomasschule eine Parallelerscheinung zu dem über hundert Jahre älteren Seth Calvisius, gehörte Kuhnau zu jenen universalgelehrten Persönlichkeiten, wie sie in den Kreisen des Adels, der Geistlichkeit und des bürgerlichen Gelehrtenstandes im Zeitalter des Spätbarock anzutreffen waren, ehe die Aufklärung die umfassende Bildungswelt der „septem artes liberales" in zahlreiche Spezialwissenschaften auflöste.

Doch wäre es verfehlt, in Kuhnau bloß den späten Vertreter universaler Gelehrsamkeit und den allen modernen Zeitströmungen sich widersetzenden, konservativen Musikdirektor zu sehen. Man darf ihn nicht von seiner unglücklichen Amtszeit als Thomaskantor her beurteilen, in welcher der kränkliche und den Aufgaben seines Amtes offenbar nicht gewachsene Mann einen vergeblichen Kampf gegen die *„Operisten"* und gegen die *„neuen Organisten, der die hiesigen Operen machet"* (gemeint ist Telemann) führte. Daß Kuhnau in früheren Jahren der Oper durchaus positiv gegenüberstand, bezeugen seine eigenen, leider verschollenen Kompositionen auf diesem Gebiet[289] sowie sein Eintreten für die Opernbaupläne in Leipzig als Advokat N. A. Struncks in einem Prozeß gegen die Besitzerin des Bauplatzes im April 1693[290].

Ein durchaus moderner Musiker war Kuhnau aber vor allem in seinen Werken für Tasteninstrumente, die er während seiner Tätigkeit als *Juris Practicus* und Organist an St. Thomae veröffentlichte. Die breite Wirkung, die er damit erzielte, ist zweifellos durch die wirtschaftspolitische Lage begünstigt worden. Leipzig war damals der wichtigste Handelsplatz im östlichen Teil des Reiches, als Messestadt hatte es das durch die Franzosenkriege schwer geschädigte Frankfurt am Main allmählich zurückgedrängt. Nicht nur für die mittel- und ostdeutschen Städte, sondern auch für das aufstrebende Hamburg bildeten die Leipziger Messen die wichtigste Handelsverbindung zu den osteuropäischen Ländern bis hin zum türkischen Reich. So war es nicht verwunderlich, daß in der Pleißestadt ein Neubürgertum entstand, das Freude am Luxus hatte und sich den Einflüssen der französischen Mode und Geselligkeit gegenüber viel

---

[286] Brief an Johann Mattheson v. 15. April 1716, abgedruckt in Matthesons *Critica Musica* 1722, S. 152.
[287] Vgl. F. W. Riedel, Artikel *Kuhnau* in MGG.
[288] Vgl. die Vorrede von 1696.
[289] Oper *Orpheus*, erwähnt in *Der musicalische Quacksalber;* J. A. Scheibe, *Critischer Musikus,* 1745, S. 879 (Fußnote), erwähnt ein Singspiel.
[290] Vgl. F. Berend, *N. A. Strunck ...,* Diss. München 1913, S. 94.

offener zeigte als die konservativen Patrizier der alten Reichsstädte[291]. Leipzig erwarb sich bald den Ruf eines „Klein-Paris". Es gehörte zu den ersten deutschen Städten, die eine eigene Oper besaßen. Die gesellige Musik wurde in den studentischen Kreisen wie in den Bürgerhäusern eifrig gepflegt. Es war die Zeit, in der die Tasteninstrumente im häuslichen Musizieren an die erste Stelle rückten. Den Wünschen nach leicht spielbarer, unterhaltender Musik mußte ein Komponist entgegenkommen, wenn er Absatz für seine Werke finden wollte[292].

„Kuhnaus Erfolge als Klavierkomponist beruhten im wesentlichen auf einer nicht so sehr der Berechnung als glücklicher Intuition entsprungenen Erfassung dessen, was der große Kreis der deutschen Klavierspieler um 1700 hören und erleben wollte"[293].

Die Vorliebe, die man in den Kreisen der Liebhaber für seine handschriftlich verbreiteten Kompositionen zeigte, bewog ihn, sieben Partien stechen zu lassen und als *Neuer Clavier Ubung / Erster Theil* 1689 im Selbstverlag herauszugeben[294]. Der gute Absatz gab ihm den Mut, einen zweiten Teil folgen zu lassen[295]. Der Großsche Katalog zeigte ihn bereits zur Herbstmesse des Jahres 1691 an[296], doch erschien das Werk tatsächlich erst zur Frühjahrsmesse des folgenden Jahres, nunmehr gleichzeitig auf der Frankfurter Messe. Jetzt hatte Kuhnau auch einen Verleger gefunden. Zwar ist auf dem Titelkupfer noch er selbst als Verleger angegeben, doch zeichnete in den Meßkatalogen statt dessen der Buchhändler Friedrich Groschhuff aus Leipzig. 1695 übernahm Johann Herbord Kloss ebendort den Verlag für beide Teile, die er bis 1724 mehrfach zusammen in den Meßkatalogen anbot[297]. Bei den heute noch erhaltenen Exemplaren sind z. T. alle vierzehn Partien in einem Band zusammengefaßt[298].

Der zweite Teil der Klavierübung ist in der Musikgeschichte berühmt geworden durch die angehängte *Sonate aus dem B.* Man hat sie seit Emanuel Faißts Studien über die Geschichte der Klaviersonate[299] als die erste Klaviersonate und Kuhnau als Erfinder dieser Gattung bezeichnet. Bei näherer Untersuchung zeigt sich jedoch, daß diese Ansicht nur bedingt richtig ist.

Der zweite Satz dieser Sonate steht nämlich einzeln und in C-Dur notiert als *Fuga di Joh. Kuhnau* im Kodex E. B. 1688[300]. Der dort mitgeteilte Satz weicht von der Druckfassung lediglich durch die flüchtigere „Manieren"-Bezeichnung, durch die verschiedene Gestaltung der Takte 14 f. und 23 ff. und durch die Hinzufügung einiger Schlußtakte ab. Das Stück ist vom Schreiber frühestens 1684 eingetragen worden, wahrscheinlich aber auch nicht viel später, da die Jahreszahl 1684 einige Seiten vorher im Manuskript vorkommt und keinerlei Anzeichen auf eine längere Unterbrechung der Eintragungen schließen lassen[301].

Nun weiß man leider nicht, welcher Vorlage der Schreiber das Stück entnommen hat, ob Kuhnau die Sonate schon viel früher und zunächst vielleicht in C-dur komponierte. Wahr-

---

[291] Vgl. hierzu Schering, *Musikgeschichte Leipzigs*, Band II, Leipzig 1927.
[292] S. o. S. 52 f.
[293] Schering, a. a. O. S. 429.
[294] Vgl. die Vorrede von 1689.
[295] Vgl. die Vorrede von 1692.
[296] Göhler III 180; Scherings Angaben (a. a. O.) bezüglich der Neuauflagen sind unvollständig.
[297] Göhler III 181/3: 1695 (Frühjahr und Herbst), 1700, 1716, 1724 (3 Teile, den 3. Teil bildeten wohl die *Clavier Früchte*).
[298] Z. B. Wien, Musikarchiv des Minoritenkonventes; Berlin, Deutsche Staatsbibliothek.
[299] In der Zeitschrift *Caecilia*, hrsg. v. Dehn, Mainz, Schott & Söhne, Bd. 25/26 (1846/47), S. 129 ff.
[300] S. o. S. 110 (Nr. 76); vgl. Tafel IV, Abb. 2.
[301] S. o. S. 104.

scheinlicher ist es jedoch, daß er das Repertoire seiner ersten Drucke aus älteren Beständen auswählte und durch Transpositionen tonartlich zusammenpassende Konglomerate schuf. So hat er
als Anhang zu seinen Partien mehrere figurierte, rezitativische oder konzertierende Sätze, von
denen zumindest der zweite schon früher existierte, unter dem Titel *Sonate* zusammengefaßt.
Das Neue bestand lediglich in diesem Terminus, der nach Kuhnaus eigenen Worten der Ensemblemusik entliehen wurde und hier zum erstenmal bei einem gedruckten Klavierstück auf-
taucht[302]. Kuhnau weist in der Vorrede gleich darauf hin, daß auf dem Tasteninstrument im
Gegensatz zur Ensemblebesetzung die Stimmen nicht obligat geführt werden dürften, wenn der
Satz nicht steif und gezwungen wirken sollte. So erscheint das ganze Gebilde wie die Übertragung einer Sonate für mehrere Instrumente *in corpo*, d. h. ohne Berücksichtigung der kor-
rekten Stimmführungen. Diese Praxis bestand freilich schon vor Kuhnau, wie beispielsweise die
*Sonata a 2 Clavir Pedal:* im Kodex E. B. *1688* beweist[303]. Wie in unserem Zusammenhang schon
mehrfach erwähnt wurde, ist vermutlich in derartigen Bearbeitungsverfahren der Ursprung vieler
Gattungen der Tastenmusik zu suchen[304]. Die bewußte terminologische Formulierung erscheint
hier — wie so oft in der Geschichte — lediglich als die Fixierung und auch die beginnende
Schematisierung einer vorher schon längere Zeit lebendigen Praxis.

In der Anlage entsprechen Kuhnaus Sonaten nämlich den mehrsätzigen Toccaten
oder Praeludien Frobergers, Buxtehudes, Georg Muffats und anderer Meister aus jener
Zeit, als Satzüberschriften noch keineswegs zur terminologischen Bezeichnung bestimmter Formenschemata benutzt wurden. Man möchte sogar den leisen Verdacht schöpfen,
Kuhnau habe den Terminus *Sonate* aus geschäftlicher Spekulation als etwas Neues
hingestellt, gleichsam wie ein Gastwirt altbekannte Gerichte unter neuen Namen anzubieten pflegt. Daß Kuhnau damit bei den modesüchtigen Leipzigern und auch an
anderen Orten Erfolg hatte, beweist der gute Absatz, den besonders der zweite Teil
der Klavierübung wie auch die darauffolgende Sonatensammlung fanden.
Zur Frühjahrsmesse des Jahres 1695 waren beide Teile der Klavierübung neuaufgelegt worden. Da Kuhnau merkte, daß man vor seinen *„Früchten . . . nicht eben einen
allzugroßen Eckel empfinde"*[305], zeigte er zur Herbstmesse — zusammen mit seinem
Roman *Der musicalische Quacksalber* — bereits ein neues Werk an mit dem Titel
*Ausgetheilte Clavier-Früchte, oder 7 Sonaten nach einer galanten Manier auf dem
Clavier zu spielen*[306]. Freilich wartete er nach eigenem Zeugnis[305] mit der Komposition
dieser Sonaten, bis die Nachfrage so groß war, daß der Druck sich lohnte. Dann verfaßte er das ganze Werk innerhalb einer Woche, indem er an jedem Tage eine Sonate
schrieb, und ließ es zur Frühjahrsmesse des Jahres 1696 durch die Verleger J. Christoph
Mieth und J. Christoph Zimmermann in Dresden und Leipzig veröffentlichen. Anscheinend hat diese Sammlung unter Kuhnaus Kompositionen das größte Interesse und
die weiteste Verbreitung gefunden. Zwar wurde sie nur bis 1702 in den Meßkatalogen
angezeigt[307], doch lassen sich Neuauflagen aus den Jahren 1700, 1710, 1719, 1724
und sogar noch 1740 nachweisen[308], also in unmittelbarer Nähe zu Kellners *Certamen
Musicum* (1736), Gottlieb Muffats *Componimenti Musicali* (spätestens 1739), J. S.

---

[302] Vgl. die Vorrede von 1692; vorher schon in den *Capricci da sonare cembali et organi* von
G. Strozzi (1687).
[303] S. o. S. 109 (Nr. 53).
[304] S. o. S. 112 und 128.
[305] Vgl. die Vorrede von 1696.
[306] Göhler III 184.
[307] Göhler III 185.
[308] Vgl. Eitner, *Quellenlexikon* und Päsler, Einleitung zu DDT 4.

Bachs *Clavier Uebung* III (spätestens 1739) und IV (1742) und Phil. Emanuel Bachs „Preußischen" Sonaten (1742). Man sieht daraus, daß Kuhnaus Einflußsphäre unmittelbar an die ersten Veröffentlichungen der sogenannten „frühklassischen" Meister heranreichte, während die „gelehrte" Tastenmusik seines Amtsnachfolgers in der Gesamtentwicklung des 18. Jahrhunderts ziemlich abseits stand, da sie nur für einen engbegrenzten Kreis von Fachleuten geeignet war.

Auch geographisch scheinen Kuhnaus Werke in fast allen Teilen des Reiches verbreitet und noch über den Tod des Meisters hinaus in Theorie und Praxis geschätzt gewesen zu sein.

Daß die mitteldeutschen Meister, vor allem Bach und Händel[309], wertvolle Anregungen aus Kuhnaus Drucken erhielten, versteht sich von selbst. Mattheson[310] zitiert zahlreiche Beispiele aus den beiden Teilen der Klavierübung und aus den *Clavier Früchten*, ein Zeichen für die hohe Schätzung, die man Kuhnau in den fortschrittlichen Kreisen der Hamburger Musiker entgegenbrachte. Vor allem die Einfachheit und gute Sangbarkeit seiner Fugen-Subjekte hat die Komponisten des 18. Jahrhunderts beeindruckt. Noch Ph. E. Bachs Nachfolger im Amt des hamburgischen Musikdirektors, Friedrich Gottlieb Schwenke (1767—1822), Schüler von Marpurg und Kirnberger, kopierte sich Stücke aus Kuhnaus Drucken[311]. Auch in Wien interessierte man sich für den Leipziger Meister. Aus dem Besitz des Minoritenpaters Venantius Sstanteysky[312] sind beide Teile der Klavierübung in einem Bande erhalten, P. Alexander Giessel besaß eine Kopie der *Clavier Früchte*, eine Menge Sätze daraus stehen in seiner Versettensammlung[313]. Überhaupt scheinen Kuhnaus Werke von den Kirchenorganisten mit Vorliebe zu diesem Zweck benutzt worden zu sein. Eine systematische Quellendurchsicht anhand des von Alois Fuchs im Jahre 1850 angefertigten thematischen Verzeichnisses[314] würde gewiß ein aufschlußreiches Bild über die praktische Verwendung der Sätze ergeben. Als Beispiel sei hier nur das *TABULATUR Buch* 1750 aus dem Kirchenarchiv zu Mylau im Vogtland genannt[315]. Es enthält mehrere Sonaten und Partiten Kuhnaus in z. T. erheblich gekürzten und veränderten Fassungen sowie zahlreiche Einzelsätze, die hier *Canzone*, *Canzonetta*, *Fuga*, *Praeludium* oder ähnlich genannt sind. Die meisten stammen aus Kuhnaus letzter Veröffentlichung.

Die Reihe seiner Klavierbücher beschloß er im Jahre 1700 mit dem Werk *Musicalische Vorstellung / Einiger / Biblischer Historien / In 6. Sonaten / Auff dem Claviere zu spielen* ...[316]. Auch dieses Werk — das merkwürdigerweise in den Meßkatalogen gar nicht auftauchte — wurde mehrfach neuaufgelegt[317], das späteste der erhaltenen Titelblätter trägt die Jahreszahl 1725[318]. Kuhnau berief sich in der Vorrede zu diesen Programmsonaten besonders auf Frobergers Programmstücke; Poglietti, der sich weit mehr dieser Gattung gewidmet zu haben scheint, wird nicht ausdrücklich erwähnt, da Kuhnau ihn in aller Wahrscheinlichkeit nach nicht gekannt hat[319]. Jedoch erfuhren die Programmstücke beider Meister dasselbe Schicksal: In der Praxis scheint sich vornehmlich der Fachmusiker gar nicht so sehr für die mit musikalischen Mitteln dargestellte Handlung interessiert zu haben; man wählte auch hier lediglich die „*brauch-*

---

309 Vgl. Mattheson, *Ehrenpforte*, Artikel Händel.
310 *Capellmeister*, S. 431 ff.
311 Berlin, Deutsche Staatsbibliothek Mus. ms. Bach P 203 (z. Z. Marburg).
312 Vgl. Anm. II 266.
313 S. o. S. 89 ff.
314 Berlin, Deutsche Staatsbibliothek.
315 Vgl. Anm. II 251.
316 Vgl. Anm. I 44.
317 Vgl. Eitner, *Quellenlexikon*, und Päsler a. a. O.
318 Expl. Wien, Österreichische Nationalbibliothek.
319 S. o. S. 148.

*baren Blumen*" [320] nach eigenem Geschmack aus und ließ den — in diesem Falle vom Komponisten wirklich beabsichtigten — Zusammenhang außer acht. Bevorzugt wurden vor allem die fugierten Sätze. Hier zeigt es sich wiederum, daß meist die „gelehrten" Kompositionen bei den Fachmusikern späterer Generationen Beachtung fanden; alles andere fiel in der Regel dem Wechsel der Mode, des Geschmackes und der gesellschaftlichen Struktur zum Opfer.

Die besondere geschichtliche Bedeutung Johann Kuhnaus lag zweifellos darin, daß er sich als erster mit gedruckten Klavierbüchern an die Kreise der bürgerlichen Liebhaber wandte, in denen das Tastenspiel jetzt erst die allgemeine Grundlage der häuslichen Musikpflege wurde. So sind Kuhnaus Veröffentlichungen in Deutschland „förmlich zum Signal einer nunmehr einsetzenden Verlegertätigkeit" geworden [321], denn 1693 begann Bourgeat in Mainz mit der Herausgabe seiner Froberger-Sammlungen, 1696 folgte J. K. Fischers häufig neu aufgelegtes *Musicalisches Blumen-Büschlein*, 1697 Kriegers *Partien*, 1699 seine *Anmuthige Clavier-Ubung* und Pachelbels *Hexachordum Apollinis*. Nach der Jahrhundertwende wuchs die Zahl der Drucke immer mehr zu einer kaum zu übersehenden Fülle. Weitaus der größte Teil der fortan (bis in die Gegenwart) zur Veröffentlichung gelangten Tastenmusik — auch die der großen Meister — war für den Hausgebrauch des Liebhabers betsimmt.

---

[320] S. o. S. 54.
[321] Schering, a. a. O. S. 429; doch dürfte dieser Satz nicht so sehr für die erste Veröffentlichung der Partiten gelten, wie es Schering meint; erst seit 1692 sind Kuhnaus Werke allgemein bekanntgeworden.

12

# DIE NORDDEUTSCHEN MEISTER

Norddeutschland verhielt sich in der Musikgeschichte bis gegen Ende des 17. Jahrhunderts im wesentlichen rezeptiv. Die Ursachen lagen zweifellos in der allgemeingeschichtlichen Situation. Erst nach dem Ende des Heiligen Römischen Reiches Deutscher Nation verlagerte sich der Schwerpunkt Mitteleuropas in politischer, wirtschaftlicher und kultureller Hinsicht nach Norddeutschland. Diese erst spät in den Reichsverband hineingewachsenen Landschaftsräume waren ursprünglich Kolonialland und sind bis in das 17., in den östlichen Gebieten bis in das 18. Jahrhundert hinein Einwanderungs- und Siedlungsgebiete geblieben. Im Spätmittelalter, als im ganzen Abendland die ständischen Interessen die Oberhand besaßen, konnte der Städtebund der Hansa zu einer beherrschenden wirtschaftlichen und politischen Macht emporsteigen. Die Erstarkung der staatlichen Zentralgewalten in den westlichen Ländern Europas, die Entdeckungen fremder Erdteile und der damit verbundene Übergang der Seeherrschaft an Portugal und Spanien und von diesen an die Niederlande und England, daneben aber auch das Aufkommen der von Italien ausgehenden kapitalistischen Wirtschaft haben den Niedergang der Hanse herbeigeführt, so daß sie um 1600 ihre wirtschaftliche Bedeutung und ihren politischen und kulturellen Einfluß gänzlich verloren hatte[322]. Ihr Erbe traten die Generalstaaten an, die sogar in der Ostsee die Vorherrschaft gewannen. Holländische Kaufleute ließen sich in vielen Küstenstädten nieder[323], Holländer waren es, welche die Nordseeküsten besiedelten und diese durch Deichbauten gegen die Sturmfluten sicherten. Die von den Glaubensverfolgungen ausgelösten und das ganze 16. Jahrhundert hindurch in mehreren Wellen sich vollziehenden Einwanderungen aus den Niederlanden (die ja bis 1648 offiziell noch zum Reich gehörten) haben auf die Geschichte Norddeutschlands in vieler Hinsicht einen tiefgreifenden Einfluß ausgeübt. In Landwirtschaft, Schiffahrt, Handel und Geldwesen erwarben sich die zugewanderten Holländer bald führende Positionen. In Hamburg wohnten um 1600 allein 10 000 Holländer, in deren Händen fast der gesamte Handel lag. So war es nicht verwunderlich, daß diese Gebiete auch unter den Einfluß niederländischer Kultur und Kunst gerieten. Der „niederländische Barock" hat Norddeutschland im 17. Jahrhundert das kulturelle Gepräge verliehen. Kleidung und Hauseinrichtungen waren nach holländischem Vorbild gehalten, Rembrandts Schule wirkte bis zum Gottorfer Hof, niederländische Musiker standen im Dienste Christians IV. am Kopenhagener Hof, die Bauten Andreas Schlüters verraten holländische Einflüsse, der norddeutsche Orgelbau hatte in den Niederlanden seinen Ursprung, und Sweelinck in Amsterdam wurde der *hamburgische Organistenmacher* genannt. Daß Samuel Scheidts *Tabulatura Nova* — das einzige große, nach dem Vorbild niederländischer Tastenspielkunst geschaffene Werk in Deutschland — 1624 gerade in Hamburg erschien, ist gewiß kein Zufall.

Im übrigen darf man dem musikalischen Einfluß Hollands in Norddeutschland keine allzu nachhaltige Wirkung zuschreiben. Die Niederlande hatten damals ihre Führerstellung in der europäischen Musik bereits verloren. Zur selben Zeit, als die angehenden hamburgischen Organisten nach Amsterdam zogen, studierten bereits einige Musiker aus dem Norden bei Gabrieli in Venedig[324]. Andererseits wirkten englische Musiker

---

[322] Vgl. hierzu wie auch zum Folgenden: W. Treue, *Wirtschafts- und Sozialgeschichte vom 16. bis zum 18. Jahrhundert* in: Bruno Gebhardt, *Handbuch der Deutschen Geschichte*, Bd. II, [8]1955, §§ 110, 111, 117, 119, 122, 126.

[323] Vor allem in Danzig; auf diesem Wege ist Sweelinck dort bekanntgeworden.

[324] Vgl. MGG Bd. IV, Sp. 1196.

zu Beginn des 17. Jahrhunderts in Kopenhagen, Gottorf, Hamburg, Berlin und in anderen Städten[325]. Die geographische Verschachtelung der Herrschaftsgebiete (Schweden besaß Vorpommern und die Herzogtümer Bremen und Verden; zu Dänemark gehörten große Gebiete in Schleswig und Holstein sowie zeitweilig die Grafschaft Oldenburg) und manche dynastische Verbindungen (z. B. Dänemark mit Kursachsen, Brandenburg mit Schweden und Hannover) haben die musikalischen Beziehungen zwischen den einzelnen Ländern stark gefördert[326], während im ganzen der fast ständige Gegensatz zwischen Dänemark und Schweden, in welchen Gottorf, Hamburg, Brandenburg und die welfischen Herzogtümer mehrfach mit hineingezogen wurden, das kulturelle Leben stark beeinträchtigte.

Die Musikgeschichte Nordwestdeutschlands spielte sich ohnehin nur in einigen wenigen Kulturzentren ab. So fehlte hier sowohl der glanzvolle Hintergrund kaiserlicher und fürstbischöflicher Residenzen wie im Süden des Reiches als auch die tiefe Verbundenheit mit allen Ständen und Schichten der Bevölkerung wie in Mitteldeutschland. Wenn auch gebietsweise in kleinen Städten und größeren Dörfern die Musikpflege auf einem verhältnismäßig hohen Niveau stand[327], so waren die Hauptträger der norddeutschen Musikkultur die welfischen Residenzen Braunschweig-Wolfenbüttel, Hannover und Celle, der Gottorfer und der Kopenhagener Hof; ferner die Städte Lüneburg, Hamburg und Lübeck, daneben eine Reihe kleinerer Städte wie Stade, Eutin, Flensburg u. a., die freilich keine bedeutenderen Leistungen gezeigt haben. Während die Musikpflege an den Höfen vielfach unter dem Wechsel der politischen Geschicke zu leiden hatte, sind die beiden großen Hansestädte vom Kriege direkt nicht geschädigt worden, so daß sich hier ein kontinuierliches Musikleben entfalten konnte. Die führende Stellung im ganzen nordischen Raum nahm Hamburg ein, während in Lübeck — ähnlich wie in den altdeutschen Reichsstädten — infolge des wirtschaftlichen und politischen Niederganges der Geist des Barocks sich nur wenig in bedeutenderen Leistungen geäußert hat. Auch der vorübergehende Aufschwung der Stadt unter dem tatkräftigen Bürgermeister Thomas Fredenhagen (1627—1709), in dessen Amtszeit Buxtehudes Tätigkeit an St. Marien fiel, darf über den Fortgang des Verfalls nicht hinwegtäuschen.

Das Bild des allgemeinen Musikinteresses der städtischen Behörden wie auch der Pflege des Orgelspiels spiegelt sich in den Orgelbauten wider[328]. Die erste, von den Niederlanden her beeinflußte Blütezeit erlebte der norddeutsche Orgelbau in den Jahrzehnten vor dem Dreißigjährigen Kriege. Die Hauptkirchen fast aller größeren Städte erhielten damals große, kostbare Orgelwerke. Neben niederländischen Meistern sind vor allem die Glieder der Familie Scherer in Hamburg und später Gottfried Fritzsche mit seinem Schwiegersohn Friedrich Stellwagen führend gewesen. Die *Organographia* des Michael Praetorius ist der theoretische Niederschlag dieser Epoche. Die Materialgüte jener Instrumente ist in späterer Zeit kaum wieder erreicht worden. Da der Bedarf der Kirchen zunächst gedeckt war, sind aus der Mitte des Jahrhunderts keine Neubauten von Bedeutung zu verzeichnen. In den letzten Jahrzehnten erwiesen sich jedoch viele

---

[325] Vgl. B. Engelke, *Musik und Musiker am Gottorfer Hofe*, Bd. I, Breslau 1930.
[326] Man denke besonders an Schütz, Weckmann, M. Schild u. a.
[327] Vor allem im Unterelbegebiet, wo die größeren Dörfer vielfach Lateinschulen besaßen; auch hier musizierte man vornehmlich Hammerschmidt (z. B. in der Pfarrkirche zu Otterndorf an der Elbe, lt. freundlicher Mitteilung des dortigen Organisten, Herrn G. Roden, der die Inventare der Kirche durchforscht hat).
[328] Vgl. G. Fock, *Hamburgs Anteil am Orgelbau im niederdeutschen Kulturgebiet*, Zeitschrift f. Hamburgische Geschichte 1939; W. Stahl, Musikgeschichte Lübecks II, Kassel 1952.

Werke als reparatur- oder erneuerungsbedürftig. So setzte in den siebziger Jahren eine zweite Welle der Orgelbautätigkeit ein, freilich unter weniger günstigen wirtschaftlichen Voraussetzungen als vor dem großen Kriege. Arp Schnitger, der führende Meister jener Zeit, hat nach eigenem Zeugnis selten die Mittel zur Verfügung gehabt, die eigentlich notwendig gewesen wären [329]. Völlig neue Orgeln wurden nur in wenigen Fällen errichtet, meistens handelte es sich um Erweiterungs- oder Umbauten. Die Bautätigkeit erstreckte sich diesmal vorwiegend auf Hamburg und das Unterelbegebiet, Bremen, Oldenburg und Friesland, also auf die reichen Marschgegenden, wo manche Kleinstädte und Dörfer sich vor und nach der Jahrhundertwende stattliche Orgelwerke anlegen ließen. Östlich der Elbe geschah dagegen verhältnismäßig wenig. Während Hamburg fast sämtliche Orgeln erneuern ließ, wurde in Lübeck lediglich die große Orgel von St. Jakobi aus den Mitteln einer Stiftung (!) weitgehend umgebaut; der Dom erhielt 1696/99 eine neue Orgel aus Schnitgers Werkstatt. Dietrich Buxtehude gelang es dagegen nicht, für die große Orgel in St. Marien, die 1671 — also bald nach seinem Amtsantritt — *„erhebliche defecta"* aufwies, eine *„Haubt Renovation"* durchzusetzen. Erst 1704 ließ man endlich die gröbsten Mängel beseitigen, verwandte aber erhebliche Geldmittel auf die Renovierung des Prospektes, ein Zeichen für das geringe Interesse der Lübecker Ratsherren am Orgelspiel [330]!

Die Tastenspielkunst scheint im Norden bei weitem nicht so hoch im Kurs gestanden zu haben wie in Süd- und Mitteldeutschland. Vergleicht man den Bestand der in Lübeck und selbst der in Hamburg nachweisbaren Orgeln beispielsweise mit der Anzahl der in Erfurt vorhanden gewesenen Instrumente [331], so wird einem der Unterschied deutlich [332]. Zudem verrichteten die wenigsten norddeutschen Kirchenorganisten ihren Dienst hauptamtlich. Selbst die Organisten der Hauptkirchen waren nebenher als Werkmeister oder Kirchenschreiber beschäftigt, Johann Adam Reincken bildete hierin eine seltene Ausnahme [333]. Das gottesdienstliche Orgelspiel beschränkte sich vornehmlich auf den *Choral* in der Form von Vorspielen und Fantasien über deutsche Kirchenlieder, ferner mußten die Chorgesänge intoniert oder mit ihnen alterniert werden [334]. Mehr als für diese althergebrachte Praxis scheinen sich die Organisten für die sogenannte „Organistenmusik" interessiert zu haben, d. h. für die instrumentale Ensemblemusik (zuweilen auch mit Vokalsolisten) von der Orgelempore zur Kommunion oder bei besonderen Anlässen. Hier konnte der konzertierende Stil am schnellsten Eingang finden. Man kaufte nicht nur die neueste Produktion aus dem Süden [335], sondern komponierte und veröffentlichte selbst Triosonaten *„zur Kirchen- und Tafelmusik bequemlich"* [336].

---

[329] Vgl. P. Rubardt, *Arp Schnitger*, im *Bericht über die Freiburger Tagung für deutsche Orgelkunst*, Augsburg 1926.

[330] Nach Stahl, a. a. O. S. 44 und 87.

[331] Vgl. Adlung, *Musica Mechanica*, S. 211 ff.

[332] Offenbar haben die Hamburger Ratsherren ihre Orgelwerke vielfach aus Gründen der Repräsentation errichten lassen, denn gerade in den Kirchen, die durch Schnitger neue Instrumente erhielten, wirkten zu jener Zeit recht unbedeutende Organisten; vgl. L. Krüger, *Die hamburgische Musikorganisation im 17. Jahrhundert*, Leipzig—Straßburg—Zürich 1933.

[333] S. u. S. 188.

[334] Die Begleitung des Gemeindegesanges wurde in Norddeutschland erst später eingeführt, in Lübeck z. B. etwa seit der Mitte des 18. Jahrhunderts, endgültig erst 1790; vgl. Stahl, a. a. O. S. 110 f.

[335] Tunder kaufte beispielsweise Schmeltzers Sonaten; vgl. Stahl, a. a. O. S. 68.

[336] Göhler II 218; E. H. Meyer, *Die mehrstimmige Spielmusik*, Kassel 1954, S. 192, schreibt es Buxtehude zu; man denke auch an die Sonaten-Drucke von Reincken und Buxtehude.

Die Vertrautheit mit der neuen Musik brachte den Organisten zahlreiche Aufträge von seiten des wohlhabenden Bürgertums, vor allem in der Gestalt von Hochzeitsarien und Begräbnismusiken. Das Generalbaßlied für den häuslichen Gebrauch ist von den norddeutschen Organisten mit besonderer Vorliebe gepflegt worden. Die geistlichen Dichtungen eines P. Gerhardt, J. Rist, J. Müller und J. Scheffler haben gerade hier ihre ausdrucksmäßig stärksten Vertonungen gefunden[337].

So überwiegen instrumentale Ensemblemusik sowie weltliche und geistliche *Aria* in der Werküberlieferung fast aller norddeutschen Organisten, während sie gar keine Tastenmusik für den Bedarf des Liebhabers hinterlassen haben. Offenbar bestand auf diesem Gebiet keine Nachfrage. Erst die Veröffentlichungen von Reincken, Mattheson, Telemann und V. Lübeck geben Kunde davon, daß die Tastenspielkunst nach 1700 in breiteren Kreisen Fuß gefaßt hatte. Demgegenüber ist im ganzen 17. Jahrhundert — abgesehen von Scheidts *Tabulatura Nova* und einigen kleineren Gelegenheitswerken — keine Tastenmusik gedruckt worden. Diese Kompositionen wurden nur handschriftlich unter den Fachmusikern verbreitet, sie finden sich vorwiegend in Gebrauchshandschriften, die entweder für gottesdienstliche oder für didaktische Zwecke angelegt wurden. Freilich bildet die Tastenmusik innerhalb des nachweisbaren Gesamtschaffens der meisten Organisten nur einen geringen Prozentsatz, wie überhaupt der Bestand erhaltener Quellen gering ist im Vergleich zu den Quellen mit süd- und mitteldeutscher Musik.

Ein ähnlich starker Traditionszusammenhang wie in der von Kindermann, Wecker und Pachelbel ausgehenden mitteldeutschen „Schule" ist in Norddeutschland aus der Quellenlage jedenfalls nicht zu erkennen. Eine verhältnismäßig geschlossene Gruppe scheinen noch die hamburgischen Sweelinck-Schüler gebildet zu haben, die dürftige Quellenlage gestattet jedoch kein konkretes Urteil. Der niederländische Einfluß ist offenbar in der ersten Hälfte des 17. Jahrhunderts noch wirksam gewesen. Aber bereits die führenden Meister der nächsten Generation kamen aus verschiedenen Richtungen. Weckmann stammte aus Sachsen und stand mit Froberger in enger Verbindung, Reincken kam aus Holland und hatte ebenfalls Beziehungen zum Wiener Hof, Tunders und Buxtehudes musikalische Herkunft ist nicht zu ermitteln, doch ist Buxtehudes Werk fraglos von Frescobaldi und Froberger beeinflußt gewesen. So stand die Tastenmusik Norddeutschlands in der zweiten Hälfte des 17. Jahrhunderts vorwiegend unter süd-ländischem Einfluß.

Von dort kamen vielleicht auch die Anregungen zur Beschäftigung mit dem strengen Stil. Das „klassische" Studienrepertoire, das uns bei den Wiener Meistern begegnete[338], läßt sich freilich in Norddeutschland nicht nachweisen; doch ist mindestens die Ein-wirkung von Frescobaldis *Capricci* und *Fiori Musicali* bei einigen Meistern (besonders bei Buxtehude[339]) anzunehmen. Die Abschriften der auf Zarlinos Lehre fundierten Kompositionsregeln und die Pflege der Kanonkompositionen bezeugen, daß die Be-schäftigung mit dem Kontrapunkt niemals aufgehört hatte.

Den stärksten Anstoß aber gab in dieser Hinsicht Johann Theiles Aufenthalt und Lehrtätigkeit in mehreren norddeutschen Städten. Theile, der in seinem Schaffen den italienischen und öster-

---

[337] In den zahlreichen Privatgesangbüchern; vgl. J. Zahn, *Die Melodien der ev. Kirchenlieder*, 6 Bde., Gütersloh 1889/93.

[338] S. o. S. 86 f.

[339] S. u. S. 204.

reichischen Meistern viel näher stand als seinem Lehrer Heinrich Schütz[340], unterrichtete[341] zunächst „*Organisten und Musicos*" in Stettin, dann in Lübeck, wo er „*unter andern des bekannten Buxtehuden, des Organisten Haße, des Raths-Musici Zachauens, und anderer Informator ward*" und den u. a. Buxtehude gewidmeten *Pars Prima Missarum* (1673) veröffentlichte[342]. In Hamburg hat er dann vermutlich auf J. A. Reincken, J. Ph. Förtsch und N. A. Strunck eingewirkt. Vielleicht standen ihm auch Christian Flor in Lüneburg und Martin Radek in Kopenhagen nahe. Darüber hinaus haben zweifellos Theiles repräsentative in Wolfenbüttel veröffentlichte Werke[343] bei gelehrten Köpfen großes Interesse gefunden. Wahrscheinlich hierdurch angeregt, fertigten mehrere norddeutsche Meister einzelne in Partitur notierte Repräsentationswerke im strengen Stil an, denen zuweilen Kirchenliedmelodien zugrunde gelegt sind. Als Beispiele seien die folgenden z. Z. nachweisbaren Kompositionen genannt[344]:

Drucke:

Dietrich Buxtehude: *Fried- und freudenreiche Hinfarth des alten großgläubigen Simeons . . . in 2. Contrapuncten abgesungen . . . Lübeck 1674*[345].

Christian Flor: *Todesgedanken in dem Liede: „Auf meinen lieben Gott", mit umgekehrtem Contrapuncte fürs Clavier sehr künstlich gesetzt und gedruckt zu Hamburg 1692*[346].

Handschriften:

Joh. Phil. Förtsch: *XXXII. Canones à 2 ad 8 Voce: Über den Choral Christ der du bist der helle Tag. Wie auch der Choral selbst im Vierfachen Contrapunct tractiret (1680)*[347].

Martin Radek: *Jesus Christus unser Heylandt. in ordinari und doppelten Contrapunt [sic] gesetzt*[347].

N. A. Strunck: 2 Ricerari und 7 Capricci (1678—1686)[348].

Struncks Werke, von denen eins in Wien, ein anderes in Venedig komponiert ist, bilden die wichtigste Brücke zum Süden. Im ganzen läßt sich gerade in bezug auf die Pflege des strengen Stils eine engere Verbindung zwischen Nord- und Süddeutschland als zwischen Mittel- und Süddeutschland nachweisen. Hingegen sind sonst die Beziehungen zwischen Nord- und Mitteldeutschland anscheinend ziemlich rege gewesen. Während im 17. und 18. Jahrhundert in Norddeutschland viele Thüringer als Organisten wirkten[349], ist umgekehrt ein beträchtlicher Teil der Kompositionen norddeutscher Meister in Handschriften aus dem mitteldeutschen Raum überliefert[350]. Offenbar hat man dort viel mehr diese Werke gespielt als an den Wirkungsorten ihrer Urheber. Den Grund hierfür dürfte man darin suchen, daß in Mitteldeutschland eine „Schule" vorhanden

---

[340] Schütz hat kaum Werke im strengen Stil hinterlassen, auch die *Geistliche Chormusik* (1648) und die *Zwölf Geistlichen Gesänge* (1657) sind im Madrigalstil geschrieben.
[341] Lt. Walther, *Lexicon*, S. 602.
[342] Vgl. R. Gerber, Vorwort zu *Das Chorwerk*, Heft 16.
[343] Vgl. Walther, *Lexicon*, S. 603.
[344] Von den Stammbucheintragungen in der Form von Kanons und Fugen sei hier abgesehen. — Auffällig ist es, daß besonders gern „Tombeaus" im strengen Stil komponiert wurden, z. B. von Strunck, Buxtehude, Flor.
[345] S. u. S. 195 f.
[346] Vgl. Anm. II 124.
[347] Berlin, Deutsche Staatsbibliothek Mus. ms. 6473 (z. Z. Marburg, Westdeutsche Bibliothek).
[348] S. u. S. 184 f.
[349] Z. B. Hanff, Böhm, Radek, Schiefferdecker, Kuntzen.
[350] Z. B. von Buxtehude, Reincken, Bruhns, Heidorn, Strunck.

war, in der die organistische Tradition des 17. Jahrhunderts bis in die Gegenwart fort-
gewirkt hat[351], während die Interessen der norddeutschen Organisten mindestens seit
der Mitte des 17. Jahrhunderts vorwiegend auf andere musikalische Gebiete gerichtet
waren. Erst seit dem Beginn des 18. Jahrhunderts wuchs Norddeutschland unter dem
Einfluß des französischen Geschmackes allmählich in die führende Rolle hinein, die es
vor allem in der Gestalt Ph. E. Bachs einnehmen sollte[352].

Der überlieferte Bestand norddeutscher Tastenmusik aus der zweiten Hälfte des 17.
Jahrhunderts umfaßt die meisten der damals allgemein gebräuchlichen Gattungen.
Abgesehen von den Kirchenliedbearbeitungen und den genannten Repräsentations-
werken im strengen Stil sind Tanzsätze und Variationen, Fugensätze und Toccaten
bzw. Praeludien vertreten. Wie in Mitteldeutschland scheint auch hier die kleine Fuge
in kurzen Notenwerten in der Praxis beliebt gewesen zu sein, obwohl es sich bei den
erhaltenen Stücken natürlich auch um Ausschnitte aus größeren Kompositionen handeln kann. Der geringe Werkbestand einerseits[353], die in mehreren Fällen nachweisbaren Parodien süddeutscher Kompositionen durch norddeutsche Meister andererseits,
erschweren eine stilkritische Beurteilung sehr. Vor allem muß die Frage erhoben werden,
ob nicht noch weiteren Werken fremde Vorlagen zugrunde liegen, so daß die Leistung
weniger auf dem Gebiet eigener kompositorischer Erfindung als in der spieltechnischen
Neugestaltung zu sehen wäre[354]. Die Authentizität der Kompositionen ist vielfach auch
dadurch in Frage gestellt, daß einzelne Abschnitte mehrteiliger Toccaten oder Praeludien, die in Gebrauchshandschriften überliefert sind, von den Schreibern hinzugefügt
worden sein können[355]. Bei einer ganzen Reihe norddeutscher Toccaten und Praeludien
sind die Subjekte der fugierten Teile, teilweise auch die Initialfigurationen der rezitativischen Sätze motivisch voneinander abgeleitet, eine Kompositionsweise, die man
mehrfach in Frobergers Toccaten, vor allem aber in seinen und Frescobaldis Capricci
findet. Frescobaldi fügte seinen mehrteiligen Kompositionen die Anweisung bei, man
könne beim Vortrag bei jedem beliebigen Einschnitt schließen[356]. Offenbar sind
dementsprechend auch die mehrteiligen Stücke Frobergers und der norddeutschen
Meister nur als Reihungen tonartlich zusammengehöriger Sätze anzusehen, nicht als
geschlossene Formenzyklen. Die fragmentarische Gestalt mancher Kompositionen
deutet auf diese Praxis hin. Andererseits erinnert das Zusammenfügen mehrerer fugierter, thematisch verwandter, von rezitativischen Abschnitten umschlossener Sätze an
die Versettenzyklen mancher süddeutscher Meister.

Vergleicht man Frescobaldis und Frobergers Kompositionen im *stylus phantasticus*
mit ebensolchen von Kerll, Poglietti, Buxtehude und Reincken, so fällt einem bei den
jüngeren Meistern die weit geringere harmonische Spannung, dagegen ein viel längeres
Verweilen bei einzelnen Spielfiguren und Motiven auf, im Gegensatz zur Knappheit
und Konzentration der oft als Vorbilder oder gar als Vorlagen benutzten Stücke der

---

[351] S. o. S. 165.
[352] Dem geringen Interesse für das Orgelspiel verdanken wir die Erhaltung der vielen norddeutschen „Denkmalsorgeln", die gar nicht einmal in allen Fällen von besonderer Güte sind.
Ihre „Wiederentdeckung" in den zwanziger Jahren dieses Jahrhunderts hat zu der irrtümlichen
Meinung Anlaß gegeben, Norddeutschland sei im 17. Jahrhundert die führende Landschaft in der
Pflege der Orgelbau- und Orgelspielkunst gewesen.
[353] Die erhaltenen „Tabulaturstücke" sämtlicher norddeutscher Meister entsprechen quantitativ
etwa dem nachweisbaren Werkbestand Frobergers.
[354] S. u. S. 193 f.
[355] S. u. S. 205 f.
[356] Vorrede 1616.

beiden älteren Meister. Die technische Verbesserung der Instrumente und die Weiter-
entwicklung der Spieltechnik mögen diese Freude an „motorischer" Bewegung, ostinaten
Motivwiederholungen und brillantem Passagenwerk hervorgerufen oder zumindest
verstärkt haben[357]. Äußerte sich dies bei den Wiener Hoforganisten in einer bis dahin
nicht vorgekommenen Manualvirtuosität[358], so haben die norddeutschen Organisten
das virtuose Pedalspiel bevorzugt. Das Bearbeitungsverfahren des P. Heidorn an einer
Canzone von J. K. Kerll zeigt recht deutlich die technische Verschiedenheit nord- und
südländischer Tastenspielkunst[359].

Im Gegensatz zu den Orgelpunkt-Toccaten des Südens und zum obligaten Pedalspiel
in Mitteldeutschland räumten die norddeutschen Meister der Pedalstimme durch
Solopartien, Doppelpedalspiel und starke Baßfiguration oftmals die wichtigste Funktion
innerhalb der Kompositionen ein. Diese Kunst drang gegen das Ende des 17. Jahrhunderts auch nach Mitteldeutschland[359]. Zweifellos wurde hierdurch das dort gebräuchliche obligate Pedalspiel weiter entwickelt und ist somit, nachdem es im Kreise um
J. S. Bach seine höchste Vollendung gefunden hatte, im Laufe des 18. und 19. Jahrhunderts in fast allen Ländern Europas zum unentbehrlichen Bestandteil des Orgelspiels
geworden. In diesem Zusammenhang hat sich zugleich die Trennung von Orgelspiel
(= Pedalspiel) und Klavierspiel (= Manualspiel) vollzogen[360].

## Nikolaus Adam Strunck[361]

Eine der vielseitigsten und abenteuerlichsten Gestalten unter den deutschen Musikern
in der zweiten Hälfte des 17. Jahrhunderts war Nikolaus Adam Strunck. Geboren als
Sohn des braunschweigischen Organisten Delphin Strunck, erhielt er seine Ausbildung
in der *Clavierkunst* wohl vom Vater, im Violinspiel unterrichtete ihn Nathanael
Schnittelbach in Lübeck, wissenschaftliche Studien betrieb er an der Universität Helm-
städt. Als Violinist war er in den Hofkapellen der welfischen Herzöge und als Direktor
der Rats- und Dommusik in Hamburg tätig, reiste als Kapellmitglied und als freier
Virtuose des Violin- und Tastenspiels nach Wien und Italien, wurde Vize-Kapellmeister
und Kammerorganist in Dresden, nach Christoph Bernhards Tod (1692) schließlich
erster Kapellmeister, daneben gründete er die Oper in Leipzig, wurde durch den
Glaubenswechsel Augusts des Starken noch einmal stellungslos, erhielt als Ersatz einen
Verwaltungsdienst und starb nach fortgesetzten Prozessen um das Leipziger Opern-
unternehmen „am hitzigen Fieber" am 23. September des Jahres 1700 im Alter von
sechzig Jahren. Die vielen Reisen und der häufige Stellungswechsel führten ihn in die
wichtigsten Musikzentren Deutschlands und Italiens und verschafften ihm Verbindungen
mit sehr vielen mehr oder weniger bedeutenden Meistern seiner Zeit.

Obwohl Strunck besonders als Virtuose auf dem Klavier gerühmt wurde[362], sind von
ihm nur Kompositionen im strengen Stil erhalten, deren Überlieferung aus der nachstehenden Tabelle ersichtlich ist:

---

[357] Zugleich mag dies ein Zeichen für die überladene Beredsamkeit im Zeitalter des Spätbarocks
sein, wie sie gleichzeitig auch in der Rhetorik und in der Poesie üblich war.
[358] Man denke an Pogliettis *Rossignolo*.
[359] Z. B. in Kriegers *Clavier-Ubung* 1699.
[360] Vgl. Anm. I S. 70.
[361] Vgl. F. Berend, *Nikolaus Adam Strunck 1640—1700. Sein Leben und seine Werke*, Diss.
München 1913.
[362] Vgl. Walther, *Lexicon*, S. 583.

| New Haven (Conn.), Library of the Yale Music School LM 5056 [363] (Kodex E. B. 1688) | Wien, Österreichische Nationalbibliothek Cod. 18 731 [364] | Einzelsätze in Sammelhandschriften |
|---|---|---|
| *Capriccio Iᵐⁱ Tuoni. Singore [sic] Ni: A: Strunck Vienna il 8. Julij ao. 1686.* | | |
| *Ricercar di G:h dall N: A: Strungk fatto il 29 Julij ao. 1683.* | *Ricercar di: g: ♮: dall . . . (Georgio Reutter) . . fatto . . (l'Anno 1686)* | |
| *Capriccio della Chiave F: dall N: A: Strungk fatto il 4 Aug: 1683* | *Capriccio della Chiave . . . (D. Georgio Rater Fata l' anno 1698)* | |
| *Capriccio 2 del Chiave E: dall N: A: Strunck fatto il 7 Aug: 83* | *[Titel ausgerissen] . . . (copi: fat: L'anno 1696)* | Berlin, Deutsche Staatsbibliothek Mus. ms. 30 112 S. 156 (anonym und nach G-dur versetzt) |
| *Capriccio della Chiave Gb dall N: A: Strunck fatto il 20 xbr: [Dezember] 78.* | *[Titel ausgerissen]* | ebenda S. 160 (anonym) |
| *Capriccio della Chiave A dall N: A: Strunck* | *Capriccio 4: della Chiave A . . .* | |
| *Capriccio Sopra il Corale Ich dank dir schon durch deinen Sohn, Herr Gott pp dall N: A: Strunck ao. 1684 d[ie] 31. Martij.* | *5. Capriccio Sopra il Corale Ich . . .* | a) Berlin, Deutsche Staatsbibliothek Mus. ms. 40037 (z. Z. Marburg) b) Königsberg, Universitätsbibliothek, Abt. Gotthold Nr. 15 839, Slg. Walther Nr. 499 (verschollen) c) Plauen, Bibliothek des Kirchenchores, „Plauener Orgelbuch" (vernichtet) d) Den Haag, Gemeente Museum, „Frankenbergersches Waltherautograph" e) Berlin, Deutsche Staatsbibliothek Mus. ms. 30 245 |
| *Capriccio dalla Chiave A di N: A: Strungk IL 20 Jan: ao. 1681* | *6 Capriccio della Chiave A . . .* | a) Leipzig, Städtische Musikbibliothek II. 2. 51 *Capriccio, de chiave Ex. a. c. del Signori N. A. Strunck.* b) Berlin, Deutsche Staatsbibliothek Mus. ms. 30 112 S. 153 (anonym) |
| *Ricercar Sopra la Morte della mia carissima Madre Catharina Maria Stubenrauen Morsa a Brunsviga il 28 d'Augusto ao. 1685 Venet: il 20. Decemb: 1685. N: A: Strungk* | | |

[363] S. o. S. 99 ff.
[364] S. o. S. 79; später zugefügte Worte stehen in runden Klammern, ausradierte Stellen sind durch Punkte bezeichnet.

185

Das an letzter Stelle genannte Ricercar wird von J. G. Walther in seinem Lexikon besonders erwähnt. Die Angaben im Artikel *Strungk* decken sich mit dem Titel im Kodex *E. B. 1688*:

„*Man hat nebst andern Clavier Stücken, von seiner Arbeit auch ein Ricercar, so er auf seine 1685 den 28 Augusti zu Braunschweig verstorbene Mutter, Catharinen Marien, gebohrne Stubenrauhen, den 20 Decemb. nurgedachten Jahres zu Venedig verfertiget . . .*"

Gerber[365] spricht sogar von einem Druck der Klavierstücke, doch mag dies auf einer irrtümlichen Auslegung von Walthers Angabe beruhen.

Nach Ausweis der Daten verfaßte Strunck die Stücke ohne Ortsangabe in Wolfenbüttel (Capriccio von 1678) und in Hannover, also unmittelbar vor und nach seiner Tätigkeit in Hamburg (Dezember 1679 bis Anfang 1682). Hier stand er mit Johann Theile, der sich „*daselbst mit Lehren bis an. 1685*" aufhielt[366], in enger Verbindung; beide komponierten für die Oper. Wahrscheinlich hat auch Strunck — ähnlich wie Buxtehude in Lübeck — bei Theile Studien im strengen Stil betrieben, deren Früchte die vorliegenden Kompositionen waren. Das *Capriccio I.ᵐⁱ Tuoni* entstand in Wien, wo sich Strunck nach seiner Entlassung aus dem Dienste des hannöverschen Herzogs (im Mai 1686 nach einem Aufenthalt der Hofkapelle beim Karneval in Venedig) einige Zeit aufhielt. Walther berichtet, Strunck habe „*sich zu zweyen mahlen[367] am Kayserlichen Hofe auf dem Clavier und Violin hören lassen, und 2 güldene Ketten zum Praesent bekommen . . .*". Da Kaiser Leopold I. Arbeiten im strengen Stil besonders liebte, ist es nicht ausgeschlossen, daß die heute in der Nationalbibliothek erhaltene Sammlung zu einem dieser Besuche in Beziehung steht.

Hugo Botstiber veröffentlichte 1901[368] die in dieser Quelle enthaltenen Stücke als Kompositionen von Georg Reutter d. Ä., ohne für dessen Autorschaft eindeutige Beweise zu bringen. Daraufhin wies M. Seiffert[369] die Identität des fünften Capriccio mit dem mehrfach unter Struncks Namen überlieferten Orgelchoral „*Ich dank dir schon durch Gottes Sohn*" nach. F. Berend[370] stellte dann die Identität der in der Wiener Handschrift überlieferten Stücke mit den großenteils datierten Kompositionen Struncks im Kodex *E. B. 1688* fest und fand, daß die originalen Titel in der Wiener Quelle ausradiert und der Name Georg Reutter später zugefügt worden war. Botstiber hatte diesen Sachverhalt verschwiegen.

Struncks Autorschaft wird nun noch durch eine weitere, von Berend übersehene Konkordanz zu dem sechsten Capriccio (s. o.) bestätigt. Da die Frage des Korrespondenzverhältnisses der beiden Hauptquellen noch nicht restlos geklärt war, unterzog ich die Wiener Handschrift an Ort und Stelle einer erneuten Untersuchung, deren Ergebnisse im folgenden mitgeteilt seien:

Die originalen Titel der Stücke sind nur teilweise ausradiert worden, und zwar so, daß der Verfassername und das Datum unkenntlich gemacht wurden. Betrachtet man die noch schwach zu erkennenden Reste der ursprünglichen Schrift genauer, so zeigt sich, daß die Anordnung der Titel in Reihenfolge und Stellung der Wörter und Zahlen völlig mit der im Kodex *E. B. 1688* übereinstimmt. Man vergleiche die Angaben bei dem ersten Ricercar:

---

[365] Gerber, *Historisch-biographisches Lexikon*, Bd. II, Leipzig 1792, Sp. 605.
[366] Walther, *Lexicon*, S. 602.
[367] Schon 1661 war Strunck (nach Berend) in Wien gewesen.
[368] DTÖ XIII 2.
[369] ZIMG IX, S. 293.
[370] A. a. O. S. 191 ff.

Kodex E. B. 1688
*Ricercar*
*di G: h*
*dall*
*N: A: Strungk*
*fatto il 29 Julij*
*ao. 1683.*

Wien, Österreichische Nationalbibliothek Cod. 18731
*Ricercar*
*di: g: ♮*
*dall*
N . . . . . . . . . *gk*
*fatto* . . . . . . . . . *ij*
*a* . . . . . . .

Auf die radierten Stellen hat eine fremde, recht unbeholfene Hand mit sehr viel hellerer Tinte „*Georgio Reutter l'Anno 1696*" geschrieben. Doch ist der Name *Reutter* wiederum ausradiert und von einer anderen Hand mit kräftigerer Tinte nochmals auf dieselbe Stelle geschrieben worden. Beim zweiten Stück verhält es sich ähnlich (s. o.), gänzlich herausgerissen sind dagegen die Titel der beiden folgenden Stücke, wo nur einige Wortendungen (. . . *io*, . . . *e*) die ursprüngliche Stellung der Worte andeuten. Über den Anfang des zweiten Capriccio ist von der späteren Hand die Bemerkung „*copi: fat: L'anno 1696*" geschrieben worden. *Capriccio 4:* enthält keine späteren Eintragungen, jedoch ist wiederum der Autorname ausradiert; ein Datum kann — wie auch im Kodex *E. B. 1688* — nicht vorhanden gewesen sein. Beim nächsten Stück hingegen läßt die radierte Stelle — abgesehen davon, daß das Wort *Ich* der ersten Textzeile des Kirchenliedes nicht entfernt wurde, worauf Berend bereits hingewiesen hat — den Namen *Strunck* und vom Datum den Monatsnamen *Martij* noch ziemlich lesbar durchscheinen. Bei der letzten Nummer ist die Rasur stärker, jedoch stimmt auch hier wie in allen vorhergehenden Fällen die Titelanordnung mit der des Kodex *E. B. 1688* überein. Die Rasuren sind also in der Absicht geschehen, den wirklichen Autor der Kompositionen zu verschleiern. Da das Manuskript in der Wiener Bibliothek sich in einem braunen Ledereinband mit eingepreßten Vignetten auf beiden Deckeln befindet, ist es immerhin möglich, daß es sich ursprünglich um ein Dedikationsexemplar, zumindest aber um eine Sammlerhandschrift handelte. Ein ehemals vielleicht vorhanden gewesenes Titelblatt könnte — zusammen mit dem letzten, nicht beschriebenen Blatt, falls ein solches existierte — ebenfalls entfernt worden sein. Die genaue Ursache dieser Fälschungen ist nicht festzustellen[371].

Vergleicht man den Inhalt der beiden Hauptquellen, so zeigt sich, daß die Capricci in der Wiener Handschrift durchnumeriert sind bzw. waren (s. o.), im Kodex *E. B. 1688* dagegen nicht; eine Nummer findet sich nur bei dem *Capriccio 2 della Chiave E*, das hier aber in Wirklichkeit das dritte Capriccio ist. Da es aber mit dem 2. Capriccio der Wiener Handschrift identisch ist, läßt sich die Numerierung im Kodex *E. B. 1688* so erklären, daß der Inhalt der Wiener Handschrift der ursprüngliche war, den der Schreiber des Kodex *E. B. 1688* aus einer fremden Vorlage kopierte und zwei weitere, später komponierte Stücke hinzufügte[372]. Die originale Numerierung, die jetzt nicht mehr gültig war, ließ er fort, die Nummer bei dem erwähnten Stück blieb offenbar versehentlich stehen. Daß beide Quellen in enger Beziehung stehen, beweist die Tatsache, das sie in einigen Fehlern und Kuriositäten der Notierung übereinstimmen[373].

Die ursprüngliche, wohl auf Strunck selbst zurückgehende Sammlung enthielt demnach 1 Ricercar und 6 Capricci, die zwischen 1678 und 1684 — z. T. kurz aufeinander — in Norddeutschland vermutlich unter dem Einfluß Theiles komponiert wurden, während das „Tombeau" auf den Tod seiner Mutter wie auch das in Wien vielleicht im Zusam-

---

[371] Auffälligerweise sind die drei in dem Sammelband von Alois Fuchs (Berlin, Deutsche Staatsbibliothek Mus. ms. 30 112) aufgezeichneten Stücke anonym. Wahrscheinlich sind sie von einer in Wien befindlichen Vorlage kopiert worden.

[372] Keinesfalls kann also der Kodex *E. B. 1688* ein Original Struncks sein. Auch die Bezeichnung *Singore Ni: A: Strunck* bei Nr. 87 dürfte nicht vom Komponisten stammen.

[373] In T. 22 des *Capriccio E:* fehlt im Alt die 1. Halbenote in beiden Quellen; ebenso kommt der versehentlich gesetzte Bindebogen vom gis' zur nächsten Note im Diskant auf S. 199 (letzter Takt) im Kodex *E. B. 1688* wie auch die einzige vorhandene Generalbaßbezifferung auf S. 206, Zeile 2, T. 3 in beiden Quellen vor.

menhang mit dem Auftreten am Hofe geschriebene Capriccio einzelne Gelegenheitswerke zu sein scheinen. Somit ist Strunck nach unserer Kenntnis der einzige Meister aus Norddeutschland, der eine den süddeutschen bzw. italienischen ähnliche Studiensammlung im strengen Stil geschaffen hat[374].

## Jan Adam Reincken und Peter Heidorn

Es ist bedauerlich, daß von den *„beyden damahls extraordinair berühmten Organisten, Hrn. Reincken und Buxtehude"*[375] der letztere in der Musikforschung und Musikpraxis heute fast über die Gebühr gewürdigt wird, während Reincken in der Geschichtsschreibung bisher wenig Beachtung gefunden hat. Der verhältnismäßig geringe Bestand erhaltener Werke, vor allem aber Matthesons[376] gehässige und persönlich gefärbte Beurteilung mögen schuld daran sein, obgleich mehrfach versucht worden ist, die Persönlichkeit des hamburgischen Katharinenorganisten in ein besseres Licht zu rücken[377].

Im Range stand Reincken jedenfalls unter den norddeutschen Organisten seiner Zeit am höchsten. Er war der einzige, der die Verbindung des Organistenamtes mit dem Kirchenschreiberdienst ablehnte, weil es ihm *„beschwerlich und allerdings auch seiner Profession nicht gemess"*. Die Kirchenjuraten gingen auf seine Wünsche ein und zahlten ihm fortan für den Organistendienst allein ein Gehalt, das die Einkünfte sämtlicher Musiker der Stadt übertraf und doppelt so hoch war wie Buxtehudes Organistengehalt[378]. Schon hieraus erkennt man, wie hoch Reincken von den Zeitgenossen geschätzt wurde. Seine Fertigkeit in der Kunst des Tastenspiels muß eminent gewesen sein. Während über Buxtehudes Orgelspiel nur wenig berichtet wird, konnte selbst der sonst so mißgünstige Mattheson[379] angesichts von Reinckens Spiel nicht anders urteilen, als *„daß man zu seiner Zeit in den Sachen, die er geübt hatte, keinen Gleichen kannte"*[380]. Hinzu kamen Reinckens außergewöhnliche Kenntnisse auf dem Gebiet des Orgelbaues. Er ist nicht nur an den Umbauten und an der Pflege seiner eigenen Orgel selbst stark beteiligt gewesen[381], sondern hat als weithin geschätzter Gutachter die Arbeiten in den übrigen Hamburger Kirchen beaufsichtigt und zu Orgelabnahmen Reisen in andere Städte unternommen[382]. Demgegenüber scheint Buxtehude sich auf diesem Gebiete kaum betätigt zu haben. Abgesehen von den erfolglosen Verhandlungen

---

[374] S. o. S. 82.
[375] Walther, *Lexicon*, S. 360.
[376] *Critica Musica*, Hamburg 1722, S. 517; *Ehrenpforte*.
[377] Vor allem F. G. Schwenke im *Hamburgischen Korrespondenten* vom 12. Mai 1839; Riemsdijk, *Jan Adam Reincken*, Tijdschrift der Vereeniging voor Noord-Nederlands Musiekgeschiedenis II, S. 61 ff.; L. Krüger, a. a. O. S. 161 ff. (hieraus sind die im folgenden angeführten biographischen Angaben genommen).
[378] Buxtehude erhielt (nach Stahl, a. a. O. S. 70) jährlich 700 Mark (dazu noch 180 M. für das Werkmeisteramt), Reincken erhielt dagegen (nach L. Krüger, a. a. O. S. 163 f.) jährlich 1400 Mark. Hinzu kamen bei beiden noch die Akzidentien.
[379] *Critica Musica*, Hamburg 1722, S. 517.
[380] Wir hören von J. S. Bach nur, daß er von Lüneburg aus Reincken in Hamburg aufsuchte, nicht aber Buxtehude in Lübeck. Der Aufenthalt in Lübeck im Jahre 1705 galt wohl in der Hauptsache den Abendmusiken und den *extraordinairen* Musiken dieses Jahres, nicht dem Orgelspieler Buxtehude; denn diesen Dienst ließ der Lübecker Meister damals bereits durch seinen Adjunctus und späteren Nachfolger Schiefferdecker verrichten; vgl. Stahl, a. a. O. S. 112.
[381] Man denke an das bekannte Urteil Bachs über Reinckens Orgel.
[382] Z. B. nach Tönning und Braunschweig.

mit Arp Schnitger in Hamburg besitzen wir keine Kenntnis über eine Reise des Lübecker Meisters. Daß es ihm innerhalb seiner fast vierzigjährigen Amtszeit an der Lübecker Ratskirche nicht gelang, eine *Haubt Renovation* der großen Orgel durchzusetzen, scheint auf ein nicht gerade allzu großes Interesse am Orgelbau wie auch am Orgelspiel hinzudeuten, während das Schwergewicht seiner Tätigkeit offensichtlich bei der „Organistenmusik" mit den Ratsmusikanten, bei den *Abendmusiken* und bei den *extraordinairen* Musiken lag, für die er seine konzertierenden Vokal- und Instrumentalwerke wahrscheinlich verfaßte. Von Reincken ist hingegen nur ein Kirchenstück[383], sonst nur Ensemble-Sonaten und Musik für Tasteninstrumente nachweisbar.

Allein wegen seiner ungewöhnlichen Lebensdauer nimmt Reincken eine besondere Stellung in der Musikgeschichte ein. Als er geboren wurde (1623)[384], war Sweelinck noch nicht lange vorher gestorben, begann Frescobaldis Ruhm sich gerade zu verbreiten. Dagegen erlebte er noch J. S. Bach auf der Höhe seines Ruhmes als Orgelspieler, ferner den Streit zwischen Buttstedt und Mattheson, die Übernahme des Hamburger Kantorates durch G. Ph. Telemann und starb knapp ein halbes Jahr später als Johann Kuhnau (1722). Obwohl eine Generation älter als dieser und Altersgenosse von Froberger, Weckmann, Kerll und Poglietti, hat sich Reincken doch allen Zeitströmungen gegenüber bis ins 18. Jahrhundert hinein offen gezeigt.

Geboren und aufgewachsen im Elsaß, erhielt er seine Ausbildung „*in Musica tam vocali quam instrumentali*" zunächst wohl hauptsächlich in Holland, wohin die Familie inzwischen übergesiedelt war; leider ist hierüber nichts Näheres bekannt. Von 1654 bis 1657 hielt er sich in Hamburg auf, um sich von dem berühmten Sweelinck-Schüler Heinrich Scheidemann unterweisen zu lassen. Nach vorübergehender Anstellung als Organist in Deventer kehrte er 1659 nach Hamburg zurück, wurde Scheidemanns Substitut, 1663 sein Nachfolger an St. Katharinen. Auf welchem Gebiet er von Scheidemann unterrichtet wurde, ist leider nicht bekannt. Die Kompositionsregeln Sweelincks hat er jedenfalls erst 1670 kopiert[385]. Auch Kanons von dem Amsterdamer Meister fanden sein Interesse, wie er sich überhaupt mit dem strengen Stil beschäftigt zu haben scheint. Von seiner Hand ist nämlich ebenfalls eine Abschrift der Poglietti zugeschriebenen Kompositionsregeln nachweisbar[386]. Mit dem seit 1676 als Kapellmeister des vertriebenen Herzogs Christian Albrecht von Gottorf in Hamburg weilenden Johann Theile stand er in enger Beziehung[387]. Beide gründeten gemeinsam mit einigen vornehmen Liebhabern Anfang 1678 die Oper am Gänsemarkt. In Hamburg dürften Theiles kunstvolle, 1686 in Wolfenbüttel gedruckte Werke im strengen Stil großenteils entstanden sein. Zweifellos hat er auch auf Reinckens Kontrapunktstudien eingewirkt; leider besitzen wir von diesen außer einigen Kanons[388] keine kompositorischen Zeugnisse.

---

[383] Berlin, Deutsche Staatsbibliothek Mus. ms. 18 254 (z. Z. Marburg, Westdeutsche Bibliothek): *Auf Michael Offb. Joh. 12. 7. 8 del Sign. Rein.* (Abschrift von A. Sittard, aus dessen Nachlaß) f. Sopran, Baß, Chor, 2 Trompeten, Pauken, Streicher und Continuo (Text: „*Und es erhub sich ein Streit . . .*").
[384] Das in der Literatur seit Mattheson angegebene Geburtdatum ist aktenmäßig nicht belegt. Verwunderlich ist die späte Ausbildung bei Scheidemann; dagegen läßt das Angebot der Kirchenjuraten, einen Substitutus Ende der achtziger Jahre für Reincken anzustellen (vgl. L. Krüger, a. a. O. S. 164), darauf schließen, daß der Meister damals bereits über sechzig Jahre alt war.
[385] Vgl. Eitner in MfM III (1871) S. 133 ff.; Sweelincks Kompositionsregeln waren zweifellos das einzige Erbe an seine „Enkelschüler".
[386] Vgl. Anm. 89.
[387] S. o. S. 181 f.
[388] Berlin, Deutsche Staatsbibliothek Mus. ms. theor. 1190.

Besonders wichtig für unseren Zusammenhang sind nun die eindeutig nachweisbaren Beziehungen Reinckens zu den Meistern des Südens. Völlig rätselhaft ist es, wie er in den Besitz der bereits erwähnten Kompositionsregeln Pogliettis gelangte, da dieser Meister ja anscheinend gar nicht in einem weiteren Umkreise bekannt geworden ist[389]. Auch die Parodierung von Frobergers *Meyerin* läßt auf enge Beziehungen zu den Wiener Musikern oder zumindest eine gute Kenntnis der Wiener Musik schließen. Bedauerlicherweise ist die Biographie Reinckens so lückenhaft, daß keinerlei Anhaltspunkte für einen persönlichen Aufenthalt in Wien oder zur Bestimmung eines Mittelsmannes vorhanden sind[390]. Die Bekanntschaft mit Frescobaldis Werken bezeugt das in Reinckens Bibliothek nachweisbare Exemplar des zweiten Toccatenbuches[391].

Ähnlich wie Kuhnau veröffentlichte auch Reincken — wohl als erster in Norddeutschland — Tastenmusik für den Bedarf des Liebhabers in den Kreisen des Neubürgertums. Leider ist von dem einzigen nachweisbaren Druck nur der Titel bekannt: Im Versteigerungskatalog des hamburgischen Gelehrten Johann Albert Fabricius (1668—1736) findet sich unter den *Musicalia* als Gedruckt in Folio die Angabe „*Musical. Clavier-Schatz del J. A. Reincken copiate J. D. Diercks 1702*"[392]. Im übrigen fehlt von diesem Werk jegliche Spur. Vielleicht enthielt es einige der handschriftlich überlieferten Tabulaturstücke, die sich sämtlich in Gebrauchshandschriften vom Anfang des 18. Jahrhunderts befinden:

Leipzig, Städtische Musikbibliothek III. 8. 4 (sog. „Andreas-Bach-Buch", Konvolut mit Manuskripten des Johann Bernhard Bach, seit ca. 1715)[393]:

1. *Toccata di Sign. J. A. Reinike*
2. *Partite diverse sopra l'Aria: Schweiget mir vom Weiber nehmen, altrimente chiamata La Meyerin* [18 Variationen]
3. *Ballet ex Eg del Sign. Jean Adamo Reincke*

Berlin, Deutsche Staatsbibliothek Mus. ms. 40 644 (z. Z. Tübingen, Universitätsbibliothek; sog. „Möllersche Handschrift", Konvolut mit vorwiegend von der Hand des Johann Bernhard Bach stammenden Manuskripten)[393]:

4. *Suitte. Ex. G. ♮. del Signore Joh: Adamo Reincke* (Allemande — Courante — Sarabande — Giqve)
5. *Suite ex C ♮. di Joh. Ad Reincke* (Allemand. — Courante — Sarabande — Gig[ue])

Nyköbing (Falster), *Familien Ryge's Slægtsbog*[394]:
Aria (18 Variationen, ohne Autorangabe = *Partite diverse sopra l'Aria: Schweiget mir* . . .)

---

[389] Vgl. oben S. 148; allerdings hatte der hamburgische Rat damals sehr enge Beziehungen zum Wiener Hof: Der Bürgermeister Hinrich Meurer wurde 1684 wegen geheimer Beziehungen zum kaiserlichen Hof durch die Bürgerschaft abgesetzt; er floh über Lüneburg nach Wien, wurde zum Reichshofrat ernannt und erhielt einen kaiserlichen Schutzbrief, als dessen Vollstrecker Herzog Georg Wilhelm von Lüneburg-Celle in Verbindung mit dem brandenburgischen Kurfürsten mit Truppenmacht (gegen den dänischen König) die Wiedereinsetzung Meurers durchsetzte.

[390] Am ehesten käme Weckmann in Frage.

[391] Vgl. Anm. 17.

[392] Vgl. Mf X, S. 244.

[393] Vgl. W. Wolffheim im Bach-Jahrbuch 1912, S. 42 ff.; A. Dürr im Bach-Jahrbuch 1954, S. 75 ff.; R. Buchmayer, *Aus historischen Klavierkonzerten*, Leipzig 1927, Heft 3/4.

[394] Vgl. Anm. II 284.

Darmstadt, Hessische Landesbibliothek Ms. 4061 [395]:
5. *J. Adam Reinicke Fuga*
6. *J. Adam Reinicke Fuga*
Berlin, Deutsche Staatsbibliothek Mus. ms. 30 439 (Faszikel III; z. Z. Marburg) [395a], fol. 7ʳ:
7. *Praeludium J A R.*

Dieser quantitativ bescheidene Nachlaß ist — vom kompositorischen Standpunkt her gesehen — Buxtehudes Werk durchaus ebenbürtig. Obwohl nur wenige direkte Schüler von Reincken nachweisbar sind [396], scheinen von seinen Werken bedeutende Anregungen auf die jüngeren Meister ausgegangen zu sein. Sein größter indirekter und möglicherweise direkter Schüler war Joh. Seb. Bach, dem wir vielleicht die Überlieferung der meisten erhaltenen Kompositionen des Hamburger Meisters verdanken. Bach steht in seinen Toccaten und seinen „motorischen" Fugen Reincken stilistisch näher als Buxtehude [397]. Er hat mehrere Sonaten bzw. Sonatensätze aus Reinckens *Hortus Musicus* (1687) für das Tastenspiel übertragen und parodiert [398].

Ein Thema von Reincken bearbeitete auch der ihm vermutlich nahestehende P. Heidorn, unter dessen Namen die folgenden Kompositionen nachweisbar sind:

New Haven (Conn.), Library of the Yale Musik School LM 5056 (Kodex E. B. 1688):
Nr. 74 *Fuga P. Heidorn â Crempe Ped:*
Nr. 75 *Toccata P. Heidorn â Crempe*
Berlin, Deutsche Staatsbibliothek Mus. ms. 40 644 (sog. „Möllersche Handschrift"; z. Z. Tübingen, Universitätsbibliothek):
Nr. 17 *Fuga. Thema Reinkianum a Domino Heidornio elaboratum*
Nr. 18 *Fuga ex Gb. del Sig*ʳᵉ *. P. Heijdorn.*
Dresden, Sächsische Landesbibliothek Mus. 2015/T/1 *Fuga ex Gb. / Fuga ex G / di / P. Heijdorn.*
(8 Blatt fol., geheftet; 13 beschriebene Seiten, Handschrift Johann Gottfried Walthers?):
Nr. 1 *Fuga. del Sign: Heijdorn* (= Berlin, Deutsche Staatsbibl. Mus. ms. 40 644 Nr. 18)
Nr. 2 *Fuga. P. Heijdorn*

Über den Urheber dieser Stücke, von denen einige das Interesse Walthers und wahrscheinlich auch Bachs fanden, herrscht noch wenig Klarheit [399]. In Walthers Lexikon findet sich ein Artikel:

---

[395] Vgl. R. Buchmayer, a. a. O. Heft 3; Kompositionen von Reincken enthielt auch die verschollene Handschrift *Themata, Clausulae atque Formulae Virtuosorum Musicorum* 1698 des Johann Christoph Graff (einst im Besitz von A. G. Ritter).

[395a] Unter dieser Signatur fand ich einen Haufen stark beschädigter Blätter, in deutscher Tabulatur um 1700 beschrieben. Es gelang mir, sie z. T. wieder in die richtige Ordnung zu bringen; vgl. F. W. Riedel, Artikel *Kneller* in MGG.

[396] G. D. Leiding, H. Uthmöller; infolge seiner hohen Einkünfte war Reincken nicht unbedingt auf das Unterrichtgeben angewiesen.

[397] Vgl. Reinckens g-moll-Fuge (Buchmayer, a. a. O. Heft 3) mit Bachs g-moll-Fugen (BWV 542 und 578), die Entstehung der letztgenannten Fuge wird von Spitta im Zusammenhang mit Bachs Aufenthalt in Hamburg 1720 gesehen.

[398] Vgl. R. Buchmayer, *Drei irrtümlich J. S. Bach zugeschriebene Klavier-Kompositionen*, SIMG II (1901).

[399] Bei den leider wenig erfolgreichen archivalischen Forschungen sind mir mit Rat und Tat insbesondere behilflich gewesen die Herren Staatsarchivdirektor Dr. K. D. Möller, Hamburg; Studienrat Fr. Michaelsen, Glückstadt; Pastor emeritus E. Holst, Voßloch b. Barmstedt (Holstein); Pastor Graumann, Krempe; Konrektor O. Neumann, Wilster; W. Heydorn, Hamburg-Blanke-

„Heydorn, ein Geistlicher, und Organist zu Brüssel ums Jahr 1693, hat verschiedene Sachen für die Orgel gesetzt."

Doch ist es fraglich, ob dieser Heydorn mit dem Autor der genannten Stücke — sofern diese überhaupt alle von demselben Komponisten stammen — identisch ist. Im Kodex *E. B. 1688* findet sich die Angabe *à Crempe*. In den leider nicht vollständig erhaltenen und auch infolge von Kriegs- und Pestzeiten lückenhaft geführten Kirchenbüchern der Stadt Krempe, wie auch in anderen dortigen Akten, kommt der Name Heidorn oder Heydorn nicht vor. 1678 war dort ein gewisser Peter Ruge als Organist tätig[400]. Am 8. Juni 1694 wurde August Christian Praetorius aus Eutin als Organist angestellt, nachdem Otto Hinrich Chytraeus aus Hannover, ein *„der Rechte auch der Music und Sprachen Erfahrner . . . einige Jahre"* den Organistendienst versehen hatte, *„nunmehr aber um sein fortun anders wo zu suchen resigniret"* [401]. Nun ist es nicht ausgeschlossen, daß Peter Heidorn bis 1692 in Krempe als Organist tätig war, obwohl hierüber jeglicher Aktenbeleg fehlt. Jedoch führt das Taufregister des Kirchspiels Uetersen am 10. September 1692 einen *Peter Heidorn, Organist zur Cremp* als Vater eines unehelichen Kindes an[402]. Im Sommer des Jahres 1693 bewarb sich hingegen ein *Peter Heydorn aus Ütersen* durch seinen Vater erfolglos um die vakante Organistenstelle am Dom zu Hamburg[403]. Weitere Spuren ließen sich nicht ermitteln, so daß die Identität des in den Archivalien genannten Peter Heidorn mit dem Urheber der obengenannten Kompositionen nicht völlig gesichert ist.

Auffällig ist zunächst die immense Ausdehnung dieser Stücke. Die beiden von Walther aufgezeichneten Fugen sind Seitenstücke zu N. A. Struncks Capricci, die vielfältigen Abwandlungen und Kombinationen der Subjekte erinnern an Frescobaldis Capricci. Die rauschende Manualtoccata ähnelt in der Anlage der einzigen von Reincken erhaltenen Toccata, die Fuge über das *Thema Reinckianum* ist mehr konzertant als streng imitatorisch gehalten. Zum *stylus phantasticus* zu zählen ist die Fuge im Kodex *E. B. 1688*, in der Heidorn die *Canzone 3°* von J. K. Kerll parodiert hat[404]. Eine nähere Untersuchung des Bearbeitungsverfahrens gibt interessante Aufschlüsse über die Charakteristika norddeutscher Tastenspielkunst.

Freilich ist von Kerlls Komposition keine Originalfassung erhalten, sondern nur drei Abschriften, die hinsichtlich der Zusammensetzung der einzelnen Abschnitte voneinander abweichen[405]. Demgegenüber hat Heidorn nur den für das Manualspiel bestimmten Teil als Grundlage für ein völlig neukomponiertes Pedalstück verwandt.

Die Anwendung des selbständigen Pedals erforderte zunächst eine Veränderung des Themenkopfes[406], die Transposition des Stückes nach g-moll und die Füllung der fugierten Sätze

nese; Organist R. Plath, Uetersen; ferner die Mitarbeiter des Staatsarchivs in Hamburg, des Landesarchivs in Schleswig und des Kirchenbuchamtes der Propstei Münsterdorf in Itzehoe. Ihnen allen sei an dieser Stelle für ihr freundliches Entgegenkommen bestens gedankt.

[400] Taufbuch des Diakonates zu Krempe.

[401] Landesarchiv Schleswig 19, 735 (Akten des Holsteinischen Generalsuperintendenten), Bündel Crempe (B V 5).

[402] Lt. freundlicher Mitteilung von Herrn Organist R. Plath, Uetersen.

[403] Staatsarchiv Hamburg, Prot. Cap. Cl. VIII Nr. VI Nr. 9, fol. 250 und 288.

[404] Neuausgabe v. F. W. Riedel in *Die Orgel*, Heft 4, Lippstadt 1957; vgl. Tafel IV, Abb. 1.

[405] S. o. S. 134 f.; vgl. Tafel III.

[406] Kerll:                                              Heidorn:

(a)          (b)                        (a)          (b)

zu realer Vierstimmigkeit. Die Fugenexposition Kerlls übernahm Heidorn ziemlich notengetreu, das folgende Zwischenspiel mit dem zweiten Teil des Subjektes als Motiv (b) gestaltete er jedoch zu einer neuen, vollständigen Durchführung um, in die er das Motivmaterial Kerlls hineinarbeitete. Erst in T. 15 (2. Hälfte) folgt der direkte Anschluß an ein Stück aus Kerlls Satz (T. 11, 2. Hälfte bei Kerll), das aber durch den abweichenden modulatorischen Verlauf beider Kompositionen im vorhergesehenen Abschnitt von der Dominante in die Tonika transponiert ist. Von da ab nimmt Heidorns Bearbeitung harmonisch wieder einen anderen Verlauf und endet im ersten Teil — die Schlußkadenz ist wieder von Kerll übernommen — in der gleichen Tonart wie die Vorlage (D-dur), d. h. dort in der Tonika, hier in der Dominante. Auch in die vorhergehenden Takte ist wiederum das Thema eingebaut. Der unterschiedliche Bau von Vorlage und Bearbeitung ergibt demnach folgendes Bild[407]:

Kerll

T. 1— 7 Fugendurchführung (4 Themeneinsätze)
T. 7—11 Zwischensatz (Motiv b; 1 Themeneinsatz)
T. 11—13 Fugenthema mit Gegenstimme in 16teln (1 Themeneinsatz)
T. 13—15 Zwischensatz (Motiv b; kein Themeneinsatz)
T. 16—17 Schlußkadenz

Heidorn

→ T. 1— 7 Fugendurchführung (4 Themeneinsätze)
   T. 7—15 Fugendurchführung (4 Themeneinsätze + Motiv b)
→ T. 15—17 Fugenthema mit Gegenstimme in 16teln (1 Themeneinsatz)
   T. 17—20 (1 Themeneinsatz + Motiv b)
→ T. 21—22 Schlußkadenz

Hauptmerkmal der Parodie ist — abgesehen von der Einrichtung für das Pedalspiel und der dadurch erforderlichen Vierstimmigkeit — die Häufung der Themeneinsätze und die Bevorzugung des Themenkopfes (a), der durch die rhythmische Umbildung reichere Möglichkeiten der Verarbeitung bot. Kerlls Interesse war vorwiegend auf das Motiv (b) gerichtet, das Gesamtthema wird nur sechsmal zitiert, der freien Satzgestaltung ist viel Raum gelassen. Bei Heidorn tritt das Subjekt fast ununterbrochen auf (insgesamt zehnmal), das Motiv (b) wird nur als Kontrapunkt oder zur Überleitung benutzt. Diese starke Überbetonung des Subjektes ist charakteristisch für die fugierten Sätze der norddeutschen Toccaten und Praeludien[408]. Die weiteren Sätze sind bei Kerll nun völlig frei komponiert, während Heidorn das motivische Material des Anfangs weiterverwendet und abgewandelt hat:

Kerll (Fassung von 1675)

C Fugato (s. o.)                                    (17    Takte)
12/8 Imitativer Satz mit neuem Motiv
                                                   (17½ Takte)
C Rezitativischer Satz mit 32stel-Passagen
                                                   (10½ Takte)
3/2 Fugato (neues Subjekt)                          (30    Takte)

Heidorn

C Fugato (s. o.)                                    (22 Takte)
C Rezitativischer Satz (unter Verwendung des Fugensubjektes)
                                                   (16 Takte)
12/8 Fugato (Fugensubjekt rhythmisch abgewandelt)
                                                   (40 Takte)
12/8 Virtuoser Toccatensatz                         (40 Takte)

Bei Kerll lassen sich alle Sätze einzeln spielen, bei Heidorn besteht dagegen ein innerer Zusammenhang durch die rhythmische Abwandlung des Subjektes für ein neues Fugato, wie auch durch seine Zitierung innerhalb der rezitativischen Abschnitte. Die Herauslösung einzelner Teile ist hier kaum möglich, zumal sie nicht immer in der Haupttonart schließen. Das ganze Werk läuft in einer rauschenden, von einer eigenwilligen Taktverschiebung durchsetzten Coda aus. Aus dem eleganten, durch die Erfindung stets neuer Gedanken recht abwechslungsreichen Spielstück Kerlls hat Heidorn eine virtuose, durch das stereotype Verharren bei einem einzigen Gedanken ins

---

[407] Die Pfeile deuten die direkten Übernahmen aus Kerlls *Canzone* an.
[408] Buxtehude, Reincken, Bruhns, Leiding u. a.; s. o. S. 183 f.

Pathetische gesteigerte Toccata gearbeitet[409], ein typisches Beispiel für die norddeutsche Ausprägung des *fantastischen Stils*[410].

Es ist möglich, daß Heidorn die nur handschriftlich verbreitete Kanzone von J. K. Kerll auf dem Wege über J. A. Reincken kennengelernt hat, den wir nicht nur als das wichtigste Bindeglied zwischen süd- und nordländischer Tastenmusik, sondern auch auf diesem Gebiet als einen der bedeutendsten Meister jener Zeit ansehen müssen, wenngleich die spärliche Werküberlieferung eine eingehende Würdigung vorläufig unmöglich macht.

### Dietrich Buxtehude

*„Buxtehudes Orgelwerke bieten der inneren Kritik, welche sich aus der Eigentümlichkeit des Autors ihren Maßstab holt, so viele Rätsel, daß man wünschen muß, wenigstens die Schwierigkeiten der diplomatischen Kritik auf das möglichst geringe Maß beschränkt zu sehen. Einstweilen liegen die Dinge auch in dieser Beziehung wenig günstig . . ."*

Philipp Spitta[411]

Läßt sich Reinckens Einfluß nur bis in die Generation Bachs verfolgen, so ist demgegenüber Buxtehudes Tastenmusik in Fachkreisen bis zur Gegenwart ununterbrochen gepflegt worden[412]. Es ist darum nicht verwunderlich, daß in der Reihe der Gesamtausgaben mit Orgelmusik alter Meister nächst J. S. Bachs Werken die Orgelkompositionen Buxtehudes veröffentlicht und verbreitet wurden, während die übrigen Meister im weiten Abstand folgten oder bis heute kaum Beachtung fanden. Dieser Umstand ist zweifellos begründet durch den verhältnismäßig großen Bestand erhaltener Tastenstücke von Buxtehude und durch die in ihnen angewandte Praxis des virtuosen oder obligaten Pedalspiels, die seit dem Ende des 18. Jahrhunderts als spezifisches Merkmal für die Orgelmusik galt[413]. Die Folge davon war eine Überschätzung der Buxtehudeschen Tastenmusik in Musikpraxis und Musikwissenschaft, die heute noch nicht gänzlich überwunden ist. Doch hat in jüngster Zeit die Entdeckung und Untersu-

---

[409] Das Fehlen eines *Praeambulum* besagt nichts, man konnte es jederzeit hinzu improvisieren, vielleicht war es auch im Original vorhanden.

[410] Der Kopenhagener Organist Martin Radek arbeitete eine Fuge über das Subjekt des unter Kerlls und Pogliettis Namen überlieferten Ricercars aus Kirchers *Musurgia* (s. o. S. 110, Nr. 70 und S. 139).

[411] *Dietrich Buxtehudes Orgelkompositionen*, hrsg. v. Ph. Spitta, Bd. I, Berlin 1878, S. III.

[412] Vgl. das Quellenverzeichnis S. 197 ff., dazu die bei Spitta a. a. O. Bd. II angeführten Quellen für die Choralbearbeitungen. Die von F. Blume, Artikel *Buxtehude* in MGG, vertretene Ansicht, Buxtehude sei erst von den Forschern des 19. Jahrhunderts erneut „entdeckt" worden, trifft also für die Tastenwerke des Meisters nicht zu. Auch in der Literatur taucht sein Name immer wieder auf. Gerber erwähnt ihn im Lexikon von 1790 deshalb nicht (vgl. MGG II, Sp. 558), weil dieses Lexikon als eine Ergänzung zu Walthers Lexikon gedacht war, während in das Lexikon von 1812 die Artikel des inzwischen selten gewordenen Waltherschen Lexikons mit hineingearbeitet sind. Daher enthält dieses einen ausführlichen Buxtehude-Artikel, der auf den Angaben von Mollers *Cimbria Literata* fußt, außerdem auf Handschriften in Gerbers Besitz (*2 varirte Choräle*), die „trotz der sehr fehlerhaften Abschrift" zureichend waren, „um darin den Löwen an den Klauen" zu erkennen. Chr. Fr. Daniel Schubart rühmt Buxtehudes Fugen in seinen *Ideen zur Ästhetik der Tonkunst* (Wien 1805). Schillings *Encyclopädie* (1835) bringt einen umfangreichen, auf Gerbers Angaben fußenden Artikel, an dessen Schluß es heißt: „*Ueberhaupt darf B. als der erste Meister in der geraumen Zeit von Seb. Bach bis auf ihn angesehen werden, der sich jenem in der Kunst wohl hätte zur Seite stellen dürfen.*" Einen ähnlich gehaltenen Beitrag enthält auch Mendels *Musicalisches Conversations-Lexikon* (1870 ff.).

[413] Vgl. Anm. I 70.

chung der Vokalmusik des Meisters dieses Bild gewandelt; „so ist man heute eher geneigt, das Vokalwerk als das künstlerisch wie geschichtlich bedeutendste Zeugnis seines Schaffens anzusehen"[414]. Daß die Gründe hierfür in Buxtehudes Amtsstellung und den damit verbundenen musikalischen Interessen zu suchen sind, wurde oben bereits dargelegt[415]. Andererseits hat sich das frühzeitige Erscheinen der Gesamtausgabe insofern verhängnisvoll ausgewirkt, als die Beschäftigung mit den Quellen völlig in den Hintergrund trat. Spitta ist sich der Unzulänglichkeit und Vorläufigkeit seiner Ergebnisse bewußt gewesen; doch hat seitdem — von der Beschäftigung mit einzelnen Neuentdeckungen abgesehen — niemand den Bestand der Buxtehude-Quellen hinsichtlich der Echtheit, der Datierung, der Einflußsphäre und Überlieferungsgeschichte der Kompositionen wieder untersucht[416]. Um überhaupt diesen Fragen näherzukommen und Buxtehude im allgemeinen Zusammenhang der Geschichte der Musik für Tasteninstrumente einigermaßen gerecht beurteilen zu können, ist es zunächst nötig, den gesamten Quellenbestand zu sichten und zu ordnen.

## A. Druck

Individualdruck:

*Fried= und Freudenreiche / Hinfarth / des alten großgläubigen Simeons / bey seeligen ableiben / Des / Weiland Wohl-Ehren Vesten / Groß=Achtbaren / und Kunstreichen / Herrn JOHANNIS / Buxtehuden / In der Königlichen Stadt Helsingiör an der Kirchen S. Olai / 32. Jahr gewesenen Organisten / Welcher im 72. Jahr seines Alters am 22. Januarii des 1674. / Jahres alhier zu Lübeck mit Fried und Freude aus dieser Angst und unru= / he-vollen Welt abgeschieden, und von seinem Erlöser, (des Er längst mit verlangen erwartet) / heimgeholet / und darauf den 29. ejusdem in der Haupt=Kirchen zu S. Marien / daselbst Christlich beerdiget worden. / Dem Seelig=verstorbenen / als seinem hertzlich geliebten Vater zu schul- / digen Ehren und Christlichen nachruhme in 2. Contrapuncten abgesungen / von / Dieterico Buxtehuden / Organisten / an der Haupt-Kirchen zu St. Marien / in / Lübeck // In Verlegung Ulrich Wettstein. / Buchhändler in Lübeck / 1674*[417].     (8 Seiten; Typendruck).

---

[414] F. Blume, a. a. O. Sp. 565.

[415] S. o. S. 180.

[416] Vgl. Spittas Vorrede, a. a. O.; seine Ausgabe ist in ihrer Art eine wissenschaftliche Meisterleistung, deren Ergebnisse heute kaum an Gültigkeit verloren haben, so daß sie immer noch als die wichtigste Grundlage für die Untersuchung der Tastenmusik Buxtehudes angesehen werden muß. Alle späteren Ergänzungen und Neuausgaben stehen nicht auf derselben Höhe. Am nächsten kommt ihr der von M. Seiffert auf Grund neuer Quellenfunde herausgegebene Ergänzungsband (1939), dessen Notentexte allerdings in der Hauptsache aus den Gebrauchshandschriften des 17. Jahrhunderts stammen, deren Zuverlässigkeit von vornherein nicht sicher ist. Geringen Wert besitzt die von W. Kraft besorgte Neuauflage der Ausgabe Spitta-Seiffert (Wiesbaden 1951), da der Herausgeber
1. auf die Wiedergabe der kritischen Berichte verzichtet, so daß jegliche Kontrolle des Notentextes unmöglich ist;
2. bei solchen Stücken, die in verschiedenen Fassungen überliefert sind, nur jeweils eine von ihnen veröffentlicht hat;
3. ein Stück (Nr. XXIV der Ausgabe von 1903) ohne Begründung fortgelassen hat.
J. Hedar hat auf Grund neu entdeckter Handschriften in der Universitätsbibliothek Lund einige bisher unbekannte Stücke oder abweichende Fassungen bereits bekannter Stücke veröffentlicht. Für die von ihm besorgte Gesamtausgabe (Kopenhagen 1952) hat er jedoch Spittas und Seifferts Ausgaben als Grundlage benutzt, eine Reihe von Korrekturen vorgenommen und die neu entdeckten Stücke hinzugefügt. In einigen Fällen hat er zudem aus verschiedenen Fassungen Synthesen geschaffen und damit die Bearbeitungspraxis der älteren Zeit verkannt. Somit besitzen wir heute keine vollständige und zugleich wissenschaftlich einwandfreie Gesamtausgabe der Tastenwerke Buxtehudes.

195

Notation: Partitur (S, A, T, B; c. f. in Oberstimme bzw. Baß textiert, bei der *Aria* die Oberst. textiert und der Baß beziffert).

Inhalt:

*Contrapunctus I* (Diskant: „*Mit Fried und Freud ich fahr dahin*");
*Evolutio* (Baß: „*Das macht Christus wahr Gottes Sohn*");
*Contrapunctus II* (Diskant: „*Den hast du allen fürgestellt*");
*Evolutio* (Baß: „*Er ist das heyl und selig Licht*");
7 Strophen Dichtung „*Muß der Tod denn auch entbinden*".
Klaglied / „*Muß der Tod denn auch entbinden*".

Die Kontrapunkte komponierte Buxtehude — wie Stiehl nachgewiesen hat [418] — bereits im Jahre 1671 „*bey Absterben des weyland Hoch-Ehrwürdigen ... Herrn Menonis Hannekenii ... der Stadt Lübeck hoch ansehnlichen Superintendenten*"; in dieser Gestalt liegt das Werk abschriftlich in einem aus Heinrich Bokemeyers Besitz stammenden Sammelband [419] vor (Berlin, Deutsche Staatsbibliothek Mus. ms. 2680, z. Z. Marburg, Westdeutsche Bibliothek), wo sich die folgende Überschrift findet:
*Exempel 2 sonderbaren CONTRAPUNCTE ehedessen auf den Tod seines Vaters verfertigt von Dieterico Buxtehuden, Organisten an der Hauptkirchen zu St. Marien in Lübeck, ums Jahr 1690.*

1674 veröffentlichte Buxtehude die Sätze unter Beifügung der *Aria* als „*Tombeau*" auf seinen Vater. Ein Jahr vorher erschien in Lübeck Theiles *Pars Prima Missarum* [420], das Buxtehude vielleicht zum Druck seines „gelehrten" Werkes angeregt hat. Freilich ist es vor Theiles Ankunft in Lübeck entstanden, ein Zeichen dafür, daß Buxtehude sich schon früher selbständig mit dem strengen Stil befaßt hatte. Satztechnisch weisen die Kontrapunkte starke Ähnlichkeit mit den c. f.-Bearbeitungen in Frescobaldis *Fiori Musicali* (1635) auf, die vielleicht als Vorbilder gedient haben. Es wurde bereits darauf hingewiesen, daß auch in Abschriften der *Fiori Musicali* nachträgliche Textunterlegungen vorkommen [421].

Merkwürdigerweise ist diese Komposition bis jetzt in der Literatur immer unter Buxtehudes Vokalwerken aufgeführt worden, obwohl sie ihrer Struktur wie auch ihrer Notation nach zusammen mit Frescobaldis *Fiori Musicali*, mit den Ricercar-Sammlungen Battiferris, Fontanas und Pogliettis, mit Struncks Fugen und Bachs „gelehrten" Spätwerken in die Reihe der Repräsentations- und Studienwerke im strengen Stil gerechnet werden muß. Wenn auch der praktische Verwendungszweck hier völlig sekundär war, hat man diese Kompositionen in erster Linie auf den Tasteninstrumenten gespielt [422], wie auch der Titel der offenbar dem Werk Buxtehudes gleichgearteten *Todesgedanken* von Christian Flor [423] ausdrücklich angibt und wie es für Buxtehudes Komposition durch die nachstehende Bemerkung Walthers [424] ausdrücklich bezeugt ist:
„*Von seinen vielen und künstlichen Clavier-Stücken ist ausser dem, auf seines Vaters Tod, nebst einem Klag-Liede gesetzten Choral: Mit Fried und Freud ich fahr dahin etc. meines Wissens sonsten nichts im Druck publicirt worden*" [425].

---

[417] Einziges erhaltenes Exemplar: Karlsruhe, Badische Landesbibliothek Aa 36 V Nr. 48 (Konvolut); vgl. R. Oppel, *Buxtehudes musikalischer Nachruf beim Tode seines Vaters*, Bach-Jahrbuch 1909, S. 121 f.
[418] Vgl. MfM XXV (1893) S. 35.
[419] Lt. freundlicher Mitteilung von Herrn Dr. Harald Kümmerling, Berlin.
[420] Vgl. Anm. 342.
[421] S. o. S. 84.
[422] S. o. S. 34 f.
[423] S. o. S. 182.
[424] *Lexikon*, S. 123.
[425] Das *Klaglied* ähnelt — worauf Oppel bereits hingewiesen hat — Buxtehudes kleinen Orgelchoralbearbeitungen. Zudem könnte mit der Anweisung *Tremolo* bei den Mittelstimmen die Verwendung des Orgeltremulanten gemeint sein.

## B. Handschriften

Die handschriftliche Überlieferung von Buxtehudes Tabulaturstücken, unter denen die Autographen gänzlich fehlen, läßt sich in zwei Abteilungen gliedern:

I. posthume Sammlerhandschriften, die offenbar den Urschriften ziemlich nahestehen und — abgesehen von geringfügigen Änderungen oder Schreibversehen — keine wesentlichen Eingriffe der Schreiber in die Substanz der Kompositionen enthalten;

II. vielfach zu Lebzeiten des Meisters angefertigte Gebrauchshandschriften, die jedoch nicht immer die authentischen Fassungen, sondern oftmals Bearbeitungen oder Stücke zweifelhafter Echtheit enthalten.

### I. Sammlerhandschriften

1. Ähnlich wie Johann Kaspar Kerlls authentische Tastenmusik großenteils in einer offenbar häufig kopierten Sammlung vereinigt war [426], existierte auch eine Sammlung Manual- und Pedalstücke von Buxtehude, die sehr verbreitet gewesen zu sein scheint. Die einzige nachweisbare Abschrift ist der vom Anfang des 18. Jahrhunderts stammende Kodex

*Praeambula et Praeludia / dell Sr. Buxtehuden.*

(Berlin, Deutsche Staatsbibliothek Mus. ms. 2681; z. Z. Marburg, Westdeutsche Bibliothek), der oben bereits kurz besprochen wurde [427]. Inwieweit hier die Anordnung der Stücke mit der ursprünglichen, vielleicht — wie Spitta vermutete — vom Komponisten selbst gewählten Zusammenstellung übereinstimmt, bleibt fraglich. Die Kirchenliedvariationen am Schluß könnten von einem Abschreiber zugefügt worden sein, während die Autorangabe *Diet. J. H. Buttstaed* bei Nr. 11 sogar Anlaß zu Echtheitszweifeln für einen Teil des Inhaltes geben könnte, worüber noch zu reden sein wird [428].

2. Neben dieser älteren Quelle existiert eine jüngere Handschriften-Gruppe aus der zweiten Hälfte des 18. Jahrhunderts unter dem Titel

*Orgel Stücke / bestehend in / Praeludien / und / Fugen / von Dieterich Buxtehuden / und Nikolaus Bruhns.*

Den Inhalt bilden die in der älteren Handschrift vorkommenden Pedalstücke (in derselben Reihenfolge [429]), zugefügt wurde ein sonst in keiner Quelle überliefertes Pedalstück von Buxtehude sowie zwei Kompositionen von Nikolaus Bruhns.

Während die ältere Handschrift aus dem Besitz Ph. E. Bachs und vielleicht schon seines Vaters stammt, ist die jüngere Quellengruppe aus dem Kreise der Bachschüler hervorgegangen. Es handelt sich um die Handschriften:

a) Berlin, Deutsche Staatsbibliothek AmB. 462 (Joh. Ph. Kirnberger);

b) Berlin, Deutsche Staatsbibliothek AmB. 430 (Joh. Ph. Kirnberger, Kopie von a) [430];

c) Berlin, Bibliothek der ehemaligen Hochschule für Musikerziehung und Kirchenmusik Ms. 1476 (J. Fr. Agricola);

d) Berlin, Deutsche Staatsbibliothek Mus. ms. 2683 (z. Z. Marburg, Westdeutsche Bibliothek; Kopie von c);

e) Berlin, Deutsche Staatsbibliothek Mus. ms. 2681/1 (z. Z. Marburg, Westdeutsche Bibliothek).

Durch Lesartenvergleich stellte Spitta fest, daß keine der jüngeren Handschriften direkt von der älteren abgeschrieben worden sein kann, sondern daß sie alle auf eine nicht mehr vorhandene Vorlage zurückgehen, die ihrerseits von der älteren Sammlung abhängig gewesen sein muß, aber ein neues Stück von Buxtehude eingeschaltet hat. Die Korrespondenz der beiden Sammlungen wie auch die in anderen Quellen nachweisbaren Konkordanzen sind aus der nachstehenden Tabelle ersichtlich [431].

---

[426] S. o. S. 140.
[427] S. o. S. 79
[428] S. o. S. 204.
[429] Auch hier haben wir einen Beweis für die Trennung von Klavier- und Orgelmusik lediglich nach dem Prinzip der Pedalverwendung; vgl. Anm. I 70.
[430] Reinschrift für den Gebrauch der Prinzessin Anna Amalia.
[431] Vgl. hierzu die Quellenberichte von Spitta, Seiffert, Bangert (vgl. Anm. 441) und Hedar.

| Nr. bei<br>Spitta-<br>Seiffert [432]<br>(1903) | *Praeambula et Praeludia / dell Sr. Buxtehuden.*<br>(Berlin, Deutsche Staatsbibliothek Mus. ms. 2681; z. Z.<br>Marburg, Westdeutsche Bibliothek) |
|---|---|
| VI | 1. *Praeludium. ex. E. moll. / Diet: Buxteh: — Fuga* |
| IX<br>XI | 2. *Praelud: ex. A:C. / Diet: Buxteh:*<br>3. *Praeludium. ex. D.f[is]. / Diet: Buxteh:* |
| X | 4. *Praeludium. ex. D. F. / Diet: Buxteh:* |
| VIII | 5. *Praeludium. ex. E. g[is]: / Diet: Buxtehuden.* |
| XXIV | 6. *Canzonet. ex. G. ♮: / Diet: Buxtehuden.* |
| XV | 7. *Praeludium. ex. F:a: / Diet: Buxtehuden.* |
| XVIII<br>XIII | 8. *Fuga. ex: B:D: / Dietr: Buxtehuden.*<br>9. *Praeludium. ex. E.G. / Diet. Buxtehuden.* |
| XXV | 10. *Canzonet: ex: D:F: / Diet: Buxtehuden.* |
| <br>XVI<br>XX<br>XXIII | 11. *Fuga: ex: G:B: / Diet. J. H. Buttstaed.* [sic]<br>12. *Praeludium: ex: G:B: / Diet. Buxtehauden.* [sic]<br>13. *Toccata. ex. F.a. / Diet Buxtehuden*<br>14. *Toccata. ex. G:♮ / Diet. Buxtehuden.* |

---

[432] Erweiterte Neuauflage, hrsg. v. M. Seiffert.

| Orgel-Stükke bestehend in Praeludien und Fugen von / Dietrich Buxtehuden und Nicolaus Bruhns (Berlin, Deutsche Staatsbibliothek Mus. ms. 2681/1; z. Z. Marburg, Westdeutsche Bibliothek) | Einzelstücke separat oder in Sammelhandschriften [433] |
|---|---|

1. *Preludio Da Dieterico Buxtehude — Fuga*

   a) New Haven, Library of the Yale Music School LM 5056 (Kodex E. B. *1688*) Nr. 56 *Praeludium del Sig. D. Box de H.*

   b) Lund, Universitätsbibliothek W. Litt. N 5 (Einzelstück; deutsche Orgeltabulatur) *Praeludium ex. E: b di D. B. H. Pedaliter G. Lindemann // I. N. I. 1714 d. 17 Maj.*

2. *Preludio — Fuga*
3. *Preludio da Diet: Buxtehude. — Fuga — Adagio*

   a) Berlin, Deutsche Staatsbibliothek Mus. ms. 40 295 (IV) (um 1700, deutsche Orgeltabulatur) *Praeludium ex D com pedahl di D. B. H.*

   b) Lund, Universitätsbibliothek W. Litt. U 6. (Einzelstück; deutsche Orgeltabulatur) *Praeludium ex D ♮ di Diet. Buxtehude. G. Lindemann // I. N. I. 1714. d. 3. Janu.*

4. *Preludio da Diet: Buxtehude. — Fuga*
5. *Preludio. da Diet: Buxtehude. — Fuga — Presto — Adagio — Allegro*

6. *Preludio. da Diet Buxtehude.*

   Berlin, Deutsche Staatsbibliothek Mus. ms. 30 381 (III) (Mitte 18. Jahrhundert) *Praeludium con Fuga Ex F ♮. / pedaliter. / di / Buxtehud.*

7. *Preludio. Da Diet: Buxtehude.*

   Königsberg, Universitätsbibliothek, Abt. Gotthold 14 314(12) (1 Bogen fol.; erste Hälfte 18. Jahrhundert, verschollen) Leipzig, Städtische Musikbibliothek II. 2. 51 (um 1700; deutsche Orgeltabulatur) *Canzon. D. Buxtehude*

8. *Toccata. Da Diet: Buxtehude.*

   a) Berlin, Deutsche Staatsbibliothek Mus. ms. 30 194 (V) (Einzelstück; Anfang 18. Jahrhundert) *Toccata Manual: D. Buxtehude*

   b) New Haven, Library of the Yale Music School LM 4983 *Toccata di Sigre Dieter: Buxtehude G. ♮. — Fuga*

   c) Uppsala, Universitätsbibliothek Ms. 410 *Tocata D. Bouxtehoude (ohne Fuge)*

---

[433] Alle hier erwähnten Quellen aus der Berliner Staatsbibliothek befinden sich z. Z. in der Westdeutschen Bibliothek, Marburg/L.; nur Mus. ms. 40 295 ist verschollen.

| Nr. bei Spitta-Seiffert [432] (1903) | Praeambula et Praeludia / dell Sr. Buxtehuden. (Berlin, Deutsche Staatsbibliothek Mus. ms. 2681; z. Z. Marburg, Westdeutsche Bibliothek) |
|---|---|
| XIV | 15. Praeludium. ex. G.B. / Diet: Buxteh: |
| 6 a. | 16. Nun lob mein Seel den Herren. / Diet Buxtehuden. |
| XII | |

## II. Gebrauchshandschriften

Außerhalb der geschlossenen Sammlungen sind eine ganze Reihe Buxtehudescher Tabulaturstücke separat oder innerhalb von Sammelhandschriften überliefert. Die Einzelhefte stammen fast alle vom Anfang des 18. Jahrhunderts, während die Sammelhandschriften größtenteils im letzten Viertel des 17. Jahrhunderts angelegt wurden.

1. Separat überlieferte Stücke:     — — — — — —

a) Berlin, Deutsche Staatsbibliothek Mus. ms. 40 295 (I) (vermißt) (Deutsche Orgeltabulatur)
*Praeludium D.B.H. A° 1696 d. 25. Junius* (vgl. Quelle 2g)

b) s. obige Tabelle unter Nr. 3

c) Berlin, Bibl. der ehem. Hochschule für Musikerziehung und Kirchenmusik, Ms. ohne Signatur (1 Bogen fol., 3 Seiten beschrieben; Anfang 18. Jahrhundert; verschollen)
*Toccata* (= Spitta Nr. XXI)

d) s. Tabelle unter Nr. 14, Quelle a)

e) s. Tabelle unter Nr. 9

f) Lund, Universitätsbibliothek W. Litt. N 2. (deutsche Orgeltabulatur)
*Praeludium manualit. ex G ♮ di Diet. Buxtehude. G. Lindemann / / I.N.I.Ad 1713 d. 6 Nove.*

g) Lund, Universitätsbibliothek W. Litt. N 1 b. (deutsche Orgeltabulatur)
*Praeludium di Dieter. Buxtehude* (Fragment)

h) s. Tabelle unter Nr. 3, Quelle b)

i) s. Tabelle unter Nr. 1, Quelle b)

k) s. Tabelle unter Nr. 15

l) Lund, Universitätsbibliothek W. Litt. N 8 (deutsche Orgeltabulatur)
*Cantzon ex G ♮ di Diet. Buxtehude. G. Lindemann.*

m) Lund, Universitätsbibliothek W. Litt. N 6. (deutsche Orgeltabulatur)
*Cantzon ex G ♮ di D. Buxtehude. G. Lindemann Ad 1713. d. 5 Martii.*

*Orgel-Stükke bestehend in Praelu-*
*dien und Fugen von / Dietrich Buxte-*
*huden und Nicolaus Bruhns*
(Berlin, Deutsche Staatsbibliothek
Mus. ms. 2681/1; z. Z. Marburg,
Westdeutsche Bibliothek)                    Einzelstücke separat oder in Sammelhandschriften [433]

---

9. *Preludio. Da Diet: Buxtehude.*          Lund, Universitätsbibliothek W. Litt. U 5.
                                            (Einzelstück; deutsche Orgeltabulatur)
                                            *Praeludium ex Gb di Diete. Buxtehude. G. Linde-*
                                            *mann: Ad 1714 d. 15. Maj.*
                                            a) Königsberg, Universitätsbibliothek, Abt. Gotthold
                                            15 839 (verschollen)
                                            b) Den Haag, Gemeente Museum (Walther-Autograph)
                                            c) Ms. v. M. G. Fischer 1793 (ehemals Bibliothek Ph.
                                            Spitta)

10. *Preludio. da Diet: Buxtehude* [434]

---

n) Lund, Universitätsbibliothek W. Litt. N 9. (deutsche Orgeltabulatur)
*Cantzon ex E b di Diet. Buxtehude. G. Lindemann. / / 1714. 31. Jan* [435].

o) Lund, Universitätsbibliothek Engelh. 216 (deutsche Orgeltabulatur)
*I. N. I. Praeludium ex G h Diterico Buxtehude.*

2. In Sammelhandschriften überlieferte Stücke:                    — — — —

a) Tabulaturbuch 1675 von Georg Grobe in Höngeda b. Mühlhausen i. Th. [436]
*Preludio D. Buxtehude* (= Kodex E. B. 1688, Nr. 67)

b) New Haven, Library of the Yale Music School LM 5056 (Kodex E. B. 1688 [437])
Nr. 53 *Sonata a 2 Clavir Pedal: (Box de Hou)*
Nr. 54 *Praeludium D. Box de Hude (Org. Libeck)*
Nr. 55 *Praeambulum di Sig. D. Box de H. Ped:*
Nr. 56 *Praeludium del Sig. D. Box de H.* (vgl. Tabelle unter Nr. 1)
Nr. 57 *Canzon Sig. D. Box de H.* (vgl. Quelle e)
Nr. 66 *Fuga Sig: Box de Hude*
Nr. 67 *Praeludium Sig: D. Box de Hou. Org. Libec* (vgl. Quelle a)
Nr. 71 *Praeludium Sig: Box de Hude a Libeck*
Nr. 72 *Praeludium Sig*re *Box de Hude ex G*
Nr. 73 *Toccata Sig.*re *Box de Hude ex D ped: 1684*

c) s. Tabelle unter Nr. 10

---

[434] Es folgen noch in dieser Quellengruppe
11. *Preludio da Nicolaus Bruhns, gewesener Organist in Coppenhagen Anno 1650*
12. *Nun komm der Heijden Heiland. von Nicol. Bruhns.*
[435] In der gleichen Sammlung befindet sich unter der Signatur W. Litt. N 1 ein *Cantzon ex G. b.*
/ *G. Lindemann. Anno 1713. d. 6 April / / Soli Deo Gloria.* Hedar vermutet Buxtehude als
Autor, die Frage muß jedoch offen bleiben, da das Stück keine charakteristischen Merkmale trägt.
[436] Vgl. Anm. II 300.
[437] S. o. S. 99 ff.

d) New Haven, Library of the Yale Music School LM 4983 [438]
Nr. 1a) *Toccata di Sig^re Dieter: Buxtehude G.* ♮ 
  b) *Fuga* } (s. Tabelle unter Nr. 14)
Nr. 3b) *Canzonetta. di Diet. Buxtehude* [439]

e) Berlin, Deutsche Staatsbibliothek Mus. ms. 40 268 (z. Z. Marburg): *Heinrich Nicolaus / Gerber. Anno / M. DCCXVIII / Clavier / Buch.*
S. 64—66 *Buxtehudi. Org. Lüb.* (= Mittelteil des Canzon in Quelle b, Nr. 57)

f) Leipzig, Städtische Musikbibliothek III. 8. 4 („Andreas-Bach-Buch")
fol.  33^v— 35^r *Ciaccone di Diet. Buxtehude.*
fol.   6 u. 53/54 *Praeludium ex G b di Sig^re Diet Buxtehude*
fol.  61^v— 62^v *Fuga di D. B. H.*
fol.  91^r— 92^v *Ciacona di Dit. Buxtehude.*
fol. 107^v—108^v *Passacalia. Pedaliter di Diet. Buxtehude.*
fol. 111^v—113^v *Praeludium in C Pedaliter di D. Buxtehude* [440].

g) Berlin, Deutsche Staatsbibliothek Mus. ms. 40644 (z. Z. Tübingen, Universitätsbibliothek; „Möllersche Handschrift")
fol.  47^r— 48^v *Praeludium a c[is] con Pedale. di Buxtehude* (= Quelle 1a)
fol.  52^v— 54^r *Toccata. ex Gh Sig^re Diet Buxtehudee.* (vgl. Quelle h)

h) Ehem. Bibliothek M. Seiffert, sog. „Ms. Preller" (Mitte 18. Jahrhundert; verschollen)
*Toccata* (vgl. Quelle g)

i) Nyköbing (Falster), *Familien Ryge's Slaegtsbog* (Anfang 17. Jahrhundert [441]; deutsche Orgeltabulatur)
Nr.  1 E) *I. N. I. Allemanda di D. B. H. — Covrent — Saraband — Giqve*
Nr.  2 *I. N. I. Allemanda ex E di D. B. H. — Covrent — Saraband — Giqve*
Nr.  3 *Menue* [sic]
Nr.  4 D b) *Allemanda di D. B. H. — Covrent — Saraband — Giqve*
Nr.  5 *Courent zimble di D. Buxtehude* [8 Variationen]
Nr.  6 *Aria di D. B. H.* [3 Variationen]
Nr.  7 *Svitte del Signore di Dieterico Buxtehuden. Allemanda d'Aour — Courent — Sarabanda d'Amour — Saraband — Giqve.*
Nr.  8 *Aria di D. Buxtehude.* [10 Variationen]
Nr.  9 *Allemand di Dieter. Buxtehude. — Courant — Saraband — Giqve.*
Nr. 10 *Aria More Palatino di D. B. H.* [12 Variationen]
Nr. 11 *Allemand di D. B. H. — Courent — Saraband — Giqve*
Nr. 12 *Partite diverse una Aria d'Inventione la Capriciosa del Dieterico Buxtehude.*
Nr. 13 *Simphonie*
Nr. 14 *Allemand di D. B. H. — Courent — Saraband — Giqve*
Nr. 15 *Aria* [3 Variationen = J. Pachelbel, *Hexachordum Apollinis* 1699, Aria III]
Nr. 16 *Allemand di D. B. H. — Courent — Saraband — Saraband — Giqve*
Nr. 17 *Aria* [5 Variationen = J. Pachelbel, *Hexachordum Apollinis* 1699, Aria II]
Nr. 18 *Allemand di D. B. H. — Variatio. Le double — Courent — Variatio. Le Double — Saraband — Saraband*

---

[438] S. o. S. 88.
[439] Dieses Stück, dem ein anonymes Praeludium vorangeht, ist bisher unbekannt und unveröffentlicht geblieben. Das Subjekt zeigt eine enge Verwandtschaft mit dem von Bachs D-dur-Fuge BWV 532.

[440] Außerdem das Fragment einer Choralfantasie „*O lux beata trinitas*".
[441] Vgl. E. Bangert, *Inledning zu Dietrich Buxtehude, Klaverværker*, Kopenhagen 1941.

Nr. 19 *Rofilis D. B. H.* — 2. *Variatio. Le double* — 3. *Variatio*
Nr. 20 *Aria* [6 Variationen = J. Pachelbel, *Hexachordum Apollinis* 1699, *Aria* I]
Nr. 21 *Courent.*
Nr. 22 *Allemand di D. B. H.* — *Courent* — *Saraband* — *Giqve*
Nr. 23 *Aria* [18 Variationen = J. A. Reincken, *La Meyerin*] [442]
Nr. 24 *Courent.*
Nr. 25 *Allemand di D. B. H.* — *Courent* — *Saraband* — *Giqve*
Nr. 26 *Allemand di D. B. H.* — *Courant* — *Saraband* — *Giqve*
Nr. 27 *Allemand D. B. H.* — *Courent* — *Saraband*
Nr. 28 *Allemand di D. B. H.* — *Courent* — *Saraband* — *Giqve*
Nr. 29 *Allemand ex Ab di D. B. H.* — *Courent* — *Saraband* — *Giqve*
Nr. 30 *Allemand ex Gb di D. B. H.* — *Courent* — *Saraband* — *Giqve*
Nr. 31 *Allemand ex C ♮ di D. B. H.* — *Courent* — *Saraband* — *Saraband. La Seconde* — *Giqve*
Nr. 32 *Allemand ex C ♮ di D. B. H.* — *Courent* — *Saraband* — *Double* — *Giqve*
Nr. 33 *Allemanda D ♮ di D. B. H.* — *Courent.*

k) Uppsala, Universitätsbibliothek Ms. 410 (1722—1726; Deutsche Orgeltabulatur)

S. 64 *Allemande D. Bouxtehoude* ⎫
S. 66 *Courante* ⎪
S. 68 *Sarabande* ⎬ (= Quelle i, Nr. 2)
S. 70 *Giqve* ⎪
S. 72 *Tocata D. Bouxtehoude* (vgl. Tabelle unter Nr. 14c) ⎭

l) Lund, Universitätsbibliothek W. Litt. G. 29 (Tabulaturbuch des Michael Valentin Krauss 1710 [443])
1 Partite (= Quelle i, Nr. 2)

Die Ausbreitung und Sichtung des gesamten Quellenmaterials gibt nicht nur Anhaltspunkte für die Datierung und für die Verbreitung der Kompositionen, sondern bietet auch die Möglichkeit, der Lösung einer Reihe von Problemen näherzukommen, die trotz Spittas Hinweisen von der Buxtehude-Forschung bisher wenig berücksichtigt wurden [444].

### Zur Frage der Authentizität:

Eine nähere Prüfung der unter Buxtehudes Namen überlieferten Kompositionen auf ihre Echtheit hin muß von den folgenden Fragen ausgehen:
1. Wo gibt der Quellenbefund Anlaß, Buxtehudes Autorschaft anzuzweifeln?
2. Wo könnte einem mit Buxtehudes Namen gezeichneten Stück eine fremde Vorlage zugrundeliegen, die von Buxtehude lediglich bearbeitet wurde?
3. Wo haben die Schreiber Änderungen am vermutlichen Originaltext vorgenommen?

---

[442] S. o. S. 190.
[443] Nach J. Hedar, *Dietrich Buxtehudes Orgelwerke*, Stockholm 1951, S. 72.
[444] J. Hedars umfangreiche und detaillierte Untersuchungen beschränken sich — von den Beschreibungen der neu aufgefundenen Quellen und einer Reihe textkritischer Bemerkungen abgesehen — auf stilkritische Analysen der einzelnen unter Buxtehudes Namen überlieferten Stücke, für die eine große Menge analoger Figuren aus Kompositionen anderer Meister herangezogen wurden. Da Hedar die historischen Zusammenhänge vorwiegend auf Grund stilistischer Analogien und Verwandtschaften darzustellen sucht, sein Material dabei hauptsächlich aus Neuausgaben bezogen hat, deren Quellenvorlagen er kaum kritisch untersucht hat, bleibt das Gesamtergebnis seiner Arbeit — trotz einzelner wertvoller Anregungen — recht unbefriedigend. Die Probleme der Werküberlieferung bei Buxtehude, auf die schon Spitta hinwies, werden von Hedar fast gänzlich übersehen.

1. Die Probleme beginnen mit der besonders in den Quellen des 17. Jahrhunderts oft recht kuriosen Schreibung des Namens Buxtehude (*Box de Hude, Box de Hou, Box de H.* etc.).

Bei einer für das Tastenspiel übertragenen Triosonate im Kodex *E. B. 1688* ist der Name *Box de Hou* überhaupt erst später hinzugesetzt worden, eine Vorlage oder Konkordanz zur Bestätigung der Echtheit konnte nicht festgestellt werden [445]. Schwerer wiegt jedoch die Verwechslung der klanglich ähnlich lautenden Namen Buxtehude und Buttstett.

Innerhalb der Sammlung *Praeambula et Praeludia del Sr. Buxtehuden.* taucht nämlich plötzlich ein Stück mit der Autorangabe *Diet. J. H. Buttstaed.* auf, das sich stilistisch von der Umgebung nicht wesentlich unterscheidet. Außerdem findet sich über der im Kodex *E. B. 1688* aufgezeichneten *Toccata Sig.*re *Box de Hude ex D ped: 1684* (Nr. 73) von späterer Hand (vermutlich des 18. Jahrhunderts) die Bleistiftnotiz *H. Buttstett* [446]. Das kompositorisch nicht bedeutende Stück — dessen Echtheit aus stilistischen Gründen bereits von F. Viderø [447] und J. Hedar [448] in Zweifel gezogen wurde — könnte durchaus von dem jungen, 1684 als Organist an der Reglerkirche zu Erfurt tätigen Joh. Heinrich Buttstett [449] verfaßt worden sein, so daß ein späterer Besitzer der Quelle vielleicht auf Grund einer Konkordanz den Namen geändert hat. Wie Frotscher [450] bemerkt, „verbinden den Schüler Pachelbels manche Züge mit der Orgelkunst des deutschen Nordens. Die Vorliebe für klavieristische Effekte auf der Orgel teilt er mit manchem Norddeutschen, etwa mit Bruhns. Nur besitzt seine Phantasie nicht genügend Spannkraft ... Er erschöpft sich in der Wiederholung exzentrischer Effekte, ohne ihnen tiefere Bedeutsamkeit verleihen zu können". Eben diese Charakteristik paßt für das vorliegende Stück, das unter den übrigen mit Buxtehudes Namen überlieferten Kompositionen keine Parallele hat.

Da nun Buxtehudes Tastenmusik zu einem großen Teil in mitteldeutschen Quellen überliefert ist, wird natürlich gerade da, wo die Echtheit nicht durch Konkordanzen in Quellen verschiedener Herkunft einigermaßen bestätigt ist, die Autorschaft Buxtehudes nicht als hundertprozentig gesichert gelten dürfen. Ehe nicht der ehemals riesengroße, jetzt völlig verstreute kompositorische Nachlaß Buttstetts [451] gesammelt und auf Konkordanzen hin untersucht worden ist, wird man daher stilkritische Betrachtungen gänzlich zurückstellen müssen.

2. Daß Buxtehude vor allem Frescobaldis und Frobergers Werke studierte, ist sehr wahrscheinlich. Die Anlehnung an die Satztechnik der *Fiori Musicali* bei den gedruckten *Contrapuncten* deutet darauf hin [452]. Zweifellos hat Buxtehude auch die damals allgemein übliche Parodiepraxis angewandt und Sätze der älteren Meister als Vorlagen für Nachahmungen und Bearbeitungen benutzt. Die Struktur vieler seiner Praeludien entspricht der Anlage von Frescobaldis Capricci. Fast wie eine direkte Nachahmung von Frescobaldis Schreibart wirkt das im „Andreas-Bach-Buch" aufgezeichnete g-moll-Praeludium [453] (Spitta Nr. V). In der Gedankenfülle und in der bewundernswerten Knappheit und Konzentration wie auch in der harmonischen Spannung erreichte Buxte-

---

[445] S. o. S. 109 (Nr. 53).
[446] S. o. S. 110.
[447] Medlemsblad for Dansk Organist- og Kantorssamfund 1940/1, S. 6; er vermutet V. Lübeck als Urheber!
[448] J. Hedar. a. a. O. S. 197; er vermutet Georg Böhm als Urheber!
[449] Vgl. F. Blume, Artikel *Buttstett* in MGG.
[450] Frotscher, S. 602; vgl. Seiffert, *Klaviermusik*, S. 233 ff.
[451] In der Vorrede zu seinem Werk *Musicalische Clavier-Kunst und Vorraths-Kammer* (1716) berichtet er, daß er u. a. „einige hundert . . . große Fugen und Ricercari" fertig liegen habe.
[452] S. o. S. 196.
[453] Vgl. das *Ricercar ottavo. Obligo di non uscir di grado* (1615) mit Buxtehudes Coda.

hude gleich seinen übrigen Zeitgenossen den römischen Meister nicht. Bei den jüngeren Meistern im Norden stand die Spieltechnik und die Tendenz, wenige musikalische Gedanken breit auszuführen, im Vordergrund.

Vermutlich die Parodie eines Frobergerschen Stückes liegt in dem *Praeludium D. Box de H.* auf S. 84 des Kodex *E. B. 1688* (Nr. 54) vor[454]. Die ersten drei Takte hat nämlich Mattheson in seinem Buch *Der vollkommene Capellmeister* (1739) auf S. 89 wiedergegeben mit der Überschrift *Anfang einer Toccate von Froberger*. Wahrscheinlich hat Mattheson dieses wie auch das darauffolgende Notenzitat dem in seinem Besitz befindlichen Froberger-Autograph entnommen[455]. Der Kompositionsstil des Praeludiums erinnert an Froberger, während die Länge und Schulmäßigkeit der Fugati „norddeutsch" anmuten. Das Pedal übt lediglich Stützfunktionen aus und ist bei den Fugati meist entbehrlich. Die süddeutsche Herkunft der leider nicht auffindbaren Originalfassung ist demnach sehr wahrscheinlich.

Das in der genannten Quelle unmittelbar sich anschließende, in derselben Tonart stehende *Praeambulum di Sig. D. Box de H. Ped:* (Nr. 55) ist in der Initialfiguration der Oberstimme, in der harmonischen Gestaltung und in der Behandlung der Pedalstimme dem vorhergehenden Stück so nahe verwandt, daß man ebenfalls auf die Parodie eines Frobergerstückes oder aber auf eine absichtliche Nachahmung der *frobergerischen Manier* schließen möchte, gleichwie auch die als Nr. 66 im Kodex *E. B. 1688* stehende *Fuga Sig: Box de Hude* in offensichtlicher Anlehnung an eine Komposition Frobergers verfaßt wurde[456].

3. Bei der Beantwortung der dritten Frage wird der Mangel an autographen Quellen am meisten fühlbar, da so die Änderungen der Abschreiber oder Bearbeiter nicht kontrolliert werden können. Gleichwohl muß den sorgfältig angelegten posthumen Sammlerhandschriften hinsichtlich der Korrektheit der Notentexte grundsätzlich der Vorrang zugesprochen werden gegenüber den Gebrauchshandschriften, auch wenn diese zeitlich den Originalen näherstehen[457]. Methodisch wird man also am besten so vorgehen, daß man zunächst die in den beiden großen Sammlungen stehenden (nur in einzelnen Lesarten voneinander abweichenden) Stücke mit ihren in den Gebrauchshandschriften vorhandenen Konkordanzen vergleicht, anschließend aber die Korrespondenzen der Gebrauchshandschriften untereinander prüft[458].

Nr. 1 der Sammlung *Praeambula et Praeludia del Sr. Buxtehuden.* ist in zwei weiteren Quellen nachweisbar, von denen jede eine andere Fassung enthält. Die Gesamtanlage des Stückes ist überall gleich, doch sind im einzelnen so viele Abweichungen im Notentext vorhanden, die über das gewöhnliche Maß von Schreibfehlern hinausgehen, daß sie zumindest bei zwei Fassungen als willkürliche Änderungen der Schreiber angesehen werden müssen. Ebenso existieren von Nr. 3 drei und von Nr. 15 zwei erheblich differierende Fassungen. Nr. 14 ist sogar in vier mehr oder weniger voneinander abweichenden Gestalten vorhanden, von denen eine lediglich die Toccata ohne die Fuge enthält. Während Nr. 16 in vier, teilweise ziemlich verschiedenen Fassungen überliefert ist, unterscheiden sich die Lesarten in den Quellen für Nr. 10 nur wenig.

Zu Nr. 2 der genannten Sammlung läßt sich eine Parodie nachweisen: Das motivische Material des Einleitungssatzes ist—nach F-dur transponiert—zu einem neuen Praeambulum verarbeitet worden, das sich als Nr. 71 im Kodex *E. B. 1688* befindet[459]. Die nachfolgenden Fugati in beiden Stücken sind jedoch unabhängig voneinander komponiert, das F-dur-Stück ist vermut-

---

[454] S. o. S. 109.
[455] S. o. S. 77.
[456] Vgl. Organum IV, Heft 11, S. 24.
[457] S. o. S. 74.
[458] Vgl. hierzu die kritischen Berichte von Spitta, Seiffert und Hedar.
[459] Vgl. Hedar, a. a. O. S. 173 ff.

lich nur fragmentarisch vorhanden, da die sonst übliche Schlußkadenz fehlt. Welches der beiden Praeludien das ältere ist und ob Buxtehude selbst der Urheber der Parodie ist, läßt sich anhand des Quellenmaterials nicht eindeutig nachweisen.

Mehrere der in der Sammlung *Praeambula et Praeludia del Sr. Buxtehuden.* enthaltenen Stücke sind gar nicht in Gebrauchshandschriften zu finden, das Praeludium in fis-moll ist überhaupt erst in der jüngeren Handschriftengruppe aus der zweiten Hälfte des 18. Jahrhunderts nachweisbar. Wenn diese Sammlungen auch hinsichtlich der Gesamtgestalt der Kompositionen den Urfassungen am nächsten stehen dürften, so ist es doch nicht ausgeschlossen, daß hier bereits eine Reihe harmonischer oder stimmführungsmäßiger Glättungen vorgenommen wurden. Auch die konsequente Anwendung des obligaten Pedals im Gegensatz zur ungenauen Bezeichnung etwa im Kodex E. B. 1688 entspricht der Praxis der „Bach-Schule". Man vergleiche beispielsweise die verschiedenen Fassungen des Praeludiums Nr. 15 aus der älteren Sammlung miteinander: obwohl beide etwa zur selben Zeit niedergeschrieben wurden, weichen sie in der Führung der Pedalstimme und der Oberstimmen, mehrfach auch in der Harmonik wesentlich voneinander ab: die eine stammt aus Norddeutschland, die andere aus Mitteldeutschland.

Eine nachträgliche Umgestaltung ist auch bei den im „Andreas-Bach-Buch" überlieferten Stücken möglich. Auffällig ist hier vor allem die stilistische und formale Ähnlichkeit der Kompositionen. Vier von den insgesamt sechs Stücken sind ganz oder teilweise über einem Ostinato-Baß komponiert, eine Setzweise, die in Buxtehudes Tastenmusik sonst nur noch zweimal vorkommt[460]. Daß keines der im „Andreas-Bach-Buch" aufgezeichneten Stücke sich in der Sammlung *Praeambula et Praeludia* und überhaupt in irgendeiner anderen Quelle wiederfindet, ist recht verwunderlich und läßt zu einer gewissen Vorsicht bezüglich der stilkritischen Bewertung dieser Komposition raten. Das vom selben Schreiber in der „Möllerschen Handschrift" notierte Praeludium in A-dur liegt dort in einer völlig anderen Fassung vor als in einer norddeutschen Quelle aus dem Jahre 1696[461]. Vermutlich handelt es sich also auch bei den Buxtehude-Stücken im „Andreas-Bach-Buch" (wenigstens teilweise) um Bearbeitungen mitteldeutscher Herkunft[462].

Auch für die im *Familien Ryge's Slægtsbog* überlieferten Partiten und Arien fehlt es an Vergleichsmaterial. Lediglich die an zweiter Stelle notierte Suite ist noch in zwei weiteren Quellen vorhanden. Die Tatsache, daß Reinckens *Meyerin* und drei Arien aus Pachelbels *Hexachordum Apollinis* (1699) anonym und teilweise unvollständig in derselben Quelle stehen, deutet darauf hin, daß auch die mit Buxtehudes Namen oder Monogramm gezeichneten Stücke nicht in authentischen Fassungen vorliegen. Daß vom Schreiber zumindest einzelne Variationen und Doublen zugefügt oder fortgelassen wurden, dürfte nach der damaligen Praxis als selbstverständlich gelten.

Buxtehudes Autorschaft für die von Lindemann gesammelten Stücke darf als sehr wahrscheinlich gelten[463], wenngleich die im Verhältnis zu anderen Quellen stark abweichenden Fassungen bei drei Praeludien (s. o.) auch hier in einzelnen Fällen Zweifel an der Authentizität der Notentexte aufkommen lassen.

Bei den außerhalb der großen Sammlungen überlieferten Stücken ist einerseits die häufig anzutreffende fragmentarische Gestalt, andererseits der durchschnittliche oder gar dürftige musikalische Gehalt auffällig.

Man fragt sich, ob hier nicht ein Parallelfall zur Werküberlieferung bei Johann Kaspar Kerll vorliegen könnte: Sollte die Sammlung *Praeambula et Praeludia* in ihrer Zusammensetzung auf ein Buxtehudesches Autograph zurückgehen, so hätte der

---

[460] Als Schlußsatz des Praeludiums g-moll (Spitta V) und als Einleitungssatz des Praeludiums g-moll (Spitta XIV).
[461] S. o. S. 200 f. (Quellen 1 a und 2 g).
[462] Vielleicht sind sie nach französischem Geschmack bearbeitet worden.
[463] Vgl. Hedar, a. a. O. S. 12 ff.

Meister hier alles zusammengefaßt, was er für besonders gut und für eine weitere Verbreitung geeignet hielt. Läßt sich für diese Vermutung auch kein stichhaltiger Beweis erbringen, so dürfte jedenfalls in der erwähnten Sammlung das Repertoire vorliegen, welches die jüngeren Meister der Aufbewahrung wert hielten.

### Zur Frage der Datierung und Verbreitung:

Die Frage der Entstehungszeit von Buxtehudes Tastenmusik ist bisher nur wenig berührt worden. H. Lorenz[464] möchte die Komposition der Suiten vor, die der Variationen nach 1668 verlegen, E. Bangert[465] vermutet dagegen für alle Stücke der „Ryge"-Quelle die achtziger Jahre als Entstehungszeit, während J. Hedar die Datierungsfrage gänzlich übergeht. Nun ergeben sich jedoch aus der Quellenlage wie auch aus dem historischen Zusammenhang eine Reihe von Anhaltspunkten zur Ermittlung der Entstehungszeit von Buxtehudes Tastenwerken, wie auch für die Bestimmung ihrer Verbreitungssphäre.

Als älteste Quelle muß das leider verschollene Tabulaturbuch von Georg Grobe zu Höngeda bei Mühlhausen i. Th. aus dem Jahre 1675 gelten. Läßt sich zwar nicht mehr ermitteln, worauf sich dieses Datum bezieht, so muß doch das in dieser Handschrift aufgezeichnete *Preludio* in g-moll (Spitta Nr. V) um 1675 entstanden und bereits in einem weiteren Umkreis bekannt gewesen sein. Ein zweites Mal kommt dasselbe Stück in dem ebenfalls aus Mitteldeutschland stammenden Kodex *E. B. 1688 vor.* Diese Fassung weicht nicht wesentlich von der älteren ab. Sämtliche in dieser Quelle vorkommenden Buxtehude-Stücke sind frühestens im Herbst 1683, spätestens im Jahre 1684 niedergeschrieben worden[466], sie müssen also vor dieser Zeit komponiert worden sein. Hierunter befindet sich auch das erste Praeludium aus der Sammlung *Praeambula et Praeludia.* Da dieses Stück (wie auch das soeben erwähnte g-moll-Praeludium) zu den reifsten und bedeutendsten Kompositionen des Meisters gehört, dürfte die Entstehung des gesamten Inhaltes der genannten Sammlung in die Zeit vor 1683 fallen.

Wenn man bedenkt, daß Buxtehudes Amtspflichten in Lübeck neben den Verwaltungsaufgaben in steigendem Maße auf die Komposition und Aufführung vokaler und instrumentaler Ensemblemusik gerichtet waren, daß dabei sein Interesse für das Orgelspiel nicht gerade sehr groß gewesen zu sein scheint[467], so hat man hinreichenden Grund, die gesamte Tastenmusik in die Frühzeit des Meisters zu datieren. Dies entsprach durchaus den üblichen Verhältnissen. Kerll verfaßte wahrscheinlich seine Tastenstücke zu einer Zeit, als er lediglich Organistenpflichten wahrzunehmen hatte[468]; Kuhnau schrieb und veröffentlichte seine sämtlichen Partiten und Sonaten in jüngeren Jahren, bevor er das Thomaskantorat und das Musikdirektorat in Leipzig übernahm[469]; das gleiche gilt für seinen Nachfolger J. S. Bach, der erst in seinen letzten Lebensjahren die älteren Bestände wieder aufgriff und für den Druck redigierte. So wird man nicht fehlgehen mit der Annahme, daß auch Buxtehude seine gesamte Tastenmusik inner-

---

[464] H. Lorenz, *Die Klaviermusik Dietrich Buxtehudes. Ihre stilistische und chronologische Einordnung.* Diss. Kiel 1951 (maschinenschriftlich), S. 53 f. und S. 66.
[465] E. Bangert, a. a. O. S. XIII; Bangert irrt freilich, wenn er meint, die Stücke seien in den neunziger Jahren des 17. Jahrhunderts in das Tabulaturbuch eingetragen worden. Da Pachelbels *Hexachordum* erst im Frühjahr des Jahres 1700 erschien, können die Eintragungen frühestens im Laufe des ersten Jahrzehntes des 18. Jahrhunderts erfolgt sein.
[466] S. o. S. 104 f.
[467] S. o. S. 180.
[468] S. o. S. 140
[469] S. o. S. 173 f.

halb der sechziger und siebziger Jahre geschaffen hat, zumal das einzige gedruckte Werk zu Anfang der siebziger Jahre entstanden ist[470].

Die ältesten Quellen stammen aus Mitteldeutschland, wo Kompositionen von Buxtehude seit etwa 1675 bekannt gewesen sein müssen. So erklärt sich auch Pachelbels Bewunderung für den Lübecker Kollegen, dem er 1699 das *Hexachordum Apollinis* widmete. Seine Ciaconen sind — wie Hedar[471] bemerkt — die einzigen den Ostinatosätzen Buxtehudes nahestehenden Stücke dieser Gattung, die in der norddeutschen Tastenmusik nicht häufig anzutreffen ist[472]. Ob auch die Fugen und Fughetten Pachelbels von Buxtehudes Canzonen oder Fugen beeinflußt wurden, läßt sich nicht beweisen; auffallend ist nur die stilistische und gelegentlich sogar motivische Verwandtschaft. Daß Pachelbels Schüler J. H. Buttstett dem Lübecker Meister geistig nahestand und zu Verwechslungen Anlaß gab, wurde oben erwähnt. Johann Christoph Graff aus Erfurt, ebenfalls Pachelbels Schüler und späterer Johannis-Organist in Magdeburg, sammelte auf einer Reise *„nach den Nordischen Quartieren"* Kompositionen von Buxtehude, ebenso Andreas Werckmeister aus Halberstadt, durch den wiederum Johann Gottfried Walther[473] *„manches schöne Clavier-Stück von des kunstreichen Buxtehudens Arbeit bekommen"* hat. In Walthers Handschriften sind die Choralbearbeitungen Buxtehudes auf uns gekommen, während wir die Überlieferung der wertvollsten „Tabulaturstücke" J. S. Bach und seinem Schülerkreis verdanken. Bei Walther hat schon Spitta[474] redigierende Eingriffe in den ursprünglichen Notentext festgestellt, dasselbe Verfahren muß — worauf bereits hingedeutet wurde — auch für die übrigen Quellen, z. B. für das „Andreas-Bach-Buch" und die „Möllersche Handschrift" angenommen werden.

Die Pflege Buxtehudescher Werke innerhalb der mitteldeutschen „Schule" auf Grund der handschriftlichen Tradition läßt sich bis etwa zum Erscheinen der ersten Drucke (seit den dreißiger Jahren des 19. Jahrhunderts) verfolgen[475]. Auch die Kompositionen

---

[470] S. o. S. 195 f.

[471] A. a. O. S. 73, Anm. 28.

[472] Bekannt ist aus dem 17. Jahrhundert lediglich eine *Chiacona del passegal* von M. Radek; vgl. Hedar, a. a. O. S. 72.

[473] Lt. Selbstbiographie in Matthesons *Ehrenpforte.*

[474] A. a. O. Bd. II, S. VIII; auch J. Rembt nahm in seinen Buxtehude-Abschriften ähnliche „Verbesserungen" vor; authentische Fassungen der kleinen Orgelchoräle besitzen wir also nicht. Fragwürdig wird Buxtehudes Urheberschaft dadurch, daß drei Sätze als Kompositionen J. K. F. Fischers (der freilich kaum als Autor in Frage kommt) in einer heute verschollenen Quelle überliefert waren. Hierüber schreibt Ritter, S. 154:
„Von dem Markgräflich-Badenschen Kapellmeister J. Caspar Ferdinand Fischer, einem der fertigsten Klavierspieler seiner Zeit (1700) sind 3 Choralvorspiele auf uns gekommen: 1. Christ lag in Todesbanden — 2. Gelobt seist du, Jesu Christ — 3. Der Tag, der ist so freudenreich, das erste dorisch, das 2. und 3. jonisch behandelt. Der Charakter dieser Sätze, ihre Form und die darin angewandte Modulation erinnern lebhaft an Thüringen, wo ich sie auch — in Suhl — vorgefunden habe. Es ist möglich, daß sie einem der 3 gedruckten Werke Fischers entnommen wurden."
Das dritte Stück hat Ritter in seine Beispielsammlung aufgenommen, es ist identisch mit Nr. 3 in Spittas Ausgabe Bd. II, 2. Abteilung, doch hat Ritter dies nicht bemerkt, obwohl er jene Stücke mit den folgenden Worten beurteilt:
„In der 2. Abteilung des II. Bandes stehen 32 kürzere Choralvorspiele, das eine wie das andere mit verziertem Cantus firm. in der Oberstimme, und mit einfach fugierter, von Zwischensätzen unterbrochener Begleitung. Der harmonische Kreis ist beschränkt und das Kolorit nicht frei von Monotonie."

[475] Der erste Neudruck ist nachweisbar in Commers *Musica Sacra* I, 8 (1839). 1856 begann A. Dehn eine Neuausgabe von Buxtehudes Kompositionen nach den Handschriften der Königlichen Bibliothek in Berlin. Er kam nicht über das erste Heft hinaus, da G. W. Köhler in Erfurt unter dem Titel „Gesamtausgabe" die von Dehn veröffentlichten Sätze größtenteils nachdruckte; vgl. hierüber Fr. Chrysander, *Dietrich Buxtehude als Orgelkomponist,* Allgemeine Musikalische Zeitung, Leipzig 1879, Sp. 545, 566, 583.

seiner direkten Schüler Nikolaus Bruhns und Daniel Erich sind vorwiegend in mitteldeutschen Quellen erhalten geblieben und teilweise zusammen mit Buxtehudes Werken
kopiert worden. Auffällig ist das Fehlen der Suiten und Variationen in den mitteldeutschen Quellen, diese sind vermutlich nur im nordischen Raum bekannt gewesen,
wo sie den Hauptbestand der erhaltenen Werke bilden. Während in Schweden und
Dänemark jedenfalls noch Manuskripte vom Anfang des 18. Jahrhunderts die Pflege
Buxtehudescher Kompositionen bezeugen, ist aus Nordwestdeutschland so gut wie
nichts erhalten. Hier haben die jüngeren Hamburger Meister (Mattheson, Telemann
und vor allem später Ph. E. Bach) seinen Ruhm bald verdunkelt. Das Schwergewicht
von Buxtehudes musikalischem Einfluß lag zweifellos in Mitteldeutschland.

## Umfang und Bedeutung von Buxtehudes Tastenmusik:

Müssen wir die Zahl der in Verlust geratenen Quellen mit Kompositionen von
Buxtehude recht hoch einschätzen, so dürfte doch von dem gesamten Werkbestand
kaum eines der musikalisch wertvollen Stücke abhanden gekommen sein. Eine vielleicht
schon auf den Meister selbst zurückgehende Auswahl „klassischer" Stücke bildet die
Sammlung *Praeambula et Praeludia del Sr. Buxtehuden.*, ihnen ebenbürtig sind nur noch
die in Grobes Tabulaturbuch, im „Andreas-Bach-Buch" und im *Familien Ryge's Slægtsbog* überlieferten Kompositionen. Alle übrigen verstreut anzutreffenden Stücke haben
im Vergleich dazu weniger charakteristische Züge, manche sind kompositorisch außerordentlich dürftig. Mit bedeutenden Verlusten braucht man also nicht zu rechnen[476].
Der Umfang der erhaltenen Tastenmusik von Buxtehude ist im Vergleich zu dem
erhaltenen Werkbestand der übrigen norddeutschen Organisten recht groß, er entspricht
aber in etwa dem nachweisbaren Opus der obengenannten süd- und mitteldeutschen
Meister derselben Generation. Freilich hat Buxtehude nicht jene Breitenwirkung erreicht wie Pachelbel und Kuhnau, ist auch keine internationale Größe gewesen wie Froberger und Kerll. Seine Musik war für den Fachmann bestimmt. Mit den Wienern
gemeinsam haben er und seine Schüler oder Kollegen aus dem Norden (vor allem
Reincken und Bruhns) die Pflege des virtuosen Tastenspiels und des *stilus fantasticus*
im Gegensatz zur „Kantabilität" und Glätte mitteldeutscher Kompositionen.
Haben die mitteldeutschen Organisten vor allem Buxtehudes schlichte Choralbearbeitungen gepflegt, so fanden seine virtuosen Praeludien und Toccaten das Interesse
der „fortschrittlichen" Kreise am Berliner Hofe: die Prinzessin Anna Amalia und ihr
Lehrer J. Ph. Kirnberger, der königliche Kapellmeister J. Fr. Agricola und der königliche
Kammercembalist Ph. E. Bach haben Buxtehudes Kompositionen gesammelt und kopiert[477]. Die Klavierfantasie des 18. Jahrhunderts, wie sie Ph. E. Bach besonders gepflegt hat, dürfte — obwohl in einem völlig anderen Geiste komponiert — von den
„fantastischen" Stücken eines Buxtehude, Bruhns und Reincken nicht unbeeinflußt gewesen sein. Auch Matthesons Bemerkung[478], daß in Buxtehudes „gründlichen Clavier-

---

[476] Eine Ausnahme bilden nur die von Mattheson, *Capellmeister*, S. 130, erwähnten „sieben
Clavier-Suiten", in denen „die Natur und Eigenschafft der Planeten . . . artig abgebildet" gewesen sein sollen.
[477] S. o. S. 197.
[478] *Capellmeister*, S. 130; als Beispiele nennt er Programmstücke; vgl. Anm. 776.

*Sachen ... seine meiste Kraft steckte"*, hat sich zweifellos auf die Kompositionen im *stilus fantasticus* bezogen. Offenbar hatte Mattheson hier den Vergleich mit den im Druck erschienenen Sonaten und *Arien* im Auge. Ob ihm, wie überhaupt den älteren oder jüngeren Zeitgenossen Buxtehudes Vokalwerke bekannt waren, ist sehr zweifelhaft. Weder Mattheson noch Walther erwähnen etwas vom Vokalschaffen des Lübecker Meisters. Dies ist nicht verwunderlich. Derartige Kompositionen, die ja wohl sämtlich als Gelegenheitswerke anzusprechen sind, ließen sich praktisch kaum häufiger verwenden und wurden daher lediglich von einigen Kennern studienhalber (vielleicht auch gelegentlich zur praktischen Verwendung) gesammelt. Während die Tastenmusik mehrere Generationen hindurch für didaktische Zwecke benutzt werden konnte, fielen Arien, Kantaten und geistliche Konzerte — ähnlich wie die für den Tagesbedarf bestimmten poetischen Erzeugnisse — meist schnell dem Geschmackswandel zum Opfer. Solche Werke waren auch von ihren Urhebern nicht für eine weitere Verbreitung — außer im Kreise einiger Fachkollegen[479] — bestimmt. Aus diesem Grunde wurden sie auch selten gedruckt. Sie waren für bestimmte Zwecke und für bestimmte Schichten der Gesellschaft komponiert und wurden höchstens bei einer ähnlichen Gelegenheit wieder aufgegriffen. Nur an der Verbreitung ihrer Tastenmusik in den dafür ausersehenen Kreisen waren die Meister interessiert, wie sie sich gleichzeitig durch gelehrte Repräsentationswerke ein Denkmal zu setzen suchten. Erst im 19. Jahrhundert hat mancherorts unter völlig veränderten wirtschaftlichen, politischen und sozialen Voraussetzungen das Bestreben eingesetzt, die Musik des „ancien regime" wieder „neu zu beleben", d. h. sie entsprechend den kuntspolitischen Tendenzen des Zeitalters der Allgemeinheit nahezubringen, obwohl dies niemals den Absichten der älteren Meister entsprochen haben dürfte.

So ist es natürlich, daß man im 18. Jahrhundert Buxtehude, Pachelbel, Bruhns oder J. S. Bach vor allem als Meister der Tastenmusik oder des Kontrapunktes schätzte, während ihr übriges Schaffen erst in neuerer Zeit „wiederentdeckt" werden mußte und sich somit das Bild von ihnen im Laufe der Zeit gewandelt hat. Freilich mag der moderne Betrachter allzu leicht geneigt sein, die historischen Tatbestände gleichsam in einer Fläche nebeneinander, nicht aber in der durch die Unterschiede von Ort, Zeit und Gesellschaftsstruktur bedingten Plastik des damaligen Zeitgeschehens zu sehen. Mögen Buxtehude, Pachelbel, Krieger, Kerll, Poglietti oder auch J. S. Bach die größte Sorgfalt auf ihre Vokalwerke verwendet haben, mögen uns diese Stücke heute als der wertvollste und interessanteste Bestandteil ihres Schaffens erscheinen, die eigentliche geschichtliche Wirkung im weiteren Umkreis beruhte bei diesen Meistern fast ausschließlich auf ihren Kompositionen für Tasteninstrumente, bei Buxtehude speziell auf seinen virtuosen Pedalstücken.

---

[479] Man denke im Falle Buxtehude an die Sammlungen G. Dübens.

# NACHWORT

Wollte man versuchen, die Ergebnisse der voraufgehenden Betrachtungen zusammen-
zufassen, so wird man im Grunde nur dies eine feststellen können, daß wir vorläufig
noch ganz am Anfang stehen. Die Fülle verschiedenartiger Probleme, auf die der Verfasser im Laufe seiner Untersuchungen gestoßen ist, läßt erkennen, welch ein gerütteltes
Maß an Arbeit noch geleistet werden muß, ehe eine umfassende und wissenschaftlich
genügende Geschichte der älteren Tastenmusik und Tastenspielkunst geschrieben werden
kann.

So war es nicht der Sinn und die Absicht der vorliegenden Studien, fertige Ergebnisse
vorzulegen. Sie möchten vielmehr nur als Wegweiser angesehen werden für die Aufgaben, die in der Zukunft auf diesem Gebiete in Angriff genommen werden müssen. Hier
wird in erster Linie eine systematische Quellenaufnahme in sämtlichen Musikbibliotheken notwendig sein. Der kritische Quellenvergleich, die Anlage von Konkordanzen-
katalogen und thematischen Werkverzeichnissen für die einzelnen Komponisten, die
schrittweise Erschließung der anonymen Überlieferung müssen folgen. Eine Quellenkunde zur Geschichte der Musik für Tasteninstrumente wird schließlich einmal die
Ergebnisse zusammenfassen können. Der Weg bis dorthin ist noch weit. Es ist — um
auf das eingangs genannte Wort von Jacob Burckhardt zurückzukommen — *„ein Unter-*
*nehmen, das den ganzen Menschen verlangt"*. Dieser Weg mag dem Außenstehenden
dornenvoll erscheinen. Hier aber sei auf Rankes Worte hingewiesen:

*„Man bedaure den nicht, der sich mit diesen anscheinend trockenen Studien*
*beschäftigt und darüber den Genuß manches heiteren Tages versäumt. Es ist*
*wahr, es sind tote Papiere; aber sie sind Überreste eines Lebens, dessen An-*
*schauung dem Geiste nach und nach aus ihnen emporsteigt!"*

ANHANG

# PERSONENREGISTER

In diesem Verzeichnis sind in der Regel nur die Namen von Musikern und Musikschriftstellern aufgeführt. Auch die Autoren der im Verzeichnis S. 5 angezeigten häufiger zitierten Werke sind nicht in jedem Falle genannt. Wenn ein Name nur in einer Anmerkung vorkommt, steht deren Zahl eingeklammert im Kursivdruck hinter der betreffenden Seitenzahl.

Adam de la Hale 34 (138)
Adler, Guido 75 (179), 83, 85 (233), 86, 124 (59), 125 (61 f., 65), 126 (68), 158 (193)
Adlung, Jakob 13 f., 17 f., 19 f., 21 (69), 22 f., 34, 37 (157), 53 f., 126, 180 (331)
Agricola, Johann Friedrich 74 (172), 79 (204), 197, 209
Agricola, Martin 32
Ahle, Johann Rudolf 165
Aichinger, Gregor 32 (121)
Ambros, August Wilhelm 117
Albrechtsberger, Johann Georg 88 (250)
Ammerbach, Elias Nikolaus 48, 49 (20), 80 (206)
d'Anglebert, Jean Henry 62 f., 162 (210)
Annibale, Padovano 37 (158), 50
Antico, Andrea 35 (149), 46, 47
Antonii, Pietro degli 60 ff.
Apel, Willi 29 (107), 30, 31 (117), 32, 34 (143), 39 (176), 40
Apell, David von 99 (303)
Aresti, Giulio Cesare 66 ff.
Arnold, F. T. 69 (96)
Asola, Matteo 50
Attaingnant, Pierre 36, 41, 47
Auerbach, Cornelia 13 (18)

Bach, Johann Bernhard 190
Bach, Johann Günther 88 (251), 169
Bach, Johann Sebastian 21 (69 f.), 25 (92), 28 (104), 35, 37 (159), 74 (172), 82, 86, 100, 102 (315), 112 (354), 119 (15), 123, 126, 141, 148, 157 (190), 162, 165 (232), 169, 171 (274), 172 (285), 176, 184, 188 (380), 189, 191, 194, 196, 207 f., 210
Bach, Karl Philipp Emanuel 74 (172), 79, 132 (51), 176, 183, 197, 209
Bach, Wilhelm Friedemann 55 (66)
Banchieri, Adriano 30 (112), 50, 158
Bangert, Emilius 197 (431), 202 (441), 207
Battiferri, Luigi 55, 60 f., 79, 81 (210), 83 (221), 85, 86, 87, 89 (252), 119 (13), 131 (101), 146, 152, 196
Becker, Johannes 99 ff.
Becker, Carl Ferdinand 70 (124)
Beier, Franz 76

Berardi, Angelo 89 (252)
Berend, Fritz 101, 173 (290), 184 (361), 186
Bermudo, Juan 30, 32, 34
Bernabei, Vincenzo 85
Bernhard, Christoph 184
Blume, Friedrich 10 (12), 194 f. (412, 414), 204 (449)
Böhm, Georg 25 (92), 94, 96, 167 (245), 182 (349), 204 (448)
Böhme, Johann Christian 108, 168
Bölsche, Jakob 104, 110
Boetticher, Wolfgang 15 (24)
Bokemeyer, Heinrich 196
Bonfils, Jean 69 (111)
Botstiber, Hugo 129 (85), 142, 144, 145, 147 (146, 151), 157, 186
Bottazzi, Bernardino 50
Boyvin, Jacques 56 (66), 62 ff.
Briegel, Wolfgang Karl 165
Bruhns, Nikolaus 14 (22), 21 (68), 25 (92), 182 (349), 193 (408), 197, 199, 201 (434), 204, 209 f.
Buchmayer, Richard 94 (291), 190 f. (393, 395, 397 f.)
Bülow, Hans von 35 (145)
Bull, John 131, 146, 149, 151
Buttstett, Johann Heinrich 79, 102 (314), 110, 165, 166 (236, 238), 169, 189, 197 f., 204, 208
Buxtehude, Dietrich 17 (30, 39), 21 (68), 25 (92), 28 (104), 60 f., 79, 82 (216), 101 (311 f.), 104, 105 (329), 109 f., 119 (18), 122, 162, 165, 171, 175, 179 ff., 188, 191, 193 (408), 194 ff., 209

Cabeçon, Antonio 19 (57), 32 (118, 121)
Cabeçon, Hernando 19, 32 (118)
Calvisius, Seth 173
Cappeler, N. 119 (18)
Carissimi, Giacomo 91, 130 (88)
Cazzati, Mauritio 58 f.
Cecchino, Tomaso 51
Chambonnieres, Jacque Champion de 60 f., 66 f.
Chaumont, L. 64 f.

Chrysander, Friedrich 29, 45 (*1*), 99 (*300*), 171 (*271*), 200 (*475*)
Chytraeus, Otto Hinrich 192
Colonna, Giovanni Paolo 21 (*68*)
Commer, Franz 166 (*238*), 208 (*475*)
Copisio, Johann Georg 90, 91, 135
Corelli, Arcangelo 89 (*252*)
Correa de Arrauxo, Francisco 32 (*118*)
Couperin, François (le Grand) 41, 53 (*60*)
Croci, Antonio 51

Dehn, Siegfried Wilhelm 87 (*247*), 174 (*299*), 208 (*475*)
Demantius, Christoph 31 (*115*)
Dietrich, Fritz 28 (*105*), 116 (*2*), 117 (*3*)
Diruta, Girolamo 27 (*103*), 30 (*112*), 50
Düben, Gustav 210 (*479*)
Dürr, Alfred 190 (*390*)
Du Mont, Henry 58 f.

Ebner, Marcus 129 (*86*)
Ebner, Wolfgang 58 f., 68 (*78*), 91, 93 (*284*), 129
Eckelt, Johann Valentin 99 (*300*), 122 (*4*), 142 (*118*), 166, 168 ff.
Ecorcheville, Jules 138 (*96*)
Eitner, Robert 50 (*26*), 51 (*41*), 69 (*119*), 71 (*158*), 189 (*385*)
Engel, Hans 97 (*297*)
Engelke, Bernhard 179 (*325*)
Erbach, Christian 89 (*252*), 91
Erben, Balthasar 97 f.
Erich, Daniel 21 (*68*), 209

Facoli, Marco 50
Faißt, Emanuel 174
Fasolo, Giovanni Battista 41, 51, 55, 86 (*245*), 89 (*252*), 118 (*12*)
Federhofer, Hellmut 80 (*207, 209*), 82 (*214*), 130 (*89*) 150 (*168*)
Fellerer, Karl Gustav 72 (*164, 169*)
Fétis, François-Joseph 68 (*76*), 69 (*101, 111*), 70 (*124*)
Fischer, Johann Kaspar Ferdinand 50, 54, 64 f., 89 (*252*), 91, 150 (*170*), 162, 169, 177, 208 (*474*)
Fischer, Michael Gotthardt 201
Fischhof, Joseph 74 (*172*), 144, 156 f., 160
Flor, Christian 62 f., 182, 196
Fock, Gustav 17 (*39*), 179 (*328*)
Förtsch, Johann Philipp 82 (*182*)
Fontana, Fabritio 41, 55 f., 60 f., 79, 83 (*221*), 89 (*252*), 119 (*13*), 152, 196

Forkel, Johann Nikolaus 22, 74 (*172*), 123 (*46, 49*)
Frescobaldi, Girolamo 10, 18 (*42*), 24 (*89*), 30 (*112*), 34 f., 38, 40 f., 51, 52 (*50 f.*), 54, 55 (*66*), 68 (*78*), 71 (*157*), 78 (*194*), 83 (*221, 227*), 84, 88, 90 (*260*), 91, 106, 117 ff., 121, 123, 124, 129, 135, 140, 141, 144, 151, 152, 158, 160, 165, 171, 173, 181, 183, 189 f., 192, 196, 204
Froberger, Johann Jakob 24, 26, 36, 38 f., 40, 54, 55 f., 62 ff., 68 (*78*), 75 ff., 78 (*194*), 83 (*221*), 85, 88, 91, 93 (*283 f.*), 96 ff., 108 f., 117, 121 ff., 129 f., 140, 141, 149, 152, 158, 161, 162, 165 f., 167 (*243*), 172, 175 ff., 181, 183, 189 f., 204 f., 209
Frotscher, Gotthold 13 (*19*), 39 (*168*), 68 (*76, 78*), 69 (*85*), 70 (*132*), 71 (*151*), 204
Fuchs, Alois 70 (*121*), 74 (*172*), 78 (*197*), 118 (*7*), 123 (*49*), 140 (*107*), 148, 176, 187
Fürstenau, Moritz 145 (*137*)
Fuller-Maitland, John Alexander 146 (*141*)
Fux, Johann Joseph 40 (*184*), 70 (*121*), 74 (*172*), 82 ff., 89, 120, 123, 151, 152

Gabrieli, Andrea 26 (*98*), 33 (*128*), 50, 52 (*50*), 89 (*252*)
Gabrieli, Giovanni 26 (*98*), 50, 89 (*252*), 178
Galilei, Vincenzo 20
Garros, Madeleine 68 (*76*)
Gast, Sigismund 80
Gerber, Ernst Ludwig 24 (*81*), 51 (*41*), 69 (*100*), 99 (*300, 303*), 162 (*214*), 186, 194 (*412*)
Gerber, Heinrich Nikolaus 74 (*172*), 99 (*300*), 202
Gerber, Rudolf 182 (*342*)
Giessel, Alexander 52, 55 f. (*66*), 74 (*172*), 79, 85, 86, 89 ff., 119 (*15*), 120 (*23*), 169, 176
Gigault, Nicolas 62 f.
Giovanni, Scipione 51, 58 f., 118 (*12*)
Göhler, Albert 48 (*13*), 49 (*20*)
Graf, Johann Anton 131
Graff, Johann Christoph 191 (*395*), 208
Grassi, Bartolomeo 35 (*144*)
Grigny, Nicolas de 56 (*66*), 64 f.
Grobe, Georg 99 (*300*), 201, 207, 209
Gros, Martinus 90, 91, 92 (*274*)
Grosheim, Georg Christoph 100 (*303*)

Haberl, Franz Xaver 50 (*26*), 119 (*18*)
Händel, Georg Friedrich 99 (*300*), 138 (*97*), 141, 162 f., 171, 176

Hammerschmidt, Andreas 165, 179 (327)
Handschin, Jacques 20 (61)
Hanff, Johann Nikolaus 21 (68), 182 (349)
Hasse, Nikolaus 17 (30)
Haßler, Hans Leo 33
Heckelauer, Johann 119 (18)
Hedar, Joseph 25 (92), 99 (301), 101 (312),
    116 (2), 119 (18), 160, 195 (416), 197
    (431), 201 (435), 203 (444), 204, 205
    (458 f.), 206 ff.
Heidorn, Peter 134, 141, 182 (349), 184,
    191 ff.
Hendler, J. 147
Hennings, Johann 17 (30), 119 (18)
Herbst, Johann Andreas 89 (252)
Herrstell, Adolf 100, 101
Herrstell, Johann Conrad 100
Hickmann, Hans 18 (49)
Höggmayr, Vincentius 88 (251), 90, 91
Hughes-Hughes, Augustus 144 (135)
Husmann, Heinrich 35 (147)

Ilgner, Gerhard 94 (291)

Jäger, Caspar 91
Jehann de l'Escurel 34 (138)
Jeppesen, Knud 47 (9)
Jullien, Gilles 62 f.
Jungnickel, Johann 60 f.

Kade, Reinhard 86
Kalckbrenner, Christian 100 (303)
Kaul, Oskar 130 (90)
Kellner, Altman 80 (207), 142
Kellner, Johann Christoph 100 (303)
Kellner, Johann Peter 100 (303), 175
Kerll, Johann Kaspar 36, 39 (170), 41, 52
    (53), 62 f., 78 f., 80 (209), 88, 90 (259), 91,
    93 (284), 96, 97 f., 106 f., 109, 124, 129 ff.,
    143, 148, 151, 152, 156, 158, 162, 165,
    166, 167 (242), 183 f., 189, 192 ff., 194
    (410), 197, 206, 207, 209 f.
Kindermann, Johann Erasmus 33 (134), 46,
    48, 53 (59), 108, 165, 166, 181
Kinkeldey, Otto 14, 18, 27 (101), 30 (111,
    113), 32 (123, 125)
Kircher, Athanasius 81, 121 (31), 131, 151,
    194 (410)
Kirchner, Ernst 94 (286)
Kirnberger, Johann Philipp 74 (172), 79 (204),
    100 (303), 102 (315), 123 (46), 176, 197,
    209
Kittler, Günther 28 (105)

Klemm, Johann 31 (115), 33, 34, 35, (145),
    48
Klotz, Hans 25 (92)
Kneller, Andreas 191 (395 a)
Koczirz, Adolf 129 (85)
Kraft, Walter 195 (416)
Krauss, Michael Valentin 203
Krebs, Johann Ludwig 21 (70)
Krieger, Johann 14 (21), 15 (27), 41, 53
    (55, 61), 54 (63), 64 f., 83 (221), 105,
    108 ff., 121, 162, 166, 169, 170 ff., 184
    (359), 209
Krieger, Johann Philipp 78 f., 172 (278)
Krüger, Liselotte 17 (30, 32), 180 (332),
    188 f. (377 f., 384)
Kümmerle, Salomon 100 (303)
Kummer, Hans 100 (303 f.)
Kuhnau, Johann 10, 15 (27), 18 (44), 49
    (19, 22), 50, 53 (60), 54, 55 f., 62 ff., 89
    (252), 90 (257), 91 f., 101 (311), 105, 107 f.,
    110, 127, 161, 162, 165, 166, 172, 173 ff.,
    189 f., 207, 209
Kuntzen, Adolf Paul 182 (349)

Le Begue, Nicolas-Antoine 60 f., 66 f., 162
    (210)
Lebhardt, Adalbert 90 (259), 91, 135
Leiding, Georg Dietrich 21 (68), 193 (408)
Leonhardt, Gustav 35 (147)
Lesure, François 72 (165, 168 f.), 125 (64)
Lindemann, Gottfried 199 ff., 206
Liszt, Franz 35 (145)
Locke, Matthew 60 f.
Löwe, Johann Jakob 161 (208)
Lorenz, Helmut 207
Lübeck, Vincent 25 (92), 181, 204

Maichelbeck, Franz Anton 21 (68)
Majer, Johann Friedrich Bernhard Caspar 15
    (28)
Mantuani, Joseph 75 (179), 76 (180 f.)
Marcoantonio da Bologna 46, 47
Marpurg, Friedrich Wilhelm 87 (247), 176
Martini, Giambattista 74 (172), 89 (252), 138
    (97)
Mason, Lowell 100 f.
Matthei, Conrad 35 (147)
Mattheson, Johann 8 (5), 13, 23 (79), 24 ff.,
    37 (157), 49, 53 (61), 71 (157), 76 f., 89
    (252), 119 (18), 122, 123, 126, 148, 162,
    166, 170 (269), 171, 173 (286), 176, 181,
    188, 189, 208 (473), 209 f.
Mayone, Ascanio 34, 38 (165)

Meder, Johann Valentin 35 (147)
Mendel, Hermann 100 (303), 194 (410)
Merulo da Correggio, Claudio 25, 26 (98), 50 f.
Meyer, Bernhard 35 (147)
Meyer, Ernst Hermann 97 (297), 142 (120), 180 (336)
Michel, Christian 33 (134), 48
Michel, Samuel 35 (147)
Milan, Francesco 40 (177)
Molitor, Simon 148 f.
Monn, Georg Matthias 88 (250)
Morales, Cristobal 83 (227), 84, 87
Mozart, Wolfgang Amadeus 123
Müller-Blattau, Joseph 22 (70)
Muffat, Georg 37 (156), 39, 41, 53 (55), 62 f., 88, 91, 92 (278), 93 (284), 129, 175
Muffat, Gottfried 70 (121)
Muffat, Gottlieb 36, 37 (156), 56 (66), 70 (121), 74 (172), 78 (197), 89 (252), 90 (256), 123, 140 (107), 162, 175
Murschhauser, Franz Xaver Anton 41, 51 (41), 64 f., 89 (252), 141 (114)

Nivers, Guillaume Gabriel 58 ff.
Noordt, Anthony van 37 (158), 58 f.

Oppel, Reinhard 196 (417, 425)

Pachelbel, Johann 18 (43), 52 (53), 62 f., 105, 108, 121, 122, 165, 166 ff., 181, 202 f., 206, 208, 210
Pachelbel, Wilhelm Hieronymus 21 (70), 88 (251)
Päsler, Karl 69 (120), 70 (125), 71 (154), 175 f. (308, 317)
Paix, Jakob 48, 49 (20), 158 (190 a)
Palestrina, Giovanni Pierluigi da 38, 85, 87, 120, 152
Pasquini, Bernardo 36 (151), 37 (156), 55 (66), 75, 76, 85, 93 (284), 104, 111, 143, 148
Parstorffer, Paul 51 f.
Pasterwitz, Georg 150 (170)
Paumann, Konrad 80 (206)
Perrine 62 f.
Pesenti, Martino 51
Pestell, Gottfried Ernst 108
Pfleger, Augustin 35 (147)
Picchi, Giovanni 51, 158
Pidoux, Pierre 120 (29)
Pirro, Andrè 71 (152)
Pistocchi, Francesco Antonio Mamiliano 58 f.

Playford, John 58 ff.
Pölchau, Georg 74 (172)
Poglietti, Alessandro 23 (74), 34 (135), 39 (171), 41, 70 (127), 75, 77, 78 (192, 194), 79, 80 ff., 83 (221), 84, 88 (251), 89 (252), 91, 106 f., 109 f., 128, 129 f., 131, 132 f., 142 ff., 165, 166, 171, 176, 184 (358), 189 f., 194 (410), 196, 210
Pollaroli, Carlo Francesco 139 (97)
Porro, Johann Jakob 78 (194)
Porta, Francesco della 66 f.
Praetorius, August Christian 192
Praetorius, Michael 13, 19, 22 (72), 32 (127), 33 (132), 34 (142), 179
Pückh, Franciscus Maximilian de 88 (251)
Purcell, Henry 64 f.

Quoika, Rudolf 18 (47)

Radek, Martin 82 (216), 105 (330), 110, 182, 194 (410), 208 (472)
Raggazzi, Angelo 83 (227), 85
Raison, Andrè 62 f.
Raughel, Felix 69 (117)
Rauschning, Hermann 17 (33)
Reger, Max 165 (233)
Reicha, Anton 120 (28)
Reimann, Margarete 53 (60), 69 (91), 76 (182), 117 (5), 118 (7), 121 (30), 122 (39), 127
Reincken, Jan Adam 17 (30), 82 (216), 96, 119, 122, 141, 148, 180 ff., 188 ff., 193 (408), 194, 203, 206, 209
Rembt, Johann Ernst 208 (474)
Reutter, Georg d. Ä. 85, 86, 88 (251), 186 f.
Reutter, Karl 86, 89 (252)
Ribayez, Ruiz de 60 f.
Richter, Ferdinand Tobias 91, 93 (284), 149 (160), 167
Riemann, Hugo 22 (72)
Riemsdijk, Johann Cornelis Marius van 188 (377)
Rinck, Christian Heinrich 100, 101
Ritter, August Gottfried 13 (19), 35 (145), 70 (127), 78 (195), 145, 170 (269), 191 (395), 208 (474)
Roberday, François 26 (94), 58 f., 121 (31), 152 (174)
Rore, Cipriano de 34
Rosenmüller, Johann 161 (208)
Rossi, Michel Angelo 18 (42), 25, 55 f., 58 f., 66 f., 71 (157 f.), 89 (252)
Rubardt, Paul 180 (329)

217

Rühling von Born, Johann 48
Ruge, Peter 192

Sabbatini, Galeazzo 51, 60 f.
Samuel, Harold E. 170 (268)
Sandberger, Adolf 71 (148), 78, 91 (275), 108, 129 (85), 131, 138 (98), 166 (237), 168 f.
Santa Maria, Tomas de 30
Sartori, Claudio 72 (158)
Scacchi, Marco 23 (79)
Schadaeus, Abraham 36 (155)
Scharffe, G. V. 99 (300), 122 (44)
Scheibe, Johann Adolf 173 (289)
Scheidemann, Heinrich 189
Scheidt, Samuel 26, 31 (115), 33, 35 (145), 36 (154), 48, 50, 52 (49), 53 (61), 58 f., 89 (252), 117, 124, 165 (235), 178, 181
Schenk, Erich 86 (241)
Scherer, Sebastian Anton 18 (42), 48, 53 (59), 58 f.
Schering, Arnold 174 (291, 293, 296), 177 (321)
Schicht, Johann Gottfried 55 (66)
Schiefferdecker, Johann Christian 182 (349), 188 (380)
Schierning, Lydia 48 (16)
Schild, Melchior 179 (326)
Schilling, Gustav 99 f. (303)
Schlick, Arnolt 15, 46, 47, 48
Schmeltzer, Johann Heinrich 35 (147), 148 (158), 180 (335)
Schmid, Bernhard d. Ä. 48
Schmid, Bernhard d. J. 33 (128), 48, 49 (20), 52 (49)
Schmidt, Kaspar 91
Schneider, Franz 150 (170)
Schnittelbach, Nathanael 184
Schottenloher, Karl 53 (62)
Schubart, Christian Friedrich Daniel 194 (412)
Schubert, Franz 88 (250)
Schünemann, Georg 165 (230)
Schütz, Heinrich 34, 165, 179 (326), 182
Schultheiß, Benedict 60 f., 121, 127, 162
Schwabpauer, Wolfgang 88 (251), 91, 93 (284), 146
Schwemmer, Heinrich 167 (242)
Schwenke, Christian Friedrich Gottlieb 176, 188 (377)
Seiffert, Max 13 (19), 39 (168), 46 (6), 48 (17), 68 (77), 70 (138 f.), 71 (141, 144, 147 f.), 89 (252), 94 (291), 97 (297), 99 (301), 100 (303), 101, 116 (2), 121, 127, 142 (118), 148 (158), 149, 163 (225), 166

(237, 239), 168 ff., 186, 195 (416), 197 (431), 198 f., 204 f. (450, 458)
Siefert, Paul 17, 48
Sonneck, Oscar George Theodore 101
Sperindio, Bertholdo 50
Speth, Johann 55 f., 62 f., 89 (252), 90, 91, 107, 152 (174)
Spiridion, Bertoldo 23 (74), 60 ff.
Spitta, Philipp 79 (204), 101 (311), 116 (2), 191 (397), 194 f., 197 f., 200, 202, 204, 205 (458), 206 ff.
Squire, William Barclay 68 (74, 81) 69 (105, 118), 146 (141)
Sstanteysky, Venantius 55 (66), 90 (260), 91, 176
Stahl, Wilhelm 17 (30), 179 f. (328, 330, 334 f.), 188 (378)
Steigleder, Johann Ulrich 36, 48, 89 (252)
Stellwagen, Friedrich 179
Storace, Bernardo 18 (42), 58 f.
Strozzi, Gregorio 62 f., 175 (302)
Strunck, Delphin 184
Strunck, Nikolaus Adam 14 (22), 79, 101, 103 f., 110 f., 129, 173, 182, 184 ff., 192, 196
Süß, Johann Ernst 100 (303)
Sweelinck, Jan Pieterszoon 48, 89 (252), 117, 178, 189

Techelmann, Franz Matthias 75 (177), 158 (194)
Telemann, Georg Philipp 49, 181, 189, 209
Theile, Johann 82, 130 (91), 181 f., 186, 189, 196
Titelouze, Jean 47, 117
Torner, Joseph Nikolaus 18 (50)
Torrefranca, Fausto 71 (157)
Tresor, Jonas 97
Troyer, Philipp 83, 85
Tunder, Franz 17 (30), 119 (18), 180 (335), 181
Trabaci, Giovanni Maria 34, 38 (165)

Ursprung, Otto 46 (8)
Uthmöller, Heinrich 191 (396)

Valente, Antonio 32
Valentin, Erich 25 (92), 69 (88, 95), 94 (291)
Venegas de Henestrosa, Luis 32 (118)
Vente, Maarten Albert 20 (63)
Vetter, Andreas Nikolaus 142 (118)
Vetter, Daniel 37 (157)
Viderø, Finn 204
Vincenti, Alessandro 50 f.

Vincentius, Caspar 36 (155)
Virdung, Sebastian 19, 45 f.
Vitali, Giovanni Battista 86

Wagenseil, Georg Christoph 88 (250)
Walter, Rudolf 69 (121)
Walther, Johann Gottfried 13, 19, 21 (68),
24 (80, 82), 25 (92 f.), 31 (116), 51, 56
(66), 68 (70), 69 (110), 70 (122, 124 f.,
128), 71 (151), 74 (172), 104 (324), 108
(344), 126, 148, 166 f. (242, 244), 168
(252), 192, 194 (412), 196, 201, 208, 210
Wanhal, Johann Baptist 150 (170)
Wecker, Georg Kaspar 165, 166, 167 (242),
169, 170, 181
Weckmann, Matthias 17 (30), 75 (176), 76,
94 ff., 122, 140, 179 (326), 181, 189, 190
(390)

Weißthoma, Bartholomäus 91 f., 107
Welter, Friedrich 94 (287)
Wendler, Johann Ludwig 91
Werckmeister, Andreas 17, 208
Werner, Gregor Joseph 83 (221)
Werra, Ernst von 71 (158), 91 (271)
Widmann, Angelus 55 (66)
Winterfeld, Karl von 55 (66), 123 (49)
Wolf, Johannes 29 (108), 32 (120), 45 (1)
Wolffheim, Werner 190 (393)
Wolgast, Johannes 167 (245)
Woltz, Johann 31 (115), 33, 49 (20), 52 (49)

Zahn, Johannes 181 (337)
Zarlino, Gioseffo 89 (252), 181
Zelenka, Johann Dismas 55 (66), 74 (172),
82, 83 ff., 145 (137), 147, 152

# QUELLENREGISTER (HANDSCHRIFTEN)

Da der Verfasser sich des öfteren auf Mikrofilme oder auf Mitteilungen älterer Schriftsteller ver-
lassen mußte, sind die Angaben über manche Quellen noch mangelhaft. Verbindliche Quellenbeschreibungen zu liefern, ist jedoch nicht die Aufgabe dieses Buches, sondern des Quellenkataloges der Musik für Tasteninstrumente bis etwa 1760, der innerhalb des *Repertoire
International des Sources Musicales* erscheinen soll. Betreffs der Seiten- und Anmerkungszahlen
vgl. die Vorbemerkung zum Personenregister.

BERLIN, Deutsche Staatsbibliothek (vormals Preußische Staatsbibliothek) (*Mbg* = z. Z. Marburg, Westdeutsche Bibliothek; *Tb* = z. Z. Tübingen, Universitätsbibliothek; * = z. Z. verschollen).

| | | |
|---|---|---|
| Mus. ms. 1200 | *Mbg* | 55 (66) |
| Mus. ms. 1200/1 | *Mbg* | 55 (66) |
| Mus. ms. 2329 | *Mbg* | 56 (66) |
| Mus. ms. 2680 | *Mbg* | 196 |
| Mus. ms. 2681 | *Mbg* | 79, 109, 197 f., 200, 204 ff. |
| Mus. ms. 2681/1 | *Mbg* | 37 (159), 109, 197, 199, 201 |
| Mus. ms. 2683 | *Mbg* | 109, 197 |
| Mus. ms. 6473 | *Mbg* | 182 |
| Mus. ms. 6610 | *Mbg* | 55 (66) |
| Mus. ms. 6610/1 | *Mbg* | 55 (66) |
| Mus. ms. 6611 | *Mbg* | 55 (66) |
| Mus. ms. 6611/1 | *Mbg* | 55 (66) |
| Mus. ms. 6712 | *Mbg* | 56 (66) |
| Mus. ms. 6715 | *Mbg* | 83 (221), 108, 123 (46) |
| Mus. ms. 6715/1 | *Mbg* | 83 (221), 108, 123 (46) |
| Mus. ms. 8550 | *Mbg* | 56 (66) |
| Mus. ms. 16485 | *Mbg* | 108, 168 |
| Mus. ms. 17337 | *Mbg* | 37 (159) |
| Mus. ms. 17670 | *Mbg* | 41 (196), 106, 144, 149, 155 ff. |

| | | |
|---|---|---|
| Mus. ms. 18254 | *Mbg* | 189 (*383*) |
| Mus. ms. 20021 | *Mbg* | 150 |
| Mus. ms. 30021 | *Mbg* | 108, 168 |
| Mus. ms. 30112 | | 111, 135, 148, 151, 185, 187 (*371*) |
| Mus. ms. 30142 | | 83 (*221*), 108, 123 (*46*) |
| Mus. ms. 30194 | *Mbg* | 199 |
| Mus. ms. 30245 | | 111 |
| Mus. ms. 30381 | *Mbg* | 199 |
| Mus. ms. 30439 | *Mbg* | 191 |
| Mus. ms. 38111 | *Mbg* | 108, 169 |
| Mus. ms. 40035 | * | 99 (*300*), 122 (*45*), 142 (*118*), 147, 151, 169 |
| Mus. ms. 40037 | *Mbg* | 111, 185 |
| Mus. ms. 40076 | * | 169 f. |
| Mus. ms. 40136 | * | 120 (*19*) |
| Mus. ms. 40147 | * | 93 (*284*) |
| Mus. ms. 40266 | *Mbg* | 55 (*66*) |
| Mus. ms. 40268 | *Mbg* | 99 (*300*), 109, 202 |
| Mus. ms. 40295 | * | 199 f. |
| Mus. ms. 40335 | *Mbg* | 41, 97, 99 (*300*), 107, 133, 135 |
| Mus. ms. 40644 | *Tb* | 190 f., 202, 206, 208 |
| Mus. ms. autogr. Kerll | | 137 |
| Mus. ms. Bach P 203 | *Mbg* | 176 |
| Mus. ms. theor. 1190 | | 189 (*388*) |
| Mus. ms. L 121 | | 55 (*66*), 118 |
| Mus. ms. L 215 | | 36 (*151, 156*), 75, 77 |
| Mus. ms. L 297 | | 88 (*251*) |
| Mus. ms. W 38 | | 55 (*66*) |
| AmB. 340 | *Tb* | 99 (*300*), 122 |
| AmB. 366 | *Tb* | 83 (*221*) |
| AmB. 430 | | 109, 197 |
| AmB. 434 | *Tb* | 108, 123 (*46*) |
| AmB. 448 | | 83 (*221*) |
| AmB. 462 | | 109, 197 |
| AmB. 464 | | 55 (*66*) |
| AmB. 529 | | 56 (*66*) |
| Lynar A1 | | 36 f. (*154, 158*) |
| Lynar A2 | | 36 (*154*), 48 (*16*) |

BERLIN, Bibliothek der ehemaligen Hochschule für Musikerziehung und Kirchenmusik (Sämtliche Manuskripte durch Kriegseinwirkung verlorengegangen, Signaturen nur teilweise bekannt)

| | |
|---|---|
| Ms. 471 | 88 (*251*), 168 |
| Ms. 1476 | 109, 197 |
| Ms. 5270 | 78 f., 97, 106 f., 132, 134, 136, 140, 145 |
| Ms. *Buxtehude* | 200 |
| Ms. *Frobergers Fugen* | 26 (*94*), 108, 123 (*46*) |
| Ms. *H K* | 78 (*197*) |
| Ms. *C. S.* | 56 (*66*) |

BRÜSSEL, Bibliotheque Royal

| | |
|---|---|
| Ms. 2978 | 56 (*66*) |

DARMSTADT, Hessische Landes- und Hochschulbibliothek

| | |
|---|---|
| Mus. 17 | 93 (284) |
| Mus. 18 | 93 (284) |
| Mus. 4061 (alte Signatur; durch Kriegs-einwirkung vernichtet) | 191 |

DRESDEN, Sächsische Landesbibliothek

| | |
|---|---|
| Mus. 1/B/98 (vernichtet) | 55 (66), 83, 147, 151 |
| Mus. 1/B/98a | 55 (66), 83 ff., 147, 151 |
| Mus. 1/T/6 | 135, 138 f. (97), 141 |
| Mus. 2015/T/1 | 191 f. |

GRAZ, ehemalige Privatbibliothek Bischoff
(siehe Wien, Österreichische Nationalbibliothek S. m. 3420)

STIFT GÖTTWEIG (Niederösterreich), Musikarchiv

| | |
|---|---|
| Ms. Poglietti | 145, 150 |

DEN HAAG, Gemeente-Museum

| | |
|---|---|
| Frankenbergersches Walther-Autograph | 111, 158, 201 |

HAMBURG, Staats- und Universitätsbibliothek
(Sämtliche genannten Manuskripte durch Kriegseinwirkung vernichtet)

| | |
|---|---|
| ND VI Nr. 2426 | 137 |
| ND VI Nr. 3197h | 167 |
| ND VI Nr. 3208 | 131 |
| ND VI Nr. 3335 | 137 |

KÖNIGSBERG, Universitätsbibliothek
(Derzeitiger Zustand der Manuskripte unbekannt)

| | |
|---|---|
| Abt. Gotthold Nr. 14314 (12) | 199 |
| Abt. Gotthold Nr. 15839 | 111, 185, 201 |

KREMSIER (KROMĚŘÍŽ), Bibliothek des ehemaligen Kollegiatkapitels

| | |
|---|---|
| Poglietti-Fragment | 106, 145, 155, 157 |
| Poglietti, Ribellione | 144, 160 f. |

STIFT KREMSMÜNSTER (Oberösterreich), Regenterei

| | |
|---|---|
| L 146 | 23 (74), 41, 80 ff., 106, 131 (101), 142, 145 f., 148, 150, 151, 152, 154, 156 f., 158 ff. |

LEIPZIG, Städtische Musikbibliothek

| | |
|---|---|
| II. 2. 51 | 48 (17), 99 (300), 109, 111, 120 (20), 141, 123 (46),133, 185, 199 |
| II. 6. 19 | 93 (284), 123 |
| III. 8. 4 | 122 (40), 139 (97), 190, 202, 206, 208 |
| III. 8. 5 | 137 |
| III. 8. 25 | 55 (66) |

LONDON, British Museum

| | |
|---|---|
| Ms. add. 31.221 | 88 (251), 168 |
| Ms. add. 31.501 | 77 |
| Ms. add. 32.151 | 145, 150 |

LÜNEBURG, Ratsbücherei

| | |
|---|---|
| Mus. ant. pract. K N 147 | 36 (154), 75 (176), 94 ff., 122, 128 |
| Mus. ant. pract. K N 206 | 94 f. |
| Mus. ant. pract. K N $\frac{207}{6}$ | 94 ff. |
| Mus. ant. pract. K N $\frac{207}{14}$ | 94 ff. |
| Mus. ant. pract. K N 1198 | 93 (284) |

LUND, Universitätsbibliothek

| | |
|---|---|
| W. Litt. G 29 | 203 |
| W. Litt. N 1 | 201 (435) |
| W. Litt. N 1b | 200 |
| W. Litt. N 2 | 200 |
| W. Litt. N 5 | 109, 199 |
| W. Litt. N 6 | 200 |
| W. Litt. N 8 | 200 |
| W. Litt. N 9 | 201 |
| W. Litt. U 5 | 201 |
| W. Litt. U 6 | 199 |
| Engelh. 216 | 201 |

MÜNCHEN, Bayerische Staatsbibliothek

| | |
|---|---|
| Ms. 1177 | 108, 168 |
| Ms. 4114 | 83 (251) |
| Ms. 4495 | 145, 149 |

MÜNCHEN, ehemalige Privatbibliothek Sandberger

| | |
|---|---|
| Pachelbel-Manuskript | 108, 168 |

MYLAU (Vogtland), Kirchenarchiv

| | |
|---|---|
| *Tabulatur BUCH 1750* | 88 (251), 92 (281), 108, 168, 172, 176 |

NEW HAVEN (Connecticut), Library of the Yale Music School

| | |
|---|---|
| Ma. 21. H 59 | 36 (154), 93 ff., 107, 122, 127, 133, 140 f. |
| LM 4982 | 88 (251), 109, 154, 157, 158 ff., 161 ff., 169, 172 |
| LM 4983 | 169, 199, 202 |
| LM 5056 | 37 (158), 39 (174), 41, 70 (127), 92 (274), 97, 99 ff., 119 (16), 122, 123 (46), 132, 134, 136, 146, 148, 168, 171 f., 174 f., 185 ff., 191 ff., 199, 201, 204 ff. |

NYKØBING (Falster), Privatbesitz von Postmeester Ryge

| | |
|---|---|
| *Familien Ryge's Slaegtsbog* | 93 (284), 162, 190, 202 f., 206 f. |

PARIS, Bibliotheque Nationale

| | |
|---|---|
| Vm⁷ 1817 | 131, 135, 137, 140 (107) |
| Vm⁷ 1818 | 131 |

PLAUEN (Vogtland), Bibliothek des Kirchenchores

(durch Kriegseinwirkung vernichtet)

| | |
|---|---|
| Orgelchoralbuch | 111, 185 |

UPPSALA, Universitätsbibliothek

| | |
|---|---|
| Ms. 409 | 128 (80) |
| Ms. 410 | 199, 203 |

WIEN, Österreichische Nationalbibliothek

| | |
|---|---|
| Cod. 16560 | 26 (94), 38, 41, 76, 85 |
| Cod. 16789 | 93 (284), 123, 127 |
| Cod. 18577 | 145, 150 |
| Cod. 18580 | 131, 152 |
| Cod. 18685 | 137 |
| Cod. 18706 | 26 (94), 38, 41, 75 f., 122 |
| Cod. 18707 | 26 (94), 38, 41, 76, 98 |
| Cod. 18731 | 79, 110 f., 185 ff. |
| Cod. 19167 | 75 (177), 158 (194) |
| Cod. 19240 | 149 (160) |
| Cod. 19248 | 26 (94), 39 (171), 75, 77, 106, 143 f., 151, 152 ff., 158 f., 161 f. |
| Cod. 19499 | 93 (284) |
| S. m. 3420 | 106, 147, 155, 157, 159 f. |

(Unter dieser Signatur befindet sich hier seit 1928 das Poglietti-Manuskript aus der Bibliothek von F. Bischoff, wie mir erst nach der Herstellung des Umbruchs bekannt wurde. — Unter der Signatur S. m. 5070 findet sich eine 1929 erworbene Abschrift der 12 Ricercari von Poglietti, vom selben Kopisten stammend wie Faszikel IV in Mus. ms. 17670 der Berliner Staatsbibliothek; der Zettelkatalog der Österreichischen Nationalbibliothek nennt fälschlich G. R. Kiesewetter als Schreiber.)

WIEN, Bibliothek der Gesellschaft der Musikfreunde

| | |
|---|---|
| IX  3283/h | 145, 150 |
| IX  6809 | 145, 149 |
| IX 23433 | 145, 150 |

WIEN, Musikarchiv des Minoritenkonventes

| | |
|---|---|
| XII 598 | 40 (184) |
| XIV 682 | 107, 137 |
| XIV 683 | 86 (245) |
| XIV 687 | 91 (263) |
| XIV 694 | 55 (66) |
| XIV 695 | 55 (66) |
| XIV 696 | 55 (66) |
| XIV 697 | 55 (66) |
| XIV 698 | 55 (66) |
| XIV 699 | 56 (66) |
| XIV 700 | 56 (66), 90 |
| XIV 701 | 56 (66), 91 (262) |
| XIV 708 | 85 (234), 87 |
| XIV 709a | 55 (66), 146, 151 |
| XIV 709b | 55 (66) |
| XIV 710 | 55 (66), 83 (221), 84, 87, 144, 149, 151 |
| XIV 711 | 55 f. (66), 79, 83 (221), 87, 144, 150 |
| XIV 713 | 39 (170), 88 (251), 91 (265), 93 (284), 131, 139, 146, 151 |
| XIV 714 | 35 (148), 40 (182), 48 (17) |
| XIV 717 | 89 ff., 158 |
| XIV 718 | 89 ff., 131, 135, 147 |
| XIV 719 | 89 ff., 133 |
| XIV 720 | 89 ff., 131 |
| XIV 721 | 89 ff., 133, 135 |
| XIV 722 | 89 ff. |
| XIV 725 | 88 (251), 91 (267) |
| XIV 726 | 112 (356) |
| XIV 727 | 88 (251), 147, 151 |
| XIV 728 | 55 (66) |
| XIV 729 | 88 (251), 93 (284), 139 |
| XIV 730 | 88 (251), 146, 152 |
| XIV 731 | 93 (284), 107, 137, 147 |
| XIV 734 | 92 (276) |
| XIV 735 | 92 (276) |
| XIV 736 | 92 (276) |
| XIV 743 | 93 (248) |